Robert Fabbri

II

Alexanders erfenis

De drie paradijzen

Uitgegeven door Xander Uitgevers
www.xanderuitgevers.nl

Oorspronkelijke titel: *Alexanders Legacy. The Three Paradises*
Oorspronkelijke uitgever: Corvus
Vertaling: Joost Zwart
Omslagontwerp: Larry Rostant
Bewerking Nederlands omslag: Mark Hesseling, Wageningen
Kaart en illustraties: ©Anja Müller
Auteursfoto: James Potter
Zetwerk: ZetSpiegel, Best

Eerste druk 2021

ISBN 978 90 452 2171 7 | NUR 302

Voor mijn dochter Eliza en haar aanstaande echtgenoot Tom Simpson, ik wens jullie beiden alle geluk in jullie leven samen.

SELEUKOS
THE BULL-ELEPHANT
ROXANNA
THE WILD-CAT
POLY PERCHO
THE GREY
ILLYRIA
MACEDON
THRACE
PASSERON
PELLA
EPIRUS
DODONIA
THESSALY
LAMIA
KARDIA
CIUS
HELLESPONTINE
PHRYGIA
LYDIA
SARDIS
PHRYGIA
HALYS
KAPPADOKIA
ARME
ATHENS
EPHESUS
CARIA
CELAENAE
MAZACA
NORA
PISIDIA
TERMESSUS
CILICIA
TARSUS
ISSUS
MESOPOTAMIA
RHOSOS
THAPSACUS
ASSYRIA
THE THREE PARADISES
CYRENE
CYPRUS
SYRIA
EUPHRATES
BERYTOS
DAMASCUS
CYRENAICA
TYROS
NILE DELTA
HIEROSPHYMA
BABYLON
ALEXANDRIA
PELUSIUM
BABYL
MEMPHIS
ARABIA
EGYPT
NILE
W
PTOLEMY
THE BASTARD
KASSANDROS
THE JEALOUS

NTIGONOS
HE ONE-EYED
OLYMPIAS
THE MOTHER
ANTIPATROS
THE REGENT
MARACANDA
SOGDIANA
ALEXANDRIA
OXIANA
ALEXANDRIA
MARGIANA
BACTRIA
ZARIASPA
SIRACA
MARGUS
SUSIA
PARTHIA
CASPIAN
GATES
ECBATANA
ALEXANDRIA
ARIORUM
ARIA
PARAPANISUS MTS
ARACHOSIA
INDIA
SUPERIOR
SUSIANA
PERSIS
PERSEPOLIS
INDIA
INFERIOR
INDIA
EUMENES
THE SLY
ADEA
THE WARRIOR

PTOLEMAEUS, DE BASTAARD

Legers klagen altijd, peinsde Ptolemaeus toen hij uit de boot over een afgehakte arm stapte, die aangespoeld was op de oostoever van de Nijl. Maar dit leger heeft meer reden dan de meeste. Met een glimlach en een knik begroette hij de Macedonische officier, halverwege de dertig, zo'n tien jaar jonger dan hij, die hem met twee paarden opwachtte. Een bereden escorte stond enkele meters verderop klaar, de warme gloed van de ondergaande zon op hun gezicht. 'Ze zijn klaar om te praten, neem ik aan, Arrhidaeus?'

'Zeker,' antwoordde Arrhidaeus en hij bood zijn hand aan toen Ptolemaeus dreigde uit te glijden in de modder langs het met bloed doortrokken water van Egyptes heilige rivier.

Ptolemaeus wuifde de hulp weg. 'De vraag is nu wie hun delegatie zal leiden, Perdikkas of een van zijn officieren?'

'Ik heb met Seleukos, Peithon en Antigenes gesproken; volgens hen is Perdikkas het obstakel voor vrede, hij moet weg als hij zo koppig blijft.'

Ptolemaeus vertrok zijn gezicht bij het idee, hij wreef over zijn gespierde nek en liet die met een snelle hoofdbeweging kraken. 'Het zou voor iedereen beter zijn als hij overgehaald kan worden om zich redelijk op te stellen en te onderhandelen; extreme maatregelen zijn niet nodig.' Hij gebaarde op en neer langs de rivier, waar overal lijken lagen; vele boden een gruwelijke aanblik, het werk van de vele krokodillen van de Nijl. 'Nu hij zoveel jongens heeft verloren bij zijn poging de rivier over te steken moet hij toch verstandig genoeg zijn om zich terug te trekken met een compromis waarmee hij zijn gezicht redt.'

'Hij vergeeft u de roof van Alexanders lichaam nooit; volgens zijn officieren wil hij alleen om de tafel als u hem de katafalk teruggeeft.'

'Tja, die krijgt hij niet.' Ptolemaeus grijnsde, zijn donkere ogen twinkelden van pret. 'Misschien ben ik degene die koppig is, maar het is nu eenmaal nodig. Door Alexanders lichaam in Memphis bij te zetten en later naar Alexandrië over te brengen als daar eenmaal een passend mausoleum is gebouwd, krijg ik legitimiteit, Arrhidaeus.' Hij sloeg met zijn vuist tegen het leren kuras dat zijn borst bedekte. 'Het maakt me zijn opvolger in Egypte en ik ben vastbesloten hier te blijven. Perdikkas mag verder alles hebben wat hij kan houden, maar Alexander krijgt hij niet terug en Egypte krijgt hij ook niet.'

'Dan denk ik niet dat hij bij de onderhandelingen aanwezig zal zijn.'

'Helaas zou je weleens gelijk kunnen hebben. Het was idioot van Perdikkas, hij had Alexander gewoon in Babylon moeten laten, dan had hij zich op het verstevigen van zijn positie in Azië kunnen richten, maar ja, hij wilde het hele rijk pakken door Alexander naar Macedonië te brengen. Iedereen weet dat de koningen van Macedonië traditioneel hun voorganger begraven; hij wilde koning van ons allemaal zijn, maar dat is onacceptabel.'

'En daarom was het besluit om het lichaam naar Egypte te halen juist.'

'Ik heb het niet alleen gedaan, beste vriend. Jij was degene die de katafalk leidde; jij hebt me de mogelijkheid geboden hem van Perdikkas af te pakken.'

'Ik stel me graag het gezicht van die arrogante klootzak voor toen hij het hoorde.'

'Ik had er graag bij willen zijn, maar ja, nu is het te laat.' Ptolemaeus zoog de lucht tussen zijn tanden door, pakte de teugels van zijn paard en aaide het dier over de neus. 'Dat het zo ver heeft moeten komen,' vertrouwde hij het dier toe, 'Alexanders volgelingen die elkaar vermoorden om zijn lichaam.' Het paard snoof en stampte met een hoef. Ptolemaeus blies in de neusgaten. 'Je doet er goed aan je gedachten voor je te houden, beste vriend.' Hij keek naar Perdikkas' kamp, iets meer dan drie mijl verderop, wazig door de hitte en de rook van de vele kookvuren, en hees zich vervolgens in het zadel. 'Zullen we gaan?'

Arrhidaeus knikte en steeg op, hij zette zijn rijdier tot een lichte draf aan. 'Vlak voordat ik liet weten dat u de rivier kunt oversteken heeft Seleukos me uw veiligheid in het kamp gegarandeerd. Hij zei ook dat u de troepen kunt toespreken. Hij wil erg graag tot een vergelijk met u komen.'

'Dat kan ik me voorstellen, hij is de ambitieuste van Perdikkas' officieren; ik zou hem bijna mogen.'

'En ik denk dat hij u ook bijna mag.'

Ptolemaeus gooide zijn hoofd achterover en lachte. 'Ik kan maar beter zo veel mogelijk bijna-vrienden maken. Ik neem aan dat hij iets lucratiefs wil: de satrapie van Babylonië bijvoorbeeld, als die post tenminste vrijkomt en we Archon kunnen lozen, de kandidaat van Perdikkas.'

'Ik zou zeggen dat dat precies is wat hij wil. Zoals alle ambitieuze mannen ziet hij ook in een nederlaag kansen.'

'Perdikkas en zijn bondgenoten hebben hier in het zuiden van mij verloren, maar in het noorden liggen de zaken anders; ze weten nog niet dat Eumenes Krateros en Neoptolemus heeft verslagen en gedood.'

Er speelde een samenzweerderig lachje om Arrhidaeus' lippen. 'Als ze het wisten durf ik er heel wat onder te verwedden dat ze minder happig zouden zijn hun leider te vermoorden als hij weigert te onderhandelen.'

Ptolemaeus schudde zijn hoofd en fronste, hij kon de spijt niet van zich afzetten die hij voelde over de moord op een van de medelijfwachten van Alexander, een van de zeven. 'Dat het echt zo ver heeft moeten komen, en zo snel; ooit waren we broeders, we veroverden de hele wereld, en nu gaan we elkaar te lijf, en dat allemaal omdat Alexander zijn ring aan Perdikkas gaf en vervolgens weigerde een opvolger aan te wijzen. Perdikkas de halfgekozene wordt nu Perdikkas de helemaal dode.' Hij leunde opzij en sloeg Arrhidaeus op de schouder. 'En ik veronderstel, beste vriend, dat jij en ik de nodige verantwoordelijkheid dragen voor zijn dood.'

Arrhidaeus spuugde. 'Hij heeft het met zijn arrogantie over zichzelf afgeroepen.'

Ptolemaeus kon dat alleen maar beamen. In de twee jaar sinds Alexanders dood in Babylon had Perdikkas geprobeerd het rijk bij elkaar te houden door hooghartig het opperbevel op zich te nemen, alleen omdat Alexander hem de Grote Ring van Macedonië had gegeven met de woorden 'Voor de sterkste,' zonder te zeggen wie hij daarmee bedoelde.

Ptolemaeus had onmiddellijk begrepen dat de grote man met die drie woorden het zaad van tweedracht had gezaaid en hij vermoedde dat Alexander het met opzet had gedaan om te voorkomen dat iemand hem zou overtreffen. Als hij het expres had gedaan was zijn plan schitterend geslaagd, want wat eens ondenkbaar was, was gebeurd: binnen achttien maanden na zijn dood hadden voormalige kameraden Macedonisch bloed laten vloeien. Er was vrijwel direct oorlog uitgebroken toen de Griekse staten in het westen tegen de Macedonische heerschappij in opstand kwamen, terwijl de Griekse huurlingen die in het oosten waren gelegerd hun posten hadden verlaten en naar het westen waren gemarcheerd. Ruim twintigduizend man waren in een lange colonne op weg naar huis gegaan, naar de zee; maar ze waren op Seleukos' bevel tot op de laatste man afgeslacht bij de Kaspische Poorten als waarschuwing aan eenieder die voordeel wilde halen uit Alexanders dood.

In het westen was de Griekse opstand neergeslagen door Antipatros, de oude regent van Macedonië, al was het met de nodige moeite; hij werd aanvankelijk verslagen en had zich gedwongen gezien zich in de stad Lamia terug te trekken, waar hij een winter lang belegerd werd. De ijdele en verwaande Leonnatus kwam hem te hulp, maar bij het breken van het beleg verloor hij het leven en daarmee was Leonatus de eerste van de zeven lijfwachten van Alexander die stierven. Antipatros was terug naar Macedonië gegaan om zich te hergroeperen en met hulp van Krateros – de grootste levende generaal van Macedonië en de lieveling van het leger – had hij de opstand neergeslagen en

Athene, de leider van de rebellie, een garnizoen en een pro-Macedonische oligarchie opgelegd.

Met het westen veilig had Antipatros Perdikkas de oorlog verklaard omdat die zijn dochter Nicaea als echtgenote had aanvaard en vervolgens afgewezen omdat hij toegezegd had met Kleopatra te trouwen, de volle zuster van Alexander. Daarmee was de eerste oorlog tussen Alexanders opvolgers begonnen, waarbij de kleine Eumenes, Alexanders voormalige Griekse secretaris en inmiddels de satraap van Cappadocië, Perdikkas steunde. Eumenes had niet weten te voorkomen dat Antipatros en Krateros de Hellespont overstaken en in Azië landden omdat Kleitos, Perdikkas' admiraal, was overgelopen. Antipatros en Krateros hadden echter de krijgskunsten van Eumenes onderschat omdat hij nooit een belangrijk militair commando had gehad, en daardoor maakten ze de fout hun legers te splitsen: Krateros zou de Griek verslaan, terwijl Antipatros naar het zuiden zou optrekken om met Perdikkas af te rekenen. De sluwe kleine Eumenes bleek echter een uitstekende generaal te zijn. Ondanks het overlopen van zijn voormalige bondgenoot Neoptolemus versloeg Eumenes Krateros, en in de slag vonden Krateros en de verraderlijke Neoptolemus de dood.

Dat feit was nu nog alleen bij Ptolemaeus bekend, want zijn vloot beheerste de Nijl en daardoor had hij weten te voorkomen dat het nieuws Perdikkas' kamp bereikte: als ze hadden geweten dat Eumenes in het noorden een overwinning had behaald en dat Antipatros' leger tussen hen en Eumenes' leger zat, zouden ze mogelijk heel wat minder gretig zijn om vrede te sluiten.

En dus was Ptolemaeus een man met haast.

SELEUKOS, DE OLIFANTENSTIER

Seleukos wierp nog even een blik op het met bloed bevlekte mes in zijn hand toen hij de menigte in liep die Perdikkas' tent omringde. Hij was breedgeschouderd en had een dikke stierennek en was een kop groter dan de meeste mannen; hij keek naar de veelal bebaarde gezichten om hem heen, de meeste in de veertig of ouder – zeker tien jaar ouder dan hij. Het waren allemaal veteranen van Alexanders campagnes die nu voor Perdikkas vochten, tegen mede-Macedoniërs die door omstandigheden in Ptolemaeus' leger zaten. De belofte van een aandeel in de rijkdommen van Egypte had deze mannen ertoe gebracht zich tegen hun voormalige kameraden te keren; maar die voormalige kameraden hadden hen verslagen toen ze probeerden de Nijl over te steken. Velen waren kopje-onder gegaan toen het zand onder hun voeten wegspoelde door de wervelingen die ontstonden door Perdikkas' onverstandige bevel de legerolifanten stroomopwaarts het water in te sturen in een poging de stroming te breken; de ramp had krokodillen aangetrokken, die een feestmaaltijd overhielden aan de blunder. En daarom verdrong de menigte zich boos rond de tent van hun commandant; boos vanwege de gruwelijke dood die zovelen van hun kameraden had getroffen; de trotse veteranen van Alexander vonden het onverteerbaar om te sterven in de muil van een reptiel nadat ze een groot deel van de wereld hadden veroverd – en ze wisten heel goed wie er verantwoordelijk voor was.

'Wat heb je gedaan?' gromde een stem rechts van hem.

Seleukos keek opzij en zag Docimus, nog altijd trouw aan Perdikkas, op hem af lopen met zijn hand op zijn zwaardgevest. 'Ik zou me maar omdraaien als ik jou was en je vriendje Polemon zoeken en ervandoor gaan voordat ze je ophangen, Docimus; je beschermheer is dood.' Hij hield het bebloede mes omhoog. Achter hem stonden Peithon en Antigenes, ook zij met bebloede handen, ze glimlachten dun en dreigend. Docimus stopte, keek nogmaals naar het bloed en liep snel weg.

Seleukos draaide zich om zonder nog een moment aan Docimus te denken; hij had een veel belangrijkere taak voor zich. Zonder enige angst klom hij op een kar en stak zijn bebloede dolk in de lucht; achter hem voegden Peithon en Antigenes zich bij hem op het geïmproviseerde podium. *Óf ze maken ons af óf ze juichen ons toe; gisteren zou het nog het eerste zijn geweest, maar na de ramp van vandaag vermoed ik het tweede.* Toen de veteranen zagen dat Perdikkas' drie hoogste officieren zonder meer hun verantwoordelijkheid toegaven voor de moord op de drager van Alexanders ring, ontvangen uit diens eigen handen toen hij op sterven lag, bromden ze hun goedkeuring – iets wat nog maar twee jaar eerder ondenkbaar was geweest, toen de grote man net dood was. Maar twee jaar eerder was het ook ondenkbaar geweest dat een Macedoniër het bloed van een landgenoot zou vergieten.

Er was heel wat veranderd.

'Perdikkas is dood,' verkondigde Seleukos, zijn stem hoog en galmend om over het gedrang van duizenden mannen te reiken. 'Wij drieën hebben het op ons genomen om dit ene obstakel voor vrede weg te nemen; de man wiens arrogantie tot de dood van zovelen van onze kameraden heeft geleid. De man die roekeloos Nicaea, de dochter van Antipatros, regent van Macedonië, als vrouw aanvaardde en vervolgens verstootte, waardoor hij Azië tegen Europa opzette; de man die zich met intriges inliet en met Alexanders zuster Kleopatra wilde trouwen om zichzelf tot koning te maken. Koning! Koning, terwijl hij gezworen had als regent voor zijn twee pupillen te regeren, de rechtmatige koningen Alexander en Philippus.' In zijn ooghoek zag hij twee vrouwen die zich omdraaiden en met hun gevolg elk naar hun eigen tent terugliepen: Roxanna, de moeder van de tweejarige Alexander, de vierde van die naam, en Adea, bekend als koningin Eurydike sinds haar huwelijk met Alexanders zwakzinnige halfbroer Philippus, de derde koning van Macedonië met die naam. *Nu jullie weten wat jullie voormalige beschermheer echt van plan was, zou het slim zijn als jullie wat dankbaarder en wat minder luidruchtig zouden zijn, trutten.* 'Ik stel voor dat we in de geest van verzoening en in het besef van Perdikkas' waanzin – een waanzin waarin we allen werden meegesleept – Ptolemaeus vragen regent van de twee koningen te worden.' Hij bekeek de gezichten in zijn publiek en zag nergens afkeuring. *Ik geloof dat ik het juiste moment heb gekozen. Als ze zich niet verzetten tegen mijn voorstel om Ptolemaeus regent te maken, dan zal hij zijn dankbaarheid ongetwijfeld tonen door mij Babylonië te geven. Het is aan Ptolemaeus om de geest van verzoening voort te zetten.* 'Ptolemaeus, onze broeder tegen wie we gedwongen waren te vechten omdat Perdikkas ons tot een collectieve waanzin had opgestookt, zal de rivier oversteken om over vrede te praten; we zullen het voorstel dan aan hem voorleggen.' Op deze uitspraken volgde instemmend gemompel. 'Kassandros is er ook.' Hij wees naar de plek waar hij het laatst met Antipatros' oudste zoon had gesproken, vlak voordat hij Perdikkas' tent was binnengegaan, maar hij zag diens bleke, pokdalige gezicht nergens in de menigte. 'Hij is gekomen met het verzoek van zijn vader Antipatros om allemaal bij elkaar te komen in De Drie Paradijzen in de cederbossen in de heuvels boven Tripolis in Syrië, waar we een definitief akkoord zullen sluiten.' Hij zweeg even voor het verwachte gejuich, maar was teleurgesteld door het matige volume.

'Een akkoord dat iedereen omvat,' schreeuwde Kassandros, die tot Seleukos' verrassing achter hem op de kar sprong. Hij glimlachte naar de menigte met de charme van een hondsdolle hond, zijn bleke, diepliggende ogen aan weerszijden van zijn haviksneus volkomen emotieloos; met zijn dunne, knokige benen, smalle schouders en zwakke borst leek hij niet gebouwd te zijn voor het rijkversierde kuras van een Macedonische generaal, hij leek eerder een vogel die per ongeluk in het harnas was gevlogen, en toch had hij een aanwezigheid die aandacht eiste. De manschappen vielen stil. 'Mijn vader heeft de satrapen uit het hele rijk gevraagd om te komen, zelfs Eumenes, ondanks – of misschien wel dankzij – zijn steun voor Perdikkas. Mijn vader en ik zijn vastbesloten dat Macedoniërs nooit meer tegen Macedoniërs zullen vechten! Mijn vader en ik zullen ervoor zorgen dat jullie, dappere soldaten van Macedonië, nooit meer zullen lijden onder de handen van jullie kameraden.'

Het gejuich donderde onder de donker wordende hemel, terwijl Kassandros zijn armen omhoogstak, de handen in elkaar geslagen, alsof hij net een worstelpartij had gewonnen op de spelen.

Seleukos wisselde een korte, maar veelbetekenende blik uit met Antigenes en glimlachte vervolgens naar Kassandros. Hij legde een gespierde, harige arm rond diens lange maar magere lichaam. *Ik zie dat ik je maar beter in de gaten kan houden, misbakseltje; iemand die door mijn mannen harder wordt toegejuicht dan ik kan een vernedering verwachten.* 'Mooi gezegd, Kassandros,' schreeuwde hij zodat iedereen het kon horen. 'Ik zie dat we een gemeenschappelijk doel hebben.' Ondanks deze positieve woorden maakte één blik op Kassandros' strakke gezicht Seleukos duidelijk hoe het werkelijk zat, en dat verbaasde hem niet. *En wat zou ik eigenlijk met jou willen bereiken?* Hij wendde zich weer tot de menigte en gebaarde om stilte. 'Nu gaan we eerst om onze doden rouwen en morgen bij zonsopgang komt de legervergadering bijeen, dan zullen we horen wat Ptolemaeus te zeggen heeft.'

'Is het verstandig om Ptolemaeus de mannen toe te laten spreken?' vroeg Antigenes toen hij, Seleukos, Peithon en Kassandros op de satraap van Egypte wachtten. Met het vallen van de nacht daalde de temperatuur. Een tiental lampen en enkele vuurpotten verwarmden de tent en verlichtten de donkere bloedvlek op het oosterse tapijt, een getuige van de misdaad die hier nog maar drie uur eerder was gepleegd. Het belangrijkste bewijsstuk, het lijk, was snel weggemoffeld om te voorkomen dat het aanleiding tot onvrede over de nieuwe leiders zou vormen.

'Hebben we een keuze?' antwoordde Seleukos. Hij sloeg een beker wijn in één teug achterover.

'Je zegt "we" maar eigenlijk heb jij als enige je woord aan Arrhidaeus gegeven; dat deed je zonder met mij of Peithon te overleggen.'

'Ik heb jullie beiden de kans gegeven om bezwaar te maken, maar dat deden jullie niet.' Seleukos wuifde de kritiek weg. 'Hoe dan ook, Ptolemaeus moet de kans krijgen om te spreken. Hij heeft Alexanders lichaam; hij moet uitleggen waarom hij het heeft gestolen. Als hij zijn daad kan rechtvaardigen, maakt hij Perdikkas' besluit om ten strijde te trekken alleen maar dubieuzer.'

'En als Ptolemaeus de mannen niet kan overtuigen?' vroeg Kassandros.

Seleukos bromde en produceerde een half glimlachje. 'Heb je ooit meegemaakt dat Ptolemaeus zich ergens niet uit kon kletsen?' Hij stopte abrupt, alsof hem iets van vitaal belang te binnen schoot. 'O, natuurlijk, wat dom van me; jij moest in Macedonië achterblijven, nietwaar, Kassandros? Je kunt je hem waarschijnlijk nauwelijks meer herinneren; al heb je hem wel gezien in de paar maanden na Alexanders dood, voordat hij naar Egypte vertrok.' Seleukos trok een gezicht alsof hij diep moest nadenken. 'Jij wás toch in Babylon, toen?'

'Je weet heel goed dat ik er was.'

'Natuurlijk, nu herinner ik het me; je kwam de dag voordat Alexander ziek werd. Je was helemaal uit Pella gekomen omdat Alexander Krateros naar Macedonië had gestuurd om je vader als regent af te lossen, en je had een brief bij je waarin hij om bevestiging van het bevel vroeg. We vonden het allemaal maar gek dat Antipatros zijn zoon als boodschapper stuurde, terwijl ieder ander ook goed was geweest, vooral ook omdat alleen al de aanblik van je gezicht Alexander een woedeaanval bezorgde, zo groot was zijn afkeer van jou.' Hij glimlachte breed naar de boos kijkende Kassandros. 'Uiteindelijk deed het er niet toe, toch? Alexander was drie dagen na je komst dood.' Hij wierp Peithon en Antigenes een veelbetekenende blik toe. 'Kwam dat even goed uit.'

Kassandros sprong op. 'Wat insinueer je?'

Seleukos gebaarde dat hij weer moest gaan zitten. 'Niets, Kassandros, helemaal niets. Je jongere broer Iollas was Alexanders schenker; het feit dat hij zijn wijn en water mocht mengen bewijst hoeveel vertrouwen Alexander in jouw familie had, ook al had hij persoonlijk een hekel aan jou.'

Kassandros wierp een blik van pure woede op Seleukos, maar zette een stap naar achteren toen de grotere man ontspannen zijn knokkels liet kraken.

'Ik bedoel er niets mee, beste vriend,' zei Seleukos, die zijn beker volschonk met onversneden wijn en vervolgens zijn schouders ophaalde. 'Helemaal niets. Maar sommige mensen zullen een ongegrond verband gaan leggen als de geruchten niet de kop worden ingedrukt. Vind je ook niet, Antigenes?'

De ervaren generaal krabde op zijn kale schedel en zoog op zijn onderlip, alsof hij over een belangrijke zaak nadacht. 'Ja, dat denk ik wel. Een paar van mijn jongens verwonderden zich al over het toeval, maar ik heb ze verteld dat ze niet zo wantrouwig moeten zijn; af en toe moet ik ze nog terechtwijzen.'

Seleukos keek hem sympathiserend aan. 'Het zou jammer zijn als je daarmee ophield.'

'O, dat ga ik denk ik niet doen.'

Seleukos knikte instemmend. 'Nee, dat denk ik ook niet, tenzij iemand probeert zichzelf een beetje te populair bij onze jongens te maken met opzwepende toespraken die tot luid gejuich leiden.' Hij keek Kassandros rechtstreeks aan. 'In dat geval moesten we misschien, hoe zal ik het formuleren? Het vuurtje van geruchten aanwakkeren?'

'Dat ga je niet doen, vooral niet omdat je weet dat ik niets met Alexanders dood te maken had.'

'Is dat zo? Weet ik echt dat jij er niets mee te maken had?' Seleukos keek naar Peithon. 'Weet jij het zeker, Peithon?'

Peithon fronste, zijn trage geest werkte op volle toeren. 'Ik weet het niet.' Hij fronste opnieuw. 'Weet ik het zeker?'

'Laat maar. Antigenes, wat denk jij?'

'Op dit moment weet ik dat hij er niets mee te maken had,' stelde Antigenes, maar vervolgens hief hij een waarschuwend vingertje op. 'Maar als hij nog eens probeert tussen ons en onze jongens te komen, zoals hij daarnet deed, dan zou er weleens nieuw bewijs aan het licht kunnen komen.'

'Klootzakken,' snauwde Kassandros. 'Jullie zijn een stelletje provincialen, boerenkinkels met schapenstront aan je lul, en jullie bedreigen mij, de zoon van de regent van Macedonië? Hoe durven jullie?'

'Hoe durven we?' Seleukos keek verbaasd. 'Mijn vader, Antiochus, was een van Philippus' generaals, net als Peithons vader Creteuas. Antigenes heeft zich in de rangen opgewerkt en is nu zeer gerespecteerd in het hele leger; vergeet niet dat hij tot voor kort een van de hoogste officieren van Krateros was, en veel hoger kun je niet stijgen in dit leger. We durven jou te bedreigen, Kassandros, want hoe mooi je vader ook over vrede en samenwerking kan praten, we zijn niet gecharmeerd van je pogingen om je in de gunst van onze mannen te wurmen; we willen niet dat je hun loyaliteit krijgt en we willen je niet als rivaal. Het rijk heeft momenteel niet nog een rivaal nodig.' Hij hield zijn hand op. 'De ring, alsjeblieft.'

Kassandros schrok. 'Wat?'

'Alexanders ring, alsjeblieft. Hou je niet van de domme, ik weet dat je hem hebt. Wij drieën verlieten Perdikkas' tent terwijl hij aan het sterven was, met de ring nog aan zijn vinger, maar toen we het lijk lieten weghalen was de ring verdwenen. Ik zocht je toen ik de mannen toesprak, maar je was er niet, en opeens dook je achter me op, komend uit de richting van de tent. De ring, alsjeblieft.'

Kassandros bewoog zich niet.

'Je bent dood als je probeert deze tent met de ring te verlaten. Vandaag hebben we Perdikkas vermoord, Kassandros. Ondanks zijn fouten was hij in veel opzichten een groot man. Ik denk niet dat veel mensen het erg vinden als een stuk stront als jij sterft. De ring!'

Langzaam opende Kassandros een beurs aan zijn riem, zijn ogen schoten vuur toen hij naar Seleukos keek. Hij haalde de Grote Ring van Macedonië tevoorschijn, voorzien van de zestienpuntige zon, woog hem in zijn hand en wierp hem naar Seleukos alsof het een onbelangrijk prul was.

Seleukos ving de ring.

'Goedenavond, heren,' zei Ptolemaeus, die samen met Arrhidaeus door een wachter werd binnengelaten. Hij liet zijn ogen langs het gezelschap glijden. 'Alles in orde, mag ik hopen? Wat gaf Kassandros je net? Een ring, als ik me niet vergis? Nogal een grote, geloof ik.' Hij keek met overdreven afkeuring naar Kassandros. 'Wat moest een zwakkeling met zo'n grote ring?'

Kassandros sprong op. 'Zo praat je niet tegen me, Ptolemaeus!'

'Wat bedoel je met "zo"?' vroeg Ptolemaeus verrast. 'Ik benoemde slechts de feiten: het is een grote ring en jij bent een zwakkeling. Niet klein, zoals Eumenes, dat geef ik toe, maar niettemin zwak. Je hebt je eerste wildzwijn nog niet eens gedood.'

Kassandros vertrok zijn gezicht. 'Jullie vinden jezelf allemaal geweldig en denken dat jullie op me kunnen neerkijken omdat ik niet heb deelgenomen aan het grootste avontuur ooit omdat ik thuis moest blijven. Kijk die Kassandros toch, wat een zwakkeling. Hij heeft niet eens een wildzwijn gedood bij een jachtpartij, laat staan tegenover een Perzisch leger op het slagveld gestaan, hij is gewoon iemand die je kunt bespotten. Nou, ik kan jullie wat vertellen, dappere helden: ik mag dan niet het recht hebben om bij de maaltijd aan te liggen omdat ik mijn zwijn nog niet heb gedood, en jullie mogen denken dat ik bij elke maaltijd schaamte voel omdat ik rechtovereind moet zitten op de bank, als een jongeling met het eerste dons op zijn bovenlip. En jullie mogen ervan uitgaan dat ik elk dag spijt heb dat Alexander me achterliet omdat hij – onterecht – zwakheid in me zag en die niet kon verdragen. Maar dan hebben jullie het mis, want ik denk namelijk niet zoals jullie, snappen jullie?' Hij glimlachte en ontblootte daarbij zijn tanden. 'Ik schep geen genoegen in de jacht of dapperheid op het slagveld, ik hecht er gewoon geen waarde aan, waarom zou ik? Ik ben er niet op gebouwd, zoals jullie zo graag onderstrepen. Mijn prioriteiten liggen elders en jullie zullen snel genoeg ontdekken dat ze superieur zijn.' Hij draaide zich om en liep de tent uit zonder nog om te kijken.

'We schijnen een gevoelig punt te hebben geraakt,' merkte Ptolemaeus op. Hij wendde zich tot Seleukos. 'Dat is Alexanders ring, neem ik aan.'

'Klopt,' zei Seleukos. Hij hield hem op voor Ptolemaeus.

'Ik mag dus aannemen dat Perdikkas dood is, aangezien hij niet hier is en de ring wel.'

'We hadden geen keus.'

Ptolemaeus nam de ring en schoof hem over zijn wijsvinger. 'Wat moest Kassandros ermee?'

'Hij had hem van Perdikkas' lijk gestolen en dacht dat ik het niet doorhad.'

'O ja? Ik vraag me af wat hij ermee wilde; aan zijn vader geven of hem zelf houden?'

'Aan zijn vader geven, lijkt me,' stelde Antigenes.

Ptolemaeus keek naar de veteraan, niet overtuigd, en ging in Kassandros' stoel zitten. 'Na dat toespraakje ben ik daar niet zo zeker van, ik vermoed dat die kleine wezel grote ambities heeft.'

'Waanideeën van grootheid,' zei Arrhidaeus, die ook ging zitten.

'Hij is een zwakkeling!' snauwde Peithon.

'Onderschat nooit een man die meent alleen tegenover de rest van de wereld te staan; Kassandros is zo iemand, een toonbeeld ervan zelfs. Helaas kunnen we ons niet van hem ontdoen zonder zijn vader van ons te vervreemden, en dat kunnen we momenteel maar beter vermijden, lijkt me.' Hij schoof de ring van zijn vinger en gaf hem aan Seleukos terug. 'Wat ga je ermee doen?'

Seleukos keek naar zijn twee metgezellen, die instemmend knikten. 'Voorlopig houd ik hem, maar we willen jou het regentschap van de twee koningen geven.'

'Aan mij?' Ptolemaeus lachte oprecht geamuseerd. 'En wat moet ik met het regentschap? Waarom zou ik die last op me nemen terwijl ik Egypte en Kyrenaika al heb? Hoeveel genoegen zou ik beleven aan een peuter met zijn geniepige gif mengende moeder en een idioot met zijn ambitieuze koningin?'

Seleukos' gezicht verraadde oprechte verbazing. 'Maar we dachten dat je dankbaar zou zijn.'

'Dankbaar? Dankbaar genoeg om je Babylonië aan te bieden? Hoopte je daarop?' Ptolemaeus grijnsde bij de aanblik van Seleukos' ongemakkelijke gezichtsuitdrukking. 'Kom op, Seleukos, je dacht toch niet echt dat ik mezelf als tweede Perdikkas wil opwerpen? Niemand kan het rijk bij elkaar houden, dat heeft hij wel overtuigend bewezen, lijkt me. Nee, Seleukos, ik gun je Babylonië van harte, ik weet dat je die satrapie wilt, want ik heb je het zo zien spelen dat je de logische keuze zou zijn na de onvermijdelijke val van Perdikkas. Ik ben onder de indruk. Maar je krijgt je prijs niet uit mijn handen. Jij houdt de ring en geeft Babylonië aan jezelf.'

Seleukos keek naar de ring en toen weer naar Ptolemaeus. 'Ik wil hem niet.'

'Natuurlijk wil je hem niet, om dezelfde reden waarom ik hem niet wil. Laten we dus tot een elegante oplossing komen, jij en ik: laten we afgevaardigden benoemen, allebei een, en die zullen het regentschap delen. Als ik jou was zou ik Peithon nomineren, want ik geloof dat hij je een grote gunst verschuldigd is doordat je die twintigduizend Grieken hebt afgeslacht voordat hij in de verleiding kon komen ze in zijn leger op te nemen, wat openlijke opstand had betekend. Aangezien hij zijn leven aan jou te danken heeft is dat het minste wat hij kan doen.'

Peithon fronste zijn voorhoofd.

Seleukos dacht een moment na over het idee en glimlachte. 'Natuurlijk, Peithon is ideaal, omdat hij volkomen ongeschikt is voor de functie.'

'Maar hij kan ermee door tot we de volledige raad bijeenroepen. Ik heb begrepen dat Antipatros jullie allemaal in De Drie Paradijzen heeft uitgenodigd, daar kunnen jullie besluiten wie vervolgens regent moet zijn.'

'"Jullie"? Je bedoelt toch "wij"?'

'Nee, Seleukos, ik bedoel "jullie". Ik ga niet. Ik denk zelfs dat ik nooit meer Egypte zal verlaten, tenzij het naar een van Egyptes domeinen is. Ik heb alles wat ik wil. En Peithon kan jou geven wat jij wilt.'

Seleukos knikte. 'Hij hoeft alleen Babylon aan me toe te wijzen en dan is het onmogelijk voor Antipatros om die satrapie van me af te pakken, tenzij hij zich tegen de samenwerking keert die hij nu juist wil bewerkstelligen in De Drie Paradijzen.'

'Precies. En je positie zal des te sterker zijn door de steun van mijn kandidaat voor het regentschap: Arrhidaeus.'

'Wat!' Arrhidaeus keek geschrokken naar Ptolemaeus. 'Waarom kiest u mij?'

'Bij wijze van dank, natuurlijk. Je draagt jouw regentschap over aan Antipatros en hij zal je bedanken met een satrapie, iets wat ik niet kan doen. Ik ben er zeker van dat er binnenkort wel een vrijkomt; eigenlijk weten we dat er al een vrij is.'

Arrhidaeus' ogen gingen wijd open. 'Ah.'

Seleukos fronste. 'Wat? Wat weet je dat je ons niet verteld hebt?'

Ptolemaeus haalde de schouders op. 'Tja, vroeg of laat zullen jullie het toch horen, maar acht dagen geleden heeft Eumenes Krateros verslagen en gedood.'

Seleukos, Antigenes en Peithon staarden Ptolemaeus verbijsterd aan.

Seleukos herstelde zich als eerste. 'Onmogelijk.'

'Kennelijk niet. En om het nog indrukwekkender te maken: Neoptolemus was overgelopen; Eumenes veroverde diens legertros, waarna hij met het gecombineerde leger de strijd met Krateros aanging. Naar ik heb gehoord had hij zijn Macedonische troepen niet verteld tegenover wie ze stonden, Krateros sneuvelde in een cavaleriecharge tegen Eumenes' Aziatische cavalerie, en Eumenes doodde Neoptolemus vervolgens eigenhandig. Nu Krateros dood is, is de satrapie Hellespontisch Frygië vrij.'

'Maar als Perdikkas en wij hadden geweten dat zijn kant in het noorden had gewonnen...'

'Zou hij nu waarschijnlijk niet dood zijn. Ik weet het, daarom heb ik het niet verteld.'

Seleukos' enorme lichaam trok samen van woede. 'Jij konkelende klootzak!'

'Ben ik dat? Misschien wel. Ik ben zeker een klootzak en ik veronderstel dat je me van konkelen kunt beschuldigen. Maar ik moest zeker weten dat we verstandig konden praten: als Perdikkas van Eumenes' overwinning had gehoord had dat niet veel uitgemaakt voor zijn positie, maar het had zijn onwil om te onderhandelen wel versterkt en het had jullie drieën heel wat minder bereid gemaakt hem te vermoorden. Ik denk zelfs dat jullie het dan niet hadden gedaan.'

'Je dwong ons hem te vermoorden.'

'Ik zou het niet dwingen willen noemen, maar inderdaad, ik deed mijn best om jullie zover te krijgen het te doen als hij koppig bleef. En ik denk dat we allemaal zullen ontdekken dat het zo beter is. Zullen we dan nu gaan eten? Ik ben moe, want ik heb vandaag een slag uitgevochten en gewonnen, en morgenochtend moet ik jullie mannen toespreken.'

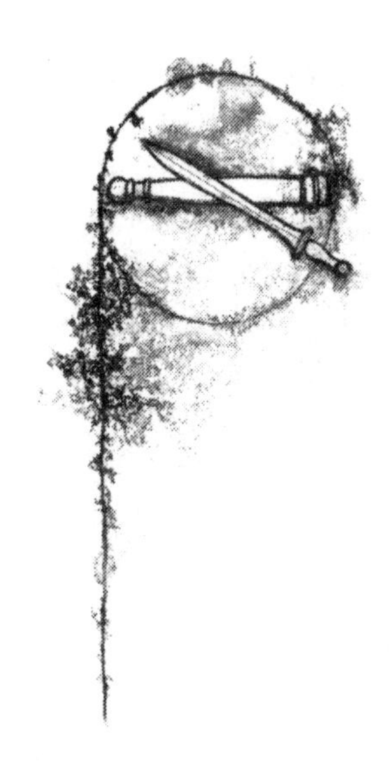

ADEA, DE KRIJGER

Het was belangrijker dan ooit dat ze zwanger werd; haar leven hing ervan af. Adea vervloekte de noodzaak die haar zo van walging vervulde. In de zes maanden die ze nu met koning Philippus was getrouwd, waarmee ze koningin Eurydike was geworden, had ze hem alleen toegestaan haar te dekken op het hoogtepunt van haar cyclus, en elke keer had de ervaring haar op het punt van braken gebracht: de mannelijke stank, het dierlijke gegrom, het kwijl dat van zijn slappe lippen op haar billen droop en de vernedering om voor hem te knielen terwijl hij kreunend aan zijn genot bezig was, zonder aan haar te denken; er was niets van de tederheid die ze bij de minnaressen vond die ze de rest van de maand in haar bed nam. Niettemin was het in ieder geval beter dan op haar rug liggen en zijn adem ook nog eens moeten verduren.

Maar nu besefte ze dat ze de ervaring vaker moest verdragen dan één keer per maand, want als het waar was wat Seleukos had gezegd – en ze had geen reden hem niet te geloven – dan had ze echt het wapen nodig dat een kind was, een zoon. Een zoon die aan vaderskant de kleinzoon van Philippus was, de tweede van die naam, en aan haar kant zijn achterkleinkind: een prins van zuiver bloed uit het koninklijk huis van de Argeaden van Macedonië. Dan zou geen man meer een greep naar de macht kunnen doen door met Kleopatra te trouwen

– zoals Perdikkas met zijn weinige koninklijk bloed had geprobeerd – met de bedoeling zichzelf via haar zwakke, vrouwelijke erfenis tot koning te kronen. Haar zoon en haar zwakzinnige echtgenoot zouden samen de sterkste aanspraak hebben op de erfenis van Alexander; sterker nog dan die van zijn echte zoon en naamgenoot, gebaard door die oosterse wilde kat, haar dodelijke rivale Roxanna, want die kwam uit het verre Bactrië en had geen Macedonisch bloed door haar aderen vloeien. De jonge Alexander kon op zijn vroegst over tien jaar een kind verwekken en in tien jaar tijd kon iemand heel wat overkomen. *En Roxanna is zich maar al te bewust van dat feit.* Adea keek naar haar echtgenoot, achtendertig jaar oud, maar met de geest van een achtjarige, die in een hoek zat te spelen met een houten olifantje, trompetterend en kwijlend. Zijn lijfarts Tychon keek ernaar met een toegeeflijke blik op zijn gerimpelde gezicht. *Roxanna zal haar inspanningen om Philippus te vergiftigen verdubbelen nu Perdikkas er niet meer is om haar in toom te houden. Wist ik maar wat hij achter de hand hield dat ze zo bang voor hem was.* Adea streek de wetsteen langs de kling die ze sleep en genoot van het metalig raspende geluid dat het maakte. *Was moeder nog maar bij me, zij zou wel weten hoe we dat man-kind veilig konden houden, net zoals ze mij beschermd heeft tegen Olympias.* De zwakzinnigheid van haar idiote echtgenoot was het resultaat van Alexanders moeder Olympias' afrekening met een rivaliserende vrouw; de dosis gif die ze het zwangere slachtoffer had gegeven bleek onvoldoende om het kind te doden dat ze nog wist te baren, maar het had toch het een en ander aangericht.

Maar Cynnane, haar moeder, was dood en Adea moest zich op haar zeventiende alleen zien staande te houden in een mannenwereld. Haar moeder had haar echter de traditionele opvoeding van een Illyrische prinses gegeven, want Cynnane was een kind dat Philippus had verwekt bij Audata, een prinses van Illyrisch Dardanië, die zijn vrouw was geworden ter bezegeling van een verdrag. Audata had Cynnane de kunst van het zwaardvechten in al zijn vormen bijgebracht en Cynnane had die op haar beurt doorgegeven aan Adea. Haar vaardigheid met het wapen en haar grootte – even lang en breed als een man, met bijbehorende spieren – zouden Adea naar Cynnane hoopte voldoende kans op overleven bieden als ze met Philippus zou trouwen en het rijk in handen probeerde te krijgen. Maar Cynnane was gedood door Perdikkas' jongere broer Alketas toen hij probeerde de twee vrouwen te laten omkeren voordat ze Babylon bereikten.

De verontwaardiging van Alexanders veteranen over de koelbloedige moord op Alexanders halfzuster was zo groot dat Perdikkas zich gedwongen zag het huwelijk tegen zijn zin toe te staan. Zo werd Adea koningin en had ze de moordlustige Roxanna, die zo graag haar gif toediende, tot eeuwige vijand gemaakt.

Wat kon een zwaard uitrichten tegen gif? Roxanna was er al een keer in geslaagd Philippus te vergiftigen, toen wist Perdikkas haar te dwingen om een tegengif toe te dienen, maar wie had nu die macht over het oosterse kreng?

Met een zwaar gemoed en slappe benen legde Adea haar zwaard weg, liep naar haar man, nam hem bij de hand en leidde hem naar het bed, dat afgeschermd was van de rest van de tent. Tychon volgde haar en samen kleedden ze Philippus uit, die hijgde van opwinding, want hij wist welke traktatie hem wachtte, en als bezitter van een forse penis schepte hij er genoegen in ermee te zwaaien. Adea verwijderde zijn lendendoek en masseerde het orgaan om zich ervan te verzekeren dat het klaar was, terwijl Tychon zijn meester tegenhield in een routine die hij en Adea in de loop van enkele maanden hadden ontwikkeld om ervoor te zorgen dat de daad veilig voor haar was, daar Philippus zijn eigen kracht niet kende noch enige empathie voor zijn partner had. Twee ongelukkige slavinnen waren daardoor in het verleden al doodgebloed.

Eenmaal zeker dat alles klaar was, draaide Adea zich om en knielde op het bed, met de billen omhoog; ze trok haar tuniek omhoog, knikte naar Tychon, pakte het kussen en kneep haar ogen dicht. Terwijl Philippus zonder dralen in haar stootte, richtte ze haar gedachten op de man die naar ze veronderstelde de nieuwe regent zou zijn, Ptolemaeus, en ze vroeg zich af of hij haar kon beschermen. Egypte, zo meende ze terwijl haar echtgenoot bezig was onder het waakzame oog van Tychon, zou haar weleens kunnen bevallen.

'Hoewel ik buitengewoon gevleid ben,' declameerde Ptolemaeus terwijl de zon in het oosten een gouden gloed verspreidde, 'buitengewoon gevleid, mijn broeders, ben ik niet de juiste man om het regentschap op me te nemen en als voogd van de twee koningen op te treden. We stellen voor dat Peithon en Arrhidaeus samen die rol op zich nemen tot er op de bijeenkomst in De Drie Paradijzen een besluit wordt genomen over een langdurige oplossing.'

Adea kneep onwillekeurig in de armleuningen van haar stoel en wierp een korte blik opzij naar Ptolemaeus. Hij stond vooraan op het podium met de hoge officieren om hem heen. Tegenover hem bevond zich het leger, dat in strak gelid stond en lange schaduwen wierp. Haar echtgenoot zat naast haar met een lege grijns op zijn gezicht geplakt. Ptolemaeus liet de twee tijdelijke regenten naar voren komen en vroeg het leger hen te steunen. Achter Philippus zat Roxanna met haar koninklijke kind op schoot; haar koude ogen, zwaar aangezet met kohl, schoten vuur achter de nauwe spleet van haar sluier, Adea voelde koude rillingen over haar rug lopen door de diepte van de haat waarmee ze naar haar en Philippus keek. *Ze denkt dat dit haar kans is, Peithon en Arrhidaeus betekenen niets voor haar*. Instinctief reikte ze naar Philippus' hand en pakte die vast. Ze hoorde Roxanna sissen toen die het zag; ze voelde dat haar Illyrische lijfwacht Barzid een stap naar haar toe zette in reactie op Roxanna's openlijke haat. *Antipatros is nu onze beste hoop.*

'... en om te helpen de wonden te helen die ontstaan zijn door Perdikkas' dwaze oorlogsverklaring aan mij,' ging Ptolemaeus verder, terwijl de peuterkoning het op een brullen zette, want zijn moeder had haar lange nagels in zijn armen gezet, zo werd ze verteerd door afkeer voor zijn medekoning naast haar, '... heb ik de lichamen van jullie dode kameraden uit de rivier laten halen en ze zijn elk met eer verbrand. Zodra de beenderen zijn afgekoeld worden ze verzameld en naar jullie gestuurd, hun medestrijders, en jullie kunnen het verder naar eigen inzicht afhandelen.'

Het gejuich dat op deze aankondiging volgde overstemde even het gehuil van het kind. Opgetogen door de warme gevoelens die zijn publiek etaleerde spreidde Ptolemaeus zijn armen en liet het over zich komen.

Adea had bijna medelijden met de peuter toen Roxanna het krijsende kind in de armen van een wachtend kindermeisje gooide, dat hem heel wat moederlijker behandelde dan zijn echte moeder; van een spion in het huishouden wist ze dat Roxanna Alexander alleen in de armen nam als ze bij een legervergadering verscheen. Maar Adea was niet de enige die het tafereeltje had geobserveerd: in de groep officieren rond Ptolemaeus verhardden Kassandros' lichte ogen bij de aanblik van Roxanna voordat hij naar Adea keek; hij knikte lichtjes, zijn uitdrukking kil, en ze besefte dat al was hij misschien niet van plan haar actief tegen te werken, hij hoe dan ook geen vriend was. *Als zijn oudste zoon tegen me is, hoe kan ik dan Antipatros om bescherming vragen? Maar gezien de blik die Kassandros op Roxanna en haar jong wierp is hij ook geen vriend van hen. Hij is kennelijk een man die net als Perdikkas denkt. Iemand om in de gaten te houden en te vermijden.*

Ptolemaeus gebaarde om stilte en rondde zijn toespraak af. 'Tot slot, broeders, moet ik de boodschapper van slecht nieuws zijn; nieuws van het ergste soort.' Hij zweeg even alsof hij woorden zocht die bij de omvang van de tragedie pasten. 'Het is zinloos, broeders, ik kan de klap op geen enkele wijze verzachten, dus ik zeg het maar meteen: Krateros is dood.'

Na enkele momenten van verbijsterde stilte klonk er een gebrul van verdriet uit het leger op; het geluid zwol steeds verder aan toen de ernst van het gebeurde doordrong. Krateros, de grootste generaal na Alexander zelf, was dood; de lieveling van het leger, nooit verslagen, geliefd om zijn dapperheid en bereidheid de ontberingen van de mannen te delen, hij at altijd zelf ook wat hij hun voorzette. Als veel van de mannen had ook hij veel moeite met het opnemen van oosterlingen in het Macedonische leger, ook daarin was hij een van de jongens. En uiteindelijk was hij iemand die ze het grootste deel van hun militaire loopbaan hadden gekend.

Met oprechte verbazing zag Adea dat er tranen over getekende gezichten stroomden; mannen die gehard waren door jarenlange veldtochten leken opeens snikkende wrakken te zijn, alsof ze net ontdekt hadden dat hun hele familie was verkracht en vermoord en dat de buit van vele jaren oorlog was verdwenen.

Twee veteranen, ver in de zestig, klommen het podium op, hun baard doorweekt van de tranen. 'Vertel ons hoe het is gebeurd,' schreeuwde er een boven het verdriet uit naar Ptolemaeus.

'Het zal me geen genoegen doen, Karanos.' Ptolemaeus stak zijn handen in de lucht om het leger tot stilte te manen en al snel verstilde de rouw tot een enkele snik. 'Eumenes, Perdikkas' bondgenoot, weigerde verstandig te zijn en gaf zich niet over aan Antipatros en Krateros; in de slag die volgde hield hij verraderlijk voor zijn eigen Macedoniërs het feit achter dat ze tegenover Krateros stonden. Onze grote vriend sneuvelde in de handen van Eumenes' barbaarse cavalerie.'

Dat was te veel voor de mannen die al jarenlang niets anders deden dan elke barbaar ombrengen die hun in de weg stond; brullend eisten ze Eumenes' dood en vervolgens de dood van Alketas, Perdikkas' broer, en Attalus, diens zwager, naast die van Polemon en Docimus, zijn twee belangrijkste aanhangers, die kort daarvoor uit het kamp waren gevlucht. Opnieuw verzocht Ptolemaeus om stilte. 'De voltallige legervergadering heeft het recht om te oordelen over mensen die schuldig zijn aan misdaden tegen het leger. Is het jullie wens om een vonnis uit te spreken over Eumenes vanwege zijn aandeel in de dood van Krateros, en over Alketas, Attalus, Docimus en Polemon vanwege hun steun aan Perdikkas?'

Het antwoord was niet mis te verstaan.

'Dood aan al zijn aanhangers en familie,' eiste de tweede veteraan.

'Is dat ook jouw wens, Karanos?'

'Zeker.'

De roep werd al snel overgenomen door het hele leger, dat onvermurwbaar was.

Ptolemaeus draaide zich om naar de officieren achter hem op het podium en niemand maakte bezwaar. 'Zo zij het,' riep hij, 'de doodstraf is hierbij uitgesproken over Eumenes, Alketas, Attalus, Docimus, Polemon en alle aanhangers en familieleden van Perdikkas. Iedereen die in de gelegenheid is om een of meer van hen te executeren staat het vrij om dat te doen. Wie verzuimt die taak uit...'

De schreeuw van een vrouw onderbrak hem, Adea speurde de menigte af naar de bron. Een vrouw met gescheurde kleren en verwarde haren werd naar het podium gesleept. De mannen weken voor haar uiteen en scholden haar uit, maar belaagden haar niet fysiek. Ze werd naderbij gebracht en Adea kon even een uitdrukking van spijt op Ptolemaeus' gezicht zien, ook hij had namelijk herkend wie ze was en wat de mannen van hem zouden eisen, want het ging om Perdikkas' zuster en Attalus' vrouw, Atalante.

'Ptolemaeus! Ptolemaeus!' gilde Atalante, kronkelend in de greep van vele handen. 'Ptolemaeus, zeg dat ze me los moeten laten.' Ze was begin dertig en nog altijd mooi en zelfverzekerd, maar daar was nu niets van te zien. Ook de hooghartigheid die ze tegenover Adea had betoond tijdens de weinige maaltijden die ze rond Perdikkas' tafel hadden gedeeld was weg. Adea vond dat de verandering haar goed stond. Ze koesterde nog altijd wrok tegen Atalante omdat ze haar broer Alketas had gered vlak voordat de soldaten hem zouden hebben afgemaakt vanwege het doden van Cynnane, haar moeder. *De goden lachen me het ene moment uit en glimlachen me het volgende toe.*

Atalante smeekte Ptolemaeus nogmaals om hulp en viel op haar knieën, er stond paniek in haar ogen, terwijl de mannen om haar heen begonnen te beseffen wie ze was en zich om haar heen verdrongen. 'Ptolemaeus, red me!'

Maar Ptolemaeus kon niets anders doen dan spijtig zijn hoofd schudden.

Adea begreep de netelige positie van Ptolemaeus. *Er is een vonnis uitgesproken over Perdikkas' familie, zowel mannen als vrouwen; hij zit klem. Hij kan niets doen uit angst zwak te lijken.*

Maar toen Atalantes gewaad werd opengescheurd en haar borsten zichtbaar werden kon Ptolemaeus niet langer afzijdig blijven. 'Stop!' brulde hij, terwijl Seleukos zich een weg door de groep officieren baande en naast hem ging staan. 'Jullie zullen haar niet onteren.' Hij sprong de menigte in, met Seleukos vlak achter hem, en schikte haar gewaad om haar lichaam te bedekken. 'Ze mag dan Perdikkas' zuster zijn, jullie zullen haar niet onteren.'

Atalante sloeg haar armen om Ptolemaeus' benen. 'Dank je, dank je.'

Ptolemaeus bukte zich en maakte haar armen los. 'Dank me niet, Atalante, ik kan je niet redden, het vonnis is geveld; maar ik kan je verzekeren dat het snel gebeurt en dat je eerbaarheid bewaard blijft.'

Donkere ogen, vertroebeld door ellende, staarden hem aan en een ijle jammerkreet rees uit haar keel op en stierf meteen weer weg.

Ik zal niet genieten van haar lijden onder de handen van de mannen, maar haar dood is iets waar ik geen spijt van heb; niet nadat ze duidelijk maakte dat ze op mij, een koningin, neerkeek, terwijl ze niets meer was dan de zuster van de regent – een dode regent. Maar het is een waarschuwing voor hoe snel het lot kan omslaan in deze roerige tijden en nu weet ik waar de echte macht ligt: het leger krijgt zijn zin, niet de generaals. Daar ligt mijn weg voorwaarts.

Seleukos en Ptolemaeus maakten ruimte vrij rond de gedoemde vrouw terwijl het voltallige leger om haar bloed schreeuwde. Adea zag Ptolemaeus een vragende blik met Seleukos uitwisselen en zijn schouders ophalen, alsof hem opeens een gedachte te binnen schoot en hij plotseling een positieve kant aan de zaak zag.

Atalante begreep de betekenis van het gebaar en ze leek er kracht aan te ontlenen, want ze kwam overeind en stond met haar hoofd recht en haar schouders naar achteren. 'Goed dan, als ik geëxecuteerd moet worden voor de daden van mijn broer, laat het dan waardig gebeuren zodat jullie allemaal kunnen zien hoe een Macedonische vrouw van hoge geboorte zal sterven.' Ze wendde zich tot Ptolemaeus en trok haar gewaad open. 'Als je me niet kunt redden, zoals je zei, dan moet jij degene zijn die het vonnis uitvoert.' Ze tilde haar linkerborst op en wees naar haar hart. 'Steek daar en steek hard.'

Ptolemaeus' gewoonlijk zo ontspannen houding verstijfde een moment terwijl hij naar de ontblote borst keek. Hij trok zijn zwaard. 'Houd haar schouders recht, Seleukos, zodat ze niet terugdeinst en ik haar hart mis.'

Atalante duwde Seleukos weg. 'Ik deins niet terug, Ptolemaeus, maar hij kan je arm vasthouden om te voorkomen dat die gaat trillen als je de zenuwen krijgt bij het in koelen bloede doden van een vrouw.'

Ptolemaeus glimlachte, hij had zichzelf weer onder controle. 'Ik mis niet.'

Een flits van gepolijst ijzer in de opkomende zon en de kling drong met een doffe klap door vlees en bot, gevolgd door het geluid van de lucht die plots uit haar longen werd geperst. Ptolemaeus dreef zijn zwaard verder, onder de ribbenkast door omhoog, steeds dieper, door het hart, om tot stilstand te komen tegen de binnenkant van Atalantes schouderblad. Bloed vloeide van trillende lippen en haar ogen gingen wijd open; ze keek naar de wond alsof ze wilde begrijpen wat er was gebeurd. Ze legde een hand op Ptolemaeus' schouder en haar benen begaven het, langzaam begon ze neer te gaan. Seleukos legde zijn hand onder haar arm zodat hij haar val remde en ze niet met een klap op de grond terecht zou komen. Ze kwam op haar knieën, steunde even met een hand op de grond en ging, met hulp van Seleukos en Ptolemaeus, op haar zij liggen en trok haar benen op. Het bloed stroomde nu rijkelijk uit de wond en uit haar mond en neus. In de foetushouding keek ze op naar Ptolemaeus, terwijl het licht in haar ogen doofde. 'Ik heb niets verkeerds gedaan.' Haar mond ontspande zich en haar lichaam werd slap.

Als ik ooit dezelfde tegenslag heb, hoop ik dat ik me net zo gedraag. Maar een blik op haar echtgenoot maakte duidelijk dat hij niet dezelfde lering uit Atalantes executie had getrokken, absoluut niet, te zien aan zijn duidelijke opwinding. Walgend van de man terwijl ze tegelijkertijd een vreemde drang voelde om hem te beschermen nam Adea zijn hand en leidde hem weg toen Ptolemaeus zijn zwaard uit Atalantes borst trok.

'Het vonnis is uitgesproken door de legervergadering,' hoorde ze Ptolemaeus roepen terwijl ze de houten treden van het podium afdaalde, 'en een vonnis van de legervergadering kan alleen door de legervergadering herroepen worden. Het deed me geen plezier om een vrouw te executeren, maar het is gebeurd en na deze daad is er geen weg terug; er kan geen vergelijk meer komen tussen ons en de volgelingen van Perdikkas. Zij zullen niet naar De Drie Paradijzen gaan om een definitieve regeling met Antipatros te treffen; het is nu tot aan de dood. Voor allemaal, vooral Eumenes.'

Adea glimlachte vanbinnen. Ze hield haar echtgenoot stevig bij zijn pols beet zodat hij niet met zichzelf kon spelen terwijl ze hem wegleidde. Haar zelfvertrouwen groeide want ze zag hoe het verder moest. *Ik mag momenteel dan niet veel vrienden hebben, maar ik durf te wedden dat als ik met Karanos heb gesproken ik er in ieder geval meer heb dan Eumenes. En dan zal Antipatros, ondanks Kassandros, tot een vergelijk met me moeten komen.*

ANTIPATROS, DE REGENT

'En waar is Nicaea?' vroeg Antipatros aan zijn oudste zoon nadat die hem op de hoogte had gebracht van het nieuws uit het zuiden. De informatie had hem heel wat milder tegenover Kassandros gestemd dan hij gewoonlijk was, en hij glimlachte naar hem op een manier die bijna als natuurlijk en vaderlijk zou kunnen worden geïnterpreteerd. Ze zaten samen met Nicanor, Kassandros' volle jongere broer, en zijn halfbroer Iollas onder een luifel met uitzicht op zee en het strand van Issos, de plek van Alexanders overweldigende overwinning op Darius, koning der koningen van het Perzische Rijk, die daarna naar het binnenland had moeten vluchten. De zon hing laag in het westen en rondom hen was het leger van Macedonië bezig de avondmaaltijd te bereiden, waardoor de lucht gevuld was met de geur van gegrilde vis en het geluid van duizenden stemmen.

'Nog in Babylon, vader, waar ik haar heb achtergelaten,' antwoordde Kassandros, die een stuk van het brood afscheurde nog voordat de slaaf het op tafel had gelegd.

'Dan is ze voorlopig veilig.'

'Voorlopig wel; maar in wezen is ze ter dood veroordeeld, samen met de rest van Perdikkas' vrienden en familie.'

'Ik denk niet dat ze zich met haar zullen bezighouden tot ze Alketas, Attalus, Docimus en Polemon hebben gevonden,' meende Nicanor. Hij was drie jaar jonger dan zijn broer en miste diens pezige, slungelige lichaamsbouw, scherpe gelaatstrekken en norse houding, hij was heel wat prettiger voor het oog en oor.

'Zodra ze hoorden wat er met Perdikkas was gebeurd beseften ze dat ze verdoemd waren; Alketas, Docimus en Polemon zijn weggeglipt, maar niemand weet waarheen, en Attalus heeft zijn vloot uit de Nijl teruggetrokken en is naar Tyros gevaren.'

'Tyros?' gromde Antipatros. 'Uiteraard, daar zit achtduizend talent zilver en goud in de koninklijke schatkist; daarmee kan hij heel wat manschappen voor zijn schepen kopen en als hij zijn krachten met Alketas bundelt hem van een leger voorzien. Alexander had twee jaar nodig om Tyros in te nemen. Ik denk niet dat iemand het sneller kan zolang niemand in de stad bereid is tot verraad; Perdikkas' kamp is nog lang niet verslagen, ook al is de leider zelf dood.'

'En dan is er nog Eumenes,' zei Nicanor, eveneens op sombere toon, terwijl hij een zenuwachtige blik op zijn vader wierp; dit was een erg pijnlijk onderwerp. 'Hij mag dan veroordeeld zijn door de legervergadering, maar hij heeft nog altijd Cappadocië en Frygië in handen na zijn overwinning op Krateros.'

'En hij heeft me voor schut gezet! Maar ik krijg hem nog wel te pakken, die sluwe kleine Griek, en dan is mijn eer hersteld. Wat er ook gebeurt, ik zal zorgen dat hij het niet overleeft. Ik zal Archias de ballingenjager op hem afsturen, al is het vermoorden van een onbeschermde balling heel wat anders dan een aanslag op een generaal omringd door zijn leger. Niettemin, hij is de beste in zijn vak.' Antipatros dacht even aan de vernedering die Eumenes hem had aangedaan en schudde zijn hoofd in ongeloof. 'Hoe kon een secretaris een ervaren generaal als Krateros verslaan en doden?'

'U had uw legers niet moeten verdelen, vader,' zei Kassandros. Hij zette zich schrap voor de uithaal die hij verwachtte.

Antipatros keek zijn zoon boos aan, maar zei niets. *Helaas heeft hij gelijk, met de kennis van achteraf. Maar nu moeten we vooruitkijken, niet achterom.* 'Hoe lang heb je erover gedaan om hier te komen?'

'Drie dagen, Ptolemaeus heeft me een schip geleend. Ik zat vlak achter Attalus' vloot toen die naar Tyros voer.'

Antipatros voelde zich opeens een stuk optimistischer. 'Ptolemaeus heeft je geholpen? Goeie knul, hij betoont zich een gehoorzame schoonzoon. Hij kan me nog een dienst bewijzen door Alexanders lichaam terug te geven; wat hij ermee wil in Egypte is me een raadsel.'

Kassandros schudde het hoofd. 'Het is zinloos om dat te eisen, vader; u kunt het beter niet doen, want hij zal weigeren en dan lijkt u zwak. Alexander blijft in Egypte, ongeacht of Ptolemaeus uw schoonzoon is. Hij ziet het lichaam als een middel om zijn legitimiteit te bewijzen. Hij heeft het niet nodig om bij anderen in de gunst te komen; hij was gewoon voorkomend toen hij me het schip leende, zoals een zwager zich hoort te gedragen.'

Antipatros voelde de warme gevoelens voor zijn schoonzoon wegvloeien. 'Dan kunnen we het maar beter terugsturen met een stevige brief waarin we hem eraan herinneren dat we familie zijn en samen moeten werken voor de gemeenschappelijke zaak, vind je niet?'

'Het schip is alweer uitgevaren, maar niet terug, het is door.'

'Door? Waarnaartoe?'

'Ik heb het de *trierarchos* niet gevraagd,' antwoordde Kassandros met zijn mond weer vol brood. 'Ik was zelf verrast, hij zette me aan land en zodra ik aan wal stond vertrok hij.'

'Door?' Antipatros' warme gevoelens voor Ptolemaeus waren nu helemaal verdwenen. *Wat vermoeiend allemaal, ik ben te oud voor die spelletjes*. 'Die gluiperige klootzak stuurt vast een boodschap aan Kleopatra in Sardis. Hij weet dat ze onmiddellijk een boodschapper naar Eumenes zal sturen om hem te waarschuwen. Ptolemaeus bespeelt zoals gewoonlijk weer beide kanten en ik wil er heel wat onder verwedden dat het schip daarna doorvaart naar Macedonië om daar een boodschapper af te zetten die naar die heks Olympias in Epirus gaat. Ik zal hem in De Drie Paradijzen terzijde nemen en een hartig woordje met hem spreken.'

'Ik ben bang van niet, vader, hij gaat niet.'

Dat was te veel voor Antipatros. 'Hij gaat niet? Hij gaat niet naar de belangrijkste vergadering sinds Alexanders dood? Waarom niet?'

'Hij ziet niet in waarom hij over de rest van het rijk zou gaan praten als hij volkomen tevreden is met Egypte en daar niet weg wil. Hij zei dat hij instemt met elke afspraak die we maken zolang we hem maar met rust laten; hij voegde eraan toe dat hij niet hoopt dat de dingen onaangenaam worden.'

'Onaangenaam! Ik zal die ondankbare klootzak leren wat onaangenaam is! Hoe kan ik een blijvende vrede tot stand brengen als niet iedereen die ertoe doet rond de tafel zit; zelfs Lysimachus komt in Ares' naam, en die heeft geen enkel belang in zaken buiten Europa, hij vermaakt zich met het onderwerpen van de stammen in het noorden van Thracië en wil niets anders. Ptolemaeus moet komen!' Antipatros wreef met een gerimpelde hand vol ouderdomsvlekken over zijn voorhoofd, hij voelde elk van zijn bijna tachtig jaren op hem drukken. *Dat is het nu juist: hij hoeft niet te komen. Egypte is in wezen een eiland en als Ptolemaeus daar wil blijven, dan kan ik daar niets aan veranderen. Goden, was Hyperia maar hier; ik heb dringend de troost van een vrouw nodig.* Hij vermande zich, keek naar Kassandros en Nicanor, en vervolgens naar Iollas, zijn op twee na oudste zoon, die tegen een van de palen van de luifel leunde. 'Perdikkas is dus dood, jongens, en Eumenes en zijn andere aanhangers hebben een prijs op hun hoofd, die de ballingenjager naar ik vermoed maar al te aanlokkelijk vindt. Waar staan wij dan?'

'Bovenaan, vader,' antwoordde Kassandros zonder aarzelen.

'Denk voordat je reageert,' snauwde Antipatros. 'Als de twee tijdelijke regenten besluiten dat ze liever permanent zijn, hoe zouden we ze dan kunnen dwingen om af te treden zonder met geweld te dreigen? Dat is nou juist waar de bijeenkomst in De Drie Paradijzen een einde aan moet maken. Maar we moeten ze overhalen, want als ik stabiliteit in het rijk wil brengen en conflicten in de toekomst wil vermijden, dan is het van het grootste belang dat ik de twee koningen naar Macedonië haal, waar ze thuishoren. Om dat voor elkaar te krijgen moet ik niet alleen regent van Macedonië zijn, maar ook van hen om te voorkomen dat Olympias de jonge Alexander gebruikt om zich een weg terug naar de macht te klauwen.' Hij keek naar de huid op de rug van zijn handen. 'Er resten me nog maar weinig jaren en ik wil dat ze zo vreedzaam mogelijk zijn. Ik heb mijn portie oorlogen wel gehad en wil nu rust; en dat is onmogelijk als ik te maken krijg met Olympias' gekonkel om haar kleinzoon in handen te krijgen en de idioot uit de weg te ruimen.'

Antipatros stond op en strekte zijn benen, hij wreef over zijn dijen en grimaste van de pijn, die in zijn oude ledematen ontstond als hij te lang zat. Hij was altijd een actief man geweest, een leeftijdgenoot van Philippus, en was door Alexander tot regent van Macedonië benoemd toen hij vertrok voor zijn glorieuze verovering van Azië; sinds die dag had hij daar bijna als een koning geregeerd. Dat had hem echter regelmatig in conflict gebracht met Olympias, Alexanders moeder, wier verlangen naar macht bijna even groot was als haar vermogen om er misbruik van te maken. Antipatros had een flink deel van zijn energie verspild aan het voorkomen dat de voormalige koningin zich in staatszaken mengde. Toen Alexander nog leefde had hij een bondgenoot tegen haar, maar na zijn dood was er niemand die voldoende invloed op de vrouw had om haar in te tomen. Hij besefte heel goed dat zodra ze van Perdikkas' dood hoorde – en dat zou snel zijn, met dank aan Ptolemaeus – ze er alles aan zou doen om Roxanna en haar kind in handen te krijgen zodat ze hen kon gebruiken om de macht in Macedonië in handen te nemen. Als dat gebeurde zou ze bloedig afrekenen met iedereen die haar, naar ze in haar gestoorde geest geloofde, had beledigd of tegengewerkt sinds Alexander was vertrokken – en het ging ongetwijfeld om vele mensen.

Antipatros zuchtte, ging achterover in zijn stoel zitten en keek naar Kassandros; hij probeerde de afkeer die hij voor zijn oudste zoon voelde niet te laten zien nu zijn goede humeur was bedorven. 'Goed, Peithon ken ik al langer: meedogenloos, maar niet erg slim en niet iemand die graag regent van de koningen wil blijven.'

'Hij probeerde anders wel de Griekse huurlingen in zijn leger op te nemen toen hij opdracht had ze tegen te houden nadat ze uit het oosten deserteerden,' zei Kassandros, die zijn vader niet direct durfde aan te kijken nu hij voelde dat de oude vijandigheid terugkwam. 'Als hij daarin geslaagd was en Seleukos de huurlingen niet had afgeslacht, weten alleen de goden wat Peithon met dat leger van plan was. Dat wijst naar mijn mening toch op een zekere ambitie, al pakte hij het beslist niet subtiel aan.'

Antipatros dacht daar even over na. 'Volgens mij gaat hij voorlopig niets dreigends meer doen. Ik heb gehoord dat Seleukos hem in de gaten houdt. Maar Seleukos is degene die me interesseert. Ik kan me hem vaag in Pella herinneren, maar toen was hij nog een ongevormde jongeling; ik ben benieuwd tot wat voor soort man hij is uitgegroeid.'

'U zou hem meer mogen dan mij, vader.'

Antipatros keek hem verbaasd aan. 'Wat bedoel je daarmee?'

'Ik bedoel dat hij alles is wat ik in uw ogen niet ben. Hij is een forse man, een olifantenstier, hij is langer dan ik en twee keer zo breed. Mensen mogen hem direct als ze hem ontmoeten, er is niets van de afkeer en het wantrouwen dat ik oproep. Hij is slim, hij kan helder nadenken. Zo wist hij bijvoorbeeld...' Kassandros brak zijn zin af met een schuldige blik in zijn ogen. 'Wat ik wil zeggen is dat hij in staat is een besluit te nemen en mensen erin mee kan laten gaan zonder ze onder druk te zetten of om te kopen, en hij staat ruimschoots zijn mannetje op het slagveld – de meeste soldaten proberen hem zo veel mogelijk te vermijden bij een man-tegen-mangevecht.' Kassandros liet zijn wrange glimlachje zien, terwijl zijn ogen vreugdeloos keken. 'U ziet het vader: alles wat ik niet ben.'

Antipatros bleef even stil, zijn ogen gericht op het zand voor zijn voeten.

Iollas verplaatste onbehaaglijk zijn gewicht van zijn ene been naar het andere en weer terug terwijl hij op zijn vaders reactie wachtte. Nicanor mompelde iets wat positief klonk, maar kon zich er niet toe zetten naar zijn oudste broer te kijken.

'Ik heb het geprobeerd,' gromde Antipatros, 'maar je was nooit een aangenaam kind, altijd brullen, om je zin te krijgen, altijd rancuneus als je met andere jongens speelde. Ik zag hoe je valsspeelde en loog omdat je dacht anders niet tegen ze op te kunnen en ik voelde de schaamte in me branden.' Hij keek Kassandros aan. 'Maar er is geen reden waarom het verleden invloed moet hebben op hoe we nu met elkaar omgaan; doe wat ik je vraag en laat me trots op je zijn, Kassandros, en misschien leren we elkaar iets meer te mogen.'

'Het is altijd op uw voorwaarden.'

'Tja, op wiens voorwaarden zou het anders moeten?' Antipatros kwam overeind en wees op zijn borst. 'Ik ben de vader en jij bent mijn zoon, het is jouw plicht om me te gehoorzamen en me tevreden te stellen. Als je dat niet tot je door kunt laten dringen, zoals Nicanor en Iollas wel hebben gedaan, dan weet ik niet wat voor zin het heeft aardiger te zijn.'

Kassandros keek zijn vader een tijdje in de ogen en sloeg toen zijn blik neer in een gebaar van onderwerping.

Het is voor het eerst dat ik hem dat zie doen.

'Het spijt me, vader,' zei Kassandros met een dun stemmetje, 'u hebt gelijk.'

Antipatros wachtte maar Kassandros liet het daarbij; hij ging weer zitten. 'Goed dan, zoon. Begin maar met vertellen wat Seleukos volgens jou wil.'

'Dat is eenvoudig: Babylon.'

'Is dat zo?'

'Ja, en ik geloof dat hij het al heeft.'

Antipatros wuifde de suggestie weg. 'Onmogelijk, alleen de regent kan satrapieën toewijzen; bovendien zit Archon er nog.'

'Ja, maar hij werd door Perdikkas benoemd en een van de eerste dingen die Peithon en Arrhidaeus deden toen ze tot gezamenlijk regent werden benoemd was Archon afzetten en Seleukos in Babylon benoemen.'

Antipatros staarde naar zijn zoon en pakte vervolgens zijn neusbrug tussen duim en wijsvinger beet, zijn ogen gesloten. *Natuurlijk, dat is slim en ik kan het niet terugdraaien zonder sommige mensen heel boos te maken. Volgens mij hebben Ptolemaeus en Seleukos dit samen bekokstoofd. Arrhidaeus is Ptolemaeus' mannetje; door de katafalk naar hem te brengen verbond hij zijn lot volledig aan dat van Ptolemaeus en hij doet dus alles wat hem gevraagd wordt. Peithon staat bij Seleukos in het krijt omdat hij voorkomen heeft dat Peithon de fatale vergissing maakte om de opstandige huurlingen in zijn leger op te nemen, waardoor iedereen zich tegen hem zou keren.* 'Zijn Seleukos en Ptolemaeus bevriend met elkaar?'

Kassandros haalde zijn schouders op. 'Ze mogen elkaar in ieder geval meer dan ze mij mogen.'

Vanuit zijn voornemen de relatie met zijn zoon te verbeteren weerstond Antipatros de verleiding om zijn gebrek aan verbazing over die uitspraak te laten merken. 'Als Babylonië en Egypte bondgenoten worden is dat een gevaarlijke ontwikkeling; daarmee wordt het rijk in wezen in een noordelijk en een zuidelijk deel verdeeld. Ik moet dat zien te voorkomen voordat het een voldongen feit is.' Hij zweeg even om na te denken en ging verder: 'Kassandros, ga meteen naar Babylon en neem Nicaea mee naar De Drie Paradijzen, ik zal er over een maand zijn. Ik wil niet dat ze een pion wordt in handen van mannen die heel goed mijn vijanden kunnen blijken te zijn.'

'Ja, vader,' zei Kassandros, die opeens bezorgd keek. 'Denkt u dat ze u echt bedreigen?'

'Niet mij persoonlijk, nee; maar wel waar ik voor sta, ja. Ik begrijp wat ze van plan zijn. Ze willen geen macht over de koningen, anders hadden ze zichzelf wel tot gezamenlijke regenten gemaakt, maar ze hebben stromannen gebruikt. De koningen zijn irrelevant voor hen en dus zijn ze volkomen bereid ze aan mij over te laten. Ze denken dat de enorme afstand tussen Macedonië en hun satrapieën veiligheid betekent omdat ik de koningen al heb en geen zin zal hebben in al het gedoe om het ze lastig te maken.'

'Dat lijkt me een redelijke inschatting.'

Nicanor en Iollas mompelden instemmend.

'Klopt, maar ze zijn één dingetje vergeten: die kleine klootzak Eumenes.'

'Wat bedoelt u?'

'Als de legervergadering hem buiten de wet heeft geplaatst, horen we hem terecht te laten staan, en de goden weten hoe graag ik dat zou doen nadat hij me vernederd heeft. Maar verplaats je altijd in de schoenen van de vijand: als ik hem was zou ik me naar het oosten terugtrekken en daar bondgenoten zoeken, en dat zal Seleukos dwingen om zich óf met Eumenes óf met mij te verbinden, en dat betekent afstand nemen van Ptolemaeus, ongeacht voor wie hij kiest.'

Kassandros dacht daar even over na. 'Dat kan werken, maar bent u echt bereid om op uw leeftijd, met alle respect, een lange campagne in achtervolging op Eumenes te ondernemen?'

Antipatros lachte. 'Nee, m'n jongen, dat ben ik niet. Ik blijf liever thuis terwijl anderen het vuile werk opknappen; in dit geval Archias of Antigonos.' Hij wendde zich tot Nicanor. 'Vaar onmiddellijk uit naar Cyprus en zeg Antigonos dat hij zo snel mogelijk terug naar het vasteland moet; ik wil hem en zijn leger binnen een maand bij De

Drie Paradijzen hebben, dus hij kan maar beter vlug afrekenen met Aristonous. Vertel die harsige cycloop dat ik hem tot opperbevelhebber van Azië benoem en dat zijn eerste taak is om Eumenes te pakken, als de ballingenjager er tenminste niet in slaagt de sluwe kleine Griek als eerste te doden.'

EUMENES, DE SLUWE

Eumenes had de vorige avond toegekeken terwijl ze vertrokken, bijna twaalfduizend man; hij had niets kunnen doen om ze tegen te houden. Twaalfduizend Macedonische veteranen, de mannen van Krateros, ervaren in de krijgskunst en gepokt en gemazeld in het leven van het land; troepen die hij goed had kunnen gebruiken, zo peinsde Eumenes. *Maar ja, ik ben verantwoordelijk voor de dood van hun generaal en dan heb ik nog de brutaliteit een Griek te zijn, en ook nog eens een niet erg grote.* Hij schudde het hoofd en keek vanaf een heuveltje naar het restant van zijn leger, dat zijn kamp had opgeslagen aan de westkant van de rivier de Halys, bij de brug van de Koningsweg tussen Frygië en Cappadocië. Het was nooit een erg groot leger geweest, maar het was opmerkelijk trouw aan hem gebleven. *Ofschoon ik een voormalige Griekse secretaris ben.*

De vijfhonderd man sterke Cappadocische cavalerie, die tijdens het beleg van Mazaca, de hoofdstad van Cappadocië, naar hem was overgelopen, vormde de kern van zijn leger: lange, trotse, bebaarde mannen, gekleed in kleurige geborduurde broeken en lange tunieken, vergelijkbaar met de Perzische stijl. Ze droegen schubbenpantsers en hoge helmen, en ook hun paarden hadden gedeeltelijke bepantsering. Hij had deze mannen in zijn hart gesloten vanwege hun rijkunsten en onverschrokkenheid; zij op hun beurt waren hem gaan respecteren omdat hij hen alleen maar naar overwinningen had geleid.

Door de ruiters en hun commandant Parmida tijdens het beleg van Mazaca over te halen van kamp te wisselen, had Eumenes het Perdikkas mogelijk gemaakt om de opstandige satraap Ariarathes te verslaan. Daarna was Eumenes met zijn nieuwe cavalerie op pad gegaan om de rest van Cappadocië te onderwerpen, de satrapie die Perdikkas hem als een soort grap had gegeven, aangezien hij nog niet volledig veroverd was door de Macedoniërs. Ze hadden het laatste verzet tegen de Macedonische heerschappij verpletterd en daarbij had hij aardig wat huurlingen aan zijn leger kunnen toevoegen, voornamelijk Thraciërs en Paflagoniërs, maar ook wat Griekse hoplieten, peltasten en uiteenlopende lichte troepen.

Terwijl het rijk richting burgeroorlog afgleed was zijn leger langzaam gegroeid, maar Macedoniërs waren moeilijk te krijgen. Hij had wat wapenbroeders, de Macedonische elitecavalerie, die zijn lijfwacht vormden sinds Alexander hem een militair commando had gegeven. Nadat hij Neoptolemus had verslagen kreeg hij meer Macedoniërs, want diens tienduizend man sterke falanx had een eed van trouw aan Eumenes afgelegd. Zo had hij een leger van respectabele omvang op het slagveld tegenover Krateros kunnen brengen en had hij hem verslagen. Hij had de overgave en de eed van trouw van Krateros' cavalerie aanvaard, maar diens infanterie was te omvangrijk om in de hand te kunnen houden nadat ze de wapens had neergelegd, en dus had hij machteloos gestaan toen de manschappen besloten om naar Antipatros terug te keren. Hij had twee overwinningen behaald, twee overwinningen voor Perdikkas, maar nog altijd was hij er niet in geslaagd zijn opdracht uit te voeren: voorkomen dat Antipatros' troepen naar het zuiden marcheerden terwijl Perdikkas met Ptolemaeus afrekende. Twee overwinningen en toch was Antipatros' leger verder getrokken en Perdikkas zou in de val komen te zitten; zijn zaak, de zaak van het koninklijk huis van de Argeaden, zou een nederlaag leiden.

Ondanks Perdikkas' neerbuigende behandeling van Eumenes was hij trouw aan hem gebleven omdat Perdikkas de regent was en daarmee de erfenis van het koninklijk huis der Argeaden vertegenwoordigde; hij had alles te danken aan Alexanders vader Philippus en daarmee aan diens familie. Na de moord op Eumenes' vader en een groot deel van zijn familie in opdracht van Hecataeus, de tiran van zijn geboortestad Kardia, was hij naar Pella gevlucht; Philippus zag zijn intelligentie en nauwgezette geest en had hem ondanks zijn jonge leeftijd en buitenlandse bloed tot zijn secretaris benoemd.

En zo kwam het dat hij hier aan de verliezende zijde vocht, vanwege zijn onwankelbare trouw aan de erfgenamen van Philippus en Alexander, en hij was zich er pijnlijk van bewust dat hij alleen zichzelf de schuld kon geven. 'Ik had Perdikkas nooit alleen moeten laten,' zei hij tegen zijn metgezellen: Parmida, commandant van de Cappadocische cavalerie, Xennias, commandant van Krateros' verslagen cavalerie, en Hieronymus, een streekgenoot en jeugdvriend die onlangs uit Kardia was gekomen. 'Hij is te bot en arrogant voor goede politiek.' Opnieuw schudde hij het hoofd, terwijl de hoorns in het kamp bliezen en de tenten werden afgebroken. 'Ik zei tegen hem dat hij met Kleopatra moest trouwen en Antipatros' aanbod van zijn dochter Nicaea beleefd moest afslaan, met als reden dat Ptolemaeus en Krateros met twee andere dochters van de oude man waren getrouwd en het dus niet om een exclusieve club ging; maar nee, de idioot besloot om met zowel Nicaea als Kleopatra te trouwen, alsof niemand dat zou merken.'

Dit was nieuw voor Xennias. 'Wilde u dat Perdikkas met Kleopatra zou trouwen?'

Eumenes keek naar Xennias, bijna tien jaar jonger dan hij, begin dertig, en een kop groter. Hij fronste. 'Uiteraard, dat was logisch.'

'Maar u zei dat u trouw bleef aan Perdikkas omdat hij de regent van de twee koningen is en u altijd het huis van de Argeaden zult steunen; als hij met haar was getrouwd kon hij...'

'Aanspraak maken op de troon. Precies.'

'Maar wat zou er dan met de twee koningen gebeuren, de echte...'

'Erfgenamen van het Argeadenhuis?' Eumenes haalde de schouders op en keek naar een ruiter die hen langs de Koningsweg vanuit het westen naderde. 'Ergens veilig opgeborgen tot we er zeker van waren dat ze geen nut meer hadden. Het koninklijk huis is belangrijk, niet de individuen: wie dien je liever, een peuter en een idioot, of Kleopatra, de volle zuster van Alexander, getrouwd met Perdikkas, die zelf ook flink wat koninklijk bloed in zijn aderen heeft?'

'Ik begrijp uw punt.'

'Echt, Xennias?' vroeg Hieronymus, een gespierde man die te dik begon te worden, een soldaat omgevormd tot historicus. 'Zelf heb ik moeite het te begrijpen, maar ik neem aan dat ik daarom gekomen ben, om deze strijd te zien en hem zo beter te begrijpen.'

Eumenes glimlachte. 'Je hebt jezelf te lang thuis opgesloten met je boeken, beste vriend. Mijn redenering was uitstekend.'

Xennias dacht daar even over na, terwijl de ruiter naderbij kwam. 'Antipatros zou...'

'Niet in staat zijn zich tegen die aanspraken te verzetten. Ik weet het. Dat was ook de bedoeling van de hele opzet.' Eumenes zuchtte spijtig. 'Er zou een vreedzame regeling zijn getroffen; geen burgeroorlog. Krateros zou nog in leven zijn geweest – net als Neoptolemus, nu ik er over nadenk, maar ja, alles heeft zo zijn nadelen – en we hadden ons kunnen richten op het besturen van het rijk en waren onvoorstelbaar rijk geworden. En het lukte ook bijna, echt waar. Ik stond op het punt de schade die die idioot had aangericht door met Nicaea te huwen ongedaan te maken, ik had Kleopatra bijna overgehaald Perdikkas toch te nemen, ook al was hij al getrouwd. Antipatros had Perdikkas weliswaar al de oorlog verklaard vanwege de manier waarop hij Nicaea had behandeld, maar zelfs in dat late stadium hadden veldslagen nog voorkomen kunnen worden. Antipatros had niet tegen Perdikkas op gekund als die met Kleopatra als zijn vrouw naar Macedonië was gekomen met als doel Alexanders lichaam in zijn geboortegrond bij te zetten; nee, Antipatros had dan de belediging aan het adres van Nicaea alleen maar kunnen slikken. Het zou voorbij zijn nog voordat het was begonnen. Maar toen maakte ik een verschrikkelijke fout: Kleopatra weigerde te trouwen toen ze hoorde dat hij de katafalk niet meer had omdat Ptolemaeus hem had gestolen, en ik was degene die het haar vertelde. Ik! Ik kan wel huilen van schaamte. Ik! Na al die jaren van hofintriges en diplomatieke missies liet ik, die beter zou moeten weten, belangrijke informatie los tegen een persoon met wie ik aan het onderhandelen was en die het niet wist. Dat heb ik gedaan! Kunnen jullie het geloven? Kunnen jullie geloven hoe stom ik was?'

Hieronymus begreep dat het een retorische vraag was en zei niets, en Xennias, die in de eerste plaats een soldaat was, wist niet of hij moest zeggen of hij het geloofde of niet en haalde zijn schouders op een neutrale manier op, maar Parmida, die gewend was aan de kuiperijen van de Cappadocische stamhoofden, liet zijn afkeuring merken. 'Nee, heer, dat kan ik niet; het was stom op het randje van waanzin.'

'Het was een retorische vraag,' zei Eumenes, die fronste nu hij met openlijke kritiek werd geconfronteerd.

Parmida spreidde zijn armen. 'Het spijt me, heer. Ik ben er nog niet aan gewend om te verzwijgen wat ik denk als ik met Grieken praat.'

Eumenes keek de Cappadocische commandant aan maar zag geen onoprechtheid. *Natuurlijk, in hun religie draait het steeds om het bestrijden van De Leugen met De Waarheid; ik vergeet steeds dat je letterlijk moet zijn bij oosterlingen.* 'Ja, geeft niet. Hoe dan ook, Kleopatra wist niet dat de katafalk gestolen was; ik had makkelijk een of ander verhaal kunnen ophangen of eroverheen kunnen praten tot Perdikkas in Sardis was en dan snel de ceremonie laten voltrekken.' Eumenes wreef over zijn hoofd en probeerde te negeren dat zijn haar elke keer als hij het aanraakte weer dunner was geworden. 'Maar het is niet anders: mijn simpele fout heeft tot oorlog geleid en ik heb net twaalfduizend man, die eigenlijk mijn gevangenen waren – of nog beter: in mijn leger hadden moeten zitten – toegestaan naar het zuiden te marcheren om zich bij mijn vijand aan te sluiten. Ik heb op alle fronten gefaald, militair en diplomatiek, en geen enkele Macedoniër zal me ooit vergeven, want ze zullen me altijd zien als de man die Krateros heeft gedood, ook al heb ik meer dan wie dan ook gedaan om deze oorlog en zijn dood te voorkomen.'

Xennias keek naar zijn nieuwe bevelhebber. 'En wat gaan we nu doen?'

We? Hij zei 'we', dat is voor het eerst sinds lange tijd dat een Macedoniër me gevraagd heeft wat 'we' nu moeten doen. Als Perdikkas dat nou gedaan had zaten we nu niet in deze ellende. 'We vechten verder voor de Argeaden; we gaan naar het zuiden om Perdikkas te helpen. Hopelijk zijn we niet te laat.' Eumenes nam de helm van onder zijn arm en zette hem op zijn hoofd. De ruiter draafde inmiddels door de poort van het kamp. 'Kom, heren, zo te zien is dat een officiële koerier, misschien brengt hij ons raad. De vraag is: komt hij van Perdikkas of Antipatros?'

Maar hij kwam van geen van beiden, zoals Eumenes besefte toen hij naar het zegel op de rolkoker keek. 'Kleopatra? Interessant.' Hij verbrak het zegel, haalde de brief tevoorschijn en rolde die uit.

Mijn beste Eumenes, deze brief is haastig geschreven om er eerder te zijn dan de moordenaars die onvermijdelijk uit zijn op de prijs die nu op je hoofd staat; ik weet dat Antipatros veel vertrouwen heeft in Archias de ballingenjager. Ik heb net een bericht van Ptolemaeus gekregen, gebracht met zijn snelste schip. Als Antipatros het nieuws van een koerier over de landroute heeft gekregen, heeft hij het nieuws rond een dag eerder gehoord; maar als het over zee is gebracht kunnen zijn moordenaars al in de buurt zijn. Perdikkas is dood, vermoord door Seleukos, Peithon en Antigenes. Inmiddels zijn Peithon en Arrhidaeus tot voorlopig regent benoemd tot er definitieve afspraken worden gemaakt op een bijeenkomst in De Drie Paradijzen, die begint zodra iedereen daar is. Jij zult geen uitnodiging voor de bijeenkomst krijgen, want zodra de legervergadering van de dood van Krateros hoorde werd er een doodvonnis over je uitgesproken. Je bent nu vogelvrij. Naar mijn idee heb je twee mogelijkheden: vlucht weg uit het rijk of vertel je mannen het nieuws voordat ze het van iemand anders horen, en bid dat ze je trouw blijven.

'"Er is geen kans op herroeping van het vonnis."' Eumenes zweeg even en keek op van de rol naar de gezichten van de mannen op de voorste rijen van de legervergadering die hij onmiddellijk na het lezen van de brief bijeen had geroepen. Geen enkele soldaat keek vijandig nu ook zij de inhoud kenden. '"Je zult geen bondgenoten meer vinden. Ik wens je veel geluk. Je vriendin, Kleopatra."' Eumenes rolde de brief op; zijn hele leger was doodstil. Hij spreidde zijn armen. 'Hier sta ik, ter dood veroordeeld. Is er hier iemand die het vonnis wil voltrekken?' Het bleef stil. 'Zal ik het rijk ontvluchten?'

De ontkennende reactie verraste Eumenes vanwege de felheid. *Geliefd zijn is een nieuwe ervaring, een die ik nogal verontrustend vind.* 'Dan zal ik blijven.' De mannen brulden hun instemming, ze staken hun helmen in de lucht en stampten met hun voeten op de stoffige grond.

Eumenes was zo verbaasd over de warmte die de mannen voor hem voelden dat hij de ovatie langer liet doorgaan dan de goede manieren voorschreven. 'Als ik blijf,' schreeuwde hij nadat hij eindelijk tot stilte had gemaand, 'dan is er geen alternatief dan vechten. Zodra ik stop ben ik dood. Begrijp goed dat iedereen die mij steunt in mijn vonnis deelt, en daarom laat ik iedere man vrij om te gaan als hij niet bereid is het doodvonnis te aanvaarden, dat trouw aan mij betekent.' Weer zweeg hij even, maar niemand maakte aanstalten om te vertrekken. 'Goed; we steken de rivier over naar Cappadocië en overwinteren in het fort van Nora. In het voorjaar gaan we op veldtocht naar het westen en kiezen het slagveld tegen het leger dat Antipatros ongetwijfeld op ons afstuurt.'

ANTIGONOS, DE EENOGIGE

Nu zullen we eindelijk zien uit wat voor hout Aristonous is gesneden. Met zijn ene oog nam Antigonos de vijandelijke, met pieken bewapende Macedonische falanx op, met ervoor een zwerm lichte boogschutters en slingeraars. Ze vormden een spiegelbeeld van zijn eigen leger, dat op precies dezelfde manier bewapend en opgesteld was. Hier stonden twee legers tegenover elkaar die vochten om Cyprus, samen met Rhodos en Tyros de sleutel tot de heerschappij op de zee voor de Aziatische kust. Maar het waren niet alleen twee legers – het een strijdend voor Perdikkas en het ander voor Antigonos – die op deze dag een slag gingen uitvechten ten zuiden van de stad Salamis aan de oostkust van het eiland, er waren ook twee vloten. Antigonos voelde verrukking opkomen toen zijn blik langs de falanx van de vijand naar diens rechterflank bij het strand gleed, waar lokale Cypriotische lichte infanterie en cavalerie stonden, en verder naar zee, naar de twee vloten die tegenover elkaar lagen. Elk telde ruim honderd schepen en ze boden een indrukwekkend gezicht, ze waren klaar om in het diepe water slag te leveren. *Vandaag wordt alles beslist.* Antigonos bracht een wijnzak naar zijn lippen en nam een flinke slok harswijn, waarna hij in de verte naar Kleitos de Witte keek, de bevelhebber van zijn vloot, die naar de boeg van het voorste schip liep, naakt op een in de wind wapperende mantel na, terwijl hij met zijn drietand naar de vijand schudde. *En met Poseidon aan mijn zijde kan ik niet verliezen.* Hij haalde zijn schouders op over het excentrieke gedrag van zijn admiraal en keek naar zijn legerflank aan landzijde, waar de met lansen bewapende cavalerie zich had verzameld onder leiding van zijn zeventienjarige zoon Demetrios, schitterend getooid met een purperen mantel. *Het arrogante klootzakje, gekleed alsof hij van koninklijken bloede is; waar heeft hij die mantel vandaan? Ik ruk hem wel af als we met Aristonous hebben afgerekend. En ik doe hem nog heel wat meer aan als hij weer mijn bevelen negeert.*

Toen hij zich ervan had overtuigd dat alles in gereedheid was gaf Antigonos de wijnzak aan een staljongen, veegde een traan uit de lekkende puinhoop die er van zijn linkeroog over was en steeg af; de staljongen voerde het paard weg door de zestien rijen diepe falanx van vierduizend man. Antigonos wreef zijn handen in elkaar, opgewonden over het vooruitzicht van de slag, en nam zijn plaats in het midden van de frontlinie in.

Een man met een grijze baard en bijpassende ogen grijnsde toen hij Antigonos de vierenhalve meter lange *sarissa* aangaf, de piek die de zware, in dichte formatie vechtende Macedonische infanterie gebruikte, ongeacht voor wie ze vochten.

'Dank je, Philotas,' zei Antigonos, die het gewicht van het wapen met beide handen woog. 'De hoeveelste keer is dit?'

'Voor de vierenzestigste maal staan we schouder aan schouder, oude vriend.'

'En toch voel ik nog dezelfde opwinding als de eerste keer. Goden, dit wordt mooi. We mogen dan geen grote legers hebben, maar ze zijn groot genoeg voor een prachtig potje knokken en de vloten kunnen ook hun lol op. Ik heb zin om grootmoedig voor Aristonous te zijn; ik heb hem altijd gemogen en hij was hier op Cyprus een waardig tegenstander.'

Het was een genoeglijke campagne van drie maanden voor Antigonos geweest, waarin hij het grootste deel van het eiland had bestreken en hij en zijn tegenstander kat en muis hadden gespeeld; ze hadden elk steeds geprobeerd zich in de voordeligste positie op een potentieel slagveld te manoeuvreren, omdat hun legers numeriek aan elkaar gewaagd waren. Omdat de burgeroorlog op het vasteland escaleerde kon er geen sprake zijn van versterkingen voor een van beide zijden en dus hadden Antigonos en Aristonous zich beperkt tot schermutselingen op beperkte ruimte; de enige variabele was de wisselende trouw van de koninkjes die overal op het eiland te vinden waren, maar hun troepen waren zo armzalig dat ze vaak een groter gevaar voor de eigen kant betekenden dan voor de vijand. En zo was geen van de veldslagen die ze uitvochten beslissend geweest, en omdat beide zijden bevoorraad en gesteund werden door ongeveer even grote vloten, kon geen van beiden de ander omsingelen in een poging de andere kant uit te hongeren.

Maar nu het campagneseizoen op zijn einde liep leken Antigonos en Aristonous, alsof ze het zo hadden afgesproken, vastbesloten een beslissing te forceren op een terrein dat geen van beide zijden voordeel bood, terwijl de legers vrijwel identiek waren. Het leek wel of de twee generaals moe waren van de subtiliteiten van strategie en tactiek en besloten hadden de zaak te beslissen als twee boksers op de Olympische Spelen, recht tegenover elkaar, vuist tegen vuist.

Antigonos keek achterom naar zijn hoornblazer, zes rijen achter hem, en knikte. 'Blaas voorwaarts.'

Op vrijwel hetzelfde moment klonk hetzelfde signaal vanaf de andere kant van het veld en beide legers begonnen elkaar te naderen, terwijl op zee, glinsterend in de warme middagzon, het schelle gefluit van de roeimeesters boven het geschreeuw van de meeuwen klonk, die rond de schepen vlogen op zoek naar buit.

Goden, dit wordt mooi. We hoeven ze alleen vast te zetten terwijl Demetrios rond hun cavalerie trekt en de falanx in de rug aanvalt; als Kleitos kan doorbreken en zijn zeesoldaten achter hen aan land zet, dan moeten Aristonous' jongens zich wel overgeven. Er zal niet al te veel Macedonisch bloed vloeien, al hoop ik niet dat mijn piek volkomen onbevlekt zal blijven. Hij keek naar zijn wapen, dat hij met één hand vasthield en tegen zijn schouder liet rusten. Met zijn linkerhand hield hij zijn ronde schild – iets kleiner dan dat van een hopliet – stevig vast, zodat hij gedekt was terwijl de falanx oprukte over de spaarzaam met gras begroeide zanderige grond.

Stap voor stap vorderden ze, terwijl de lichte troepen voor hen uit hun pijlen en stenen afschoten, voornamelijk op hun evenknie aan de andere kant gericht, daar het vanwege de afstand een verspilling zou zijn om op de vijandige falanx te richten; ook daar hield men het schild voor zich.

De afstand tussen de twee kampen verminderde; op honderd pas draaide Antigonos zich om en knikte naar de hoornblazer. Een noot klonk op en werd langs beide kanten van de formatie herhaald; de sarissa's werden in een golf die langzaam langs de linie liep horizontaal gebracht. De mannen hadden nu twee handen nodig om hun wapen te hanteren en konden hun schild niet strak voor zich houden; ze hingen het daarom over hun linkerschouder, zodat het toch wat bescherming bood. Dat was het moment waarop de lichte troepen hadden gewacht: ze richtten zich niet langer op hun directe tegenstanders, maar mikten hoger en stuurden hun pijlen over de hoofden van de vijandelijke boogschutters heen in de dichte formatie van nu kwetsbaardere infanteristen. Maar alleen de eerste vijf rijen hadden hun piek horizontaal gebracht, de elf rijen daarachter hielden hun wapen schuin omhoog zodat de vlucht van heel wat pijlen en stenen in het woud van pieken brak; sommige projectielen kwamen er toch langs en raakten helmen, leren kurassen, schilden of vlees. De eerste kreten verscheurden de lucht terwijl gewonde en stervende mannen ter aarde stortten en de formatie om hen heen in wanorde brachten, zodat de mannen hun best moesten doen om op de been te blijven en de formatie te herstellen.

Vervolgens begonnen de lichte infanteristen zich terug te trekken om te voorkomen dat ze verpletterd werden tussen de twee zware falanxen; via smalle openingen die in de formatie waren gelaten glipten ze weg naar achteren, waar ze zich weer formeerden en hun salvo's over de hoofden van de eigen falanx op de vijand afschoten.

Toen de laatste lichte infanteristen naar achteren waren, voelde Antigonos zijn kameraden aan weerszijden dichter naar hem toe komen; de falanx sloot de rijen, klaar voor de klap. *Bijna zover; eindelijk kan ik zelf ervaren wat het betekent om op een falanx te stuiten.* Hij keek omlaag en zag dat de punt van de piek van de man op de vijfde rang net voorbij zijn buik stak, precies waar hij hoorde te zijn, terwijl de piek van de man op de vierde rij anderhalve pas verder vooruit stak, en weer verder vooruit waren de derde en tweede en ten slotte zijn eigen piek:

vijf punten voor elke man in de voorste rij van de vijand. Zoals altijd voelde hij zich trots aanvoerder te zijn van een groep voortreffelijke soldaten die een veldslag in gingen, maar hij besefte heel goed dat hij tegenover een even bedreven en gedisciplineerd leger stond; want dit was een burgeroorlog en heel wat van de mannen tegenover hem waren door hemzelf en zijn officieren gedrild.

Steeds dichterbij kwamen ze, aan beide zijden was de zestienpuntige zon van Macedonië op de schilden aangebracht. Het wit van hun ogen was nu duidelijk zichtbaar; de pieken van de twee voorste rijen gleden langs elkaar met gekletter van ijzer tegen ijzer en gerasp van houten schachten die langs elkaar schuurden. De scherpe punten naderden, stap voor stap, brengers van de dood glinsterend in de zon. *Goden, dit wordt mooi; falanx tegen falanx, wie had kunnen denken dat het zover zou komen.* 'Nu!' schreeuwde hij en hij stootte de piek zo ver mogelijk naar voren in de keel van de man tegenover hem. De eerste, tweede en derde rang ramden hun wapen naar voren, de punten flitsten beide kanten op, vraten zich in vlees, beukten tegen pantsers of raakten alleen lucht. Een stap naar voren zettend dook Antigonos onder een felle stoot door en dreef de gespietste man tegen de soldaat achter hem aan, waarmee hij diens voortgang stopte en voorkwam dat ze daar vooruitkwamen. Langs de hele linie vonden aan beide zijden vergelijkbare ontmoetingen plaats toen de lange sarissa's naar voren werden geduwd, en zo kwamen de beide kampen tot stilstand. De soldaten aan de achterkant duwden tegen de ruggen van de mannen voor hen in een poging de opmars voort te zetten, maar niemand was bereid zich in het woud van dodelijk scherpe punten te begeven. Op vijf pas van elkaar kwamen de twee falanxen tot stilstand en er ontstond een steekpartij. IJzer kleurde rood, mannen vielen onder het aanroepen van de goden, wonden gaapten, soldaten stapten naar voren om de plek van gevallen kameraden in te nemen

Antigonos stak met zijn piek, keer op keer, steeds opnieuw, terwijl hij gelijktijdig de punten ontdook die voortdurend zijn richting op kwamen om zijn leven te nemen. Hij probeerde de pijlen en stenen die bleven neerkomen en door het woud van pieken boven zijn hoofd vlogen te negeren. Philotas naast hem, die zoals altijd alle obsceniteiten schreeuwde die hij kon bedenken, stootte steeds weer met zijn sarissa naar voren en probeerde naar voren te komen, langs de wapens van de tweede rij, maar hij viel door een stoot in zijn dij afkomstig uit de rij daarachter. Hij ging neer, genegeerd door allen, want de slag ging door. Beide zijden wisten dat het zinloos was en dat ze in een impasse zaten, maar ze beseften dat als ze hun inspanningen verminderden de tegenstander de bovenhand zou kunnen krijgen. *Het hangt nu af van wat er op de flanken en op zee gebeurt; we moeten volhouden tot het daar klaar is.* Maar opgesloten in zijn eigen kleine wereldje van geweld kon hij niet verder dan tien pas zien; de flanken hadden net zo goed op een ander eiland kunnen zijn.

Bloed en ingewanden vulden de lucht met hun geuren en doorweekten de grond, die daardoor glibberig werd, maar de sarissa's bleven stoten en vonden hun doel. Beide zijden hadden evenveel succes, zodat niemand voortgang kon boeken, terwijl zich terugtrekken een zekere dood betekende. *De falanxen heffen elkaar op, ik zal een nieuwe aanpak moeten bedenken als de burgeroorlog doorgaat.* Maar deze gedachte was slechts een flits in zijn hoofd, want vanuit de achterste rijen van de vijand steeg een luid geschreeuw op en de regen van stenen en pijlen die op hen was neergekomen droogde op. Zo snel als het geschreeuw was begonnen hield het ook weer op. Aristonous' falanx ging zitten.

Pieken vielen op de grond en de vijandelijke soldaten hurkten neer, een menigte mannen die zich overgaf. 'Genoeg!' riep Antigonos; achter hem bliezen de hoorns het stopsignaal. Achter de verslagen falanx zag Antigonos paarden en binnen die formatie viel een purperen mantel op. *Goed gedaan, Demetrios; je hebt voor één keer gedaan wat je was opgedragen*. Hij liet zijn wapen vallen en liep naar Philotas, die op zijn buik op de grond lag. 'Hoe gaat het, oude vriend?'

Philotas draaide zich om en haalde zijn hand van zijn gewonde dij. Hij glimlachte van opluchting. 'Het bloed spuit er niet uit, het stroomt alleen. Zodra de wond verbonden is ben ik weer in orde. Het doet wel ongelooflijk pijn.'

Antigonos sloeg hem op de schouder. 'Ik wil je opgelapt hebben voor onze vijfenzestigste slag, broeder.' Hij wendde zich tot de mannen die achter Philotas hadden gevochten. 'Breng hem naar mijn arts. Wees voorzichtig met hem; hij begint wat op leeftijd te komen.'

'Geitendrol,' zei Philotas tussen opeengeklemde tanden door terwijl hij probeerde op te staan. 'Ik ben zes maanden jonger dan jij.'

'Antigonos!'

De onderbreking voorkwam dat hij kon antwoorden op Philotas' belediging en Antigonos keek wie er geroepen had.

Hij zag hem meteen: een officier, zo'n tien jaar jonger dan hijzelf, met een glanzende bronzen helm met hoge pluim en een fraai ingelegde zilveren borstplaat kwam op een prachtige witte hengst door de verslagen falanx aanrijden. Antigonos glimlachte grimmig. 'Aristonous, dat is lang geleden.'

'Dertien jaar, beste vriend, sinds we afscheid namen toen Alexander je de opdracht gaf de rest van Anatolië te veroveren.'

'Zo lang? En nu bevechten we elkaar.' Hij gebaarde naar de doden en gewonden die het resultaat waren van de botsing van de twee falanxen. 'Goeie jongens ook nog eens; de meeste in ieder geval.'

'Wat mij betreft had het niet gehoeven, maar onze meesters hebben ons gestuurd om het eiland in handen te nemen. Ik kan met een gerust geweten zeggen dat ik alles gedaan heb wat mijn eer me gebiedt, Cyprus is nu van jou.' Hij bracht zijn paard voor Antigonos tot staan en keek naar het strand, naar de plek waar Kleitos' manschappen achter de flank van zijn leger waren geland, en naar zee, waar zijn vloot uit elkaar geslagen dobberde. 'En je hebt ook de zee in handen. Ik geef me over. Wat ga je met mijn mannen doen?'

'Ik neem ze in mijn leger op, ik denk niet dat het ze veel kan schelen voor wie ze vechten zolang ze maar vechten en regelmatig en goed betaald worden.'

Aristonous glimlachte tegen de eenogige generaal en stapte van zijn paard. 'Je kent de mannen door en door, Antigonos, en zoals jij het zegt klinkt het zo eenvoudig. En hoe zit het dan met mij? Wat ga je met mij doen?'

'Je een beker wijn geven, denk ik. Je zult wel dorstig zijn.'

'Dat is al veel beter,' zei Aristonous, die zijn net geleegde beker ophield zodat de slaaf hem weer kon vullen. Hij keek naar Antigonos en Demetrios, die aan de andere kant lagen van een lage tafel gevuld met allerlei soorten zeebanket. 'Weten we al hoeveel er dood zijn?'

'Genoeg om de eer te hebben opgehouden,' antwoordde Demetrios, die zijn opgevouwen mantel schikte zodat die beter als kussen voor zijn elleboog kon dienen. 'De falanx gaf zich over toen we je cavalerie hadden verjaagd en om ze heen waren getrokken, terwijl de zeesoldaten op hetzelfde moment achter ze op het strand kwamen.' Hij keek naar zijn vader. 'Al begrijp ik niet waarom u het nodig vond om mijn glorie te verminderen door de zeesoldaten in de eer te laten delen; in mijn eentje was het me ook gelukt.'

Antigonos keek zijn zoon boos aan met zijn ene oog, terwijl uit het pokdalige litteken van zijn andere een heldere, roze vloeistof welde. 'Lik m'n reet! Denk je dat je alleen was, jongen? Lik m'n vochtige harige reet, je was niet alleen! Je had bijna duizend man bij je, stuk voor stuk op zijn minst je gelijke op het slagveld; je kunt niet vechten zonder je mannen, vergeet dat nooit. Deel je glorie met ze of anders zou je op een dag tijdens een gevecht weleens een dolk in je rug kunnen voelen; dat was het lot van heel wat gehate officieren.' Demetrios begon te protesteren, maar Antigonos kapte hem af. 'En ik heb de zeesoldaten opgedragen aan land te gaan omdat jij je liet gaan bij je eerste slag en de vijand dagenlang achtervolgde door Cappadocië. Ik kon er niet op vertrouwen dat je niet weer van het slagveld zou verdwijnen om een verslagen vijand op te jagen.' Hij leunde naar voren en greep de mantel en trok hem onder Demetrios' elleboog vandaan. 'En alleen koningen dragen purper, Demetrios, je hebt nog heel wat te leren.'

Demetrios sprong op, woedend. 'Verneder me niet, vader! Zeker niet in bijzijn van een verslagen vijand.'

Antigonos wees naar Aristonous. 'Deze man heeft in veertig jaar op de slagvelden meer en grotere gevechten gezien dan jij ooit zult meemaken. Hij mag dan vandaag verslagen zijn, maar hij is geen vijand; hij was een van de zeven lijfwachten van de koning van Macedonië. En ik verneder je niet, ik leer je iets; als je het verschil niet begrijpt, dan kun je maar beter teruggaan naar je moeder om te leren naaien, want dan heb je geen nut voor me.'

Demetrios keek heen en weer tussen de twee oudere mannen, zijn mond ging open en dicht.

'Waag het,' snauwde Antigonos.

Maar de jonge man barstte in lachen uit, niet in een tirade vol jeugdige minachting. Hij ging weer zitten. 'U hebt natuurlijk gelijk, vader. Mijn excuses, Aristonous, ik sprak voor mijn beurt.'

Antigonos legde een hand tegen de wang van zijn zoon. 'Je sprak niet voor je beurt, je sprak zonder na te denken; daar is een groot verschil tussen. Maar je hebt het vandaag goed gedaan, precies wat ik je had opgedragen zonder je te laten gaan.' Hij grijnsde. 'Misschien hebben we de volgende keer de zeesoldaten niet meer nodig.'

'Er is een gast, Antigonos,' zei Philotas, die op een kruk binnen kwam hinken.

Antigonos draaide zich om. 'Wie is het?'

Philotas gebaarde naar de wachtende man. 'Een boodschapper van Antipatros.'

'Nicanor,' zei Antigonos toen Antipatros' zoon de tent betrad. 'Dit moet ernstig zijn.'

'Dus ik moet geëxecuteerd worden op last van de legervergadering,' zei Aristonous nadat Nicanor hen op de hoogte had gebracht van de ontwikkelingen sinds Perdikkas zijn rampzalige poging de Nijl over te steken had gedaan. Hij leegde zijn beker en keek Antigonos aan. 'Je kunt maar beter je plicht aan het leger vervullen en doe het een beetje snel.'

'Wat een ongelooflijke onzin!' donderde Antigonos. 'Een van mijn kameraden executeren? Lik m'n reet, geen denken aan!'

'Ik begrijp dat Alketas moet sterven,' zei Philotas, die een krabbenpoot met een hamer kraakte, 'al was het maar omdat hij verantwoordelijk is voor de dood van Cynnane. Attalus heeft zichzelf ter dood veroordeeld door achthonderd talent uit de schatkist van Tyros te stelen, maar wat er met Atalante is gebeurd is een schande.'

Antigonos schudde het hoofd, zijn ogen schoten vuur. 'Maar jij, Aristonous? Jij bent een man van eer, ik laat je niet executeren vanwege een of ander verkeerd, emotioneel decreet. Ze hadden de mannen in de hand moeten houden. Eumenes was degene die Krateros doodde, laat hem de prijs ervoor betalen, net zoals Attalus en Alketas voor hun misdaden moeten boeten.'

Aristonous neigde het hoofd. 'Je bent een grote troost, beste vriend.'

'En wat Atalante betreft, Ptolemaeus had ervoor moeten zorgen dat de vrouwen uitgezonderd werden van het wraakzuchtige decreet. Zijn we al zo diep gezonken dat we vrouwen executeren? Wat voor soort mannen zijn we? Als ik de stokebranden vind die om haar dood hebben geroepen zal ik ze in vrouwen veranderen voordat ik ze executeer.'

'Het was een domme zet,' stemde Aristonous in. 'Met die ene dood hebben we ervoor gezorgd dat er geen vrede, geen verzoening kan zijn tot Attalus en Alketas dood zijn, want hun eer verplicht hen om hun vrouw en zuster te wreken. Wat een blunder; je vraagt je bijna af of het geen opzet was.'

Antigonos fronste en keek naar Nicanor. 'Had Ptolemaeus haar dood kunnen voorkomen?'

Nicanor haalde de schouders op. 'Ik was er niet bij.'

'Ptolemaeus doet nooit iets zonder reden,' redeneerde Aristonous. 'En meestal is het iets wat hem van pas komt. Wie profiteert het meest van oorlog in het noorden?'

Philotas veegde zijn handen aan een servet af en pakte een volgende krabbenpoot. 'Ptolemaeus heeft er in ieder geval voor gezorgd dat we het voorlopig druk hebben, ook als Eumenes verslagen is.'

'Hij was altijd al de slimste, en naast zijn liefde voor de goede dingen in het leven was hij ook ambitieus.'

Antigonos gromde afkeurend. 'We kunnen hem nu niets maken. Ik moet een garnizoen op het eiland achterlaten en met de rest van het leger naar De Drie Paradijzen gaan; we moeten de komende dagen aanpoten als we er op tijd willen zijn.'

'En ik?' vroeg Aristonous.

'Ik geef je een schip, twee schepen; neem je metgezellen mee naar Macedonië en trek je terug op je landgoed, en vestig geen aandacht op jezelf.'

'Dat is alles wat ik wilde sinds Alexander stierf.'

'Dan krijg je dat nu, ik regel het verder met Antipatros.'

'Dank je, ik ben je wat verschuldigd, Antigonos.'

'Ik weet het, en je zit in een positie om je schuld terug te betalen.'

'Is dat zo?'

'Ja, je landgoederen liggen in het westen, vlak bij de grens met Epirus, nietwaar?'

'Ah, ik begrijp waar je heen wilt.'

'Ja. Antipatros zal de regent van de twee koningen worden en daarom wil ik alle geruchten die uit Epirus komen horen; ik wil weten wat zíj in haar schild voert. Ik wil, eerder dan Antipatros en wie dan ook, weten wat Olympias' plannen zijn.'

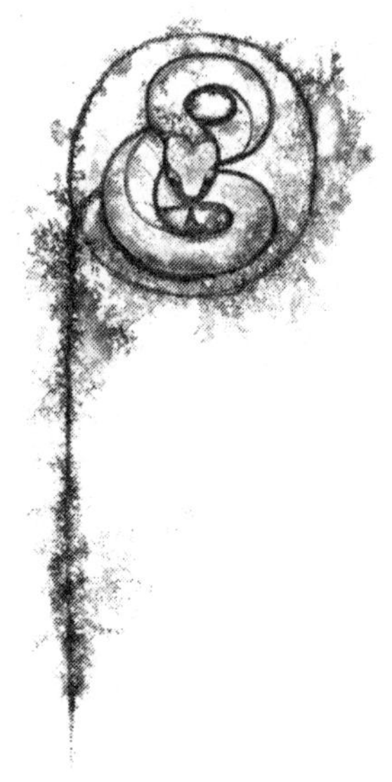

OLYMPIAS, DE MOEDER

De slang voelde koud op haar lichaam; hij kronkelde over haar buik, gleed langs haar dijen en verder omlaag, zijn huid glinsterend in het rode licht van talrijke flakkerende toortsen. De lage, monotone gezangen kalmeerden Olympias en terwijl de eerste slang bij haar voeten verdween voelde ze een tweede over haar schouder komen; een zacht gesis in haar oor en hij gleed al over haar borsten. Voor het eerst sinds maanden kwam er rust over haar; eindelijk kon ze de haat die constant in haar brandde naar haar achterhoofd verbannen door zich te concentreren op de zuiverheid van de slangen en de vraag die ze hun had gesteld.

Achter zich hoorde ze de priesteres het deksel van een volgende mand halen en ze voelde weer de rilling van genot die ze altijd had ervaren als ze in contact kwam met een van die schitterende wezens. De rauwe kracht in hun slanke lichaam en de dood die hun beet beloofde wonden haar zo op dat het bijna een verering was; naast de verering van Dionysus was dit het ritueel dat haar het meest bevredigde, zowel spiritueel als seksueel. Opnieuw kneep ze haar benen samen en voelde de kop van een van zijn giftanden ontdane slang in zich kronkelen en ze slaakte een lange zucht van genot.

Het gezang zwol aan toen de tweede slang zijn reis langs haar lichaam voltooide en de priesteres de derde slang naast Olympias' hoofd legde; ook dit dier siste en gleed over haar schouder en begon aan zijn tocht naar haar voeten. Dat was de derde op rij; een beter voorteken was niet mogelijk – dat was slechts een paar keer eerder voorgekomen – drie slangen achter elkaar die dezelfde route namen van haar schouder naar haar voeten.

Drie keer hadden ze een bevestiging gegeven; dat was voldoende, ze had het antwoord dat ze zocht.

Ze knelde haar dijen weer herhaaldelijk tegen elkaar en met zwoegende borst en samengeknepen keel liet ze de extase die ze voelde als de slang zich in haar bewoog opwellen en haar naar plekken leiden die in de fysieke wereld niet te vinden waren. Na afloop was ze met zweet bedekt, ze hijgde, haar ledematen waren slap terwijl de werkelijkheid om haar heen langzaam weer terugkeerde; ze voelde teleurstelling bij de aanblik ervan na de innerlijke reis die ze net had gemaakt. Olympias voelde de priesteres de slang tussen haar benen weghalen en hoorde het zachte schuifelen van de zingende tempeldienaren die het vertrek verlieten om haar alleen te laten met haar gedachten.

En wat voor gedachten! Donker en grimmig, vol haat en rancune en kwaadaardigheid.

Ze stond zichzelf even toe om zich erin te wentelen, maar uit een overvloed aan eerdere ervaringen wist ze dat ze zich er maar kort aan kon overgeven, want ze raakte snel uitgeput door de diepte van haar boosaardigheid.

Het zweet op haar lichaam begon koud te worden in de koele berglucht van de vroege herfst, die door de gesloten luiken waaide. De toortsen flakkerden en zorgden voor wisselende patronen van licht en schaduw op de kleurige muurschilderingen van vrouwen – en enkele mannen – die met slangen copuleerden, ze leken tot leven te komen. Ze huiverde en ging overeind zitten, ze wreef over haar bovenarmen en probeerde niet meer te denken aan de wraak die haar toekwam omdat ze al zo lang uit het centrum van de macht was verstoten; dertien jaar inmiddels, sinds haar zoon Alexander naar het oosten was gegaan.

Maar nu hadden de slangen gesproken en alles zou snel veranderen, want Perdikkas zou binnenkort Ptolemaeus verslaan en Alexanders katafalk terughalen; daar was ze zeker van, want vanochtend had ze het nieuws gekregen van Eumenes' overwinning op Krateros en de dood van die grote generaal. Nu Antipatros klem zat tussen Eumenes en Perdikkas was hij gedwongen de Griek aan te vallen, waardoor Perdikkas de handen vrij had om al zijn troepen tegen Ptolemaeus in te zetten. En hij zou zegevieren, want hij beschikte over veel meer Macedonische veteranen – Ptolemaeus' leger bestond vooral uit lokale soldaten bewapend op de Macedonische wijze.

Nee, het was wel zeker dat Perdikkas zou triomferen en vervolgens zou hij samen met Eumenes Antipatros verslaan. Als hij het lichaam van Alexander weer in zijn bezit had zou Kleopatra instemmen met een huwelijk met Perdikkas, en na het bijzetten van Alexander in de koninklijke tombe in Argeas kon hij aanspraak maken op de troon en de kleine Alexander als zijn erfgenaam adopteren. En dan zou Olympias eindelijk, via haar dochter en kleinzoon, de macht in handen hebben. De slangen hadden gesproken: haar tijd was gekomen.

En dan zou er een grootse afrekening volgen. De eersten die het zouden voelen waren die pad Antipatros en zijn verachtelijke zoons; dat zou een mooi begin zijn. Het was zeker, want de slangen logen nooit en er waren er drie achter elkaar over haar hele lichaam gegleden, iets wat nog maar twee keer eerder was gebeurd, en beide keren was hun antwoord juist geweest.

Olympias trok een gewaad en een paar gevoerde slippers aan en klapte in haar handen om haar slavin te roepen. 'Maak mijn bad klaar,' zei ze tegen de vrouw van middelbare leeftijd die haar al haar hele volwassen leven diende, maar die ze nog nooit met haar naam had aangesproken. 'En leg mijn mooiste jurk klaar, de saffraangele met het borduurwerk in goud, en zorg dat de andere slavinnen klaarstaan om mijn haar te doen en me op te maken; als ik heb gezien hoe ik eruitzie beslis ik welke juwelen ik zal dragen. Zeg tegen de meisjes dat ik er op mijn best moet uitzien voor mijn onderhoud met de koning. Als ik niet tevreden ben wacht ze een flinke afranseling, en jou ook. En stuur Thessalonike naar me toe.'

Met een buiging vertrok de slavin om de wensen van haar meesteres te vervullen; ze wist dat het dreigement niet loos was, ze had in haar ellendige leven al heel wat keren met de zweep ervan langs gekregen.

Genietend van de angst in de ogen van de vrouw liep Olympias naar het raam, gooide de luiken open en ademde diep de lucht in die van het Pindusgebergte in het oosten kwam. Ze voelde de mist van religieuze en seksuele extase optrekken in de verfrissende bries en begon in haar hoofd te formuleren wat ze zou gaan zeggen tegen haar neef Aeacides, koning van Epirus, om hem over te halen haar het leger van Epirus uit te lenen. Ze was van plan Polyperchon, Antigonos' plaatsvervanger als regent van Macedonië tijdens zijn verblijf in Azië, te bedreigen mocht hij weigeren Kleopatra en Perdikkas toe te laten bij hun komst naar Macedonië. Indien nodig zou ze vanuit het westen binnenvallen terwijl Perdikkas uit het oosten kwam. Ze wilde geen moment vertraging in zijn terugkeer, en daarmee de hare; vooral niet na het duidelijke antwoord op haar vraag.

Ze zat nu al veel te lang in Passaron, de hoofdstad van het bergstaatje Epirus, terwijl ze ondanks haar status was buitengesloten van de koninklijke raad van het land, op bevel van dat insect Aeacides. Olympias voelde zich machteloos, geïsoleerd, met niemand van haar niveau, uitgezonderd haar adoptiedochter Thessalonike, om haar gezelschap te houden nu Kleopatra in Sardis zat in afwachting van Perdikkas. Ze verlangde naar terugkeer naar het centrum van de politiek en aandacht – en naar de afrekening die dan zou volgen.

Olympias koesterde het idee van wraak terwijl ze op Thessalonike wachtte. Thessalonike was de dochter van haar echtgenoot Philippus en zijn derde vrouw, Nicesipolis. Ze was zo'n tien jaar na Alexander geboren, lang nadat Philippus Olympias' bed had verruild voor jonger vlees. Maar Olympias was niet de eerste de beste en dat het kind bij een andere vrouw was verwekt wilde nog niet zeggen dat het niet van haar kon zijn – als het een meisjes was tenminste. Als het een jongen was geweest had hij de eerste nacht niet overleefd. Gelukkig voor de zuigeling ging het om een meisje, maar dat feit betekende de dood van haar moeder, die in twintig dagen tijd langzaam vergiftigd werd, zodat het een natuurlijke uitputting als gevolg van de geboorte leek. Olympias had onbaatzuchtig aangeboden het kind op te nemen alsof het van haarzelf was, waarmee ze er een dochter bij had die ze een politiek voordelig huwelijk kon laten sluiten om haar positie in de toekomst veilig te stellen. Hoewel ze niet het zuivere bloed van haar echte dochter Kleopatra had, bezat Thessalonike niettemin

Argeadenbloed, en nu had Olympias een nuttige rol voor haar gestolen kind, want de toekomst die ze had gezien was aangebroken.

'U wilde me spreken, moeder?' zei Thessalonike, die het vertrek binnen kwam zweven, haar bewegingen gracieus en haar houding elegant; haar verfijnde manieren waren vooral bedoeld om haar ware aard te maskeren, een aard die was gevormd door haar adoptiemoeder.

Bij haar had ik meer succes dan bij Kleopatra, deze is helemaal van mij.

'Klopt, m'n kind,' antwoordde Olympias en ze gebaarde dat ze beiden moesten gaan zitten. 'Er komen interessante tijden aan en we moeten elke gelegenheid aangrijpen om onze vijanden op het verkeerde been te zetten en onze positie te versterken.'

'Hebben de slangen gesproken?'

'Inderdaad. Ik heb ze een vraag gesteld zodra ik van Eumenes' overwinning hoorde; het voorteken kon niet beter zijn.'

'Wat was de vraag?'

'Is mijn tijd van het wachten op de macht in Macedonië voorbij?'

Thessalonike keek verbaasd. 'Is dat niet wat vaag? Waarom hebt u niet gevraagd of Perdikkas eerst Ptolemaeus en daarna Antipatros zou verslaan?'

'De priesteres van de slangen staat alleen vragen over jezelf toe, niet over het lot van anderen, zo is het altijd geweest.'

'Als u me zou toestaan om geïnitieerd te worden, dan zou ik dergelijke dingen weten.'

'Een maagd kan niet dienen, om voor de hand liggende redenen.'

Thessalonike snoof. 'Moeder, u weet heel goed dat ik dat niet meer ben.'

'Wat jij uitvoert met je slaven of lijfwachten is tussen jou en hen. Voor de wereld ben je een maagd en daarom kun je niet dienen; en je doet er goed aan dat te onthouden op je huwelijksnacht en af te zien van technieken die iemand die niet geschoold hoort te zijn in de kunst der liefde moeilijk onder de knie kan hebben.'

Thessalonike keek Olympias zonder te knipperen aan. 'Ik ben vierentwintig, ik had acht of negen jaar geleden al getrouwd moeten zijn. U kunt niet van me verwachten dat ik me het genot van mannen ontzeg alleen omdat u de juiste echtgenoot voor mij nog niet gevonden hebt – of liever gezegd voor úw bedoelingen.'

Goed zo, meisje; laat je maar even gaan, je zult je daarna beter voelen. 'Zo praat je niet tegen me. Ik heb heel wat opgeofferd om je een leven te geven; wie weet wat er met jou gebeurd was als ik niet had ingegrepen en je als mijn eigen kind had opgenomen.'

'U had me waarschijnlijk vergiftigd, net als...' Thessalonike klemde haar kaken op elkaar.

Olympias wachtte even of ze haar zin zou afmaken, maar dat gebeurde niet. 'Net zoals wat – of wie?' *Natuurlijk heeft ze het inmiddels geraden; ik heb haar geleerd te denken zoals ik. Hoe zou ze de waarheid dan niet kunnen zien? Des te beter.* 'Maar goed, liefje, ik wil met je over je huwelijk praten.'

'Wilt u dat ik met Eumenes trouw?'

Ah, ze is bepaald bij de pinken. 'Het lijkt een logische keuze.'

'Want mijn echte moeder was een Thessalische van weinig belang maar van grote schoonheid, die Philippus eerder uit lust dan om dynastieke redenen koos?'

'Zo zou je het ook kunnen formuleren.'

'En als halfbloed Argeade kan ik aan een Griek uit Kardia worden gegeven zonder dat de Macedoniërs er aanstoot aan nemen, terwijl Eumenes nog nauwer met Perdikkas en zijn nieuwe bruid Kleopatra wordt verbonden omdat zij mijn halfzuster is.'

'Precies, je hebt de situatie perfect begrepen, liefje. We stellen zo onze positie veilig. Het doet er niet toe aan wie Antipatros Phila uithuwelijkt nu haar echtgenoot Krateros dood is, want hij kan geen wig tussen Eumenes en Perdikkas drijven vanwege jou en Kleopatra; hij zal een verbond met ze moeten sluiten om de vernietiging van zijn familie te voorkomen. Ik wed dat hij de weinige tijd die hem nog rest bij voorkeur teruggetrokken op zijn landgoederen doorbrengt.'

Thessalonike bestudeerde haar adoptiemoeder en woog haar woorden. 'Moeder, ik begrijp uw standpunt, maar ik zeg niets toe voor we zeker weten hoe de strijd uitpakt.'

'Dat doen we al, de slangen hebben gesproken.'

'Ze mogen dan gesproken hebben, maar u hebt de verkeerde vraag gesteld.' Thessalonike stond op. 'Ik heb de ceremonie nooit meegemaakt en vertrouw daarom niet voetstoots op het waarheidsgehalte.' Ze draaide zich om en liep weg, net toen de slavin bij de deur verscheen. 'U bent tenslotte vierenvijftig, moeder, uw wachten op de macht in Macedonië is ook voorbij als u dood neervalt, wat zomaar kan gebeuren.' Ze bleef even staan bij de deur en schonk Olympias een lief, maar overdreven glimlachje over haar schouder. 'Het is maar een observatie.'

'Uw bad is gereed, meesteres,' zei de slavin nadat Thessalonike het vertrek had verlaten.

'Weg,' schreeuwde Olympias en ze gooide een beeldje van de god Dionysus naar de vrouw.

Twijfel plaagde haar nu, terwijl ze altijd zo zelfverzekerd was. *Het vervelende is dat ze gelijk heeft; het was een erg onbevredigend geformuleerde vraag. Ik zal de ceremonie overdoen zodra ik met Aeacides heb gesproken.*

'En wie gaat dat allemaal betalen?' vroeg Aeacides.

Dat was de vraag die Olympias als eerste had verwacht van haar zwakke en vrekkige neef en dus was ze erop voorbereid. 'Perdikkas, als dank voor je steun aan zijn aanspraak op de troon.'

Kleine, bloeddoorlopen oogjes loerden haar aan uit een gezicht dat ondanks de jonge leeftijd van de koning al zwaar was getekend door drankgebruik. 'En wat als ik het leger oproep en we trekken de bergen over en Macedonië in, of in ieder geval tot aan de grens, en we ontdekken daar dat Perdikkas helemaal niet de troon heeft bestegen? Wie betaalt er dan? Antipatros? Ik dacht het niet; nee, het geld zal uit mijn schatkist komen.'

Het ontspannende effect van het bad, het plezier van de afranseling van haar slavinnen en het zoete vooruitzicht van een volgende slangenceremonie zodra ze klaar was met deze kleine idioot begonnen snel op de achtergrond te verdwijnen. Olympias moest moeite doen om kalm te blijven, zoals altijd als ze op audiëntie ging bij haar verwant. 'Perdikkas zal koning worden en Kleopatra zal zijn koningin zijn.'

Aeacides deed alsof hij verbaasd keek. 'Zelfs een dochter van jou zou denk ik niet graag het bed delen met een dode man; en ik denk zeker niet dat de Macedoniërs het zullen nemen als er een lijk op hun troon zit.' Hij glimlachte triomfantelijk naar Olympias. 'Want dat is wat Perdikkas is, nicht, een lijk.'

Olympias voelde haar maag omdraaien en instinctief wist ze dat hij de waarheid sprak. 'Hoe weet je dat?'

Aeacides haalde een rol tevoorschijn. 'Ptolemaeus heeft deze naar je gestuurd; helaas had je het druk, om het zo maar te formuleren, toen de boodschapper enkele uren geleden kwam, dus het leek me beter om te kijken of het nieuws belangrijk genoeg was om je te storen bij je eredienst, want ik weet – afgaand op de geluiden – hoe serieus je die neemt.' Hij wierp de rol naar Olympias. Ze las hem met toenemende wanhoop in het besef dat haar plannen door pech onmogelijk waren geworden. *De idioot, Perdikkas, de idioot. En hier schrijft Ptolemaeus dat het nieuws van Eumenes' overwinning net te laat kwam om hem te redden; denk maar niet dat ik dom ben, Ptolemaeus, ik zie wel wat je hebt gedaan.* Ze verfrommelde de brief, gooide hem op de grond en stormde de troonzaal uit. *Kalmeer! Ik moet kalm zijn om hier goed over na te denken. Antipatros heeft nu twee dochters die net weduwe zijn geworden, Phila en Nicaea. Twee dochters om uit te huwelijken. Aan wie zal hij ze geven? Aan wie kan ik de twee van mij nu geven? Wie is de waarschijnlijkste kandidaat voor de troon?* Ze bleef staan en er verscheen een glimlach van inzicht op haar gezicht. Haar waardigheid vergetend draaide ze zich om en begon te rennen, ze minderde pas vaart toen ze haar vertrekken bereikte. Gezeten aan haar schrijftafel pakte ze haar schrijfgerei. Na even te hebben nagedacht doopte ze haar pen in de inktpot. *Olympias, koningin van Macedonië, groet haar zuster en medekoningin Roxanna.*

ROXANNA, DE WILDE KAT

Zij is de eerste die mijn recht om als koningin te worden aangesproken erkent, dacht Roxanna goedkeurend nadat haar secretaris de brief had voorgelezen – een koningin hoeft niet te kunnen lezen of schrijven als er mensen zijn die het voor haar doen. Maar is het alleen om mijn aandacht te krijgen?

Roxanna wuifde de secretaris weg en dacht na over het probleem, liggend op de stapel kussens op haar bed in haar wagen, die hotsend en zwaaiend in noordelijke richting reed. Haar wagen was maar een van de vele in een enorme colonne, want het leger van Babylon was op weg naar de verzorgde jachtgronden van De Drie Paradijzen, die zich over de rollende heuvels uitstrekten, met hier en daar fraaie paviljoens en enorme cederbomen. De koele bries maakte de reis draaglijk en af en toe viel er een lichte regen.

Het had haar verbaasd een brief van Olympias te krijgen, ze had nooit contact gehad met de vrouw die de grootmoeder van haar kind was en ze was nieuwsgierig. Het was echter duidelijk wat ze wilde met haar verzoek aan Roxanna om de jonge Alexander naar Epirus – waar dat ook mocht zijn – te brengen, zodat ze beiden onder haar bescherming zouden vallen nu Perdikkas dood was. Het was ook duidelijk dat ze dezelfde doelen hadden: de dood van de idioot Philippus en zijn onnatuurlijk mannelijke vrouw, en de uiteindelijke heerschappij van Alexander als de vierde van die naam over Macedonië en het hele rijk. Roxanna vroeg zich echter af welke plannen ze had voor het regentschap. En dat was nou juist het probleem voor Roxanna: wie haar kind had, had het regentschap, en als buitenstaander en in de ogen van de Macedoniërs een barbaar kon zij het nooit zijn. Ze had een bondgenoot nodig, iemand met macht; iemand die ze onder de duim kon houden nu dat kreng Adea zoveel volgelingen had weten te verzamelen. Roxanna kon wel huilen en haar kleren scheuren toen ze zag met hoeveel gemak het met het man-kind getrouwde manwijf steun wisten te werven onder de soldaten tijdens hun langzame mars naar het noorden. Ze waren nu twintig dagen onderweg sinds ze uit Egypte waren vertrokken en inmiddels leek het hele leger naar haar te luisteren.

Het feit dat Adea zich ertoe kon zetten met mensen te praten die zo ver beneden haar stand waren bewees in Roxanna's ogen alleen maar dat ze ongeschikt was om macht te hebben; en toch erkende het leger inmiddels haar recht om voor de zwakzinnige koning te spreken. De twee nieuwe regenten, de idioot Peithon en de onbeduidende Arrhidaeus, konden niets doen, want Adea had de soldaten achter zich gekregen door zich in te zetten voor een zaak die ze belangrijker dan wat dan ook vonden, belangrijker dan Macedonië, dan glorie of familie of de goden: geld. Geld zorgde voor opwinding, want ze hadden het niet. Het was ook niet waarschijnlijk dat ze het zouden krijgen voordat Antipatros bij De Drie Paradijzen aankwam. Adea had hun wrok steeds verder aangewakkerd, Roxanna was er ziek van. En het was niet alleen achterstallige soldij waar de mannen van het leger van Babylon boos over waren, het ging veel dieper: alle veteranen die Alexander had laten gaan kregen elk een talent zilver mee, maar velen hadden opnieuw dienst genomen bij Antipatros toen ze in Macedonië aankwamen en mochten het geld houden. In het leger hier waren drieduizend van Antigonos' Zilveren Schilden het levende bewijs dat het talent was uitbetaald, niemand kon het ontkennen, want ze droegen alle drieduizend hun schat met zich mee. Alexander had de beloning aan iedereen beloofd, afgezwaaid of nog in dienst, zo werd beweerd – al wist niemand meer wanneer die belofte precies was gedaan – en aangezien ze geen aandeel hadden gekregen in de rijkdommen van

Egypte waren de mannen het er unaniem over eens dat de vermeende mondelinge overeenkomst nageleefd diende te worden.

Elke avond, als de traag voort marcherende colonne een kamp had opgeslagen, liep Adea tussen de mannen door en beloofde hun dat haar echtgenoot zou zorgen dat alles betaald zou worden wat hun toekwam, zowel achterstallige soldij als de beloning. Als ze hem steunden, met haar als zijn woordvoerder, zou het nooit meer voorkomen dat ze zo lang op hun soldij moesten wachten. *Alsof ze zich aan een dergelijke belofte zou kunnen houden. Ha!* Roxanna gooide een kussen naar een van de twee meisjes die in elkaar gedoken op orders wachtten. 'Breng me een sorbet!'

Maar de koele, verfrissende drank kalmeerde haar niet en toen ze hem half ophad slingerde ze hem naar de onfortuinlijke slavinnen. *Als ik geen manier kan bedenken om de idioot en zijn vrouw te vergiftigen, dan moet ik hun positie verzwakken of duidelijk maken dat ik superieur aan hen ben. Misschien kan Olympias me van nut zijn.*

Ze voelde zich geïsoleerder dan ooit; haar zoontje, dat in de wagen achter haar reisde zodat ze geen last van hem had, was geen talisman voor de soldaten want ze weigerde de mannen in de buurt van het kind te laten komen vanwege de afkeer die ze voelde voor het minderwaardige uitschot waaruit het Macedonische leger in Azië bestond. Waaruit elk leger eigenlijk bestond; hun taak was om te vechten en te sterven voor hun koning zonder vragen te stellen, dat was immers de aard der dingen. En nu, in een hoekje ergens in haar hoofd dat minder oosters was gaan denken in de jaren waarin ze met het Macedonische leger was meegereisd, begon ze dat uitgangspunt te betwijfelen. *Als het manwijf veiligheid en steun krijgt door bij de gewone manschappen in het gevlij te komen kan ik misschien hetzelfde doen door de lagere officieren op mijn hand te krijgen. Zijn zij zo ver beneden mijn waardigheid dat ze niet van nut voor me kunnen zijn?* 'Ga naar Peithon en Arrhidaeus,' beval ze haar slavinnen, 'vertel ze dat ik ze wens te zien zodra we een kamp hebben opgeslagen in De Drie Paradijzen.'

'Jullie hebben me laten wachten,' zei Roxanna, die probeerde niet te snauwen en toch de aangeboren autoriteit die ze meende te bezitten te laten gelden. Ze keek op en moest moeite doen om haar verbazing te onderdrukken toen ze Seleukos voor haar zag staan. 'Waar zijn Peithon en Arrhidaeus?'

Seleukos keek naar haar, ze lag op een bed van kussens onder een luifel die haar volledig bedekte lichaam beschermde tegen de laatste stralen van de zon; twee donkere ogen keken hem aan door de smalle spleet in haar sluier. 'Ten eerste: ik kom en ga zoals het me goeddunkt. En ten tweede komen Peithon en Arrhidaeus niet, want wat je ook te zeggen hebt kun je net zo goed tegen mij zeggen als tegen hen. En bovendien hebben ze het druk.'

'Te druk om te komen als hun koningin het beveelt?'

Seleukos zuchtte en ging op de stoel zitten die zijn slaaf had meegenomen, aangezien hij heel goed wist dat Roxanna hem die beleefdheid niet zou bewijzen. 'De een is bezig met de eisen van het leger en de ander is bij een andere vermoeiende vrouw die zichzelf graag koningin noemt; al is zij omdat ze met een koning is getrouwd eerder een koningin dan jij, want jij bent niet meer dan de moeder van een koning.'

Met grote moeite wist Roxanna haar kalmte te bewaren, al stond ze op het punt van ontploffen. *Ik heb hem aan mijn kant nodig, hoe onbeschaamd hij zich ook gedraagt.* Ze vermande zich. 'Ik zal die opmerking negeren – al zal ik haar niet vergeten.'

'Dat maakt me doodsbang. Vertel me nu wat je op je lever hebt, zodat ik me weer aan belangrijke zaken kan wijden.'

Roxanna voelde meer minachting dan ooit voor die Macedonische boerenkinkels die dachten dat ze de gelijke van Alexander waren en nam onder haar sluier een slokje van haar sorbet om haar boze, droge, samengeknepen keel te bevochtigen. 'Ik wil dat je een schip voor me klaarmaakt.'

Seleukos keek alsof hij haar niet had verstaan. 'Een schip?'

'Ik wens met mijn zoon, de koning, zijn grootmoeder in Epirus te bezoeken; ze heeft me geschreven met een verzoek daartoe en omdat zij de moeder van Alexander is verwacht ik dat aan haar wens wordt voldaan. Als een gunst zal ik jou, Peithon of Arrhidaeus toestaan om me te vergezellen – jullie kunnen het lot laten beslissen – want ik verwacht dat de man die de grote vrouw met haar kleinkind, de rechtmatige koning, verenigt schitterende geschenken en gunsten krijgt.'

Roxanna zag Seleukos' mond openvallen, zijn wenkbrauwen gefronst, zijn ogen ongelovig. De lach waarin hij vervolgens uitbarstte was even hard als beledigend: nooit eerder was ze in haar gezicht uitgelachen. Ze gooide een kussen naar hem. 'Hoe durf je je ten koste van mij te vermaken!'

Seleukos wreef met het kussen over zijn ogen terwijl hij zijn vrolijkheid onder controle bracht. 'Dacht je nou echt dat iemand bij zijn volle verstand Olympias – een vrouw naast wie jij overigens een weinig eisend, aardig en invoelend persoon lijkt – toegang gaat geven tot een van de koningen zodat ze hem als pion kan gebruiken in haar eeuwige strijd om macht?' Opnieuw bulderde Seleukos van het lachen. 'En denk je echt dat Olympias ons zou overladen met geschenken als een van ons dom genoeg was om het toe te staan en jou en je kind begeleidde?' Er volgde een nieuwe lachbui toen hij het voor zich zag. 'Nee, Roxanna, dit keer vraag je echt te veel en je toont een volkomen gebrek aan inzicht in Macedonische dynastieke politiek. Olympias is giftig en ze zal nooit meer de kans krijgen zich met onze zaken te bemoeien. Ik zou zelfs willen zeggen dat alle Macedoniërs verenigd zijn in hun haat voor haar; ik, Ptolemaeus, Antipatros, Attalus, Kassandros, Alketas, iedereen die je kunt bedenken, ieder van ons.' Hij stond op. 'Er komt geen schip. Jouw lot, en het lot van de koningen, zal binnenkort beslist worden nu we in De Drie Paradijzen zijn aangekomen. Antipatros en de anderen zullen een dezer dagen aankomen. Ik wens je een goede avond.'

SELEUKOS, DE OLIFANTENSTIER

A*ls Olympias plannetjes aan het maken is, heeft ze dus van Perdikkas' dood gehoord.* Seleukos liep door het kamp, een glimlach op zijn gezicht vanwege de waanideeën van de wilde kat. Hij dacht na over de betekenis van de brief aan Roxanna. *Als ze haar kleinzoon in handen probeert te krijgen is ze kennelijk niet zeker of ze Kleopatra nog kan gebruiken nu Perdikkas is afgevallen. Antipatros zal beslist belangstelling voor de brief hebben, zeker nu twee van zijn dochters net weduwe zijn geworden. Dat zal hem mild stemmen als hij moeite heeft met mijn benoeming tot satraap van Babylon.*

Seleukos besloot een ontmoeting met de oude regent te regelen zodra die bij De Drie Paradijzen aankwam. Hij wendde zijn schreden naar zijn tent; rond hem begaven de soldaten van Babylon zich vastberaden naar de rand van het kamp, hun stemmen klonken boos. 'Waar gaan jullie heen?' vroeg hij een groep *hypaspisten*, de elite-infanterie die als de Zilveren Schilden bekendstond en door Antigenes gecommandeerd werd.

'Heb-ie 't niet gehoord, broer?' antwoordde een veteraan. 'De koning en koningin hebben een legervergadering bijeengeroepen; ze willen...' Hij viel stil toen hij besefte met wie hij sprak.

'Ja?' zei Seleukos met een gevaarlijke glimlach. 'Ze willen wat?'

De oude soldaat slikte en zijn kameraden vonden het opeens verstandig afstand van hem te nemen. 'Ze, eh, ze willen... Tja, ze willen ons raadplegen.'

'Raadplegen? Waarover?'

De veteraan keek ongemakkelijk nu hij besefte dat zijn makkers hem in de steek hadden gelaten omdat hij zich tegenover de grootste man van het leger bevond, die in rang ook nog eens ver boven hem stond. 'Dat zeiden ze niet.'

Seleukos keek de man dreigend aan. 'De Zilveren Schilden kregen allemaal een bonus van een talent toen jullie met Krateros het leger verlieten; waarom mengen jullie je in de ruzie over geld?'

'Het gaat om achterstallige soldij; sinds we ruim twee jaar geleden uit Babylon vertrokken hebben we niets gekregen. Perdikkas beloofde ons uit de schatkist van Tyros te betalen, maar die is in handen van Attalus, dus waar komt ons geld nu vandaan?'

Seleukos keek de man enkele ogenblikken doordringend aan, knikte, draaide zich om en liep weg, tot duidelijke opluchting van de veteraan. *De discipline verdwijnt en het leger valt uit elkaar; het is tijd voor een stevig lesje. Ik kan maar beter gaan luisteren naar wat Adea in hun hoofden stopt. Het vervelende is dat Adea onkwetsbaar is sinds die idioot van een Alketas Cynnane doodde. Als Adea gedood wordt zal dat tot muiterij leiden.* En daar maakte Adea precies gebruik van; de legervergadering een stevig lesje leren was wel het laatste wat Adea van plan was. Ze zweepte de mannen op vanaf een open wagen met naast haar haar zwakzinnige echtgenoot, die kwijlend naast haar zat – zijn vier Macedonische lijfwachten om hem heen – en haar eigen lijfwacht Barzid aan haar andere zijde. 'Ik begrijp de noodzaak van een regent,' riep ze schel, haar gewoonlijk lage stem hoog van opwinding. 'En ik begrijp de reden waarom we nu twee regenten hebben. Maar wat ik niet begrijp is waarom deze regenten beslissingen nemen zonder te overleggen met mij, de enige persoon die voor mijn echtgenoot de koning kan spreken.'

Er was veel sympathie voor haar standpunt, Seleukos was verrast door de omvang van de steun voor de zeventienjarige onder zowel de doorgewinterde veteranen als de jongere soldaten. *We hebben dit te ver laten gaan, we hebben niet opgelet.* 'Steun me in mijn aanspraken ten bate van mijn echtgenoot, Alexanders broer, door wiens aderen het ware

Argeadenbloed stroomt; steun me zodat ik zijn stem kan laten horen. Steun me en ik beloof dat mijn man het talent zilver zal uitbetalen aan eenieder die het nog niet heeft ontvangen.'

Er klonk een luid gejuich op en Adea spreidde haar armen om hun enthousiasme over zich heen te laten komen.

Hoe denkt ze dat enorme bedrag te kunnen uitbetalen?

Het antwoord op die vraag kwam sneller dan Seleukos had verwacht, want er klom een Macedonische officier op de wagen die naast Adea ging staan.

'En hier is de man die het onrecht kan rechtzetten.'

De menigte viel stil toen de soldaten de nieuwkomer begonnen te herkennen en zijn naam fluisterden.

Attalus! Wat doet hij hier? En toen begreep Seleukos het en zijn respect voor de jonge koningin verdubbelde. *O, wat slim.*

'Ja, ik weet dat de legervergadering deze man ter dood heeft veroordeeld,' ging Adea verder, 'en ja, hij steunde Perdikkas, maar bedenk dit, soldaten van Macedonië: hij was trouw aan zijn familie, zoals jullie allemaal zijn. Hij was getrouwd met Perdikkas' zuster, wier dood jullie geëist hebben, en hij wil jullie een aanbod doen. Luister naar hem.' Ze gaf Attalus een teken dat hij de bijeenkomst kon toespreken.

'Kameraden,' declameerde hij, 'en het vervult me met trots om "kameraden" te zeggen, ook al hebben jullie een doodvonnis over me uitgesproken. Kameraden, jullie hebben leed over me gebracht; mijn vrouw is van me weggenomen, en waarom? Wat heb ik jullie ooit aangedaan om dit te verdienen? Ik had het bevel over de vloot, ik had niets te maken met Krateros' dood; noch had ik invloed op mijn zwager bij zijn besluit om Egypte binnen te vallen, ik kon hem niet tegenhouden bij die veldtocht die zovelen het leven heeft gekost. Zijn arrogantie was te groot.' Hij zweeg even om zijn woorden tot hen te laten doordringen. 'Ik wil jullie het volgende aanbod doen: hef het doodvonnis dat boven me hangt op en ik zal geen wraak eisen voor de dood van mijn vrouw. En dan: ik heb Tyros ingenomen met mijn vloot en in Tyros heb ik een schatkist aangetroffen met meer dan achtduizend talent zilver en goud. Goud! Niet alleen zilver. Doe dit voor mij en jullie zullen merken dat ik gul ben.'

En dat geloofden ze graag, te oordelen naar het enthousiasme waarmee ze hem vrijspraken.

Seleukos snelde weg toen Adea boven het gejuich uit probeerde te komen met het verzoek haar en haar echtgenoot te volgen naar de twee regenten. *Het lijkt me verstandig die ontmoeting met Antipatros te vervroegen.*

'En dus ben ik zo snel mogelijk naar je toe gereden,' zei Seleukos na Antipatros verteld te hebben over de gebeurtenissen in het kamp van het leger van Babylon. 'Antigonos houdt de situatie in de gaten. Hij kwam vlak voordat ik gisteren vertrok aan; hij heeft zijn kamp aan de andere kant van de rivier opgeslagen zodat zijn troepen niet worden aangestoken door de opstandige sfeer.'

'Zowel Peithon als Arrhidaeus heeft afstand van het regentschap gedaan?' vroeg Antipatros terwijl ze de beboste, naar hars geurende heuvel beklommen. Het Macedonische leger van Europa kronkelde in een lange slang over het bochtige pad achter hen en verdween in het dal beneden uit het zicht.

Seleukos knikte en streelde de nek van zijn hengst. 'Ze wilden zich niet tegen Adea verzetten nu ze een leger in opstandige stemming achter zich heeft; ze hebben gezegd dat het regentschap van de koningen naar jou moet gaan aangezien je al de regent van Macedonië bent. Om eerlijk te zijn hadden Ptolemaeus en ik al niet verwacht dat ze lang regent zouden blijven.'

Antipatros wierp een veelzeggende blik op zijn metgezel. 'Maar lang genoeg om je tot satraap van Babylonië te benoemen, iets wat ik naar ik aanneem zal moeten bevestigen om de vrede te bewaren, en als dank voor de informatie over de brief van die heks aan Roxanna.'

Seleukos haalde de schouders op maar zei niets; ze reden zwijgend verder.

'Attalus is naar het kamp gekomen,' zei Seleukos na een tijdje. 'Adea heeft hem uitgenodigd om de mannen toe te spreken.'

Antipatros keek hem verbaasd aan. 'En is hij nu dood?'

'Verre van: de vergadering heeft het vonnis nietig verklaard en hij is naar Tyros teruggekeerd met vierduizend deserteurs die hij heeft omgekocht met de belofte van de bonus van een talent zilver.'

'Waarom is de rest van het leger niet met hem meegegaan?'

'Hij wilde alleen de eerste vierduizend die zich vrijwillig meldden meenemen; er heerste een flink gedrang.'

'Dat kan ik me voorstellen.'

'Volgens onze inlichtingen heeft Attalus slechts transportmiddelen voor tweeduizend man.'

'Hij is dus van plan om twee keer naar Pisidië te varen voordat de winter de zeevaart onmogelijk maakt.'

'Pisidië?'

'Daar heeft Alketas zich verstopt; hij is bezig een leger op de been te brengen en naar ik heb gehoord lukt het hem aardig. De vierduizend van Attalus zullen een welkome aanvulling zijn. Om wat voor soort troepen gaat het?'

'Falanxsoldaten, voornamelijk veteranen.'

'En hoe zit het met Antigenes' hypaspisten?'

'Die hebben hun bonus al, ze willen alleen hun achterstallige soldij; ze waren in de verleiding om te gaan, maar Antigenes heeft hun legertros onder bewaking gesteld. Ik vermoed dat zij de meeste moeilijkheden zullen veroorzaken als je geen geld te bieden hebt.'

Antipatros zuchtte. 'Hoe kan ik ze ook maar iets uitbetalen als de schatkist in Macedonië nauwelijks genoeg bevat om dit leger op de been te houden? Attalus heeft Tyros, en de kans dat we iets uit Ptolemaeus krijgen is nihil. Al het geld is in het oosten, ze zullen moeten wachten.'

'Dat zal ze niet bevallen.'

'Het moet maar. Zodra we aankomen zal ik met ze praten.'

ANTIPATROS, DE REGENT

Ik ben te oud om zo te schreeuwen. Antipatros probeerde boven het woedende gemopper van de soldaten uit te komen, ze verdrongen zich om hem heen, duwden tegen de schilden van het tiental lijfwachten rond Antipatros. 'Laat me uitspreken!' brulde hij zo hard als zijn oude borstkas toeliet.

'Waar is ons geld? Waar is ons geld?' riep de meute. Ze pompten de vuisten in de lucht op het ritme van hun woorden; de ervaren hypaspisten, getekend en grijs, vooraan in de opstandigheid.

Seleukos heeft niet overdreven; ik heb de jongens nog nooit zo boos gezien. Hij keek richting Adea, op een verhoogde stoel naast haar echtgenoot gezeten; ze keek met een sluwe grijns naar hem. *Adea heeft heel wat om zich voor te verantwoorden, en verantwoorden zal ze zich; wat denkt ze bij muiterij te winnen?* Hij dook weg voor een half opgegeten ui, maar een goed gemikte appel trof doel. 'Hoe kan ik jullie klachten beantwoorden als jullie me niet laten spreken?'

Maar het was zinloos. Ze bleven maar hetzelfde roepen en gaven Antipatros geen kans om te antwoorden, en al die tijd zat Adea toe te kijken en deed niets om het monster dat ze geschapen had tot bedaren te brengen.

Zo was het sinds Antipatros bij De Drie Paradijzen was aangekomen. Hij was vooruitgereden, vastberaden om de ontluikende opstand in de kiem te smoren. Antigonos en Seleukos hadden beiden aangeboden met hem mee te gaan, maar hij had hun voorstel afgeslagen, want hij had de diepte van de gevoelens in het kamp aan de overkant van de rivier ernstig onderschat.

Machteloos stond Antipatros in het midden van de legervergadering, hij werd uitgescholden en was het doelwit van een assortiment vruchten en groenten. Nog nooit had hij zich zo vernederd gevoeld; nog nooit had hij Macedonische soldaten zo opstandig gezien. *Maar ik was dan ook niet in India toen de infanterie Alexander dwong om terug te keren; ik stel me voor dat het ongeveer zo ging, met de hypaspisten die de muiterij leidden, maar dan zonder een jonge harpij om ze op te stoken.*

Opnieuw deed hij een poging zich verstaanbaar te maken en opnieuw verdronk zijn stem in het geroep. Met grote verbazing zag hij hoe Adea de menigte stil kreeg door enkel op te staan.

'Soldaten van Macedonië,' riep ze. 'Trouwe onderdanen van mijn echtgenoot.' Ze wees op Antipatros. 'Dit is de man op wie Peithon en Arrhidaeus hun regentschap willen overdragen. Hier staat hij voor jullie en zijn koning. Ik zal de vraag van mijn echtgenoot aan hem voorleggen; een vraag die hem aan het hart gaat omdat het om het welzijn van zijn soldaten gaat. Antipatros, waar is de achterstallige soldij van het leger van Babylon en waar is de hun beloofde bonus?'

Antipatros rechtte zijn rug en schraapte zijn keel. 'Jullie krijgen allemaal jullie geld, maar het zal nog even duren, want het moet uit de schatkisten in het oosten komen. Alexander liet zijn rijkdommen in het oosten en uit het oosten moeten ze gehaald worden.'

'Ha!' riep Adea uit boven het ontevreden gemompel dat op zijn antwoord volgde. 'Ha! Wat voor nut heeft deze oude man als regent voor mijn echtgenoot als hij zijn troepen niet eens kan betalen als ze om hun soldij vragen? Wat voor nut, vraag ik jullie. Drie dagen geleden kwam Attalus en hij sprak jullie toe; hij gaf geld; hij voldeed schulden die niet van hem waren. Zou hij niet geschikter zijn als regent voor mijn echtgenoot? Hij zou met mij overleggen, de persoon in wie de koning zijn vertrouwen heeft gesteld. Koning Philippus zou eindelijk een stem hebben; de broer van Alexander zou eindelijk gehoord worden. Soldaten van Macedonië, ik leg de legervergadering het voorstel voor om Antipatros af te zetten en Attalus tot regent te benoemen, in samenspraak met koning Philippus, de derde van die naam, die een gelijke mate van zeggenschap zal krijgen. Wat zeggen jullie ervan, soldaten van Macedonië?'

En wat ze ervan vonden sprak duidelijk uit de manier waarop ze door het kleine kordon van lijfwachten rond Antipatros drongen, hem beetpakten en in de lucht tilden. 'Zet me neer, kameraden,' zei Antipatros zo waardig als maar mogelijk was voor een man die tegen zijn wil omhoog werd gehouden, 'en dan praten we verder.'

'Er valt niets meer te zeggen, ouwe,' schreeuwde een stem uit de menigte, 'je moet maar beslissen of je een hoop geld naar ons toe gooit of liever hebt dat wij een hoop stenen naar jou gooien.'

Ruw gelach begroette die woorden, Antipatros werd omhooggegooid en weer opgevangen door eeltige handen, met nagels die langs zijn huid schraapten en zijn tuniek scheurden.

'We hebben al een commandant gedood, ouwe, wat maakt een tweede dan nog uit?'

Seleukos, Antigenes en Peithon hebben me ook heel wat uit te leggen, de klootzakken. 'Zet me neer!'

Weer vloog hij omhoog, zijn ledematen maaiden in het rond, overal om hem heen klonk gelach, rauw en vol minachting. En hij kwam weer omlaag, maar dit keer waren de handen niet zo snel bereid hem op te vangen en hij viel met zijn rug hard op de stenige grond. Grimassend en zich tot in elke vezel inspannend om het niet van onwaardige pijn uit te schreeuwen gaf Antipatros zijn verzet op, zich realiserend dat zijn lot letterlijk in de handen van zijn mannen lag en dat hij maar weinig invloed op hen kon uitoefenen.

'Laat hem los, stelletje kakkerlakken! Hoe durven jullie de regent van Macedonië, benoemd door Alexander zelf, te mishandelen?'

Bij het horen van die heilige naam stierf het gelach weg en verslapte de greep op zijn persoon; Antipatros zat op de grond en keek op naar de bebaarde gezichten die hem niet durfden aan te kijken. *Om zo behandeld te worden op mijn leeftijd! Er zullen koppen rollen.* Hij kwam moeizaam overeind en probeerde zijn gezicht niet te vertrekken toen zijn oude knieën en heupen kraakten. Hij sloeg het stof van zijn tuniek. Twintig pas van hem vandaan, gezeten op een paard, was Antigonos in volle wapenrusting, alsof hij op het slagveld stond; wat misschien ook wel zo was, bedacht Antipatros, die de boosheid om hem heen voelde.

'Stuur hem hierheen!' bulderde Antigonos. Achter hem verscheen Seleukos met een aanzienlijk cavalerie-escorte, dat zich een weg door de menigte ontevreden soldaten baande.

'We houden hem tot hij betaald heeft,' antwoordde een veteraan en hij pakte Antipatros' schouders in een ijzeren greep vast; anderen gingen om hem heen staan om een vlucht te voorkomen.

'Hoe langer jullie hem houden, hoe langer en ernstiger de straf zal zijn,' blafte Antigonos.

'Luister niet naar hem,' gilde Adea. 'Hij heeft geen gezag over mijn echtgenoot en mijn echtgenoot beveelt om Antipatros vast te houden tot hij betaald heeft wat jullie toekomt.'

'Stil, kreng!' Antigonos' ene oog dwaalde over de menigte. 'Is het zo ver gekomen? Zeg op. Volwassen mannen met zuiver Macedonisch bloed die luisteren naar de dwaze woorden van een of ander onvolwassen meisje?' Hij wees naar Adea en Philippus, die kwijlend naast haar zat, zijn gezicht vertrokken door verwarring. Barzid legde zijn hand op zijn zwaard, gespannen. 'Kijk naar haar. Bewaakt door een Illyriër en toch beweert ze koningin van Macedonië te zijn. Wat is ze echt? Ja, ze is de kleindochter van Philippus, en ja, ze is getrouwd met Philippus' zoon. En ja, ze stamt uit het koninklijk huis van de Argeaden en als ze haar echtgenoot een kind baart en het is een jongen, dan zou die meer aanspraak op de troon kunnen maken dan wie dan ook – zelfs meer dan Alexanders zoon bij die oosterse wilde kat – want wij mannen van Macedonië kiezen onze koningen, we laten ze niet aan ons opdringen, we kiezen ze uit het huis van de Argeaden.' Hij keek naar Antipatros en gaf hem een licht knikje en ging verder. 'Maar daar eindigt onze keuze, soldaten van Macedonië, we kiezen de koning. Daarna zijn het diens keuzes die ons regeren en Antipatros werd door Alexander gekozen om regent te zijn; het is niet aan ons, of die harpij daar, die keuze in twijfel te trekken.' Opnieuw gaf hij Antipatros een heimelijk knikje, terwijl Seleukos en zijn mannen tot in het hart van de menigte doordrongen, tot op enkele passen van Antipatros.

Hij wil de aandacht afleiden zodat Seleukos mij kan bereiken.

'En toch laten jullie je beïnvloeden door haar, een vrouw, een erg jonge vrouw nog wel. Zouden jullie het advies van jullie dochters opvolgen of hun grillen gehoorzamen? Natuurlijk niet; alleen dwazen laten zich door de mening van een vrouw overtuigen. Het enige invloedrijke onderdeel van een vrouw is haar kut en de laatste keer dat ik er een bekeek had die geen mening.' Dat zorgde voor het bulderende gelach dat Antigonos gezocht had en wekte hun volle aandacht.

Gezien mijn vrouw zou ik niet direct instemmen met die bewering, maar ik ga er hier niet over twisten. Terwijl Antigonos verder en langdurig op het onderwerp inging voelde Antipatros de concentratie van de mannen die hem vasthielden verslappen. Hij wierp een blik op Seleukos, die knipoogde en knikte naar een paard zonder ruiter tussen de cavaleristen naast hem.

Antigonos bleef praten en ging dieper in op de eigenschappen trouw, gehoorzaamheid en geduld; geld was volgens hem zeker belangrijk, van het hoogste belang zelfs, maar er was ook nog zoiets als eenheid. 'En zij,' donderde hij, met een beschuldigende vinger naar Adea, 'zij brengt geen eenheid. Alles wat ze tijdens de mars vanuit Egypte naar het noorden heeft gedaan, zo heb ik begrepen, is proberen verdeeldheid te zaaien en zo te heersen. Is dat de manier waarop Alexander heerste? Of zijn vader voor hem? Nee, broeders, dat is het niet, want als dat het geval was geweest zouden we nooit verder zijn gekomen dan de grenzen van Macedonië en waren we nu niet heersers van de wereld. Zij tast onze eenheid aan met haar woorden; ze moet haar plaats leren kennen.'

'Hij liegt!' gilde Adea, waardoor alle hoofden haar kant op draaiden.

Dat was het moment dat Antipatros nodig had: hij beukte door het kordon om hem heen en snelde naar het paard, terwijl Seleukos het paard zijn richting op dreef. Met een kracht die hij in geen jaren had gevoeld, veroorzaakt door het besef van de wanhopige situatie waarin hij zich bevond, greep hij het zadel en slingerde zijn been over de rug van het dier en in één vloeiende beweging door trok hij aan de teugels, wendde het dier en reed naar de relatieve veiligheid van Seleukos' cavaleristen.

Er barstte verontwaardiging los, die Antigonos' tirade tegen Adea en haar vermeende aanval op de Macedonische eenheid overstemde, en nu werd Antigonos het mikpunt van de woede van de mannen; terwijl Antipatros werd weggeleid door Seleukos en zijn cavaleristen, die de menigte opzij sloegen met het plat van hun zwaard, ving hij een glimp op van een geïsoleerde Antigonos die van zijn paard werd getrokken.

ANTIGONOS, DE EENOGIGE

Bloed spoot uit de geplette neus en bedekte Antigonos' knokkels. Direct sprong hij overeind en sloeg om zich heen terwijl hij uitdagingen brulde tegen de aanvallers die hem omringden. Zijn paard steigerde, het sloeg met de voorbenen in de lucht en spleet de hoofden van enkele Zilveren Schilden die even tevoren zijn ruiter van zijn rug hadden gesleurd.

'Doe niet nog dommere dingen dan jullie al gedaan hebben,' schreeuwde Antigonos tegen de mannen die zich om hem verdrongen. 'Jullie hebben me van mijn paard getrokken, dat staat gelijk aan het slaan van een hoge officier; dat betekent de doodstraf in het leger. De dood!' Dat laatste woord gromde hij met dezelfde woestheid die zijn ene oog uitstraalde. 'De dood!' herhaalde hij terwijl hij de soldaten om hem heen aankeek. 'En laat mijn paard met rust,' schreeuwde hij naar de mannen die het dier probeerden te kalmeren voordat het nog iemand zou doodtrappen.

Zijn overduidelijke woede en gebrek aan angst deden zijn aanvallers aarzelen en ze keken elkaar aan, op zoek naar geruststelling; die vonden ze niet, want de collectieve waanzin die over hen was gekomen was weggesijpeld door de aanblik van twee van hun kameraden die dood op de grond lagen, de schedels opengebarsten zodat de hersenen eruit puilden.

'Dat is al beter,' grauwde Antigonos. 'Jullie lijken voor het eerst vandaag na te denken.' Hij wees een voor een naar de veteranen die hem omringden. 'Ik ken jullie gezichten, van jullie allemaal! Jullie levens liggen nu in mijn hand. Jullie kunnen natuurlijk proberen jezelf te beschermen door me te doden, maar ik kan jullie beloven dat als ik niet levend bij mijn leger terugkeer, de Zilveren Schilden niet langer zullen bestaan vanwege het overlijden van alle leden, tot aan de laatste man.' Opnieuw keek hij elk van de mannen om de beurt recht aan en allen sloegen de ogen neer. 'Als jullie willen dat ik jullie gezicht vergeet kunnen jullie maar beter de anderen vertellen niet meer naar dat domme wicht te luisteren en te wachten tot we allemaal rond de tafel hebben gezeten met Antipatros en hebben besloten hoe alles in de toekomst geregeld zal worden.' Hij draaide zich om en baande zich een weg door de veteranen, die mompelend opzijgingen. Hij pakte de teugels van zijn paard en hees zich in het zadel. 'Lysimachus wordt overmorgen verwacht, jongens, dan beginnen de besprekingen, en jullie soldij zal een van de belangrijkste onderwerpen zijn.'

'Laat ze erheen gaan en het zelf pakken,' zei Lysimachus, leunend op de gepolijste cederhouten tafel waar de opvolgers van Alexander omheen zaten. 'Volgens mij zit er in de schatkist van Susa ruim voldoende om de achterstallige soldij van een heel leger te betalen; een tochtje van bijna vijfduizend mijl heen en weer te voet om het geld hierheen te halen zal de Zilveren Schilden wel rustig houden. Zoals het gezegde luidt: er zijn meer tranen vergoten door vervulde wensen dan door nog onvervulde.'

Antigonos glimlachte in zichzelf. *Lysimachus was altijd al een genadeloze klootzak met een dichterlijk gevoel voor rechtvaardigheid. Het oosten beroven van een flink deel van zijn rijkdom en tegelijkertijd de Zilveren Schilden straffen is een meesterlijke zet; Peucestas zal woedend zijn.* Hij keek de tafel rond naar de tien andere aanwezige mannen: op Antigenes en Peithon na leken ze allemaal het idee te waarderen.

'Dat gaat maanden duren,' klaagde Antigenes.

'Ze mogen zich gelukkig prijzen dat ze maanden hebben,' antwoordde Lysimachus. 'Als het mannen van mijn leger waren geweest had het hele zootje de keus gehad hun handen te verliezen of hun hoofd, waarna hetgeen ze niet hadden gekozen afgehakt zou worden.'

Antigenes sloeg zijn armen over elkaar en keek Antipatros strak aan. 'En als ik weiger te gaan, wat dan?'

Antipatros slaakte een vermoeide zucht. 'Dan kun je niet naar je satrapie.'

'Mijn satrapie?'

'Ja. Ik denk dat alle aanwezigen hier het erover eens zijn dat je beloond moet worden voor je aandeel in het oplossen van het probleem Perdikkas; Seleukos schijnt met Babylonië te zijn beloond en Peithon, tja... Hoe dan ook, Susiana lijkt me een passend gebaar van dank.'

'Maar Peucestas...'

'Heeft Persis naast Susiana. Als ik de schatkist van Susa heb leeggehaald zal hij niet protesteren uit angst dat ik ook de schatkist van Persepolis neem; accepteer je het aanbod?'

Antigenes' gezicht begon te stralen. 'Zeker.'

'Mooi. Ik zal je opstandige troepen vertellen dat als ze de schatkist van Susa naar het fort van Cyinda in Cilicië hebben gebracht ze hun soldij krijgen.' Antipatros keek de tafel rond. 'Daarmee zijn de Zilveren Schilden afgehandeld. Ik zal met ze praten zodra we hier voor vandaag klaar zijn. Nog vragen?'

Lysimachus leunde weer naar voren. 'Ja, waarom verspillen we onze tijd met discussies over de achterstallige soldij van de Zilveren Schilden?'

'Het gaat om de achterstallige soldij van het hele leger en dan is er nog de kwestie of we de bonus van een zilveren talent aan alle soldaten moeten geven en niet alleen aan degenen die uit het leger gaan.'

Lysimachus' gezicht, nu bedekte met een zwarte, weelderige baard die hij sinds Alexanders dood had laten staan, kreeg een uitdrukking van geschokt ongeloof. 'Ze betalen voordat ze afzwaaien? Wie in Hades' naam is met dat belachelijke idee gekomen? Waar gaat dit heen? Straks ga je ze vertellen dat ze hun leven niet hoeven te riskeren door te vechten en, o, overigens, iedereen krijgt een gratis jongen om van te genieten voor wie geen zin heeft te paraderen of op mars te gaan.'

Antipatros zuchtte opnieuw. 'Het kwam doordat de Zilveren Schilden en nog wat jongens de bonus kregen en vervolgens niet naar huis gingen, zoals de Zilveren Schilden, of dat wel deden maar vervolgens dienst bij mij namen en het geld hielden.'

'Tja, dat was hun keuze, nietwaar?' Lysimachus wuifde het idee weg. 'Ik ga mijn leger zeker niet een talent zilver de man betalen. Wat vind jij, Antigonos?'

'Ze kunnen m'n reet likken.'

'Mooi verwoord. Kunnen we het ons om te beginnen veroorloven, Antipatros?'

Antipatros masseerde zijn slapen met zijn middelvingers en keek naar de tafel. 'Misschien, maar we zitten dan wel tegen een bankroet van het rijk aan.'

Lysimachus sloeg met de vuist op tafel. 'Waarom zouden we het in Aries' naam overwegen en er zelfs over spreken?'

'Ik ben het met je eens,' zei Seleukos. 'De schatkist van Susa lost het probleem van de achterstallige soldij op, verder moeten we niet gaan. Een bonus is alleen voor wie zijn dienst heeft voltooid, en eenmaal betaald mogen ze weer dienst nemen als ze willen, maar ze krijgen geen tweede bonus als ze dan weer afzwaaien.'

Goed gesproken, Seleukos, dan kunnen we nu misschien eindelijk over belangrijkere zaken praten. 'En wie zich niet bij deze voorwaarden wil neerleggen wordt zonder bonus uit het leger getrapt en kan zich in armoede beklagen. Laten we nu eindelijk verdergaan. Peithon en Arrhidaeus hebben hun positie als regent beiden afgestaan.' Hij keek naar de twee mannen, die met een knikje hun instemming betuigden, waarbij Arrhidaeus de Grote Ring van Macedonië op tafel legde. 'Ik stel voor dat we Antipatros het regentschap van de koningen aanbieden en dat hij ze beiden mee naar Macedonië neemt, waar zij en hun lastige vrouwelijke aanhangsels makkelijker in de hand gehouden kunnen worden; een herhaling van wat we drie dagen geleden hier hebben gezien, op een haar na muiterij, kan niet getolereerd worden.'

'Daar ben ik het mee eens.' Kleitos de Witte, commandant van de vloot, sprak met de bulderende stem van een zeeman. Omdat hij niet op zee was ging hij tot ieders opluchting in een militair uniform gekleed en niet als Poseidon – naakt op wat zeewier na – al had hij wel zijn drietand bij zich, die in een hoek bij de deur stond. 'We hebben een centraal leiderschap nodig waarmee we allemaal instemmen, en we moeten erop kunnen vertrouwen dat hij niet probeert zich boven ons te plaatsen, zoals Perdikkas deed.'

'Ja,' zei Asander, de satraap van Carië. 'En ik wil eraan toevoegen...'

Dit worden een paar lange en saaie dagen als iedereen zijn zegje over dit onderwerp gaat doen. En terwijl Asander precies dat deed en er ruim de tijd voor nam, leunde Antigonos achterover in zijn stoel en keek naar buiten, naar de bossen en weiden van het uitgestrekte jachtgebied. Ze zaten in de ruime audiëntiezaal met zijn hoge plafond in het hoofdgebouw van het paleis. De enorme ceders die verspreid over het parklandschap stonden boden een verfrissende aanblik; aan de westelijke horizon zakte de zon achter de reusachtige bomen zodat ze een scherp getekend silhouet vormden en de indruk maakten op de muur te zijn geschilderd in plaats van levende dingen in de verte te zijn.

Terwijl alle aanwezigen om de beurt het woord namen om Antipatros te prijzen en hun steun aan hem uit te spreken als regent van de twee koningen en van Macedonië, liet Antigonos zijn gedachten dwalen en luisterde hij met een half oor voor het geval zijn naam zou vallen tijdens de discussies. Hij dacht na over zijn positie. Antipatros zou, dat besefte iedereen, niet lang meer meegaan; de recente inspanningen van de oorlogen tegen de Grieken en vervolgens tegen Perdikkas hadden hun sporen nagelaten bij de oude man, die zijn gevorderde leeftijd duidelijk toonde. *En wat dan? Wie neemt zijn plaats in? Kassandros? Dat lijkt me niet; niemand zal het pikken als die puisterige minkukel de baas over ons gaat spelen. Misschien krijgt hij Macedonië, daar heb ik geen bezwaar tegen; maar het oosten, waar de echte rijkdom ligt, zal in handen van de sterkste vallen. Maar wie zal dat zijn?*

Antigonos keek de tafel rond en streepte de meeste namen weg omdat ze óf niet ambitieus genoeg waren, zoals Kleitos en Asander of die nietsnut Philoxenus, satraap van Cilicië, óf te onpopulair, zoals Lysimachus van Thracië of Peithon van Medië of de afwezige Kassandros zelf, of gewoon te oud, zoals Antigenes. Hij keek naar Seleukos. *Daar hebben we het aanstormende talent; jong, ambitieus en geliefd en ook nog eens een goede militair. Hij zal Babylonië houden, Antipatros zal het niet van hem durven afpakken; en met Antigenes als zijn buurman in Susiana vermoed ik dat hij zijn territorium binnen niet al te lange tijd zal verdubbelen. Peucestas zal ook begrijpen dat het in zijn belang is om Seleukos' kant te kiezen omdat hij weinig steun heeft te verwachten van degene die drieduizend mijl naar het noordwesten Macedonië beheerst, wie dat ook zal zijn.* Hij glimlachte inwendig en dacht aan de afwezige Ptolemaeus en concludeerde dat die mogelijk Cyprus en het Palestijnse deel van de Syrische kust als bufferzone zou willen hebben, maar dat het verder weinig waarschijnlijk was dat hij zich met het oosten zou bemoeien. *Hij zal veel eerder naar het westen kijken, naar Carthago. Nee, Seleukos is de man in opkomst, maar hij zal niet alle gebieden kunnen beheersen, en als hij verstandig is zal hij dat ook niet willen. Hij mag wat mij betreft Babylonië, Susiana, Persis, Medië en zelfs Assyrië hebben; en dan zullen we zien of hij de satrapieën verder naar het oosten kan onderwerpen, terwijl ik, als ik Lysimachus in Thracië met rust laat en mijn noordgrens tegen Frygië bescherm, de rest kan pakken, en daarna zien we wel weer.*

Met deze plezierige en niet onrealistische kijk op de toekomst ontwaakte Antigonos uit zijn mijmeringen terwijl Antipatros alle aanwezigen dankte voor hun unanieme steun. Hij schoof de Grote Ring van Macedonië aan zijn wijsvinger. 'Maar heren, al aanvaard ik de benoeming tot regent van de koningen, het lijkt me niet juist om ze naar Macedonië te halen zolang er hier nog een oorlog moet worden uitgevochten. Ze moeten bij het koninklijke leger blijven om het legitimiteit te geven. Ik zal dat leger niet leiden.' Hij keek naar Antigonos. 'Als beloning voor zijn dapperheid hier benoem ik Antigonos tot voogd van de koningen en koninklijke generaal in Azië, met de verantwoordelijkheid de oorlog tegen Eumenes en de resterende aanhangers van Perdikkas te voeren.'

Kijk, dat is nog eens een plezierige verrassing. Antigonos boog het hoofd in erkenning. *Nu ben ik de machtigste man in Azië zodra hij terug is in Macedonië.*

'En nu, heren,' zei Antipatros met een welwillende gezichtsuitdrukking, 'zal ik gaan nadenken over de verdeling van de satrapieën, dus ik verklaar de bijeenkomst voor vandaag gesloten, morgen zullen we op het middaguur weer bijeenkomen. Maak gebruik van de schitterende jachtgronden, zou ik zeggen: ik moet met de Zilveren Schilden praten en dan zal ik met de twee jonge krengen die zichzelf als koningin zien praten om ze de nieuwe situatie uit te leggen.' Antipatros glimlachte veelbetekenend naar Antigonos.

Het warme gevoel dat Antigonos had verdween plotseling toen hij besefte dat het geschenk een tweesnijdend zwaard was. *De sluwe ouwe bok is er net in geslaagd me op te zadelen met de twee giftigste harpijen ooit geschapen.*

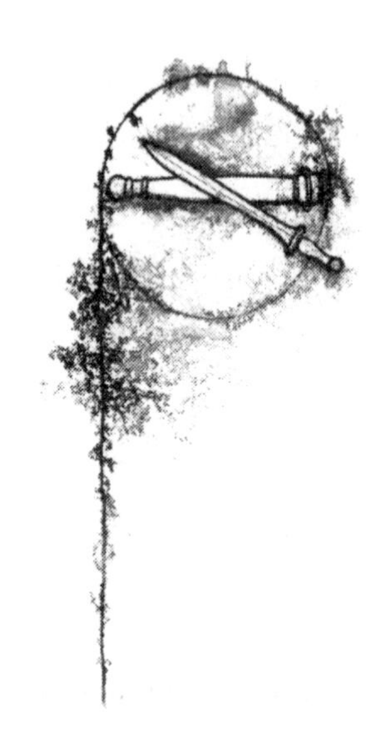

ADEA, DE KRIJGER

Het was nog niet voorbij, nog niet. Ze kon toch zeker nog invloed uitoefenen op de mannen die zo makkelijk in haar ban waren gekomen op de mars naar het noorden vanuit Egypte? Ze wilden toch zeker nog steeds hun bonus, ook als hun achterstallige soldij werd betaald? Ze zouden toch zeker naar haar komen als ze sprak uit naam van haar echtgenoot, de echte koning? Adea keek om zich heen in haar weelderige vertrekken in het jachtslot van De Drie Paradijzen, voorzien van meer luxe dan ze ooit eerder bij elkaar had gezien; ze probeerde zich te verzetten tegen het idee dat dit niet meer was dan een schitterende gevangenis. Zij en Philippus waren hier meteen heen gebracht nadat Antipatros aan haar mannen was ontsnapt; voor hun eigen veiligheid, hadden ze te horen gekregen, maar de twee bewakers voor de deur spraken die bewering tegen; ze wist heel goed dat ze daar stonden om te verhinderen dat ze naar buiten ging of dat haar vrienden binnenkwamen, en niet zozeer voor haar veiligheid. Hoewel Barzid in naam nog haar lijfwacht was, werd hij niet tot de vertrekken toegelaten, en ze had niemand met wie ze haar angsten kon delen. Ze keek naar haar echtgenoot, die haar vanuit een stoel bij het raam aanstaarde; toen hun ogen elkaar ontmoetten glimlachte hij, zette zijn speelgoedolifant neer en begon hijgend en openlijk te masturberen.

'Hou op!' gilde ze, ze voelde gal in haar keel opstijgen.

Maar Philippus grijnsde alleen maar en kwijlde en ging steeds energieker door met zijn taak.

Ze onderdrukte de neiging om hem te slaan; ze had hem nog nooit geslagen, en hij had haar met zijn veel grotere kracht ook nooit aangevallen, ondanks zijn sterke seksuele drang. Ze begreep heel goed dat als zij als eerste geweld zou gebruiken het delicate evenwicht tussen hen verstoord werd, daarna zou ze constant het gevaar lopen aangevallen en bruut verkracht te worden en het enige wat ze dan kon doen was de keel van het man-kind doorsnijden – wat haar ondergang zou betekenen.

Ze voelde een nieuwe golf van afkeer voor haar man nu ze begon te beseffen dat Antipatros haar te slim af was geweest door het regentschap op zich te nemen en het geld in de schatkist van Susa als soldij te beloven, waarmee de sluimerende muiterij de kop was ingedrukt. Dit man-kind van haar was alleen in naam koning; in werkelijkheid was hij niets meer dan een kwijlende idioot, maar haar lot was nu onverbrekelijk met hem verbonden. En toch sluimerde er ergens diep in haar medelijden met deze ongelukkige man en voelde ze een drang om het kind te beschermen dat hij altijd zou blijven. *Maar wat kan ik doen? Moeder zou het geweten hebben; ze zou om te beginnen Antipatros en Antigonos niet in het kamp hebben toegelaten. Dat was mijn grote fout: zodra een van mijn mannen geweld tegen ze gebruikte pleegden ze verraad, en dat kon alleen vergeven worden met totale onderwerping.* En ze hadden zich totaal onderworpen, ze gaven Adea en Philippus op als teken van goede wil; Barzid had zijn wapens moeten afstaan. Er welde in beide ogen een traan op, maar ze drong ze terug; ze was niet iemand die huilde en ze had gezworen dat ze haar opsluiting met droge ogen zou verdragen.

Met een obsceen gekreun ejaculeerde Philippus, zijn blik strak op haar borsten gericht, die zich vaag tegen haar tuniek aftekenden. *Laat hem zijn zaad maar verspillen waar hij wil; het is van geen nut voor mij.* En dat was het inderdaad niet. Ondanks de vele paringen die ze had verdragen tijdens de mars naar het noorden groeide er geen kind in haar en begon ze te vrezen dat ze nooit zwanger zou raken van die bruut; en zonder kind was haar leven voortdurend in gevaar. *Maar ik moet volhouden, er is nog altijd een kans.* Ze keek met afkeer naar Philippus' penis, glinsterend in zijn hand, er droop net zoveel vocht uit als uit zijn mond, en weer worstelde ze met haar tranen. *Wat hij ook is en hoe weerzinwekkend ik hem ook vind, hij kan er niets aan doen en ik moet hem veilig houden. Zonder hem ben ik niets en zonder mij is hij een zwakzinnige zonder stem, ondanks zijn koninklijke bloed. En toch, moet hij het zijn die me bezwangert? Wie zou er ooit achter komen? Ik hoef alleen maar iemand langs de bewakers te krijgen... of misschien voldoen de wachters zelf wel; twee verdubbelen mijn kansen.*

Adea riep een van de twee slavinnetjes die ze had mogen houden – een knap meisje met lichte huid van wie ze veel plezier had – en gaf opdracht de viezigheid van haar man op te ruimen en haar daarna een koude sorbet te brengen.

En het was in die omstandigheden dat Antipatros haar niet lang daarna aantrof, zittend bij het open raam en nadenkend over haar nieuwe probleem, terwijl ze troost vond in het feit dat haar dodelijke rivale Roxanna in ieder geval eveneens was opgesloten.

'Ik hoop dat jij en je echtgenoot het goed maken, Adea,' zei Antipatros toen de slavin hem binnen had gelaten.

'Onze trouwe lijfwacht is weggehaald en we zijn tegen onze wil opgesloten, Antipatros,' antwoordde Adea. Ze gebruikte met opzet zijn titel niet, omdat hij de hare niet had genoemd. 'Maar dat weet je heel goed, aangezien jij er opdracht toe hebt gegeven.' *Diana, hij ziet er moe uit; binnenkort heb ik niets meer te vrezen van die ouwe.*

'Je hoeft niet op te staan.'

'Dat was ik ook niet van plan.'

'Niettemin.' Antipatros glimlachte en ging zitten, zonder op een uitnodiging te wachten, en legde enkele rollen op de tafel naast hem. Hij vertrok zijn gezicht en wreef over zijn onderrug, waarna hij naar Philippus gebaarde, die weer helemaal verdiept was in zijn speelgoed-olifant. Hij liet hem heen en weer over een kussen stormen terwijl hij schelle trompetterende geluiden maakte. 'En hoe is het met de koning?'

'Zoals je ziet: gelukzalig in zijn eigen wereld.'

'Dus hij heeft zijn belangstelling verloren voor de achterstallige soldij waar je het over had?'

Adea's glimlach bereikte op geen stukken na haar ogen, die zich in die van Antipatros boorden. *Ik ga zijn spelletje niet meespelen, dan zou ik alleen maar schuld bekennen.*

Antipatros keek haar even peinzend aan. 'Ik begrijp het: je beseft dat je door die vraag te beantwoorden toegeeft dat jij degene was die tot muiterij heeft aangezet; jij alleen, en met persoonlijk gewin als motief, het had niets te maken met de nobele gevoelens van een zwakzinnige koning voor het welzijn van zijn mannen. Nee, Philippus geeft meer om zijn olifant dan om de financiële zekerheid van zijn leger.'

Adea sloeg haar ogen niet neer en hield haar mond dicht. *We kennen beiden de waarheid, maar ik ga het niet toegeven.*

'Goed dan,' ging Antipatros verder, haar zwijgen was veelzeggend genoeg. 'Laten we afspraken maken, want het zal je niet verbazen dat we elkaar voorlopig nog nodig hebben.'

Ik zou graag horen waarom.

'Ik ga binnenkort terug naar Macedonië, en hoewel ik als regent ben aangewezen zullen de koningen bij het koninklijke leger blijven, waar ze onder voogdij van Antigonos staan. Er zal geen herhaling van je recente gedrag komen.'

Ik beloof niets.

'Ik zie dat ik je ervan zal moeten overtuigen dat je je maar beter kunt gedragen.' Antipatros pakte een van de rollen, rolde hem uit en las er met een peinzend gezicht in, zijn hoofd schuddend. 'Fascinerend, absoluut fascinerend.'

Hij gaat me vertellen wat erin staat zonder dat ik me hoef te verlagen door het te vragen.

Antipatros legde de rol weg en stelde een vraag: 'Ben je zwanger?'

Adea was verrast door de plotselinge vraag. *Eens kijken of ik hèm kan overbluffen, later kan ik me met de wachters bezighouden.* 'Ja.'

Antipatros wendde overdreven bezorgdheid voor. 'Hoe ver?'

'Niet meer dan een maan, te vroeg om zeker te zijn.'

'Dan moet je het misschien wat rustiger aan doen en niet langer mannen verleiden om tegen hun bevelhebbers op te staan.'

Opnieuw gaf ze geen antwoord. *Hij neemt het wel erg makkelijk op, misschien vermoedde hij al dat ik zwanger was.*

'Weet je wat dit is?' vroeg Antipatros en bood haar de rol aan.

Je gaat het me nu vertellen.

'Het is een verslag van Perdikkas, hij schrijft dat Roxanna van plan was om haar kind, als het een meisje was, te verwisselen met het kind van een slavin.'

Dat is interessant.

'En Perdikkas nam de slavin bij zich op zodat hij greep op de oosterse wilde kat had, want hij kon altijd dreigen het leger te vertellen dat ze bereid was geweest het kind van Alexander te doden en te vervangen door een ander om macht te krijgen. Roxanna begreep terecht het gevaar.'

'En zo wist Perdikkas haar over te halen om mijn echtgenoot het tegengif te geven nadat ze hem vergiftigd had.'

'Precies.'

'En waar is die vrouw?'

'Ah, dat is iets wat je natuurlijk maar al te graag zou weten.'

De oude klootzak heeft me te pakken, hij kent nu een zwakke plek. O, moeder, was u maar hier om me raad te geven.

Antipatros rolde het document op. 'Je hoeft alleen te weten dat ze veilig is en dat Roxanna weet dat ze nog in leven is.' Hij wreef over een rode striem op zijn linkeronderarm. 'Ik heb net met haar gesproken; ze was niet blij met het nieuws en gooide beeldjes naar iedereen in de buurt, maar nu ze het weet zal ze geen nieuwe poging doen jou of je echtgenoot te vermoorden – voorlopig in ieder geval, want ik kan de slavin elk moment laten doden als je besluit me moeilijkheden te bezorgen.'

'Ik begrijp het.'

'Mooi. Dat brengt ons bij de inhoud van de tweede rol.' Hij rolde hem uit, zachtjes neuriënd.

Hij lijkt erg tevreden met zichzelf, hij is ongetwijfeld in het bezit van een of ander misselijk feit dat ik zal moeten ontkennen.

'Het is fascinerend leesvoer, al is het wel erg veel van hetzelfde.' Antipatros keek peinzend terwijl zijn ogen langs de woorden op de rol gleden. Hij overhandigde hem aan Adea. 'Je bent het vast met me eens.'

Adea onderdrukte een kreet door snel een hand over haar mond te leggen toen ze begreep waar ze naar keek. *Hoe is hij hieraan gekomen? Hoe durft hij? En zo compleet.*

'Zoals je ziet is het een complete lijst van al je manen sinds je huwelijk met Philippus. En elke keer bloedde je als de maan toenam van half naar vol.' Hij leunde naar voren en wees op de laatste regel. 'Kijk eens goed daarnaar en beantwoordt dan mijn vraag naar waarheid: ben je zwanger?'

Hij wist heel goed dat ik niet zwanger was toen hij het daarnet aan me vroeg; het was een valstrik om te kijken of hij me kon vertrouwen en ik ben erin gelopen. O, moeder, hoe moet het verder? Adea slikte de woede die in haar opkwam door; ze voelde zich naakt, haar meest intieme zaken waren onderwerp van gesprek. *Wie is de verrader in mijn slaapkamer?*

'Ik weet wat je je afvraagt: hoe komt hij aan al die informatie? Het antwoord is dat ik die nodig heb. Je kunt iedereen in je huishouden vermoorden en in je eentje in een grot gaan wonen, en toch zal ik ontdekken of je deze maan hebt gebloed of niet.' Antipatros klopte op haar knie. 'Het kan ieder van de meisjes zijn met wie je het bed deelt; misschien is het zelfs een van de vrouwen die je was doen en je kleding maken.' Hij zweeg even om na te denken. 'Het zou zelfs Barzid kunnen zijn – is hij zo trouw als je denkt? Of misschien is het Philippus' lijfarts Tychon, of Philippus zelf – nee, dat is te vergezocht – misschien is het wel dat verrukkelijke ding dat me binnen heeft gelaten. Wat zonde als zij het zou zijn en je haar strafte; wat een verspilling van een perfecte kut, vind je niet? Doe dus iedereen een plezier en straf niemand; ga door alsof er niets is gebeurd en besef dat als je mij probeert te misleiden en het rijk een koekoeksjong opdringt, zoals Roxanna overwoog, ik het zal weten; en dan kom je er niet met een vriendelijk praatje van af, zoals nu, geloof me maar.'

Adea keek naar de oude regent, die opstond; de wurggreep waarin hij haar nu hield had hem veranderd van de vermoeide oude man die het vertrek was binnengekomen in een machtige figuur die respect opriep. Ze geloofde hem, en ze begreep, juist daarom, dat ze harder moest vechten dan ooit om zich aan zijn greep te ontworstelen als ze ooit nog kans wilde maken op een machtspositie in de strijd om Macedonië.

'En zoals ik al zei aan het begin van dit gesprek: we hebben elkaar nodig. Jij hebt mij nodig om Roxanna in toom te houden en ik moet erop kunnen vertrouwen dat jij je buiten de Macedonische politiek houdt.' Antipatros keek haar aan. 'En als je dat toch doet, tja, om eerlijk te zijn maakt het mij niet veel uit of er één koning is of twee. Ik denk dat we elkaar begrijpen. Als je me nu wilt excuseren, ik moet beslissen over het lot van het rijk in de komende jaren.'

Er welden opnieuw tranen op en opnieuw vocht ze ertegen. Overal waar ze keek loerde gevaar. Nog nooit had ze zich zo alleen en onbeschermd gevoeld. *Was ik maar een man. Mogen de goden die klootzak van een Antipatros vervloeken.*

ANTIPATROS, DE REGENT

Het was een plezierig klusje geweest, praten met Adea en Roxanna. Antipatros was dol op vrouwen en leunde zwaar op de adviezen van zijn vrouw Hyperia, maar hij vond het lastig de confrontatie aan te gaan met de meer uitgesproken leden van het geslacht. Hij was daarom tevreden over een goed geslaagd optreden en bij zonsopkomst de volgende ochtend zette hij zich in de koelte aan de volgende fase van zijn plan om een overeenkomst te smeden die de rest van zijn leven zou standhouden. *Ik heb de vraag of Macedonië het rijk bestuurt of het rijk Macedonië weten te omzeilen door de koningen in Azië te laten en zelf als regent naar Europa terug te gaan; nu moet ik ervoor zorgen dat de legerroute tussen Europa en Azië bewaakt wordt door een betrouwbaar man – al geloof ik niet dat iemand Lysimachus ooit van betrouwbaarheid heeft beschuldigd.*

En daarom pakte Antipatros met aanzienlijk zelfvertrouwen zijn boog en stapte op de wachtende strijdwagen. Hij groette Lysimachus in de wagen naast hem en gaf zijn menner opdracht naar het hertenpark te gaan voor een ochtendje jagen voordat de bespreking op het middaguur weer begon. Achter hen volgde een rij wagens beladen met jachtgerei en wapens, verversingen, luifels en slaven om aan al hun wensen te voldoen.

'Mooi schot,' schreeuwde Lysimachus toen de poten van de reebok het begaven en het dier met zijn kop in het lange gras dook, de ogen opengesperd op het moment van de dood, 'voor een man van jouw leeftijd.'

Antipatros liet een goedgehumeurd lachje horen, al viel het niet mee omdat hij dit grapje nu voor de vierde keer tijdens deze jachtpartij hoorde. 'Als jij over veertig jaar nog even goed schiet, vergeet het me dan niet te vertellen als je de Styx oversteekt.' Hij gebaarde naar zijn menner om te stoppen, stapte van zijn wagen en liep naar zijn buit; Lysimachus zond nog een pijl, die trillend in het dier bleef staan, waardoor Antipatros nog geïrriteerder raakte.

'Goed, laten we niet langer doen alsof dit een vriendschappelijk jachtpartijtje is,' zei Lysimachus terwijl hij boven de reebok knielde, het dier bewonderde en zijn jachtmes trok. 'We zijn hier gekomen voor de belangrijkste bijeenkomst van onze tijd, dus wat wil je?'

Wat ik wil? Ik wil mijn laatste paar jaren zorgeloos doorbrengen en zoveel zoons bij mijn vrouw verwekken als mijn fragiele lichaam nog toestaat. 'Kassandros is gisteravond aangekomen.' Aan de uitdrukking op Lysimachus' gezicht zag hij dat het nieuws hem niet met vreugde vervulde – Kassandros riep die reactie vaak op. 'Hij heeft zijn zuster uit Babylon meegenomen.'

'Nicaea?'

'Inderdaad. Heb je haar ooit gezien?'

'Een paar keer voordat we naar Azië gingen, toen was ze nog een klein meisje.'

'En nu is ze weduwe.'

Lysimachus sneed met een lange haal de buik van de reebok open. 'En?'

'En ik moet je nauw aan mij binden als we ons in Europa buiten de onvermijdelijke reeks oorlogen in Azië willen houden.'

'Ik heb al een vrouw.'

'Zij is een Perzische die je op bevel van Alexander moest trouwen in Susa. Neem een andere. Lysimachus, een echte dit keer; we moeten aan dezelfde kant staan en de enige manier waarop we elkaar kunnen vertrouwen is als we familie zijn.'

Lysimachus stopte met het ontweien van de jachtbuit en keek Antipatros met onderzoekende ogen aan. 'Wat wil je van me?'

'Ik wil dat je de Hellespont bewaakt; je moet verhinderen dat er ooit een leger van zuid naar noord oversteekt. Ik wil er zeker van zijn dat de onrust die in Azië na mijn dood zal ontstaan niet de relatieve vrede verstoort die we in Europa zouden kunnen bereiken.'

Lysimachus ging weer verder met zijn bloedige werk, het mes sneed door vacht en spieren. 'En jij denkt dat we oorlog aan onze zijde van de Hellespont kunnen vermijden? Met die heks Olympias die voortdurend op een kans loert om weer aan de macht te komen?'

Antipatros haalde zijn schouders op en hield de buik open terwijl Lysimachus zijn handen naar binnen stak. 'Misschien komt er oorlog in Europa, maar het zal iets kleinschaligs zijn; het land zal niet volkomen verwoest worden, wat wel zal gebeuren als de reusachtige Aziatische legers erbij betrokken raken. Laat ze daar blijven en het onderling uitvechten. Antigonos, Ptolemaeus, Seleukos en wie dan ook nog meer; ze mogen doen wat ze willen, zolang ze het maar niet in Europa doen.'

Lysimachus keek naar de hoop dampende ingewanden op het gras. 'Ik begrijp wat je wilt. En als ik met je dochter ben getrouwd kan ik er zeker van zijn dat je Thracië vanuit het westen niet zult binnenvallen, zodat ik vanuit jouw standpunt bekeken alleen het zuiden hoef te verdedigen. Maar er is ook nog mijn noordgrens: de Donau. Heb je eraan gedacht wat er in het noorden is?'

'Barbaarse stammen?'

'Een heleboel, over een onvoorstelbaar groot gebied. Ik vecht tegen de stammen het dichtstbij en soms maak ik afspraken met ze, maar de geruchten die ik heb gehoord over wat er achter hen nog allemaal is zouden onze plannen voor het verdedigen van de zuidgrens van Europa irrelevant kunnen maken.'

Antipatros fronste. 'Wat voor geruchten?'

'De stammen in het noorden worden opgejaagd door gebeurtenissen die groter zijn dan alles wat we daarvoor hebben gezien. Ik heb het gehoord van gevangenen die ik gemaakt heb toen ik onlangs tegen de Geten vocht, en ik heb het ook gehoord van een Scythische koning met wie ik over een verdrag onderhandelde. Heb je ooit gehoord van de Galaten en de Gallaeci? Twee stammen van een volk dat de Kelten wordt genoemd; grote mensen, zeker een halve kop langer dan wij.'

Antipatros dacht even na en knikte vervolgens langzaam. 'Een paar jaar geleden stak Alexander van Epirus de zee over naar Italië om Terrentum te helpen – het eindigde ermee dat hij gedood werd. Hoe dan ook, ik had natuurlijk spionnen in zijn leger en zij vertelden me over een invasie van Italië zeventig of tachtig jaar eerder door een volk dat de Galliërs werd genoemd, reusachtige mannen die boven ons uittorenen; gaat dat om dezelfde mensen?'

'Heel waarschijnlijk als het ook om reuzen gaat.'

'Ze zouden een hoop steden in het noorden van het schiereiland hebben geplunderd en ook nog eens Rome, een stad die de opkomende macht in die streek schijnt te zijn; ze werden uiteindelijk teruggeslagen en vestigden zich op uitgestrekte stukken land in het noorden. Van agenten in Massalia, een Griekse kolonie aan de kust voorbij Italië, heb ik gehoord van een andere trektocht van een van die volken, over de bergen die de grens vormen van het Iberisch schiereiland. En de ontdekkingsreiziger Pytheas heeft me na zijn terugkeer van een reis naar de noordelijke zeeën, vier jaar geleden, verteld dat anderen naar het noorden gingen en dat sommigen zelfs naar Hyperborea trokken, als dat tenminste bestaat; al verzekerde Pytheas me dat het bestaat en een eiland is. Hij beweert eromheen te zijn gevaren.'

Lysimachus' gezichtsuitdrukking weerspiegelde een volledig gebrek aan geografische kennis van landen die zo ver weg lagen. 'Tja, het schijnt dat er andere volken op zoek zijn naar grond om zich te vestigen en dat ze langzaam naar het zuiden en oosten trekken, in onze richting.'

'Wanneer komen ze?'

'O, het duurt nog jaren, tientallen jaren misschien; het zijn geen ruitervolken, ze verplaatsen zich langzaam en alleen als ze bedreigd worden door andere, al even barbaarse stammen. Maar ze komen, en naar ik heb gehoord zijn ze met tienduizenden. Jij zult ze niet meer meemaken en ik zal een stuk ouder zijn.'

Antipatros veegde zijn handen af aan de flank van de reebok en hield ze op zodat een slaaf er water over kon gieten. 'Ik ben blij dat die zorgen me bespaard zullen blijven, maar ik vrees voor mijn kinderen.'

'Daar heb je alle reden toe. Hoe dan ook, het lijkt me dat we maar beter voorbereid kunnen zijn, en daarom heb ik opdracht gegeven een reeks forten te bouwen. De Donau is niet voor alle stammen een barrière, want degenen die Italië waren binnengevallen zijn er al ten zuiden van; maar er zijn er nog veel meer ten noorden van de rivier, in de grote bossen van het binnenland. Ik wil dus forten langs de rivier hebben om te voorkomen dat ze van twee kanten komen en ik ga ook nog een fort bouwen bij de Succipas, de enige begaanbare route door het Haemusgebergte in het zuiden van Thracië. Als ze door die pas komen liggen Macedonië en Azië voor ze open.' Lysimachus stond op en veegde zijn handen af aan een doek vastgehouden door een slaaf. 'Maar dat kost een hoop geld.'

'Ik begrijp het, je vraagt om een aanzienlijke bruidsschat voor Nicaea.'

'Het is niet voor mij; het is voor Macedonië en het rijk. Als ze komen en we kunnen ze niet tegenhouden, dan is het afgelopen met ons. We zullen slaven in ons eigen land zijn.'

Antipatros keek peinzend. 'Zoals al is gebeurd met de volken in het noorden van Italië en ongetwijfeld ook met die van Hyperborea.' Hij keek bedenkelijk bij het idee dat een zo merkwaardig klinkend land ook echt bestond. 'Goed dan, Nicaea krijgt een bruidsschat mee die je zal helpen je forten te bouwen.'

Lysimachus schudde het hoofd. 'Niet helpen om ze te bouwen, ze volledig bouwen.'

'Moet ik het allemaal betalen?'

'Niet jij persoonlijk, maar het rijk. Het is voor ons allemaal. En ik stel voor dat je niet langer zoveel van de rijkdom weggeeft in de vorm van bonussen.'

Antipatros dacht even na over de opmerking van zijn toekomstige schoonzoon en stak toen een hand op. 'Je hebt een overtuigend verhaal, Lysimachus, we kijken naar het noorden en hopen dat de Donau en het Haemusgebergte ons kunnen beschermen. Je krijgt het geld.'

'Dan zal ik met je dochter trouwen.'

'Dat doet me plezier.'

'Nu ben ik toch benieuwd: met wie wil je Phila laten trouwen nu Krateros haar weduwe heeft gemaakt?'

'Antigonos' zoon Demetrios.'

'Maar ze is meer dan tien jaar ouder dan ik,' protesteerde Demetrios, die voor zijn vader en Antipatros stond.

'Dan heeft ze misschien net het uithoudingsvermogen om jouw seksuele excessen bij te kunnen houden,' zei Antigonos, die genoot van de angst in de stem van zijn zoon, iets wat hij zover hij zich kon herinneren nooit eerder had gehoord.

'Ze is geen maagd.'

'O, doe toch niet zo idioot. Jij ook niet en ik denk niet dat ze zich daarover gaat beklagen. Integendeel, want ze beseft dat ze een jonge hond in bed krijgt, maar in ieder geval een die enig idee heeft wat hij met haar moet doen.'

'Het is van vitaal belang om onze families met elkaar te verbinden,' benadrukte Antipatros toen hij Demetrios' dwarse gezichtsuitdrukking zag. 'En je doet wat je vader en ik je opdragen, anders bestaat er een grote kans dat we vijanden worden en daar is niemand bij gebaat.'

'Het is in het belang van ons allemaal,' vertelde Antigonos zijn zoon en hij probeerde zijn gezicht in de plooi te houden toen hij naakte angst in zijn ogen zag. 'Om Euripides te parafraseren: je moet een echtgenoot worden, ondanks jezelf, om voordeel te behalen.'

'Ja, maar in het oorspronkelijke citaat gaat het om een slaaf, vader. Slaaf, niet echtgenoot; ik zal de slaaf van een oudere vrouw zijn. Ze zal nooit voor mijn wil buigen.'

'Ah, daar ligt het probleem, hè? Je bent bang dat je niet mans genoeg bent om deze formidabele vrouw aan te kunnen.'

'Dat heb ik niet gezegd.'

'Wat stribbel je dan tegen? Ik wil er niets meer over horen; je trouwt met die vrouw, klaar. En nu wegwezen, voordat ik je zoals vroeger met mijn riem afransel.'

Nadat de deur was dichtgeslagen wachtten Antipatros en Antigonos enkele ogenblikken voordat ze in lachen uitbarstten; ze schudden en hikten en huilden van de pret.

'Ik zou niet graag Phila zijn op de huwelijksnacht,' wist Antipatros eindelijk uit te brengen.

Antigonos wreef zijn oog uit. 'Nee, de kleine snotneus zal het een en ander willen bewijzen, dat is zeker.'

'Ja, 's ochtends zullen haar slavinnen twee keer zo lang nodig hebben om haar toonbaar te maken, arm meisje. Maar aangezien ze mijn dochter is kun je ervan verzekerd zijn dat ze het de moeite waard zal vinden. Als je me nu wilt excuseren, Antigonos, voordat we bijeenkomen moet ik nog even met Seleukos praten.'

SELEUKOS, DE OLIFANTENSTIER

Seleukos leunde achterover in zijn stoel en luisterde met een half oor naar Antipatros. De oude regent bevestigde degenen die hem trouw waren gebleven in hun satrapie, terwijl hij degenen die de verkeerde kant hadden gekozen verving door mannen die hij vertrouwde. Het drong vaag tot hem door dat Eumenes Cappadocië verloor en dat hij vervangen werd door Antipatros' zoon Nicanor. Hij verzonk dieper in gedachten maar kreeg zonder zich te verbazen mee dat Kleitos de Witte Menander in Lydië verving en dat Arrhidaeus werd beloond met Hellespontisch Frygië, een heel wat vettere buit dan hij eigenlijk verdiende.

De uitdrukking op zowel Antigonos' als Kassandros' gezicht toen ze hoorden dat Antipatros zijn oudste zoon als onderbevelhebber van het koninklijke leger had benoemd zag Seleukos niet, wat jammer was, want hij zou enorm genoten hebben van de aanblik van Kassandros die gedwongen werd iets tegen zijn wil te doen, terwijl Antigonos een verontwaardigd gezicht trok omdat zijn eigen bondgenoot, met wie hij door het aanstaande huwelijk van hun kinderen verwant zou raken, zo openlijk een spion in zijn kamp zette.

Maar Seleukos had belangrijkere zaken aan zijn hoofd en hij wist met moeite een dankbaar knikje te geven toen hij in de satrapie Babylonië werd bevestigd, want hij was met zijn gedachten bij de ontmoeting met Antipatros die hij vlak voor de bijeenkomst had gehad. *De ouwe is seniel aan het worden of ik zie iets over het hoofd. En waarom denkt hij eigenlijk dat ik blij zal zijn om van mijn vrouw te scheiden?*

Anders dan de andere hoge officieren die in Susa gedwongen waren een Perzische vrouw te nemen, hield Seleukos van zijn Apama en hij was niet van plan haar te verstoten voor een Macedonische van hoge status. Bovendien had ze hem twee kinderen geschonken, een dochter die naar haar was vernoemd en een zoon die de naam had gekregen van Seleukos' gestorven vader Antiochus, die hij erg miste; haar verstoten zou in zijn ogen de daad van een hardvochtig, ondankbaar man zijn. Ze kwam dan uit de woeste streken van Sogdië, ver in het oosten, maar Apama was geen ontembare harpij als Roxanna. Integendeel. De enige overeenkomst met de wilde kat waren haar schoonheid en elegante kledij, maar verder was ze gematigd en redelijk in haar gedrag, en ze was bovenal niet hebzuchtig, waardoor Seleukos de weinige wensen die ze had graag vervulde. Hij besefte kortom dat hij nooit een andere vrouw zou vinden die zo goed bij zijn behoeften paste en bovendien mooi was, een goed karakter had en uit een belangrijke familie stamde, want ze had oosters koninklijk bloed, en dat zou goed van pas komen als hij in de toekomst zijn invloed over de oosterse satrapieën wilde uitbreiden. Het oosten was van het hoogste belang voor zijn ambities, want de troepen van de satrapieën daar konden een grote rol spelen in het veiligstellen van zijn aandeel in het westen.

Maar dat was de toekomst, de nabije toekomst weliswaar, en een belangrijke factor in de langetermijnplannen die Seleukos in zijn hoofd was gaan formuleren zodra het duidelijk werd dat Alexander zijn ziekte niet zou overleven. Op dit moment probeerde hij het heden en Antipatros' nieuws te doorgronden: zijn bevestiging als satraap van Babylonië was niet zo ongecompliceerd als hij had gehoopt. Volgens Kassandros, die net uit Babylon was gekomen, was Docimus na de dood van Perdikkas naar het oosten gevlucht, naar Babylon, waar hij Archon had gedood en zichzelf tot de nieuwe satraap had uitgeroepen. Aangezien Seleukos zelf geen leger had anders dan de troepen die Docimus commandeerde in de satrapie die hij had gestolen, zat hij, zoals Antipatros hem duidelijk had gemaakt, in een lastige situatie. Antipatros had hem een bescheiden leger aangeboden, met alle liefde, maar op één voorwaarde: dat hij van Apama zou scheiden en met Kleopatra, Alexanders volle zuster, zou trouwen. Daarmee zou hij absoluut geen aanspraak op de troon van Macedonië kunnen maken, zo had Antipatros uitgelegd, omdat hij in tegenstelling tot Leonnatus en Perdikkas geen koninklijk bloed bezat; maar hij zou Antipatros een grote gunst bewijzen omdat het Kleopatra zou verhinderen zich met hem te bemoeien, terwijl het huwelijk Seleukos meer legitimiteit zou geven bij wat hij dan ook van plan was, zo had de regent er met een veelbetekenende blik aan toegevoegd. *Wat heb ik aan Kleopatra? Apama is veel nuttiger als echtgenote als ik naar het oosten ga. Waarom heeft hij dit aanbod dan gedaan?* Hij had het uiteraard meteen afgewezen, want hij wilde de vrouw van wie hij hield absoluut niet inruilen voor een vrouw die zich boven hem verheven achtte, als ze al overgehaald kon worden om met hem te trouwen. Nee, het leek geen hout te snijden en het feit dat het Antipatros een goede zet leek terwijl hij, Seleukos, dat niet zag, vond hij zorgelijk, nog zorgelijker dan het vooruitzicht Docimus te moeten verjagen zonder hulp van een leger.

Inwendig een zucht slakend besloot hij het probleem in zijn achterhoofd te laten broeden, in de hoop dat hij het antwoord zou vinden.

'Als je teruggaat naar Carië, Asander,' zei Antipatros, terwijl Seleukos zich weer op de gesprekken concentreerde, 'moet je Alketas in Pisidië afzetten en mij zijn hoofd en zijn mannen sturen.'

Asander leek niet bepaald verheugd bij het vooruitzicht. 'Maar ik heb niet voldoende troepen.'

'Je krijgt manschappen; doe het gewoon. Marcheer snel en overval de zakkenwasser.'

Ik kan je beoordelingsvermogen niet bepaald bewonderen; Alketas is een maatje te groot voor die genotzoeker.

Antipatros keek Asander net zo lang aan tot die toegaf en richtte zich vervolgens weer tot de anderen. 'En dat brengt me tot slot bij de kwestie Ptolemaeus, die het niet nodig vond om naar onze beraadslaging te komen.'

Ónze beraadslaging, ouwe? *Er is niet veel 'ons' aan.*

'Hij heeft me gevraagd om namens hem te spreken,' zei Arrhidaeus vanaf het uiteinde van de tafel.

Antipatros keek of dat nieuw voor hem was. 'Is dat zo? Goed dan, spreek.'

'Hij vroeg me alleen het volgende te zeggen: hij stuurt zijn groeten aan zijn broeders en wenst jullie allemaal niets dan goeds. Hij hoopt dat we hem allemaal in de nieuwe geest van samenwerking met rust laten en zijn recht op Kyrenaika als door hem veroverd gebied erkennen, iets wat Perdikkas weigerde te doen. Hij vroeg me te benadrukken dat dit erg belangrijk voor hem is en dat als jullie aan nog een voorwaarde voldoen hij van plan is zijn ogen op het westen te richten en niet op het oosten.'

Antipatros stikte bijna. 'De onbeschaamde jonge hond stelt voorwaarden; dreigt hij nou om met een leger naar het oosten te komen als we hem Kyrenaika niet laten?'

'Absoluut niet; Kyrenaika is niet onderhandelbaar, hij houdt het, wat er ook gebeurt; hij wil alleen dat jullie het erkennen. Hij zegt dat hij niet met een leger naar het oosten gaat om Zuid-Syrië in te nemen als jullie hem Cyprus geven, want hij heeft maar een van de twee nodig.'

Seleukos slikte een lach in en barstte in hoesten uit – hij was niet de enige. *Je moet hem wel bewonderen.* Hij riskeerde een blik op Antipatros en was niet verbaasd dat de oude man paars aanliep van verontwaardiging.

Vervolgens kwam de uitbarsting. 'Ik heb hem een van mijn dochters gegeven en dan behandelt hij me zo? Op mijn leeftijd? Hoe durft hij eisen te stellen? Ik pak Egypte van hem af. Ik...'

Seleukos keek geamuseerd toe, terwijl Arrhidaeus met neergeslagen blik zat, wachtend tot de storm ging liggen en hij verder kon. 'Hij zei me dat als u zou reageren zoals u net hebt gedaan ik erop moest wijzen dat hij de grootste vloot op zee heeft en dat hij alleen maar een bondgenootschap met Attalus in Tyros hoeft te sluiten om met hun gecombineerde vloten onder zijn leiding Cyprus binnen een maand in te nemen. Maar dat wil hij niet doen omdat hij weet dat het u van streek zou maken en dat is het laatste wat hij zijn geliefde schoonvader wil aandoen.'

Dat was te veel voor Antipatros; hij sloeg met beide vuisten op de tafel en werd steeds woedender, terwijl degenen die Ptolemaeus hadden meegemaakt tijdens de veroveringstocht door Azië en hem goed kenden tevergeefs probeerden hun vrolijkheid te verbergen.

'Dat is niet om te lachen!' brulde Antipatros zodra hij in staat was woorden te formuleren. 'Als Ptolemaeus het waagt om...' Maar wat Ptolemaeus niet moest wagen bleef onuitgesproken want Antipatros' ogen gingen wijd open van pijn en hij greep met zijn ene hand naar zijn hart terwijl hij met de andere steun op tafel zocht, waarna hij ging zitten.

Het lachen stopte nu de oude man worstelde om adem te halen, hijgend en stikkend. Kassandros reageerde als eerste, hij pakte zijn vader beet en legde hem op de grond, terwijl de anderen zich om hen heen verzamelden en bezorgd neerkeken op de man die hen verenigd kon houden. 'Haal een arts,' riep Kassandros. Hij legde een mantel onder zijn vaders hoofd.

En toch, ondanks zijn bezorgde gedrag zag Seleukos een roofzuchtige blik in Kassandros' ogen. *Niet doodgaan, ouwe klootzak, niet voordat ik veilig in Babylon zit.*

Maar Antipatros was ondanks zijn gevorderde leeftijd sterk en niet lang nadat de zichtbaar zenuwachtige arts een drankje in zijn keel had gegoten begon zijn ademhaling regelmatiger te worden en zijn ogen keken om zich heen. 'Waar kijken jullie naar?' gromde hij tegen de bezorgde gezichten rondom. 'Sta me niet aan te gapen en help me overeind.'

Vele handen tilden de oude regent in zijn stoel, waar hij de smeekbede van de arts om naar bed te gaan wegwuifde; hij duwde Kassandros opzij en stond erop dat de bijeenkomst verderging. Toen iedereen weer op zijn plaats zat ging hij door alsof er niets aan de hand was. 'Als Ptolemaeus me onder druk probeert te zetten in de hoop Cyprus te krijgen, dan zal hij ontdekken dat hij de verkeerde tactiek heeft gekozen.'

'We hebben geen keuze,' zei Antigonos vanaf de andere kant van de tafel. 'Wat hij zegt is waar. Zijn schepen zijn samen met die van Attalus meer dan opgewassen tegen de vloot van Kleitos. Als we Ptolemaeus zijn zin niet geven zal hij zijn dreigement uitvoeren en Cyprus alsnog annexeren; we kunnen hem niet tegenhouden en zullen zwak lijken, waardoor iedereen met machtshonger weleens ideeën zou kunnen krijgen.'

De harsige cycloop keek me met zijn ene oog aan toen hij dat zei; hij wil óf mijn steun in deze zaak, óf hij denkt dat ik een van die lieden ben die Ptolemaeus willen gaan imiteren. Ik zal het veilig spelen, en bovendien is Antipatros niet de enige die troepen kan uitlenen; als Ptolemaeus hoort dat ik hem steun... 'Ik ben het met Antigonos eens. Ptolemaeus kan makkelijk zowel Cyprus als Zuid-Syrië pakken, het is daarom beter hem alleen dat te geven waar hij om vraagt en in ieder geval het idee van vrede tussen ons te bewaren; dat hebben we nodig als we tegen Eumenes vechten.'

Antipatros keek de tafel rond en zag vele hoofden instemmend knikken. 'Jullie kunnen toch niet serieus menen dat we Cyprus aan Ptolemaeus moeten geven?'

PTOLEMAEUS, DE BASTAARD

'Ha! Het heeft drie maanden geduurd, maar ik wist dat de ouwe uiteindelijk gedwongen werd in te stemmen.' Ptolemaeus keek op van de brief in zijn handen en richtte zijn goede humeur op de kat die in een schaduwrijk hoekje van het terras waar hij zat lag te slapen. 'Al heb ik het idee dat Seleukos zijn aandeel in de zaak nogal overdrijft.' Hij keek weer naar de brief toen de kat kennelijk niet van plan was zijn mening te geven, het dier leek volmaakt tevreden met een dutje in de koele januaribries die vanuit de grote haven van Alexandrië waaide.

Met een volgende triomfantelijke uitroep klapte Ptolemaeus in zijn handen. 'Wijn, Sextus! Dit moet gevierd worden.'

'Ja, meester,' antwoordde zijn huisslaaf met een zwaar Grieks accent en hij snelde weg.

'Je lijkt een genoeglijk ontbijt te beleven,' zei Thais, al twintig jaar zijn minnares, die het terras betrad, gekleed in een flinterdun gewaad waarvan ze wist dat het Ptolemaeus favoriete ontbijtkleding was.

'Seleukos,' zei Ptolemaeus zonder op te kijken.

'Wat is er met hem?'

'Het lijkt erop dat ik bij hem in het krijt sta.'

Thais ging zitten en pakte een paar dadels. 'Waarom?'

'Cyprus.'

'Maar je hebt het van Antipatros geëist.'

'Ja, maar hij vond het bepaald geen goed idee.' Hij keek voor het eerst naar Thais en glimlachte waarderend toen hij haar kledingkeuze zag; nonchalant streelde hij met de rug van zijn hand langs een van haar borsten. 'Seleukos is de afgelopen drie maanden in De Drie Paradijzen bezig geweest om Antipatros ervan te overtuigen dat hij geen keuze had.'

'Dat lijkt wel heel veel tijd.'

Ptolemaeus legde de brief neer. 'Natuurlijk was hij er niet elke dag de hele dag mee bezig. Antipatros had het druk, hij heeft het leger gereorganiseerd, hij heeft eenheden van zichzelf, Antigonos en het leger van Babylon door elkaar gehusseld zodat de opstandige soldaten verspreid zijn. En hij heeft natuurlijk brieven aan alle satrapen geschreven en aan de heersers van de koninkrijken buiten het rijk en hij wacht op hun antwoorden; hij wil terug naar Europa en Azië redelijk stabiel achterlaten. Ik kan het hem niet kwalijk nemen.'

'En dat is de manier waarop Seleukos hem heeft overgehaald om je Cyprus te geven, neem ik aan.'

'Inderdaad. Seleukos kent me veel beter dan de ouwe mij kent; hij weet dat ik mijn dreigement om Zuid-Syrië binnen te vallen zou uitvoeren.'

'Maar waarom zou hij voor jouw zaak opkomen?'

Ptolemaeus keek over de grote haven naar de bouwwerkzaamheden aan de lange pier die het eilandje Pharos met het vasteland zou verbinden en zo de haven in tweeën zou delen. *Vooruitgang op alle fronten.* 'Het feit dat Antipatros drie legers tot twee omvormt door het leger van Babylon over het leger van Macedonië en dat van Antigonos te verdelen is niet goed gevallen bij Seleukos, die soldaten nodig heeft om Docimus uit Babylon te verdrijven; een voornemen dat ik alleen maar kan toejuichen. Maar Antipatros ziet het anders en heeft eisen gesteld – welke weet ik niet – die onaanvaardbaar zijn voor Seleukos.'

'En dus wendt hij zich tot jou.'

'Precies.'

'En geef je hem de troepen?'

'Absoluut; zodra ik aan het einde van het voorjaar Cyprus heb bezet. Seleukos kan ze denk ik aan het begin van de zomer verwachten;

dan heeft hij ruim voldoende tijd om met Docimus af te rekenen. We kunnen in Damascus samenkomen en daar een overeenkomst tekenen.'

'Maar je zei toch dat je nooit meer Egypte zou verlaten tenzij het was om een van zijn bezittingen te bezoeken?' Ze keek naar hem, haar mond en ogen gingen wijd open in verbazing en vervolgens verscheen er een ongelovig glimlachje op haar gezicht. 'Jij sluwe ouwe vos. Je was sowieso van plan Syrië te veroveren, of Antipatros Cyprus aan je gaf of niet.'

Ptolemaeus boog zich naar haar toe en kuste haar op de lippen, genietend van de zoete smaak, en wuifde Sextus met een handgebaar weg toen hij hem hoorde terugkomen. Wijn kwam nu op de tweede plaats. 'Waarom twee veldslagen uitvechten als het doel van de ene ook op een andere manier kan worden bereikt? Om Cyprus in te nemen had ik een overeenkomst met Attalus moeten sluiten, iets wat veel mensen, onder wie ikzelf, tegen de borst stuit; mogelijk zou niemand me het ooit vergeven, en dat zou onderhandelingen over andere zaken in de toekomst moeilijker maken. Het is veel beter om met samenwerking met hem te dreigen dan het ook echt te doen; en als ik een overeenkomst met die minkukel had gesloten, wat had ik daarna dan met hem moeten doen? Logisch gezien zou ik hem moeten doden, omdat hij verder alleen maar lastig kan zijn, maar wie zou me daarna nog voldoende vertrouwen om een bondgenootschap met me te sluiten? Nee, dit heeft heel goed uitgepakt: halverwege volgend jaar heb ik Cyprus en het zuiden van Syrië tot aan Damascus en misschien wel verder veilig in handen en dan kan ik de volgende stap zetten: Attalus uit Tyros gooien, en wie kan mijn daden nog kritiseren als ik dat gedaan heb?'

'Je hebt dan Cyprus, Tyros, Damascus en de andere havens van Zuid-Syrië in zes maanden tijd in bezit gekregen en dan heb je ook nog eens Seleukos als bevriende en dankbare buurman in Babylonië, en dat allemaal met weinig bloedvergieten.'

'Helemaal zonder, naar ik hoop.'

Thais giechelde, maar niet als een jong meisje. 'Antipatros zal je haten.'

'Mogelijk, maar hoe lang leeft hij nog? Bovendien ben ik getrouwd met Eurydike, en zoals je weet, en hij binnenkort zal weten, is ze zwanger; zou hij zijn eigen schoonzoon aanvallen, de vader van zijn kleinkind?'

'Maar hij zal je nog altijd haten.'

Ptolemaeus haalde de schouders op terwijl hij opstond en Thais zijn hand bood. 'Laat hem maar. Kom, lieveling, er wacht een interessante man op me, maar eerst iets anders, want het zou zonde zijn als al die inspanningen die je je voor je uiterlijk hebt getroost voor niets waren geweest.'

Gelukkig was het niet voor niets geweest, en een bijzonder goedgehumeurde Ptolemaeus liep de audiëntiezaal in, die nog naar vers pleisterwerk en verf rook. Hij was maar anderhalf uur te laat voor zijn ontmoeting met de pezige kleine scheepskapitein die eerbiedig voor hem boog.

'Onesecritus, sire,' kondigde Ptolemaeus' hofmeester Lycortas aan toen Ptolemaeus was gaan zitten. 'Voormalig trierarchos onder Nearchos de Kretenzer, admiraal van Alexander.'

Ptolemaeus gaf een goedgemutst knikje en pakte de rol op de tafel naast hem op. 'Dit zijn jouw herinneringen, meen ik: *Reizen met Alexander*.'

'Klopt, sire.' Ondanks zijn kleine lichaam was de stem van de man verrassend laag en welluidend. 'Ik heb het kort na zijn dood geschreven.'

'Goed om te weten. Het doet de ronde onder mijn troepen hier in Egypte. Hoeveel kopieën heb je gemaakt?'

'Tien, sire.'

'Er zijn er hier drie; waar zijn de andere?'

'Een heb ik aan een vriend in Kleitos' vloot gegeven, een andere aan een andere oude makker, die nu bij Attalus in Tyros zit. Een is er naar een neef gegaan die op een schip dient in Antipatros' vloot, en de rest is of bij het leger van Babylon of de riviervloot op de Eufraat.'

'Juist. Dat is een grote verspreiding, vooral ook als alle eigenaren hun exemplaar uitlenen; ik neem aan dat je ze gevraagd hebt dat te doen.'

'Natuurlijk. Ja, sire, ik wil dat zo veel mogelijk mensen het lezen.'

'Voor je eigen persoonlijke glorie of vanwege de beschuldigingen aan het einde dat bepaalde mensen hebben samengezworen om Alexander te vermoorden?'

Onesecritus slikte. 'Ik wilde alleen een boek schrijven.'

'Willen we dat niet allemaal? Het bevredigt de ijdelheid. Ik schrijf er een over Alexanders veroveringen, maar ik noem namen. Wat is de zin van een boek schrijven als je niet genoemde personen ervan beschuldigt niet gespecificeerde dingen te hebben gedaan met als gevolg dat Alexander werd vermoord?'

'Ik was bang om ze te noemen uit angst voor vergelding.'

'Luister, beste vriend, er komt vergelding als je ze nu niet noemt; een heel vervelende, dat kan ik je verzekeren. Hoe weet je die dingen waarover je te bang bent om te spreken?'

Opnieuw moest Onesecritus slikken; hij wrong zijn handen en keek om zich heen, maar er was geen ontsnapping mogelijk. 'Mijn neef, die bij Antipatros' vloot zit.'

'Wat is er met hem?'

'Hij was trierarchos van de trireem die Kassandros naar Azië bracht toen Antipatros bevestiging van Alexanders bevelen wilde: Alexander had hem naar Babylon geroepen en Krateros naar Macedonië gezonden om hem als regent te vervangen.'

'Ja, ik weet het.' Ptolemaeus was meteen geïnteresseerd. 'Elke boodschapper was goed geweest en toch stuurde Antipatros zijn eigen zoon om bevelen te bevestigen die aan duidelijkheid niets te wensen leken over te laten; en Alexander werd kort na de aankomst van dat pokdalige rotzakje ziek.' Ptolemaeus dacht even na. 'Er is uiteraard nooit iets bewezen, maar ik vind het altijd leuk om Kassandros flink te sarren met de suggestie. Wat weet jij ervan?'

'Alleen wat mijn neef me heeft verteld.'

'Ik luister.'

Opnieuw moest Onesecritus slikken, vervolgens grimaste hij en kneep zijn ogen dicht, waarna hij berustend zuchtte. 'Kassandros kwam in Pella stiekem aan boord, midden in de nacht; de volgende ochtend betraden de ballingenjager Archias en zijn zeven Thracische moordenaars openlijk en luidruchtig het schip.'

'Spionnen in de haven hadden dus geen vermoeden dat Kassandros aan boord was, ze zagen Archias die een opdracht tot moord voor Antipatros ging uitvoeren.'

'U begrijpt het maar al te goed, sire. Zodra ze de loopplank op waren kreeg mijn neef opdracht uit te varen. Toen ze bij Tarsos kwamen ging Archias als eerste aan wal en verdween voor een paar uur. Toen hij terugkwam had hij een tas bij zich, die hij aan Kassandros gaf; hij keek erin, glimlachte en haalde een doosje gemaakt van een muildierhoef tevoorschijn. Hij deed het deksel open, rook aan de inhoud, knikte naar Archias en betaalde hem naar het leek een flinke hoeveelheid geld. Kassandros vertrok vervolgens met een cavalerie-eenheid die in de haven op hem had gewacht en Archias gaf mijn neef bevel hem naar Ephesos te brengen, waar hij iets voor Antipatros moest doen.' Onesecritus spreidde zijn handen en haalde zijn schouders op. 'Dat is alles, sire.'

'Is dat zo? Je hebt me niet meer verteld dan dat een beruchte moordenaar een doosje aan Kassandros gaf toen hij in Tarsos aankwam en dat hij het waarschijnlijk meenam naar Babylon. Als er gif in zat had zijn broer Iollas het makkelijk aan Alexander kunnen geven; maar er is geen hard bewijs dat Kassandros gif bij zich had of dat Antipatros achter de moord zat, als het dat al was en geen moeraskoorts.'

'Ah, maar het gaat om wat Archias zei toen hij de hoef overhandigde; het was een citaat van Aeschylus: "Geen stuiptrekkingen, de pols ebt weg in een zachte dood."'

'De woorden van Kassandra in *Agamemnon* als ze het rijk van de dood betreedt; het klinkt zeker als iets wat Archias zou zeggen, aangezien hij een tragedieacteur was voordat hij besloot dat moord meer opleverde. Maar het is nog geen sluitend bewijs.' Ptolemaeus dacht over het probleem na. 'Niettemin, je moet gebrek aan bewijs nooit in de weg van een goed verhaal laten staan.' Hij keek naar de trierarchos. 'Je zult beloond worden, Onesecritus, maar voorlopig blijf je hier in Alexandrië.'

Onesecritus wilde vragen waarom maar slikte de vraag snel door.

'Je zei dat een oude scheepsmaat van je bij Attalus in Tyros zit?'

'Ja, sire.'

'Hij kan me van nut zijn; mogelijk moet je later in het jaar contact met hem opnemen. Tot die tijd zul je een comfortabel leven hebben.' Ptolemaeus stuurde hem weg en wendde zich tot zijn hofmeester, gezet en waardig ogend in een lang, los gewaad. Zijn hoofd was geschoren en hij had een ondoorgrondelijke uitdrukking op zijn pafferige gezicht. 'Lycortas, breng me de beste literator van de stad.'

'Zoals u wilt, sire.'

'Ik wil een boek hebben, geschreven in een voorbeeldige stijl, waarin alle namen worden genoemd die Onesecritus weigerde op te schrijven, en nog een paar extra. Ik wil het officieel hebben dat Alexander is vermoord en dat Antipatros er de opdracht toe heeft gegeven, met steun van enkele mensen die ik als lastig ervaar – Peithon om te beginnen.' Hij keek even zelfvoldaan. 'En om de zaak echt interessant te maken moet het boek – behalve mij natuurlijk – Perdikkas en Eumenes in een gunstig daglicht afschilderen, zodat de sluwe kleine Griek een man van eer lijkt die het hoofd biedt aan Alexanders moordenaars; dat zal de soldaten aan het denken zetten over wie ze trouw moeten zijn en Antipatros' afspraken onder druk zetten. Onder die omstandigheden kan ik Zuid-Syrië misschien zelfs wel ongemerkt innemen.'

'Een stoutmoedig plan, sire, misschien mag ik een kleine verfijning voorstellen?'

'Ik ben altijd benieuw naar je verfijningen, Lycortas.'

'Zou het niet beter zijn als het de bewezen waarheid was?'

'Dat zou zeker geen kwaad kunnen. Wil je me soms zeggen dat je weet waar de ballingenjager is?'

'Antipatros heeft hem opdracht gegeven Eumenes te vermoorden, nu vier maanden geleden, en voor zover we weten is Eumenes nog altijd in leven.'

'Natuurlijk, de ballingenjager laat een klus nooit onvoltooid achter. Hij is nog altijd op jacht naar Eumenes.'

EUMENES, DE SLUWE

Voor de kleine Griek was de winter een lange, eenzame tijd van nadenken geweest. Ja, hij was omringd door zijn leger, en ja, hij had enkele beminnelijke metgezellen onder zijn officieren, maar ze waren niet meer dan wat sociale verstrooiing, lieden die door een mengeling van persoonlijke en financiële trouw aan hem waren gebonden. Wat Eumenes miste was een bondgenoot die dezelfde kijk op de toekomst van het rijk had als hij: Europa, Azië en Afrika verenigd onder het koninklijk huis van Macedonië, met Macedoniërs en Grieken die de satrapieën bestuurden en fabelachtig rijk werden. Hij miste iemand die het echt iets kon schelen dat Ptolemaeus in Afrika deed waar hij zin in had, dat Antipatros geen ambities leek te hebben buiten het regeren van Macedonië zodat Lysimachus in Thracië in alles behalve naam onafhankelijk was. Hij wilde iemand die het iets kon schelen dat als er niets werd gedaan Azië uit elkaar zou vallen in rivaliserende koninkrijkjes die noodzakelijkerwijs voortdurend van bondgenootschappen wisselden en elkaar zouden bevechten. Hij wilde zijn gedachten delen met iemand die deze dingen begreep, iets wat zijn disgenoten Hieronymus, Parmida en Xennias niet deden. Parmida was een Cappadociër en je kon daarom niet verwachten dat hij het snapte en Xennias keek niet verder dan zijn eigen beurs en het geld voor zijn mannen. Van de drie gaf

Hieronymus de meeste blijk van inzicht, maar hij bekeek het vooral vanuit een neutraal standpunt, hij observeerde hoe er geschiedenis werd gemaakt zonder er zelf een standpunt over in te nemen.

Met het smelten van de sneeuw was Babrak gekomen, een Pakhtische koopman die vanwege zijn vele handelsreizen door Azië een uitstekende bron van informatie en geruchten was. Eumenes luisterde daarom met belangstelling naar wat de man te vertellen had. Babrak deed zijn verhaal graag, bij iedereen die erom vroeg, want hij was praatziek en genoot van het goede eten en de wijnen die hij bij dergelijke bezoeken kreeg voorgezet. Daarnaast was er natuurlijk het geld, dat zijn spraakzaamheid flink aanwakkerde.

'Dus Peucestas was zoals verwacht behoorlijk kwaad toen hem de schatkist van Susa werd afgepakt?'

Babraks donkere ogen glinsterden in het licht van de olielampen en er verscheen een glimlach op het verweerde gezicht met hoge jukbeenderen, waarbij hij rood verkleurde tanden onthulde. 'Heer, als het object van je verlangen wordt aangerand door een ander en je kunt alleen maar toekijken, dan heeft dat grote gevolgen voor je kijk op je eigen mannelijkheid; natuurlijk verlang je nog altijd naar de jongen, maar zou je nog de moed hebben om hem te pakken als je weet dat hij al het vuur van een machtiger iemand heeft genoten?'

'Ik begrijp het,' zei Eumenes, al begreep hij er niets van, maar hij was blij met het eenvoudige feit dat Peucestas' bron van geld aanzienlijk beperkt was. *Een man met een gebrek aan geld is altijd op zoek naar vrienden.* 'En Antigenes is vanuit Susiana weer naar het westen getrokken?'

'Hij was daar nog toen ik vier maanden geleden in januari vertrok. Ik heb een heel aangename avond met hem doorgebracht, hij was meer dan gul, zoals u...'

'Zich voor kunt stellen met het bezit van een dergelijke buit. Dat kan ik zeker; het is altijd makkelijk om gul te zijn met het geld van anderen.'

'Heer, het is het enige geld waarmee men gul moet zijn; wie gul is met zijn eigen geld begaat een dwaasheid en betoont zich een zwak man.'

'Alexander was altijd gul met het zijne en ik zou hem niet zwak willen noemen.'

'Met alle respect, heer, Alexander was gul met de rijkdom van Azië, die was niet van hem, hij viel alleen in zijn handen. Maar ik dwaal af; Peucestas heeft wraak gezworen voor de armzalige manier waarop Antipatros het oosten in zijn ogen behandelt. Zoals u weet is Peucestas erg gecharmeerd van het oosten en zijn volken en gebruiken – zoals te zien is aan het feit dat hij broeken draagt – en hij spreekt inmiddels drie of vier van de lokale talen bewonderenswaardig vloeiend. Hij ziet het oosten niet als...'

'Een minderwaardig aanhangsel van het westen.' *Hij zou graag het oosten van het rijk van het westen afsplitsen en dat wil ik niet, maar toch zouden we tegen Antipatros kunnen samenwerken.* 'Dank je, Babrak, oude vriend; zoals altijd was je een waardevolle bron van informatie en ik zal met alle genoegen je lading linnen kopen voor de prijs die je noemde.'

Babrak stond op en boog, waarbij hij met de middelvinger van zijn rechterhand zijn voorhoofd aanraakte. 'U bent te goed, heer, maar als u me toestaat, zou ik graag...'

'Een gunst vragen?'

'Heer, u hebt een gave...'

'Om zinnen van anderen af te maken? Ja, de meeste mensen vinden het irritant. Zeg maar wat je wilt.'

'Ik meen dat u naar Sardis gaat?'

Eumenes keek de koopman verrast aan. Hij had tegen niemand gezegd waar het leger heen ging; hij was gewoon vanuit Cappadocië over de Koningsweg in westelijke richting gaan marcheren zodra de sneeuw was gesmolten. 'Waarom denk je dat?'

'Om de jongen te bespringen moet je hem eerst vangen op zijn akker.'

Daar schoot Eumenes niets mee op. 'En dat betekent?'

'Ik bedoel, heer, dat als u Antipatros wilt verslaan u het gevecht naar hem toe moet brengen; als u in Cappadocië blijft wordt u steeds irrelevanter, vooral ook omdat Nicanor nu de satraap is en u buiten de wet staat. Het lijkt dus verstandig om naar het westen te gaan en het lijkt verstandig om hulp te zoeken bij de enige persoon die mogelijk een bondgenoot zou kunnen zijn, aangezien zowel Alketas als Attalus het heel duidelijk heeft gemaakt...'

'Wat ze van Grieken vinden.' *Hij is goed geïnformeerd; Alketas weigerde het directe bevel van zijn broer om me te helpen Cappadocië te onderwerpen en er is geen enkele reden om aan te nemen dat hij zich bij me aansluit, ook al hebben we gemeenschappelijke belangen.*

'En dus is Kleopatra uw enige optie en ik zou voor de veiligheid graag met u meereizen; ik heb kostbare koopwaren die bestemd zijn voor die mooie stad.'

Eumenes glimlachte. 'Je bent meer dan welkom, Babrak.'

'U bent te goed, heer.' Hij boog opnieuw. 'Ik voel me echter verplicht u te informeren dat we niet de enigen op die weg zullen zijn. Archias de ballingenjager wacht al een tijd op uw vertrek uit Cappadocië in de hoop u kennis te laten maken met de scherpe punt van zijn dolk voordat u Sardis bereikt.'

Maar het was niet de scherpe dolk van Archias die Eumenes ontmoette op de weg naar Sardis, maar de scherpe tong van Kleopatra toen hij eenmaal was aangekomen. 'Je had hier niet moeten komen!' Haar stem was gebiedend en haar houding heel anders dan de laatste keer dat hij op audiëntie bij haar was, toen hij haar nog namens Perdikkas tot een huwelijk wilde overhalen, terwijl de gedoemde man achter Alexanders katafalk in het zuiden aan zat. Ze had geweigerd met Perdikkas te trouwen toen ze hoorde dat Ptolemaeus Alexanders lichaam naar Egypte had gebracht, waar het altijd zou blijven, waarmee Perdikkas' aanspraken op de troon een stuk zwakker werden – Macedonische koningen ontleenden hun legitimiteit aan het begraven van hun voorganger.

'Luister in ieder geval naar wat ik te zeggen heb, Kleopatra,' pleitte Eumenes. 'Je hebt mijn leger voor de muren van Sardis zien paraderen; je hebt gezien hoe goed mijn Cappadocische cavalerie is geworden; je hoorde de geestdrift van mijn Macedonische falanx toen ze je toejuichten en je begroetten als de zuster van Alexander; je hebt gezien hoe sterk ik ben, nietwaar?'

Kleopatra, nu halverwege de dertig, bezat nog altijd de schoonheid die ze met haar broer had gedeeld, maar haar blauwe ogen schoten vuur toen ze hem aankeek vanaf de verhoging waarop ze zat. Ze wuifde zijn woorden met haar hand weg. 'Ik zag een leger van minder dan vijftienduizend man; Antipatros marcheert met bijna het dubbele aantal naar het noorden, terwijl Antigonos met eenzelfde aantal een omtrekkende beweging naar het oosten maakt om je in te sluiten. Nicanor heeft je oude satrapie Cappadocië overgenomen, je kunt nergens heen. Je hebt geen enkele kans, Eumenes. Ik ga geen bondgenootschap met jou aan, een vogelvrijverklaarde, want het zou mijn ondergang betekenen; zelfs uit naam van onze vriendschap ben ik er niet toe bereid.'

Antigonos trekt in oostelijke richting rond mijn flank, dat is slecht nieuws, maar ik moet beslist niet wanhopig klinken. 'Kleopatra, je nadert de leeftijd waarop je geen kinderen meer zult kunnen krijgen en de twee kinderen die je hebt bij Alexander van Epirus kunnen geen aanspraken maken op de Macedonische troon, dus als je wilt dat Alexanders lijn via jou verdergaat, kan dat alleen met een gepaste Macedonische echtgenoot. Maar er is niemand meer beschikbaar, daar heeft Antipatros wel voor gezorgd. Om te beginnen heeft hij een van zijn dochters aan Ptolemaeus uitgehuwelijkt, de beste kandidaat. Wie is er nog meer? De enige die na Ptolemaeus ook maar een beetje in de buurt komt is Lysimachus, en Antipatros is je voor geweest door Nicaea met hem te laten trouwen. Phila is naar Demetrios gegaan voor het geval je je oog op de jongere generatie zou laten vallen: de ouwe heeft alle mogelijkheden afgedekt. Geef toe, Kleopatra, je zult hier verpieteren tot het tijd is om je laatste reis te maken.'

'Die reis komt sneller dan je denkt als ik me met jou zou verbinden; ik kan niet met jou trouwen, je bent een Griek.'

'Ik vraag je niet om met mij te trouwen!' Eumenes' stem was omhooggeschoten; hij zweeg even, nam een slok van de gekoelde wijn bij zijn elleboog en haalde diep adem. 'Jij en ik zitten in de Macedonische wereld op de tweede rang, Kleopatra: ik omdat ik een Griek ben en jij omdat je een vrouw bent. Afzonderlijk maken we geen enkele kans om invloed op de loop der dingen te hebben, maar samen? Samen kunnen we macht uitoefenen. Antipatros is tot regent van de twee koningen benoemd, al zijn ze nu onder hoede van Antigonos omdat ze bij het koninklijke leger in Azië moeten blijven. Maar met welk recht? Kun je me dat vertellen? Als jij nu eens opstaat en het regentschap opeist als Alexanders zuster, dan compenseert je bloed het nadeel van je geslacht ruimschoots. Antipatros kan onmogelijk je aanspraken afwijzen, vooral niet omdat je gesteund wordt door een leger, mijn leger, en de omvang doet er niet toe, want wie wil het opnemen tegen een leger dat Alexanders zuster en de koningen verdedigt?'

Eumenes merkte dat Kleopatra de kracht van zijn argumenten zag; haar gelaatstrekken verzachtten terwijl ze over het voorstel nadacht. *Nu zal ik haar de bittere werkelijkheid van haar situatie vertellen.* 'Je moeder is voortdurend aan het konkelen tegen Antipatros en dat zou hem weleens op het idee kunnen brengen om op weg naar Macedonië langs Sardis te gaan; hij zal je afzetten als satraap en je onder dwang meenemen zodat hij een derde marionet heeft die hem legitimiteit geeft, een marionet die de indruk zal wekken dat Olympias zo wanhopig naar macht verlangt dat ze zelfs tegen haar eigen dochter samenspant. Wie weet lukt het hem zelfs om je te dwingen met die puisterige zoon van hem te trouwen.'

'Ik trouw nooit met Kassandros.'

'Nooit is een erg lange tijd en zoveel heb je er niet meer van over; en een kind dat voortkomt uit een huwelijk van Alexanders zuster en de zoon van de regent maakt geloofwaardige aanspraken, en wie weet hoe wanhopig je wordt als je lichaam het overgangspunt nadert?'

'Zo wanhopig nooit.'

'Is dat echt zo? Je zou in ieder geval zeker zijn dat je zoon op de troon komt; hij wordt uitverkoren boven de halfbloed. Jij en ik weten hoe conservatief je volk is.'

'Ik zal nooit iets te maken willen hebben met Antipatros' familie en al helemaal niet met iemand van wie gefluisterd wordt dat hij mijn broer heeft vermoord.'

'Dan moet je het doen, Kleopatra; eis het regentschap op. Eis het op en we verslaan met één klap Antipatros en brengen het rijk terug in de handen van de Argeaden en beëindigen de schijnvertoning waarbij Antipatros uiteindelijk alle macht heeft; hij zal niet lang meer leven, en wat dan? Wordt het regentschap erfelijk en trekt Kassandros alle macht naar zich toe? Wil je dat?'

Kleopatra keek Eumenes een tijdje onderzoekend aan; hij ging verzitten onder haar priemende blik, maar sloeg zijn ogen niet neer. *Ik heb gedaan wat ik kon; het is aan haar om de juiste beslissing te nemen.*

'Nee, Eumenes, het is niet wat ik wil, maar niettemin zal ik het regentschap niet opeisen.'

Eumenes kon zijn teleurstelling niet verbergen. 'Maar waarom niet?'

'Omdat wat je zei uit zal komen, mijn moeder zal daarvoor zorgen, ze zal voortdurend gif in mijn oren druppelen: ik zou in de verleiding komen om niet alleen voor de twee koningen als regent op te treden, maar ook voor mijn kind, met wie ik het ook zal verwekken. Ik zou noodzakelijkerwijs de moordenaar van mijn halfbroer en neef worden. Ik durf mezelf niet aan dergelijke verleidingen bloot te stellen. Nee, Eumenes, ik blijf hier en zal oud worden; ik laat mijn twee kinderen uit Epirus halen en zij zullen een troost voor me zijn en ik zal me neerleggen bij het feit dat ik nooit meer zal trouwen.'

Eumenes vond het moeilijk haar woorden te geloven. *Hoe kan ze de kans op echte macht zomaar weggooien, de beste mogelijkheid om te verzekeren dat de echte Argeadenlijn wordt voortgezet?*

'Nee, Eumenes,' zei Kleopatra, die haar hand naar hem opstak. 'Ik weet wat je denkt en ik laat me niet overhalen. Ga nu en doe wat je nodig vindt, maar betrek me niet bij je plannen; je hebt me de onmogelijkheid van mijn situatie duidelijk gemaakt. Ik moet me neerleggen bij het feit dat Antipatros me verslagen heeft.'

Het is zinloos om nog te pleiten. 'In dat geval houd ik mijn leger op de vlakte voor de stad en wacht daar Antipatros op; de manschappen zullen beter vechten met de wetenschap dat Alexanders zuster binnen de muren is.'

'Nee, Eumenes, ga gewoon weg. Neem je leger mee en ga ver weg, ik wil er niets mee te maken hebben.'

'Maar...'

'Ga!'

'Ze was niet over te halen,' zei Eumenes tegen Xennias toen ze de trap van het paleis afdaalden; hun Macedonische cavalerie wachtte met hun paarden op de drukke agora beneden. 'Ze lijkt de hoop te hebben opgegeven en heeft zich neergelegd bij het wegglijden in de vergetelheid.'

'Hebt u geprobeerd haar met geld te verleiden?'

'Dank je, Apollonides,' zei Eumenes terwijl hij de teugels van zijn paard overnam van de jonge commandant van het cavalerie-escorte en opsteeg. 'Kleopatra doet geen dingen voor geld, Xennias, dat weet iedereen. Haar eergevoel is omgekeerd evenredig met dat van haar moeder. In feite zou je bijna kunnen zeggen dat ze geboren is om Olympias' daden uit te wissen.' Eumenes glimlachte bij de gedachte. 'En ik mag beide dames graag, maar om heel verschillende redenen.' Hij zette zijn paard aan en leidde zijn mannen door de marktdrukte op de agora; de menigte week voor hen uiteen, want men wist heel goed wat soldaten deden als hun geen doorgang werd verleend. 'Maar deze keer ben ik bang dat de schaduw van Olympias mijn plannen heeft bedorven; de dochter kent haar moeder maar al te goed.'

'Blijven we of trekken we verder?' vroeg Xennias toen ze de agora verlieten en de Heilige Weg op reden, waarlangs de elegante huizen van twee verdiepingen van de rijke kooplieden stonden, op weg naar de oostpoort aan het einde.

Het suizen was maar net te horen, maar de klap waarmee de pijl in een houten luik op korte afstand van Eumenes' linkerkant sloeg was luid en galmend, net als de kreten van twee soldaten die uit het zadel waren geslagen door beter gemikte projectielen.

'Voorwaarts!' schreeuwde Eumenes en hij zette zijn paard weer aan, terwijl hij zich vooroverboog met zijn hoofd links van de hals van het dier.

Nog drie pijlen troffen van bovenaf doel, waardoor twee paarden en een cavalerist neergingen.

Eumenes voelde zijn rijdier versnellen, ergens in zijn paardenbrein voelde het dat er gevaar was. Achter hem kletterden de hoeven van de overlevende soldaten op het stenen plaveisel, het geluid echode tegen de muren, buiten alle proporties versterkt door de smalle straat. Zijn paard huiverde midden in zijn galop en slaakte een dierlijke kreet, maar denderde met grote snelheid voort, ondanks de pijl die nu uit zijn romp stak. Maar snelheid was opeens niet meer van belang toen een eindje voor hen vier mannen de straat blokkeerden;

ze droegen mutsen van vossenbont en hadden lange baarden in dezelfde kleur, die hun gezicht vrijwel aan het oog onttrokken. Ze hadden kniehoge leren laarzen aan en ze stonden schouder aan schouder op straat, zwaaiend met hun zwaarden met lang gevest en kromme kling waarmee ze, wist Eumenes, een man in tweeën konden hakken: de *rhomphaia*.

Een snelle blik over zijn schouder vertelde Eumenes dat de vier boogschutters vanuit hun hoge schuilplaats op straat waren gesprongen en nu hun slanke wapen uit de schede op hun rug trokken; er waren geen zijstraten in dit stuk van de Heilige Weg en dus was er geen ontsnapping mogelijk. De ballingenjager had de plek van zijn valstrik goed gekozen. Er zat niets anders op dan doorgaan in een poging door de blokkade van scherpe wapens te breken, in de wetenschap dat een paardenbeen nauwelijks een obstakel was voor een rhomphaia.

'"En in volle vaart rende hij op Diomede af en bereikte hem,"' declameerde Archias zinnen uit de *Ilias*. Hij gooide zijn rhomphaia in de lucht en ving hem boven zijn rechterschouder met beide handen op en stormde naar voren, zijn haar wapperde onder zijn muts, en op zijn ronde, bijna jongensachtige gezicht stond een wilde grijns van puur genot. Zijn drie metgezellen brulden in hun eigen taal vol keelklanken en volgden hem met evenveel enthousiasme.

Hij gaat naar links springen, want hij heeft zijn rhomphaia rechts. Het ging nu om kracht tegen beweeglijkheid. Eumenes moedigde zijn paard aan, het was zijn stormram, en ging recht op Archias af. Maar een paard, zelfs op volle snelheid, vormt nauwelijks een bedreiging voor enkele verspreid opgestelde strijders, vanwege hun beweeglijkheid. Op het laatste moment, terwijl Eumenes naar rechts ging in anticipatie op Archias' zet, sprong Archias naar rechts en bracht in een flits zijn wapen naar de andere kant en zwaaide het in het pad van het rijdier, dat verder galoppeerde, ook al liet het zijn linkervoorbeen achter. Het ging neer, krijsend, terwijl er bloed uit de stomp spoot, die bleef bewegen alsof hij nog een heel been was.

Eumenes sprong van het dier, raakte de grond en rolde zich tot een bal; door zijn snelheid kwam hij pas na een tiental passen tot stilstand. Zijn mannen stormden langs de drie Thraciërs, die hun wapens lieten suizen; twee paarden gingen neer, de ruiter van het ene deelde in de plotselinge amputatie van het dier, zowel man als paard viel schreeuwend op de grond.

Snelheid was nu van het hoogste belang; Eumenes sprong overeind en trok in een vloeiende beweging zijn zwaard. Maar Archias kwam al op hem af met vastberaden passen, kalm maar met woeste bedoelingen.

'"Gevangen in een vloedgolf van dood waaraan ontsnapping niet mogelijk is."' Archias citeerde weer, nu uit *Koning Oedipus*. Zijn rhomphaia met beide handen omklemmend naderde hij Eumenes.

Eumenes stapte naar achteren, uit de buurt van het angstaanjagende wapen, en hield zijn zwaard op de rhomphaia gericht. *Ik mag van geluk spreken als ik straks nog een ledemaat overheb, tenzij ik iets bedenk.* En toen struikelde hij; hij viel op zijn kont, de steen waar hij met zijn rechterhiel over was gestruikeld rolde naar achteren en zonder erbij na te denken pakte hij hem. Een beweging met de pols, meer was het niet, maar razendsnel, het was alsof de steen met een slinger werd gelanceerd. In een rechte lijn vloog het projectiel, nauwelijks te zien door de snelheid. Het gekraak van bot en de scherpe kreet van pijn leken los te staan van de omringende chaos; Archias viel achterover, de rug hol, zijn armen maaiden om zich heen, zijn wapen vloog de lucht in. In Eumenes' ogen gebeurde het allemaal traag.

De ballingenjager raakte de grond en Xennias stormde richting Eumenes, zijn paard bezat nog alle ledematen waarmee het was geboren. 'Kom,' schreeuwde de Macedoniër en hij stak een hand uit.

'Maar hij leeft nog!'

Xennias was niet geïnteresseerd en greep zijn generaal onder de arm en hees hem omhoog, waarna hij ervandoor ging, met Apollonides en de paar overlevenden in zijn kielzog.

'Hij leeft nog,' schreeuwde Eumenes weer.

'En wees dankbaar dat u ook nog leeft, en helemaal heel.'

Bij de poort gekomen zette Xennias Eumenes neer zodat hij achter hem kon springen. Hij keek de Heilige Weg in en zag Archias wankelend overeind komen, zijn zeven Thraciërs verzamelden zich om hem heen om hem te helpen. Hij duwde ze weg en stond pal. Hij keek naar Eumenes, bracht zijn hand in een groet omhoog. '"En het

lot? Geen levend mens is er ooit aan ontsnapt" – ik zeg het je, Eumenes, we dragen het met ons mee vanaf de dag dat we geboren worden.'
Hij draaide zich om en Eumenes besefte dat hij Antipatros' huurmoordenaar niet voor het laatst had gezien.

ANTIPATROS, DE REGENT

Antipatros gaf een gefrustreerde klap tegen de tentpaal. 'Zeven maanden! Je jaagt al zeven maanden op hem, Archias, en die kleine sluwe Griek is nog altijd in leven en leidt nog altijd een rebellenleger. Ik dacht dat jij de beste was.'

'"Maar de goden geven de stervelingen niet alles in één keer,"' zei Archias, totaal niet onder de indruk van de woede van zijn opdrachtgever.

'De pot op met Homerus, en de pot op met alle tragedieschrijvers nu we toch bezig zijn. Je hoort een moordenaar te zijn, niet een acteur; als je weer in het theater wilt optreden, geef me dan het geld terug dat ik je vooruit heb betaald en pak je boeltje, dan kan ik iemand anders voor de klus zoeken.'

'Niet nodig, Antipatros,' zei Archias, en zijn gezicht verstrakte. 'Ik krijg hem nog wel. Maar u moet begrijpen dat hij in Cappadocië heeft overwinterd; ik weet niet of u daar ooit geweest bent, maar in de winter gebeurt er daar niets vanwege de sneeuw. Hij bleef zitten waar hij zat en we konden niet bij hem komen, dus ik heb gewacht tot hij in beweging kwam en heb de eerste gelegenheid gegrepen waarbij hij niet omringd was door vijftienduizend man.'

'Maar het mislukte.'

Archias liet een suikerzoete glimlach zien. 'De volgende keer gebeurt dat niet. Ik zal eigenhandig een speer werpen en de rest laat ik aan Zeus over.'

'Vergeet goddelijk hulp en mik zelf die speer goed. En zorg dat de volgende keer binnenkort is, want volgens mijn spionnen is hij nu op twee dagen van Sardis, op weg terug naar het oosten. Waarom je hier bent en niet achter hem aan zit begrijp ik dan ook niet. Echt, Archias, ik krijg het idee dat je het niet meer in je hebt.'

'"Er is geen wezen gekwelder dan de mens onder alles wat ademt en kruipt op aarde."'

'O, hou toch eens op! Scheer je weg en ga aan het werk!' Antipatros keek de ballingenjager na toen die het vertrek verliet. Hij probeerde zijn gejaagde ademhaling te vertragen. *Waarom kwelt die kleine Griek me zo? Hij had vorig jaar al dood moeten zijn en Krateros had nog moeten leven*. Hij sloot zijn ogen en schudde het hoofd. *Als hij nog leefde, dan zat ik niet met het probleem aan wie ik het regentschap moet nalaten. Ik heb niet lang meer te leven, dat kan iedere domkop zien. O, Krateros, je zou de volmaakte opvolger zijn geweest; Alexander zelf had je benoemd. Kassandros had mijn keuze nooit kunnen betwisten als jij het was geweest.* Maar verlangen naar wat niet kan zijn was iets waarvan Antipatros sinds lang de zinloosheid had begrepen; hij verjoeg de gedachte snel uit zijn hoofd. Met een vermoeide zucht ging hij over op de echte reden waarom hij naar Sardis was gekomen.

'Ik kon niet anders doen dan hem ontvangen,' stelde Kleopatra. 'Wat hij ook gedaan heeft, hij is een oude vriend. Ik heb hem verteld dat hij niet had moeten komen en heb vervolgens geluisterd naar wat hij te zeggen had.'

'En wat was dat?' vroeg Antipatros. Zijn gezicht vertrok vanwege de scherpe kou van zijn sorbet.

'Wat in vertrouwen is gezegd verraad ik niet.'

'Hij is vogelvrij, hij heeft geen recht op vertrouwen.'

'Dat mag dan jouw mening zijn, het is niet de mijne.'

Antipatros bestudeerde het drankje in een glas in diverse tinten groen. 'Vind je deze Aziatische troep echt lekker?'

'Jazeker, het is erg verfrissend.'

Antipatros gromde en zette zijn glas op tafel. 'Kleopatra, zoals je weet had ik enorm respect voor je vader en je broer, net als ik voor jou heb. Maar ik moet je motieven in twijfel trekken als jij de meest gezochte man van het rijk ontvangt, vervolgens weigert te zeggen wat jullie hebben besproken en, belangrijker nog, Eumenes niet hebt gevangengezet terwijl je daartoe de gelegenheid had. Aan wiens kant sta je?'

Kleopatra's glimlach werd breder en ze lachte door haar neus. 'Kant, Antipatros? Ik wist niet dat er kanten waren. Zover ik weet staan we allemaal aan de kant van de Argeadendynastie, en bestaat er alleen verschil van mening over hoe die het beste gediend kan worden.'

'Probeer me niet te slim af te zijn, Kleopatra.'

'Waarom, omdat een vrouw bescheiden moet zijn en doen wat haar gezegd wordt?'

'Je weet heel goed dat ik respect voor vrouwen heb, dus kom daar niet mee aan. Eumenes is door de legervergadering buiten de wet geplaatst vanwege zijn verantwoordelijkheid voor de dood van Krateros. Je had hem gevangen moeten zetten.'

'Dat had ik zeker niet moeten doen. Maar ik heb hem gezegd te vertrekken en zijn leger met hem mee te nemen; hij wilde je hier op de vlakte opwachten.'

'Wat! Waarom heb je dat gedaan? Ik had de zaak hier dan eens en voor altijd kunnen afhandelen. Door hem sleept deze oorlog zich voort.'

'Niet door hem, door jou, Antipatros!' snauwde ze en ze wees naar de oude man. 'Jij zou hier een einde aan kunnen maken door hem amnestie te geven voor iets wat alleen gebeurde omdat hij zichzelf verdedigde. Het kan nu eindigen als jíj dat wilt. Maar nee, dat wil je niet, hè? En zal ik je eens vertellen waarom?'

Antipatros streek met zijn hand over zijn kale schedel. 'Liever niet, maar ik neem aan dat je het me toch wel gaat zeggen.'

'Omdat je het niet kunt verdragen dat jij en Krateros door jullie leger te splitsen een klassieke fout hebben gemaakt, waardoor de Griek twee grote Macedonische generaals te slim af kon zijn, waarbij hij er ook nog eens een doodde. Eumenes' bestaan is een pijnlijke herinnering aan je incompetentie; je denkt dat je met zijn dood je zelfrespect terugkrijgt.'

Antipatros wuifde haar theorie weg. 'Eumenes is vogelvrij verklaard.'

'Omdat hij een Macedoniër in een open slag heeft gedood, terwijl jij, Antipatros, dezelfde dingen doet, maar op een andere manier, en toch ben jij niet vogelvrij verklaard.'

Antipatros fronste. 'Waar heb je het over?'

Kleopatra klapte in haar handen; een rondborstige vrouw kwam binnen met een rolkoker in haar handen. 'Dank je, Thetima,' zei Kleopatra en ze nam de koker aan. Ze maakte hem open en trok er een strak opgedraaide rol uit. 'Heb je literaire belangstelling, Antipatros? Heb je ooit *Reizen met Alexander* gelezen, geschreven door een Griek met de naam Onesecritus?'

Antipatros maakte een wegwerpgebaar. 'Als je die onbewezen beschuldigingen bedoelt die hij aan het einde maakt, dat zijn allemaal leugens, verzonnen om het boek sensationeel te maken zodat het meer gelezen wordt.'

'Die bedoelde ik en om eerlijk te zijn ben ik het met je eens. Was het met je eens, moet ik zeggen, tot dit kwam.' Ze overhandigde hem de rol.

'Wat is dat?'

'Het is een boek met de titel *De laatste dagen en het testament van Alexander.* Het is nogal interessant leesvoer, omdat het namen plakt op de anonieme mensen in Onesecritus' boek. Een van die namen is Antipatros en een andere is Kassandros en een derde is Iollas. Je mag hem houden, het is een kopie die ik van mijn origineel heb laten maken.'

'Hoe kom je eraan?'

'O, het kwam een paar dagen geleden.'

'Waarvandaan?'

'Het schip dat het bracht hoort tot de vloot die Ptolemaeus naar Cyprus stuurde om het eiland te bezetten, zoals jullie hadden afgesproken. Dus ik neem aan dat het boek oorspronkelijk uit Egypte komt.'

'Ptolemaeus! De leugenachtige klootzak!'

'Is hij dat? Is hij dat echt, Antipatros? Het lijkt allemaal te kloppen. Kassandros haatte mijn broer en jij was altijd dol op de macht en onafhankelijkheid die je als regent van Macedonië had. Het motief is duidelijk en met Iollas als Alexanders schenker en Archias de ballingenjager die het vuile werk voor je opknapt is de methode ook duidelijk. Het aardige is dat ook Peithon, Antigonos en Roxanna als deelnemers aan het complot worden genoemd, terwijl Ptolemaeus, Seleukos, Eumenes en interessant genoeg ook Perdikkas, Alketas en Attalus volledig worden vrijgepleit.'

'Leugens, allemaal leugens; propaganda om Ptolemaeus' belangen te dienden.'

'Dat mag jij denken, Antipatros, maar de mensen die het lezen zouden er weleens heel anders over kunnen denken. En als ik ervoor kies om te geloven wat ik gelezen heb, zou ik jou het leven flink zuur kunnen maken. Misschien doe ik zelfs wel wat Eumenes heeft voorgesteld en eis ik het regentschap voor mezelf op en laat ik jou en je pokdalige zoon executeren wegens koningsmoord.'

'Je zou niet durven!'

'Natuurlijk wel, en je kunt er niets tegen doen. Je bent dood als je de zuster van Alexander vermoordt, en je bent ook dood als me een onfortuinlijk ongeluk overkomt of als ik aan een vreemde ziekte bezwijk, want ik heb brieven liggen die jou ervan beschuldigen stilletjes een complot tegen me te smeden.'

'Jij klein kreng.'

'Hou je mond, ouwe! Je nam bevelen aan van mijn vader en mijn broer, dus ik aanvaard niet dat je je boven me stelt. Luister goed naar me, Antipatros, ik zal geen steun geven aan de beschuldigingen in het boek, maar je kunt alles wat je hebt eronder verwedden dat mijn moeder de kans met beide handen zal aangrijpen. Ze zal het als een middel zien om je te verdrijven; maar zolang ik zwijg blijft er een zekere twijfel ten gunste van jou bestaan.'

'Als je denkt dat ik je daar dankbaar voor ben...'

'Wees stil en luister naar me. In ruil wil ik dat je Azië verlaat en je leger met je meeneemt. Stop die zinloze en wraakzuchtige oorlog tegen een man die alleen maar de belangen van mijn huis wil dienen. Het is in ons aller belang om de legervergadering zover te krijgen dat het vonnis wordt ingetrokken.'

'En hoe zit het met Alketas en Attalus?'

'Ook hun vonnis moet worden herroepen. De moord op Atalante

was een ernstige vergissing; Attalus heeft weliswaar verklaard van wraak af te zullen zien, maar ik betwijfel of Alketas zijn wapens zal neerleggen, ook al krijgt hij amnestie.'

'Ik denk dat Ptolemaeus dat in zijn hoofd had toen hij haar executeerde.'

'Je hebt vast gelijk, maar dat betekent nog niet dat we niet moeten proberen om vrede met beiden te sluiten.'

Antipatros keek naar de strenge vrouw, die op haar verhoging stond en een ijzige blik op hem gericht had. 'Waarom doe je dit, Kleopatra?'

'Waarom ik vrede probeer te bewerkstelligen?'

'Nee, waarom probeer je me te vernederen?'

'Waarom heb je je dochters uitgehuwelijkt aan de mannen die de afstamming hadden om mijn echtgenoot te kunnen worden?'

'Ah!'

'Ja, ah. Je mag me dan op dat terrein verslagen hebben, maar nu ligt je leven in mijn handen; dat boek zal een grote verspreiding krijgen en daarmee kan ik mezelf beschermen tegen wat naar ik nu begrijp je uiteindelijke ambitie is: mij dwingen om met je puisterige zoon te trouwen om zo mijn en jouw familie in een nieuwe dynastie te verenigen.'

'Dat is Eumenes' werk, nietwaar?'

'Je ontkent het dus niet?'

'Natuurlijk ontken ik het; ik ken het karakter van mijn zoon en ik gun het niemand om met hem te moeten trouwen en zeker jou niet, Kleopatra. En bovendien zou hij bijzonder wreed en haatdragend zijn als hij op de troon kwam. Eumenes heeft je tot op zekere hoogte misleid, want al is het niet mijn ambitie, ik ben er zeker van dat Kassandros ergens in een duister hoekje van zijn geest dat idee koestert en er zijn doel van heeft gemaakt.'

'Dan is dit boek evenzeer een bescherming tegen hem als tegen jou.'

'Denk je?' Antipatros toonde een treurig lachje en schudde zijn hoofd. 'Mij kan het iets schelen hoe men in deze wereld over mij denkt; Kassandros niet.' Hij stond op, een vermoeider man dan toen hij ging zitten. 'Maar misschien heb je gelijk; misschien ben ik degene die deze oorlog tegen Eumenes laat voortslepen; maar hij moet verslagen worden want hij vecht hiertegen.' Hij hield de Grote Ring van Macedonië op. 'Daarom doe ik maar een deel van wat je gezegd hebt, Kleopatra: ik zal de legervergadering niet vragen het vonnis in te trekken, want de mannen zullen nooit instemmen, daarvoor hielden ze te veel van Krateros, en het enige resultaat is dan dat ik zwak lijk. Maar ik ga wel naar Europa en laat de oorlog aan Antigonos over.'

'Waarom? Uiteindelijk vecht Eumenes voor hetzelfde: mijn huis.'

'Nee, hij vecht voor Eumenes; maar ik heb er genoeg van. Ik zie dat niets de oorlog volledig kan beëindigen, zelfs Eumenes' dood niet; niets kan dat, tot er nog maar één man over is. Je kent je volk inmiddels toch wel goed genoeg? Het is onvermijdelijk.'

Maar als Antigonos de kleine Griek verslaat heerst er misschien vrede in de korte periode die ik nog te leven heb, dacht Antipatros toen hij naar zijn kamp terugreed, op hetzelfde veld waar Eumenes het zijne twee dagen eerder had opgebroken. Het was een aangename gedachte en hij glimlachte inwendig terwijl hij over het karrenspoor draafde en genoot van de bries die uit de ruige heuvels in het noorden kwam waaien, heuvels die hij binnenkort zou oversteken om voor de laatste keer Azië te verlaten.

Hij knikte naar de schildwachten bij de kamppoort en begroette de officier van de wacht met zijn naam, stapte af en gaf zijn paard over aan een stalknecht, die het dier wegbracht. Vastberaden en met een helder idee hoe hij verder moest liep hij naar zijn tent, in het midden van het kamp.

'Vader,' zei Iollas, die opstond uit de stoel waarin hij had zitten wachten.

'Wat is er, m'n jongen?' Antipatros sloeg zijn zoon op de schouder en voelde zijn goede humeur verder verbeteren bij de aanblik van de jongen.

Iollas keek naar zijn voeten en vervolgens op naar zijn vader. 'Er is net een boodschap uit het zuiden gekomen.'

Antipatros' opgewekte stemming verdween op slag. 'Ptolemaeus?'

'Ja, vader, ik ben bang van wel.'

'Wat heeft hij nou weer gedaan?'

Iollas zweeg even. 'Hij is Palestina binnengevallen.'

'Maar de afspraak was dat hij Cyprus kreeg en het daarbij zou laten.'

'Met veertigduizend man.'

'Veertigduizend? Maar dat is een enorm leger. Wat wil hij daarmee doen?'

'Hij heeft de stad Jeruzalem zonder beleg ingenomen.'

'Zonder beleg? Heeft de stad de poorten gewoon opengezet?'

'Nee, vader, de bevolking schijnt tot een merkwaardig ras van mensen te horen die geloven dat er maar één god is. Ze noemen zichzelf Joden en vielen eigenlijk verder nooit op. Ze hebben de vreemde gewoonte om elke zevende dag niets te doen ter ere van hun god. Tijdens die dag mogen ze geen enkele vorm van werk verrichten, en dus mogen ze dan ook niet vechten. Ptolemaeus had daarvan gehoord en wist de stad in te nemen door binnen te komen op die dag die ze de sabbat noemen. Niemand probeerde de stad te verdedigen en dus viel die zonder bloedvergieten.'

De sluwe klootzak, je zou bijna bewondering voor hem hebben.

'Hij versloeg vervolgens een Joods leger dat tegen hem in het veld werd gebracht op een dag waarop ze wel mogen vechten; hun nederlaag was totaal, Ptolemaeus heeft duizenden gevangenen naar Egypte gestuurd, waar ze ingezet worden bij de bouw van Alexandrië.'

'Hoe heeft hij dat allemaal zo snel kunnen doen zonder dat wij er iets van wisten?'

'Hij heeft alle wegen naar het noorden afgesloten zodat er geen nieuws naar buiten kon komen. En natuurlijk...'

'En natuurlijk heeft hij Cyprus en daarmee controleert hij de zee tussen dat eiland en het vasteland, aangezien Tyros nog steeds in handen van Attalus is.' Antipatros sloeg met zijn vuist in zijn hand. 'Ik ben een idioot geweest! Hij was altijd al van plan dit te doen, of ik hem nou Cyprus zou geven of niet; hij heeft me bespeeld en zichzelf een langdurige blokkade van Cyprus bespaard. Die klootzak heeft gewacht tot Antigonos en ik ver genoeg weg waren in de jacht op Eumenes om niet meer in te kunnen grijpen. Waar is hij nu?'

'Hij trekt langs de Jordaan, we denken dat hij naar Damascus wil.'

Antipatros liet zich in een stoel vallen en legde zijn hoofd in zijn handen. 'Wat dom van me dat ik Seleukos niet wat manschappen gaf; hij had Ptolemaeus' opmars kunnen vertragen zodat wij tijd hadden om terug te keren en de klootzak tegen te houden en vervolgens naar Egypte terug te jagen. Weten we zeker dat hij naar Damascus gaat?'

'Ja, vader. Hij schijnt daar een ontmoeting met iemand te hebben.'

'Wie?'

'Seleukos.'

SELEUKOS, DE OLIFANTENSTIER

De grote schaduw die over het land bewoog was in de afgelopen drie uur gestaag dichterbij gekomen; af en toe was de schittering van zon op gepolijst metaal zichtbaar, langzaam werd duidelijk uit wat voor soort troepen het leger bestond. Maar Seleukos, die het tafereel bekeek vanaf de hoogste toren van de citadel van Damascus, voelde geen angst bij de aanblik van dat leger, want hij wist dat een deel straks onder zijn bevel zou staan. Ptolemaeus had veertigduizend man meegenomen, veel te veel voor zijn huidige doel, maar genoeg om hem tienduizend soldaten uit te lenen, en dat was voldoende voor zijn plan om Babylon in te nemen. Hij wendde zich tot de commandant van het Macedonische garnizoen van de stad. 'Zijn je jongens allemaal akkoord, Dreros?'

Dreros, een oude veteraan die vadsig was geworden in de acht jaar die hij op deze comfortabele post zat, krabde in zijn grijzende baard. 'De paar die dat niet waren zijn opgesloten; de rest van de jongens is maar al te blij op de loonlijst van Ptolemaeus te komen, aangezien het gerucht gaat dat hij goed betaalt.'

'Dat is zeker zo, beste vriend. Ptolemaeus geeft zijn mannen alles wat ze nodig hebben om zich te vermaken – op de momenten dat ze niet voor hem moeten vechten, natuurlijk. En anders dan sommige mensen betaalt hij ook echt.'

'En dat is iets wat we de afgelopen paar jaar hebben gemist; we zien hier nog maar zelden een betaalmeester langskomen. De hoeren hebben nu meer geld dan onze jongens en daardoor zijn ze erg kieskeurig met wie ze zakendoen; ik ken geen enkele andere stad waar de prostituees de manieren en pretenties van een oosterse koningin hebben.'

'Tja, Dreros, open de poorten voor Ptolemaeus en hij lost jullie hoerenproblemen eens en voor altijd op; over een paar dagen voelen ze zich ontstellend dom dat ze niet guller met hun gunsten waren toen de jongens onder een gebrek aan contanten leden.'

Dreros salueerde, grijnsde en stampte de stenen treden af naar zijn mannen, die op de binnenplaats beneden op hem wachtten.

Seleukos rolde met zijn schouders, wierp nog een blik op het naderende leger en volgde toen Dreros naar beneden. *Tienduizend man; over twaalf dagen zijn we bij de transportvloot op de Eufraat en dan gaan we naar het zuiden, naar Babylon. Mijn tijd is aangebroken.*

Het was niet moeilijk gebleken om met Ptolemaeus over troepen te onderhandelen, hij was zo dankbaar voor Seleukos' hulp met Cyprus geweest dat hij het verzoek onmiddellijk had ingewilligd; Seleukos had er daardoor spijt van dat hij niet meer troepen had gevraagd.

'Maar tienduizend is ruim voldoende,' zei Ptolemaeus toen ze ontspannen op een schaduwrijk terras hoog boven de stad zaten, met uitzicht op de bazaar, waar het wemelde van de soldaten die hun geld lieten rollen en zo de lokale economie een welkome steun in de rug gaven. 'Als je het idee had dat er meer manschappen nodig waren, had je dat moeten vragen voordat ik vertrok; ik heb de rest nodig om Tyros te belegeren.'

'Wil je Tyros belegeren?'

'Natuurlijk, als ik Attalus eruit gooi kan Antipatros niets zeggen over mijn invasie van Zuid-Syrië, want ik houd gewoon vol dat het helemaal geen invasie was, ik ben er alleen doorheen getrokken op weg naar Tyros. Ik was gedwongen om in alle grotere steden een garnizoen achter te laten om mijn aanvoerlijnen te beschermen.' Ptolemaeus deed zijn best om een boetvaardig gezicht te trekken. 'Het spijt me zóóó dat ik het je niet gevraagd heb, Antipatros, maar omdat jij het al zo druk had met de kleine Eumenes leek het me beter om ons van het probleem van die vreselijke Attalus te verlossen. En nee, ik haal mijn garnizoen niet uit Tyros weg, en nee, Kleitos mag niet met zijn vloot de haven in, en ja, van nu af aan worden alle belastingen in de stad opgehaald door Egyptische functionarissen en naar Memphis gestuurd.'

Seleukos verslikte zich in zijn wijn, het kwam door zijn neus naar buiten. 'Hij zal je haten.'

'Hij haat me al, beste vriend, alleen al omdat ik hier ben, dus wat meer haat kan geen kwaad. Ik moet zeggen dat Eurydike mijn ongehoorzaamheid aan haar vader goed opneemt, ze heeft me maar één keer terechtgewezen, en op niet al te ernstige toon. Door haar zwangerschap is ze geloof ik niet zo met mijn wandaden bezig.'

'Gefeliciteerd,' zei Seleukos met een warmte die hemzelf verbaasde.

'Dank je. Met een legitieme erfgenaam zal ik me veiliger voelen; en bovendien is de kleine bruut de kleinzoon van Antipatros en kan daarmee aanspraak maken op het regentschap van Macedonië mocht de ouwe besluiten het een erfelijke functie te maken en dat walgelijke ventje Kassandros tot regent te benoemen. Niet dat ik overweeg om Macedonië binnen te vallen, maar als ik het deed zou ik een goed excuus hebben, en ik denk dat niemand ook maar een vinger zal optillen om die pokdalige kleine lafaard te helpen. Dat stuk stront heeft niet eens zijn wildzwijn gedood en vindt het niet erg zittend te eten.'

'Je gaat ervan uit dat hij het regentschap aan Kassandros nalaat en niet aan bijvoorbeeld Nicanor.'

'Dat zal hij niet doen. Kassandros zou zijn broer vermoorden en Antipatros weet dat; maar hij zou natuurlijk een van ons kunnen aanwijzen.'

'Of het aan Polyperchon laten, die is immers al zijn vervanger als hij hier in Azië is.'

Ptolemaeus schudde zijn hoofd. 'Nee, dat is een pedante onbenul; hij dwingt te weinig respect af en Olympias zou hem verscheuren. Hoe dan ook, we hoeven waarschijnlijk niet lang te wachten; als hij het nieuws hoort dat ik jou tienduizend man heb geleend kon dat weleens te veel voor hem zijn en valt hij eindelijk dood neer. En als dat niet gebeurt, dan zal jouw inname van Babylon het wel doen; hij was erg tevreden met de huidige situatie. Docimus is absoluut geen bedreiging voor hem, aangezien het leger van Babylon nu verdeeld is over zijn leger van Macedonië en Antigonos' leger van Azië. Nee, een nieuwe macht in het zuiden zal hem absoluut niet bevallen, en dat is natuurlijk ook de reden waarom hij je de troepen zelf niet gaf. Ik wil wedden dat hij nu enorm spijt heeft van die stomme fout; je moet nooit een getalenteerd man als jij in de armen drijven van iemand zo gewetenloos als ik; wat een domme fout.'

'Maar we zijn volgens mij beiden erg blij dat hij hem gemaakt heeft; een verbond tussen Babylon en Egypte is iets van grote waarde.'

'En schoonheid, beste vriend; waarde en schoonheid.' Ptolemaeus hief zijn beker in een heildronk en sloeg de inhoud achterover. 'Als we samenwerken kunnen we beiden onafhankelijk van Macedonië zijn en nieuwe dynastieën beginnen.'

Seleukos bestudeerde zijn bondgenoot een tijdje en besloot dat nu het de juiste moment was voor wat hij te zeggen had. 'Je beseft toch wel, Ptolemaeus, dat als ik succes heb, en ik weet zeker dat ik dat zal hebben, en Babylon valt in mijn handen, er nog iets is wat ik moet hebben?'

'Toegang tot zee?'

Seleukos probeerde tevergeefs zijn verrassing te verbergen. 'Ja, hoe wist je dat?'

'Dat is logisch, lijkt me. Om veilig te zijn moet je zowel de Tigris als de Eufraat beheersen, helemaal tot aan Armenië, en daarom ga je Assyrië annexeren. Dat is een enorm gebied en de handel die daar plaatsvindt is een fortuin waard, maar hij zou nog meer waard zijn als je toegang had tot onze zee en dus tol zou kunnen heffen op alle goederen die daar ingevoerd of uitgevoerd worden.'

'Zo zie ik het ook.'

'En als je dat wilt, moet je er wel voor zorgen dat je mij niet tegen de haren in strijkt. We verdelen Syrië onderling; Tyros is van mij, Damascus is van mij, Berytos is van mij, daarmee blijft de noordkust van Syrië voor jou over, tot aan waar we Darius bij Issos versloegen.'

'Maar er is daar geen grote haven, alleen Rhosos, en die is niet groot genoeg voor mijn bedoelingen; en er is ook geen stad van redelijke omvang.'

'O, Seleukos, hoe word je ooit een aanvaardbaar heerser als je je zorgen maakt om dingen die er niet zijn? Als iets er niet is, bouw je het. Er is daar een bevaarbare rivier, de Orontes, bouw je haven aan de monding en bouw je stad ernaast.'

'Maar dan kom ik met Antigonos in conflict.'

'We zullen altijd met Antigonos in conflict zijn: ik omdat hij Cyprus van me af wil pakken en jij omdat hij vanuit Anatolië naar het zuiden wil uitbreiden, naar jouw deel van Syrië en Assyrië. Maar samen kunnen we hem verslaan.'

Seleukos dacht hierover na terwijl hij van zijn wijn dronk. *Nu begrijp ik waarom Ptolemaeus zo behulpzaam is: alle gunsten die hij me nu bewijst zal ik terug moeten betalen in de vorm van een bondgenootschap tegen Antigonos en degene die het regentschap van Antipatros uiteindelijk overneemt. Hij maakt een noord-zuidverdeling en heeft het idee van een verenigd rijk voorgoed opgegeven. Onze twee gebieden in het zuiden zullen een tegenwicht vormen tegen Macedonië en wat er in Anatolië ontstaat. Als er eenmaal een zekere stabiliteit is kan ik de blik op het oosten richten. En dan zien we wel weer verder.* Hij hief zijn beker. 'Op onze vriendschap, Ptolemaeus. Dat die nog lang moge duren.'

Ptolemaeus glimlachte en hield zijn wijn omhoog. 'Laten we niet te ver gaan, Seleukos. Op onze wederzijdse hulp en dat we in ieder geval nog een generatie blijven samenwerken.'

Daar dronken ze op.

Nadat Ptolemaeus zijn beker had neergezet keek hij bedachtzaam naar Seleukos. 'Ik vrees dat het onvermijdelijk is dat ergens in de toekomst nazaten van ons het niet zo goed met elkaar kunnen vinden als wij.'

Twaalf dagen later keek Seleukos toe terwijl rij na rij van zijn zevenduizend infanteristen aan boord van de transportschepen ging met de bedoeling de Eufraat af te zakken, op de oever begeleid door de cavalerie. Hij dacht na over de wijsheid van die heildronk en Ptolemaeus' opmerking daarna. Hij begreep dat Eurydikes zwangerschap Ptolemaeus had aangezet om in termen van een dynastie te denken; hij had dat woord zelfs gebruikt. Seleukos was nog alleen bezig geweest met het verkrijgen van de macht in Babylon met de bedoeling van daaruit zijn domeinen naar het westen en oosten uit te breiden; zijn ambitie had zich uitsluitend op grondgebied gericht en niet op tijd, afgezien van de natuurlijke drang tot een lang leven. Ptolemaeus had echter al volledig begrepen wat echte macht was: een dynastie. Seleukos had slechts één zoon, Antiochus, en een dochter; hij begreep dat het vanuit dynastiek oogpunt tijd werd om Apama weer zwanger te maken. Zoons en dochters, vooral dochters, konden een nuttig diplomatiek betaalmiddel zijn; een dynastie kon alleen overleven als de zaden wijd verspreid werden.

Terwijl de vloot in gereedheid werd gebracht om de volgende ochtend uit te varen, groeide bij Seleukos het ontnuchterende besef dat hij meer deed dan een machtsgreep voor zichzelf en zijn levensduur, hij was vooral ook begonnen aan een mars die zijn nazaten een vooraanstaande plaats zou geven als de geschiedenis van hun tijdperk zou worden geschreven. Hij wist dat hij Ptolemaeus altijd dankbaar zou blijven, wat er ook gebeurde. Of ze nou ooit gewapend tegenover elkaar zouden komen te staan of niet, Seleukos zou altijd beseffen dat zijn deel van Alexanders rijk en dat van zijn erfgenamen hem in handen was gevallen door de hulp die Ptolemaeus hem had gegeven.

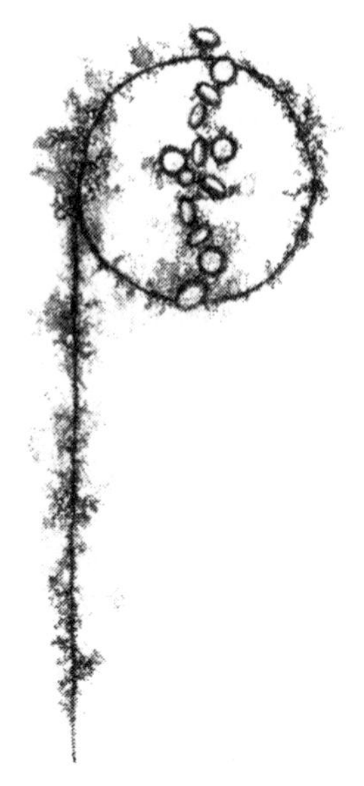

PTOLEMAEUS, DE BASTAARD

'Natuurlijk was het de juiste beslissing,' zei Ptolemaeus. Hij stond aan stuurboordzijde van een quinquereem die langzaam langs de blokkadevloot voor Tyros gleed.

Thais keek hem aan, nog lang niet overtuigd. 'Maar als je Seleukos toegang tot zee geeft, dan is hij meteen een rivaal.'

'Dat mag zo zijn, maar hij is tegelijkertijd een buffer.' Ptolemaeus zweeg even en keek bewonderend naar de veertig oorlogsschepen die in eskaders van acht heen en weer voeren voor de grote havenmond, die afgesloten was met een ketting van reusachtige schakels. Ze waren ver genoeg uit de kust om in de helderblauwe zee te varen en niet in het modderige, grijsgroene water bij de haven; het was windstil, waardoor het zeeoppervlak zo glad was dat het de hoge zeemuren weerspiegelde van de stad die Alexander twee jaar had weerstaan voordat het hem eindelijk lukte hem in te nemen. De blokkadevloot bood een indrukwekkende aanblik en had er heel bevredigend voor gezorgd dat Attalus' vloot de afgelopen halve maan vastzat, terwijl er ook geen nieuwe schepen de haven in konden om de stad te bevoorraden. Aan landzijde had Ptolemaeus' leger de stad ook afgegrendeld. Attalus zat echter geheel uit vrije wil opgesloten, want toen Ptolemaeus een dag eerder bij de belegerde stad was aangekomen had hij Attalus een vrije aftocht met zijn vloot naar het noorden aangeboden, op voorwaarde dat hij zijn leger en een volle schatkist achterliet. Hij had het aanbod afgeslagen, een beslissing die Ptolemaeus niet verbaasde en hem ook geen zorgen baarde.

Ptolemaeus concentreerde zich weer op Seleukos en zijn strategie op lange termijn. 'Je moet het zo zien, liefje, als Seleukos Babylon, de gebieden stroomopwaarts langs de Tigris en de Eufraat en Noord-Syrië tot aan de kust bezit, dan heb ik met maar één buurstaat te maken. Hij zit in het noorden met het probleem Antigonos en in het oosten met degene die daar een stuk van het rijk weet te bemachtigen; iedereen die mij wil aanvallen moet eerst langs hem. Cyprus beschermt me aan zeezijde en Seleukos aan landzijde; je zou kunnen zeggen dat ik me omhuld heb met Cyprus en Seleukos. Uiteraard begreep hij mijn bedoelingen niet en ik geloof dat hij me zelfs dankbaar is, maar eigenlijk zou ik juist hem dankbaar moeten zijn voor alle veldslagen die hij voor me zal uitvechten terwijl ik in je armen lig en toekijk.'

Thais glimlachte naar Ptolemaeus en haakte haar armen in de zijne. 'En ik omhul me met jou, waardoor ik de veiligste persoon op aarde moet zijn.' Ze legde haar wang tegen zijn schouder.

Ptolemaeus voelde een golf van welbehagen over zich komen; hij legde een arm rond de vrouw wier liefde hij boven alles koesterde. *Het leven lijkt me meer dan goed te behandelen.* Hij stak zijn duim tussen zijn vingers om het boze oog af te weren. *Zo moet ik niet denken, dat is maar al te vaak het moment waarop alles helemaal fout gaat.*

En dat was wat er gebeurde: met een snelheid die zelfs de meest ervaren trierarchoi van Ptolemaeus' vloot verraste begon de grote ketting die de havenmond afsloot te zakken met een reeks scherpe, metalige klanken en verdween in het stinkende havenwater. Zodra de ketting ver genoeg was gezakt verscheen de eerste trireem, hij lag al op aanvalssnelheid, de schelle fluit van de roeimeester overstemde het geratel van de zakkende ketting. Direct erachter volgden twee schepen, en nog eens vier schepen stormden door de opening die ontstaan was; en daarna weer vier, en nog eens vier en nog meer.

De vloot van Ptolemaeus was volkomen verrast en de patrouillerende schepen probeerden snel een gevechtslinie in eskaders van acht te vormen. Versnellend tot ramsnelheid kwam Attalus' bliksemaanval in de vorm van een speer met na de punt een lange schacht van vier triremen breed, met steeds meer schepen die de haven uit voeren. Brandende pijlen vlogen van alle schepen in een boog en vormden een rokend spoor door de lucht.

Ptolemaeus sloot zijn ogen om niet de chaos te hoeven zien waarin zijn vloot verkeerde, met schepen die zich wanhopig in positie probeerden te manoeuvreren en elkaar daarbij in de weg zaten; riemen raakten in elkaar verstrikt en rompen botsten tegen elkaar. Maar de holle klap en het gekrijs van hout dat door ijzer werd doorboord dwongen hem zijn ogen te openen en zo zag hij de voorste aanvaller zich in de flank boren van een quinquereem die anderhalf keer zo groot was. Roeiriemen werden opzij gedrukt alsof het niet meer dan twijgen waren en de robuuste koperen ram drong de romp binnen met de drang en het gemak van een zeeman die na een lange reis in de haven een hoer neemt die ingevet en slap van vele paringen is.

Het geschreeuw van gewonde bemanningsleden klonk uit boven het knappen van hout. Beide schepen draaiden na de klap van de botsing ten opzichte van elkaar, waardoor de ram de scheepswand verder opentrok en de zee naar binnen stroomde met de kracht van een bergwaterval in het voorjaar. Brandende pijlen kwamen neer als een vuurregen uitgebraakt door een woedende vulkaan, ze sloegen in de dekken van de dichtstbijzijnde schepen of verdwenen sissend en stomend in zee. Ze hagelden dicht en snel, want Attalus verliet Tyros niet alleen met zijn hele vloot, maar ook met zijn hele leger; het dek van elk van zijn schepen was afgeladen met soldaten, allemaal bewapend met een boog, en tussen hen in stonden op regelmatige afstanden vuurpotten om hun pijlen in vuur en vlam te zetten. Met grote haast werden ze afgeschoten, want de mannen wisten dat ze voor een geslaagde ontsnapping een overweldigende kracht nodig hadden.

En overweldigend was het toen de twee volgende schepen zich met een donderende klap in triremen boorden waarvan het dek al in brand stond. Deze twee bevonden zich aan weerszijden van het eerste slachtoffer, dat slagzij begon te maken toen de roeiers van het aanvallende schip op volle kracht achteruit roeiden en een gapende wond in de romp van het slachtoffer achterlieten. Roeiers van het zinkende schip kropen door de roeipoorten en lieten zich in zee vallen om niet met het schip ten onder te gaan, op hoop van zegen. De dekbemanning en de zeesoldaten sprongen erachteraan en ze vochten met elkaar om drijvende wrakstukken om het hoofd boven water te houden, terwijl anderen zich aan elkaar vastklampten in een wederzijds destructieve poging om het leven te omarmen, waarbij ze elkaar alleen maar spartelend omlaagtrokken.

Met ontzag en respect keek Ptolemaeus naar de uitbraak; de vier triremen achter de eerste drie aanvalstriremen waaierden uit, twee naar elke kant, en voeren door de formaties van zijn vloot, die zich terugtrokken om uit de buurt te blijven van de oplaaiende branden op de overgebleven vijf schepen van het eerste eskader van acht; de bemanningen renden heen en weer met emmers om de vlammen te doven voordat de kurkdroge dekken, gebreeuwd met teer en paardenhaar, in lichterlaaie zouden staan; ze waren zo druk met deze taak dat niemand een poging deed de vijandelijke vloot tegen te houden, die naar het noorden vluchtte; de vier overige eskaders van Ptolemaeus zorgden zelfs dat ze uit de buurt kwamen, want ze hadden geen verweer tegen de dichte en aanhoudende regen van vurige pijlen.

En zo zag Ptolemaeus zijn prooi ontsnappen met medeneming van zijn hele leger.

'Gaan we ze achterna, heer?' schreeuwde de trierarchos boven het lawaai van de slag uit.

Ptolemaeus hoorde hem eerst niet maar antwoordde toen de vraag herhaald werd. 'Nee, laat hem maar gaan.' Zijn stem klonk vermoeid en hij keek met een spijtig lachje naar Thais. 'Je kunt maar beter de positieve kant van een situatie zien, liefje. Ik bood Attalus een aftocht naar het noorden aan zodat hij zich bij Alketas kon aansluiten, mocht hij dat willen, vanuit het idee dat ze samen Antipatros de nodige problemen zullen bezorgen en hem zo bezighouden, terwijl ik Tyros kreeg met enkele duizenden soldaten en een flinke hoeveelheid geld. Nu hij ervandoor is met de mannen en het geld waar ik op gehoopt had, is de positieve kant dat hij het Antipatros nu nog lastiger kan maken, dus die zal het binnenkort veel te druk hebben om nog ruzie te gaan maken over Tyros. De stad is, zoals je nog net kunt zien,' – hij gebaarde naar de lege havenmonding, waar rook hing afkomstig van de vele brandende schepen, – 'in ieder geval wel in mijn handen is gevallen. Laten we gaan kijken wat Attalus voor me heeft achtergelaten.'

'Helemaal leeg, heer,' zei de schatbewaarder buigend en handenwringend met afgewende blik. 'Hij dwong me afgelopen nacht alles op zijn schepen te laden.' Hij wees naar de open deur van de schatkamer diep in het hart van de citadel.

Ptolemaeus liep langs de man, geïrriteerd door diens onderdanigheid. Hij betrad de schatkamer, twintig pas in het vierkant, verlicht door een dozijn brandende toortsen, waarvan de rook het plafond zwart had gemaakt. Hij keek naar de lege planken om hem heen en barstte in lachen uit.

'Wat is er?' vroeg Thais, die naar binnen kwam gesneld.

Ptolemaeus bleef lachen en wees naar de vloer. 'Hoe gul!' Precies in het midden van de kamer lag een gouden munt. 'Attalus kan nu beweren dat hij de schatkamer niet helemaal leeg heeft gehaald, maar dat hij hem met mij gedeeld heeft.' Hij pakte de munt op en liet hem aan Thais zien. 'Het is een van de munten met Alexanders gezicht erop die ik een paar jaar geleden heb laten slaan.'

Ze pakte hem uit zijn hand. 'De eerste keer dat een sterveling op een munt werd afgebeeld; je leek daardoor zijn rechtmatige opvolger, een meesterlijke zet.'

'Zo dacht ik er ook over. Maar nu ik hem zo zie vraag ik me af of ik niet nog een stap verder moet gaan.'

Thais fronste en knikte toen met langzaam doordringend besef. 'Natuurlijk: zet je eigen hoofd op een munt; daarmee maak je de wereld echt duidelijk dat jij heer van Egypte bent.'

'Dat is zeker.' Hij peinsde even. 'De vraag is: zou Antipatros het als een provocatie zien die hem dwingt zijn aandacht van Eumenes, Attalus en Alketas naar mij te verplaatsen of zou iedereen voortaan begrijpen dat Egypte en ik onafhankelijk zijn?'

'Ik denk, liefje, dat je beter nog een tijdje kunt wachten; laat Antipatros met rust zodat hij zijn problemen in het noorden kan afhandelen, daarna zal hij naar Macedonië terugkeren en sterven.'

'Ja, je hebt gelijk, er is nog tijd genoeg om munten te slaan als de ouwe weg is, als het zover is kan ik ook overwegen de titel van farao aan te nemen. Bovendien moeten we nog zijn volgende zet in de propagandaoorlog afwachten, nu hij *De laatste dagen en het testament van Alexander* zeker gelezen zal hebben.'

ANTIPATROS, DE REGENT

'Ik laat deze tekst opnemen in *De koninklijke annalen* en dan kunnen we die rond laten gaan,' zei Antipatros en hij overhandigde een rol aan Kassandros, 'zodat het verhaal van Alexanders veroveringen wordt afgesloten met een ooggetuigenverslag van zijn dood.'

Kassandros keek de rol vluchtig door, zijn lippen vormden de woorden die hij las. 'Ik zie niet in hoe dit helpt.'

Antipatros onderdrukte een zucht van frustratie, pakte de rol en wees de relevante zinnen aan. 'Hier staat dat Alexander niet een plotselinge, stekende pijn had maar geleidelijk in koorts wegzakte en vervolgens bewusteloos raakte voordat hij stierf.'

Kassandros krabde op zijn achterhoofd. 'Maar hoe ontkracht dat het gerucht dat hij is vergiftigd?'

'Omdat het niet opeens gebeurde.'

'Maar hij is hoe dan ook gestorven en sommige mensen zullen ons de schuld geven vanwege de leugens in *De laatste dagen en het testament van Alexander*.'

Antipatros keek zijn zoon strak aan. 'Zijn het leugens, Kassandros? Ik weet het niet. Ik weet alleen dat ik jou geen opdracht heb gegeven om hem te vergiftigen, maar dat wil nog niet zeggen dat jij het niet gedaan hebt.'

Kassandros keek weg. 'Natuurlijk heb ik het niet gedaan.'

Hij kijkt me nooit aan als hij liegt. Maar laat ik de boel niet forceren; wat heb ik eraan hem te dwingen het toe te geven? 'Misschien moeten we erbij zetten, om het nog eens extra duidelijk te maken, dat Alexander al ziek was toen jij aankwam; dan kan niemand beweren dat jij verantwoordelijk was. Ik zal de schrijver een nieuw exemplaar laten opstellen en dan kunnen we het hele ding naar buiten brengen en zo breed mogelijk laten circuleren, zodat er eens en voor altijd een einde komt aan die vuige geruchten.' Antipatros wachtte op een reactie van zijn zoon, maar werd daarin teleurgesteld. *Het kan hem niets schelen wat de mensen denken; tja, dat is naar ik vermoed eerder een kracht dan een zwakte.* Hij rolde het document op en legde het op het tafeltje tussen hen, waarna hij overging op de echte reden van Kassandros' komst naar zijn kamp bij Sardis, dat Antipatros snel wilde opbreken om terug naar Macedonië te gaan. 'Hoe verloopt de oorlog tegen Eumenes en wat spookt Antigonos allemaal uit?'

'Er is slecht nieuws en slecht nieuws, vader.'

Antipatros slaakte een diepe zucht. *Waarom moet het altijd slecht nieuws zijn?* 'Begin maar met het minst slechte nieuws.'

'Eumenes marcheert met flinke snelheid door de heuvels en bergen in het binnenland van Frygië, en omdat hij buiten de wet is gesteld vindt hij dat hij zich daarnaar kan gedragen: hij plundert steden en verkoopt de bevolking als slaven...'

'Wat? Dat is schandalig; dat kun je alleen in vijandig gebied doen, niet in het rijk.'

Nu was het de beurt aan Kassandros om een zucht te slaken. 'Begrijpt u het niet, vader? Omdat hij vogelvrij is verklaard is alles voor hem vijandig gebied, het kan hem niets schelen. Het enige wat voor hem telt is zijn leger bij elkaar houden, en als hij daartoe moet nemen wat hij nodig heeft om zijn mannen te betalen, dan doet hij dat. Hij heeft geen toegang tot een schatkist, zoals u en Antigonos, dus wat verwacht u dan?'

'Ik verwacht dat hij gepakt en geëxecuteerd wordt. We hebben een prijs van honderd talent op zijn hoofd gezet, alle goden bij elkaar, we hebben het overal laten weten; waarom heeft niemand van zijn mannen hem verraden?'

'Omdat hij een sluwe kleine Griek is. Toen hij hoorde dat zijn troepen uw pamfletten hadden gelezen, riep hij een legervergadering bij elkaar en zei dat hij ze had laten rondgaan als een test voor het leger; hij vertelde ze dat ze met glans waren geslaagd en dankte hen voor hun trouw.'

'De sluwe kleine klootzak. En geloofden ze hem?'

'Ja. Hij zei dat u en Antigonos nooit een beloning zouden uitloven, omdat jullie daar veel te slim voor zijn, want een generaal die een prijs op het hoofd van een andere generaal zet creëert een wapen dat zich tegen hemzelf kan keren.'

Antipatros gooide zijn handen in wanhoop omhoog. 'De goedgelovige idioten.'

'De goedgelovige idioten stemden er onmiddellijk voor hem duizend extra lijfwachten te geven voor het geval iemand de *test* serieus neemt.'

'Dat zal dan wel de reden zijn dat de ballingenjager hem nog niet heeft afgemaakt, hij wordt te goed bewaakt. Hebben we iets van hem gehoord?'

'Archias is sinds u voor het laatst met hem sprak niet meer gezien. Er gaat een gerucht dat hij en zijn mannen zijn gepakt en weggevoerd, maar door wie en waarnaartoe is onbekend. Het is in ieder geval zeker dat hij niet langer achter Eumenes aan zit.'

Antipatros trommelde met zijn vingers op tafel. 'Goden boven en beneden, Eumenes moet dood.'

'Ja, vooral ook omdat hij net Celaenae heeft ingenomen.'

'De hoofdstad van Frygië!'

'Ja, Antigonos liet zijn hoofdstad onverdedigd achter.'

'En wat is Antigonos aan het doen? Waarom jaagt hij hem niet op?'

'Dat is het punt, vader. Het antwoord op uw tweede vraag. Antigonos jaagt op Eumenes, maar hij maakt er een knoeiboel van en ik vermoed dat hij dat expres doet. Hij is een van de meest ervaren generaals van het leger en toch maakt hij de beginnersfout om zijn hoofdstad onverdedigd achter te laten.' Antipatros liet zijn schouders in ongeloof hangen. 'Natuurlijk wist hij wat hij deed en natuurlijk deed hij alsof hij verrast was toen hij hoorde dat Eumenes in de stad zat; maar dat was een toneelstukje. Nee, hij wist heel goed wat hij deed.'

Antipatros fronste. 'En wat deed hij?'

'Ervoor zorgen dat u dom en machteloos overkomt.'

'Maar hij is degene die zijn hoofdstad kwijt is.' *Wacht even; o, ik snap het.* Antipatros kreunde en legde een hand op zijn voorhoofd. 'Natuurlijk, de geslepen ouwe hond. Hij trekt met veel bombarie het land rond alsof hij Eumenes in het nauw wil drijven, maar slaagt daar steeds niet in – ongetwijfeld bewust; hij heeft zijn troepen zo verspreid dat hij geen manschappen overheeft om zijn eigen hoofdstad te verdedigen omdat hij alles op alles zet om het plunderende leger van Eumenes te stoppen, en wat doe ik intussen? Ik ben nog altijd hier in Sardis en bereid me voor op de thuisreis, zodat de gewone man denkt dat ik niets doe, ook al probeer ik een rijk bij elkaar te houden en te laten functioneren, en al loopt het niet geweldig, er is toch een schijn van efficiëntie.'

Kassandros knikte. 'Terwijl Antigonos de indruk wekt de Griek aan te willen pakken, en intussen verwoest Eumenes hele landstreken en brengt de bevolking onvoorstelbaar lijden toe.'

'En al die mensen denken dat ik werkeloos toekijk bij hun lijden, terwijl ik als regent hen zou moeten redden.'

'Precies, vader. En het lukt die idioot van een Assander niet om Alketas uit Pisidië te verdrijven en volgens geruchten is Attalus met zijn vloot op weg naar Rhodos, wat een sterke basis kan zijn. Dat alles maakt dat mensen zich beginnen af te vragen wat er zou gebeuren als Eumenes die twee weet over te halen om hun krachten met hem te bundelen. En dat is nog niet eens het ergste.'

O, nog meer slecht nieuws. 'Vertel.'

'Ruim drieduizend van Antigonos' mannen zijn gedeserteerd; mogelijk imiteren ze Eumenes en hebben ze besloten dat het in deze tijden profijtelijker is om te gaan plunderen.'

'Maar?'

'Maar hun commandant, Holcias, wordt verdacht van sympathie voor Perdikkas' zaak.'

'En wat doet Antigonos eraan?'

Kassandros haalde de schouders op. 'Hij heeft Leonidas gestuurd, een van zijn officieren, met de opdracht zich bij hen aan te sluiten met als smoesje dat hij ook wrok koestert. Het plan is om het vertrouwen van de deserteurs te winnen en ze dan te verraden. Intussen blijft Antigonos tussen de deserteurs in Cappadocië en Eumenes in Frygië zitten zodat ze zich niet bij hem kunnen aansluiten.'

'Tja, dan doet hij in ieder geval nog iets goeds.'

'Ja, maar een desertie van die omvang draagt bij aan het idee dat Eumenes in opkomst is en dat onze zaak ernstig in de problemen zit. Mensen vragen zich af of ze wel op de juiste wagenmenner hebben gewed.'

Antipatros besefte dat zijn zoon het goed had gezien; hij trok zijn neus op in een irrationele en grotere afkeer van Kassandros dan normaal omdat die hem op zijn fout had gewezen.

'Dan kan ik mijn plannen om naar huis te gaan en de oorlog aan de harsige cycloop over te laten maar beter afblazen. Ik ga met mijn leger naar het noorden en zal eigenhandig met de kleine Griek afrekenen om te voorkomen dat hij sterker wordt. Ik zal Nicanor opdracht geven vanuit Cappadocië in Eumenes' rug te komen, dan is de kans op succes groot. Wie weet kunnen we samen Antigonos zo beschamen dat hij wat beter zijn best doet.'

'U kunt het proberen, maar om eerlijk te zijn vertrouw ik hem niet.'

'Ik vertrouw niemand, maar dat wil nog niet zeggen dat ik mensen niet voor mijn karretje kan spannen.'

'Ik vermoed dat Antigonos eigen plannen heeft en dat er voor u geen plaats in is.'

Ik ben te oud om mijn vermoeide lichaam op campagne te sturen, maar ik zie geen andere mogelijkheid als ik respect wil houden en mijn opvolger vanuit een sterke positie wil aanwijzen. Antipatros stond op, vastbesloten om te handelen. 'We zullen wel zien, eerst is Eumenes aan de beurt. Jij gaat terug naar Antigonos, hou me op de hoogte van alles wat naar groeiende ambitie ruikt. Ik neem Iollas mee, hij kan wel wat ervaring gebruiken; samen zullen we Celaenae heroveren.'

'Hij is vertrokken, vader,' rapporteerde Iollas, die aan het hoofd van een cavalerie-eenheid verkenners bij Celaenae was gaan kijken en nu terug was bij de langzaam vorderende colonne van Antipatros. 'Volgens de stadsoudsten is hij twee dagen geleden met zijn leger vertrokken.'

Antipatros ging verzitten in het zadel om zijn stijve billen te ontlasten en keek naar de grillige heuvels langs het dal waar zijn leger door trok. 'Twee dagen? Welke kant ging hij op?'

'Dat is het nu net, vader. Hij is alle kanten op gegaan.'

'Alle?'

'Ja, hij heeft zijn leger in vier of vijf groepen verdeeld, daar waren ze het niet over eens, en die zijn de heuvels in gegaan.'

'Verbergen ze zich?'

Iollas haalde zijn schouders op.

Antipatros keek weer naar de heuvels aan weerszijden van het dal. 'We moeten patrouilles naar beide kanten sturen, Iollas; ik heb het gevoel dat we in de gaten worden gehouden. Neem zoveel lichte cavalerie als je nodig hebt; ik wil dat je eventuele hinderlagen opspoort.'

Maar het was niet Antipatros zelf die het doelwit was van boosaardige ogen, zoals hij minder dan een uur later ontdekte toen er geschreeuw klonk vanuit de achterkant van de colonne, anderhalve mijl bij hem vandaan. Antipatros draaide zich om in het zadel en zag slierten rook bij zijn legertros vandaan komen; oosterse ruiters zwermden eromheen. 'Kom mee!' schreeuwde hij naar de commandant van zijn lijfwacht terwijl hij zijn paard keerde en zich naar achteren haastte.

In volle galop snelde hij voort, met een honderdtal cavaleristen achter hem aan; hij stormde langs de rijen infanteristen, van wie velen nerveus over hun schouder keken nu het geschreeuw en het lawaai van gevechten uit de legertros luider werden. Van beide zijden van het dal zag hij lichte cavalerie naar beneden stormen, terwijl anderen, beladen met buit, weer omhooggingen. Een eenheid Thracische huurcavalerie, die aan het einde van de colonne zat, kon niet bij de legertros komen omdat ze geblokkeerd werden door vijandelijke zware cavalerie, waarvan de ruiters een bedrevenheid toonden die veel groter was dan alles wat Antipatros tot dusverre in Azië had gezien. *Dat moeten Eumenes' Cappadociërs zijn waar ik zoveel over heb gehoord; als we ze in de rug kunnen aanvallen is dat onze kans om ze af te maken.* Voor zijn ogen begonnen bereden boogschutters de Thracische cavalerie vanaf de flanken te bestoken; ze wisten er heel wat te vellen.

Antipatros zette zijn paard nog eens aan en wierp een blik achter zich; zijn schildloze, met lansen bewapende cavaleristen hadden hun slanke wapen in de aanslag, klaar voor de charge. Ze vormden een wig met hem als de punt. *Ik zou dit niet moeten doen, op mijn leeftijd vooraan vechten.* Maar Antipatros had geen keus, als hij zich liet terugzakken, zo vlak voor de confrontatie, zou dat schande over hem brengen, hoe groots zijn vroegere daden als generaal ook waren. 'Pak ze, jongens!' schreeuwde hij en hij versnelde nogmaals. Bij gebrek aan een lans trok hij zijn zwaard, zijn mantel wapperde in de wind en het massale hoefgetrappel donderde in zijn oren.

Maar de Cappadociërs werden niet gecommandeerd door een dwaas die alleen keek naar wat er voor hem gebeurde; toen Antipatros' mannen op honderd pas van hun achterhoede waren gekomen klonk er een hoorn op vanuit hun rangen en een voor een keerden ze hun paard om de nieuwe dreiging onder ogen te zien; de Thraciërs tegenover wie ze eerst hadden gestaan trokken zich terug vanwege het oplopende aantal slachtoffers dat de bereden boogschutters op de flanken maakten.

Het was lang geleden dat Antipatros een cavaleriecharge had geleid; een golf van vreugde ging door hem heen en hij voelde zich jong. Zijn dijspieren stonden strak door de kracht waarmee hij in de flanken van zijn voortrazende paard kneep; hij merkte dat hij uit volle borst schreeuwde en lachte inwendig; hij voelde de opgekropte spanningen wegvloeien, die waren opgebouwd door de druk van zijn streven om het rijk sinds de dood van Perdikkas bij elkaar te houden.

Maar de vijandelijke commandant was gepokt en gemazeld in de technieken van oorlog te paard: hij zag niets in een frontale botsing van honderden rijdieren, hij gaf de voorkeur aan een subtielere benadering. Met een schok kreeg Antipatros een man in het oog met een Griekse tuniek, blote benen en cavalerielaarzen te midden van de broeken dragende Cappadociërs. *Eumenes zelf! Dat is veel te mooi om waar te zijn.*

Met nog twintig pas tussen hen klonk opnieuw de Cappadocische hoorn; ze splitsen zich in het midden, gingen naar links en naar rechts, scheerden langs de breder wordende flanken van de wig, net buiten bereik van de lanspunten die eruit staken. Ze lanceerden elk een werpspeer toen ze langs de Macedoniërs reden en vele troffen doel, waardoor ruiters van hun paard werden geslagen en paarden in hun romp of hoofd werden geraakt. Hun vaardigheid in het zadel was zo groot en ze waren zo volkomen één met hun dier dat geen enkele Cappadociër in het stof had gebeten toen de laatste ruiter langs de vijand was gestormd, met achterlating van een veld vol doden en gewonden – zowel mannen als paarden.

De schok om zo overklast te zijn kwam als een mokerslag aan bij Antipatros; hij hield zijn paard in en keek over zijn schouder naar de Cappadociërs die de heuvel op reden, onder dekking van de zich terugtrekkende lichte cavaleristen, van wie velen zakken buit van de legertros over de rug van hun paard hadden hangen. Er dreef rook in de lucht, afkomstig van brandende wagens, en er klonk gejammer van vrouwen, de kampvolgsters, die de doden en de gestolen goederen beweenden. Aan de andere kant van de colonne waren ook vijandelijke cavaleristen te zien die zich langs de helling terugtrokken naar de veiligheid van de heuvels.

De colonne achter de legertros was tot stilstand gekomen, geblokkeerd door de chaos, terwijl de colonne ervoor verder marcheerde, waardoor het leger in twee ongelijke delen was gesplitst.

Antipatros sloeg met een gespannen vuist op zijn dij en had er meteen spijt van dat gedaan te hebben. *Ik ben voor schut gezet door een Griek aan het hoofd van een horde barbaren.* 'Haal die wrakken weg!' schreeuwde hij naar de commandant van de legertros, die naar hem toe kwam rennen om verslag uit te brengen. 'En zorg dat jullie weer zo snel mogelijk in beweging komen, Andros; ik kan de voorste colonne vertragen zodat jullie weer kunnen aansluiten, maar ik wil niet dat hij tot stilstand komt, niet na wat er gebeurd is.'

'Ja, heer,' antwoordde Andros, die vluchtig salueerde en naar de geplunderde legertros terugrende.

Antipatros keek om zich heen naar de Macedonische doden en stervenden en zag eindelijk de omvang van het probleem waarmee hij geconfronteerd werd. *Met een dergelijke cavalerie en een tactiek van snelle aanvallen en zich dan weer terugtrekken kan Eumenes het zo lang volhouden als hij maar wil, hij rijdt in cirkels om ons heen, put ons uit, ondergraaft ons moreel en is ons altijd een stap voor. Misschien was mijn oordeel over Antigonos te hard; Eumenes is een heel wat gevaarlijker tegenstander dan ik ooit gedacht had. Ik moet hem zover krijgen dat hij het in een open slag tegen me opneemt, maar het probleem is: waarom zou hij dat doen?*

Verdere gedachten over het onderwerp werden onderbroken door een aanstormende bereden boodschapper. 'Heer! Heer!'

'Wat is er?'

'De hoofdmacht wordt aangevallen!'

Antipatros keek om naar het hoofd van de colonne en zag opnieuw cavalerie van beide zijden de hellingen af stromen en werpsperen en pijlen lanceren, waarna ze zich omdraaiden en plaatsmaakten voor de volgende reeks cavaleristen; links van hem, bijna direct boven hem, was de Cappadocische cavalerie opgedoken en begon op snelheid te komen in een aanval op het hoofd van de colonne. 'Terug!' schreeuwde hij. 'Terug, voordat ze de kans hebben de charge uit te voeren.' Zonder te wachten tot zijn metgezellen zich formeerden zette Antipatros zijn vermoeide paard tot een galop aan, terwijl er een wee gevoel in zijn maag opkwam; er werd met hem gespeeld en hij kon weinig doen zolang hij zijn leger niet in de relatieve veiligheid van Celaenae had. Hij reed langs de rijen infanteristen en besefte hoe onbruikbaar zware infanterie was op dit ruige terrein, hij had er spijt van dat hij een groot deel van zijn cavalerie aan Antigonos had gegeven.

En toen schoot het hem te binnen: hij had Iollas uitgestuurd om mogelijke valstrikken onklaar te maken, en toch kwamen ze vanuit de heuvels op hem af.

Iollas!

Wanhoop klauwde aan Antipatros' hart, hij ranselde zijn paard met het plat van zijn zwaard tot grotere snelheid. Hoewel langzamer dan eerst bewoog de colonne zich nog altijd voorwaarts, de eenheden die werden aangevallen schuilden achter hun schilden terwijl ze doorliepen. Zijn cavalerie aan het hoofd van de colonne formeerde zich inmiddels om een georganiseerde charge uit te voeren in plaats van individueel te vechten. Maar de vijand zwermde nog altijd in een vloeiende beweging over de heuvel omlaag en bestookte de Macedoniërs met werpsperen en pijlen, waarna de ruiters weer omkeerden en plaatsmaakten voor nieuwe aanvallers die dood en verderf kwamen zaaien. Honderden mannen namen inmiddels aan de aanvallen deel, ze kwamen in golven als de zee die op het strand slaat en zich weer terugtrekt, golf na golf van opkomend tij.

Zonder aan zijn eigen veiligheid te denken stortte Antipatros zich op de dichtstbijzijnde groep Paflagoniërs, die net de heuvel weer op reden na hun werpsperen te hebben gelanceerd. Zijn zwaard boven zijn hoofd zwaaiend, zijn grip sterker dan zijn bijna tachtig jaar deden vermoeden, viel hij aan en met één houw sloeg hij de arm af van een verbaasde jongeling met spaarzaam baardhaar. Antipatros dreef zijn paard verder en haalde opnieuw uit met zijn zwaard en trof een oudere man in een rijk geborduurde tuniek en broek in het gezicht. Bloed spoot uit de wond en het slachtoffer sloeg achterover, zijn Frygische muts vloog door de lucht, een dierlijke kreet smoorde in het bloed in zijn keel. Antipatros ging verder, door de losse formatie. Hij haalde naar links en naar rechts uit; hij had alleen de dood voor ogen, niets trok hij zich aan van de steeds hachelijker positie waarin hij verkeerde met het dieper doordringen in de vijandelijke linie. Opeens trok er een huivering door de vijand voor hem en haastig begonnen ze zich terug te trekken, waarbij velen over hun schouder keken: de cavalerie van Antipatros' voorhoede was in volle charge en maaide iedereen binnen bereik neer en joeg de rest op de vlucht, waardoor de druk op de belaagde hoofdmacht verminderde. De infanteristen juichten hun redders toe terwijl ze hun mars voortzetten. Eumenes' cavalerie snelde weg en lette niet op de enkele Macedoniër in hun midden, zo groot was hun verlangen om uit de buurt te komen van de messcherpe lanspunten die al heel wat levens hadden geoogst.

Nu de vijand verdween merkte Antipatros dat hij alleen was; zijn metgezellen bereikten hem nu pas. Hij knikte tegen de commandant en keek naar de heuvel, naar de vluchtende massa. Zijn adem stokte in zijn keel, want daar, hoog boven en rechts van hem, verschenen Iollas' ruiters. Ze reden schuin de helling af, weg van de zich terugtrekkende vijand, en probeerden in de wanorde de relatieve veiligheid bij het hoofd van de colonne te bereiken.

Maar de aanblik van een geïsoleerde, zwakke vijand bleek te aanlokkelijk voor Eumenes' cavalerie, die net door een sterkere macht van het slagveld was gejaagd; zestig tot tachtig man begon richting Iollas' groep te rijden, ze waren onstuimig en slaakten hun vibrerende oorlogskreten in opwinding over de jacht op de mannen die nog geen driehonderd pas boven hen op de heuvel reden.

Het leek waarschijnlijk maar niet onvermijdelijk dat Iollas onderschept zou worden. 'Erachteraan!' brulde Antipatros tegen de commandant van zijn begeleidende cavalerie, en hij dreef zijn uitgeputte paard weer met het plat van het zwaard naar voren; het dier hinnikte in protest, steigerde en legde de oren plat in de nek, maar gaf na een tweede klap toe en sprong naar voren. Met moeite bleef Antipatros in het zadel toen zijn paard in galop ging en hij zond een gebed naar Ares, de god van de oorlog, smekend diens hand boven zijn zoon te houden tot hij hem te hulp kon komen. Het gejuich van de colonne voor de cavalerie ging over in waarschuwend geschreeuw naar Iollas' mannen om ze tot grotere snelheid te manen.

Iollas zag het gevaar en veranderde van richting, weg van zijn achtervolgers, die nu op nog geen honderd pas afstand waren; enkele momenten wist hij de afstand gelijk te houden, terwijl Antipatros en zijn ruiters de achtervolging inzetten. Maar met gerammel van paardentuig en het snuiven en stampen van rijdieren verscheen Eumenes' Cappadocische cavalerie op de heuvelkam. Zonder aarzeling joeg de kleine Griek zijn mannen voorwaarts, met halsbrekende snelheid recht de helling af. De kreten uit de colonne werden steeds wanhopiger toen duidelijk werd dat Iollas' mannen het niet zouden halen.

De angst groeide in Antipatros' borst, want hij voelde zijn paard vertragen, moe van de afstand die het al had gegaloppeerd en de steilte van de helling waar het tegenop moest; hoe hard hij ook sloeg, het dier versnelde niet en toen hij omkeek zag hij dat ook de paarden van zijn mannen uitgeput waren, ze zweetten en hadden het schuim op de mond staan.

Maar al hadden ze de snelheid van Pegasus gehad, dan nog hadden ze niet kunnen voorkomen dat Eumenes en zijn Cappadociërs zich op de flank van Iollas' eenheid wierpen. De klap volgde, paarden vielen om, ruiters vlogen door de lucht, paardenbenen schopten om zich heen terwijl ze langs de steile helling gleden en omrolden, ze verpletterden hun berijders en botten knapten in een koor van dierlijke kreten en menselijke angst.

'Iollas!' schreeuwde Antipatros toen hij zijn zoon zich zag verweren tegen de zwaarden van twee aanvallers terwijl hij probeerde uit de chaos weg te komen. Steeds weer pareerde hij de zwaardslagen, met toenemende wanhoop. Om hem heen viel de ene man na de andere onder de aanvallen van de overweldigende overmacht. En met een onvermijdelijkheid die Antipatros' hart brak zag hij Iollas' lichaam schokken en vervolgens verstijven.

'Mijn zoon!' schreeuwde Antipatros tegen de hemel toen het zwaard uit Iollas' hand viel en hij uit het zadel gleed.

'Stop!' brulde een onzichtbare stem vanuit de Cappadocische formatie. Er klonk driemaal een hoornsignaal en onmiddellijk kwam er een einde aan de aanval, waardoor Iollas' mannen die nog in het zadel zaten zonder achtervolgd te worden de heuvel af konden komen.

De Cappadociërs trokken zich terug, op één man na: Eumenes steeg af en knielde naast het bewegingsloze lichaam van Iollas neer. Hij legde een hand achter Iollas' hoofd. Intussen had Antipatros hem bereikt en sprong uit het zadel.

'Mijn mannen houden afstand als de jouwe dat ook doen,' zei Eumenes.

Antipatros knikte en wendde zich tot zijn metgezellen. 'Blijf waar je bent.' Hij liep tot aan zijn zoon en keek naar de lege, starende ogen en zijn borstkast begon hevig op en neer te gaan door de gewelddadige snikken.

'Ik besefte niet dat hij het was tot het te laat was,' zei Eumenes met zachte stem. 'Het spijt me.'

Antipatros liet zijn verdriet talrijke snelle hartslagen de vrije teugel, tranen vielen op Iollas' gezicht en borst terwijl hij het levenloze lichaam vasthield. Na een tijdje zoog hij zijn longen enkele keren vol en beheerste hij zich weer. 'Het is waanzin, Eumenes, we vermoorden elkaar, maar waarvoor?' Hij gebaarde naar zijn dode zoon. 'Waarom moest hij sterven?'

'Waarom moesten zij eigenlijk allemaal sterven?' antwoordde Eumenes en hij keek naar de doden die om hen heen lagen.

Antipatros sloeg zijn bloeddoorlopen ogen op en keek naar zijn vijand. 'Allemaal omdat die arrogante jonge hond weigerde een erfgenaam te noemen. "Voor de sterkste": met die drie woorden heeft hij Iollas tot een vroege dood veroordeeld en nu zijn we hier, jij en ik, we bevechten elkaar voor controle over zijn erfenis. En waarom?'

Eumenes aarzelde niet met zijn antwoord. 'Ik vecht om te zorgen dat de koninklijke dynastie van de Argeaden aan het hoofd van het rijk blijft. En jij?'

Antipatros dacht even na en keek naar de ring aan zijn vinger. 'Ik ook; dat dacht ik in ieder geval. En dat was waarom ik me tegen Perdikkas verzette, die de koningsmacht voor zichzelf leek te willen.'

'En ik steunde Perdikkas omdat hij de koningen vertegenwoordigde.'

'Maar toen, toen je Krateros versloeg en iedereen kon zien dat ik een idioot was geweest door mijn leger te splitsen, toen werd het persoonlijk. Ik heb een fout gemaakt, door mijn trots; als we het zakelijk hadden gehouden hadden we tot een vergelijk kunnen komen, daar ben ik zeker van. Er liep slechts een dunne scheidslijn tussen ons; maar dat doet er niet langer toe.' Antipatros schudde zijn hoofd en spuugde. 'Maar wat kan het me nog schelen? Ik heb het gehad.' Hij gebaarde naar Iollas. 'Geen enkele zaak is de dood van een zoon waard, en zeker deze niet. Je mag je oorlog houden of je ruzies bijleggen; mij maakt het niets meer uit. Ik ga terug naar Macedonië en daar zal ik als een rouwende man sterven.'

'En de koningen?'

'Die neem ik mee, ik laat ze niet langer als pionnen in het machtsspel gebruiken.'

'Zal Antigonos ze aan je meegeven?'

'Natuurlijk; hij is niet in ze geïnteresseerd, hij heeft niets aan ze. Hij geeft niets om legitimiteit, zoals jij en ik. Hij wacht gewoon af tot ik dood ben, om dan een poging te doen de macht naar zich toe te trekken. Aanvaard maar dat het rijk verloren is, Eumenes; het koninklijk huis van de Argeaden bestaat uit een zwakzinnige, een kind en Alexanders bastaard, want ik neem ook Herakles met me mee.'

'En Kleopatra?'

'Kleopatra? Ik heb gezorgd dat alle potentiële echtgenoten bezet zijn; ik wilde de situatie niet verder compliceren met een huwelijk en een zwangerschap van haar. Ze mag in Sardis blijven of naar Macedonië terugkeren; haar tijd is voorbij.'

'En ik? Kun je een amnestie voor mij bij de legervergadering regelen? Als dat je lukt kan ik tot een vergelijk met jou en Antigonos komen.'

'Om eerlijk te zijn kan het me verder niet schelen. Ik ga weg uit

Azië; jij mag ervoor vechten of niet, het zijn mijn zaken verder niet meer. Ik heb mijn best gedaan om in De Drie Paradijzen een regeling te treffen, maar dat is mislukt. Ik denk niet dat je met Antigonos tot een akkoord kunt komen tenzij je erin toestemt hem te dienen, want hij wil iedereen die zich niet onderwerpt wegvagen.'

'In dat geval moet ik me zeker tegen hem verzetten; ik dien alleen het bloed van de Argeaden.'

Antipatros stond op en keek de kleine Griek met een mengeling van ongelovigheid en medelijden aan. 'En zo zal de oorlog doorgaan. Droom zo verder, Eumenes, en het onvermijdelijke gevolg zal...'

'Meer dode zoons zijn.' Eumenes stond ook op. 'Als ik niet langer voor de Argeaden vecht, dan zouden alle levens die al verloren zijn in de strijd voor niets verspild zijn. Geef me amnestie en ik zal voor de koningen strijden en niet alleen om te overleven.'

Het lachje van Antipatros was treurig toen hij eerst naar Eumenes en toen naar zijn zoon keek. 'Jullie brengen het slechtste in elkaar boven, jullie allemaal: jij, Antigonos, Ptolemaeus, Alketas, Attalus, Seleukos, jullie allemaal. Jullie verdienen elkaar.'

SELEUKOS, DE OLIFANTENSTIER

De maan was ondergegaan en duisternis omhulde de vloot; duisternis die nog dieper leek door de gloed in de verte: Babylon.

Seleukos, die naast de stuurriem van het voorste schip stond – de enige trireem in de vloot van transportschepen – keek naar de hemel om de tijd te schatten en oordeelde dat het moment gekomen was; hij wendde zich tot de trierarchos. 'Denk eraan: zo snel en zo stil mogelijk, geen fluit om het ritme aan te geven, enkel handgebaren.'

De man knikte en stampte drie keer met zijn voet op het dek. Beneden stak de roeimeester een vuist in de lucht en bracht hem weer omlaag; met een onderdrukte kreun trokken de honderdtwintig roeiers aan hun riemen en het schip bewoog zich voorwaarts. Achter hen volgde de vloot transportschepen, allemaal afgeladen met mannen die naar vaste grond onder hun voeten verlangden. Zeilen werden gehesen om de bries te vangen en ze gleden door de stroom. Ze waren op weg.

Het was nu van het allergrootste belang dat het vuur op tijd werd aangestoken.

Vuur en verrassing waren de twee ingrediënten waarop Seleukos vertrouwde om Docimus uit Babylon te verdrijven en zichzelf als satraap te installeren.

Verrassing was hem naar hij dacht gelukt. In de dagen en nachten waarin ze de Eufraat waren afgezakt hadden ze alle schepen die dezelfde kant op gingen tegengehouden en ze voeren zo snel mogelijk en zonder pauzes om boodschappers te land te snel af te zijn; het nieuws van hun komst kon Babylon nog niet bereikt hebben. Om er extra zeker van te zijn had hij zijn cavalerie in tweeën gesplitst zodat hij op beide oevers ruiters had.

En zo gleden ze over de Eufraat, voortgestuwd door de stroming en de wind; op beide oevers onzichtbaar maar nog net hoorbaar begeleid door de cavalerie. Met deze snelheid zouden ze vlug bij hun bestemming zijn, nog geen negen mijl verderop.

Maar alles zou voor niets zijn als het vuur niet hoog oplaaide op het moment waarop de vloot het punt bereikte waar de rivier de stad in tweeën verdeelde. De westzijde van de stad was vooral een woon- en marktdeel, aan landzijde liep er een sterke muur omheen, maar de rivieroever bestond uit een reeks kades en markten waar een leger makkelijk aan land kon gaan, maar dat zou nutteloos zijn omdat er niets van strategisch belang in die stadshelft was. Het paleis en de forten en het hart van Babylon lagen op de oostelijke oever en werden beschermd door een machtige muur – twee zelfs, de tweede muur stond dertig pas achter de eerste. De hele oostelijke verdedigingslinie was op die manier opgebouwd, met de eerste muur tien man hoog en bekleed met diepblauwe tegels met op regelmatige afstanden dieren en astrologische motieven. De muur kon alleen geslecht worden met een langdurig beleg met tienduizenden soldaten, van wie de meeste hoogstwaarschijnlijk aan ziekte zouden bezwijken voordat de stad viel. En om een leger daar vanaf de landzijde te krijgen moest er eerst nog een andere muur worden veroverd, die behalve de stad ook het zomerpaleis ten noorden van de stad en de paleistuinen rond de oostelijke helft insloot – dit waren de tuinen waar Babylon beroemd om was. Seleukos had het probleem uitvoerig bestudeerd toen hij voor het eerst het idee kreeg om de stad de zijne te maken nadat Perdikkas steeds arroganter was geworden; hij was tot de conclusie gekomen dat er maar één manier was om binnen te komen en dat was bij het punt waar de twee helften van de stad verbonden waren door een brug over de Eufraat, die hier tweehonderdvijftig pas breed was. Een brug die aan de oostzijde uitkwam bij een hoog oprijzende poort, een poort die bij zonsondergang werd gesloten en bij zonsopkomst weer openging. Achter deze poort was in de tweede muur een volgende poort, en daarachter lag de stad. Als je die twee poorten 's nachts kon openen en voldoende mannen naar binnen liet gaan zou de stad vallen. Seleukos had de manschappen, maar de poorten waren dicht. En daarom had hij vuur nodig.

Seleukos liep over het dek, langs zijn wapenbroeders, vijftig man sterk, die deze nacht te voet aan zijn zijde zouden strijden. Hij mompelde hier en daar wat bemoedigende woorden en leunde bij de boeg over de boord van het schip. Hij dacht aan Apama, zijn Perzische vrouw, die samen met hun twee kinderen in Babylon was gebleven toen hij als onderbevelhebber met Perdikkas' leger was vertrokken, nu een half jaar geleden; als alles goed ging zou hij vanmiddag bij haar zijn. *En dan is er tijd om aan materiaal voor dynastieke huwelijken te werken.* Hij grinnikte om de manier waarop hij de gedachte had geformuleerd. Maar hoe frivool ze ook was, het ging om een serieuze zaak, want als hij Babylon eenmaal had, was hij niet van plan het ooit nog kwijt te raken.

Hij maakte zich geen zorgen om de veiligheid van zijn vrouw en kinderen; geen enkele Macedoniër zou zijn eer bevlekken door een vrouw of kind als schild tegen een rivaal te gebruiken. De zaak met Atalante was een misstap geweest, iets wat nooit meer mocht voorkomen, en geen man van eer, hoe groot zijn haat ook voor de vijand, zou die fout nogmaals maken. En dat was precies het punt: hij mocht Docimus weliswaar niet, maar hij haatte hem ook niet, en zover hij wist haatte Docimus hem ook niet, en dus was er geen enkele reden om meedogenloos te zijn. Hij zou toestemming krijgen om de stad te verlaten, samen met zijn familie, mocht hij dat willen, net zoals Seleukos hem de kans had gegeven het kamp te verlaten na de moord op Perdikkas. Dat soort dingen zou onmogelijk zijn als ze elkaars familie begonnen af te maken. Nee, die nacht wilde Seleukos maar één ding: een eenvoudige machtsoverdracht, met zo min mogelijk bloedvergieten. Als hij hun voormalige meester met respect behandelde en er maar weinig slachtoffers vielen, kon hij er redelijk zeker van zijn dat het garnizoen trouw aan hem zou zweren, en dat was nodig ook, want hij had een groot tekort aan manschappen als hij de troepen die Ptolemaeus hem had geleend terugstuurde naar Egypte.

Als ik ze terugstuur, natuurlijk.

Hij overwoog de voor- en nadelen van het houden van de mannen en besloot dat hij ze onmogelijk tegen hun wil kon laten blijven; en gegeven de keuze tussen Egypte en Babylonië vermoedde hij dat de meeste voor Egypte zouden kiezen, vooral ook omdat velen daar inmiddels wel een vrouw zouden hebben. Nee, als hij zijn leger ging uitbreiden, en dat moest zeker gebeuren, dan kon hij maar beter een andere kant op kijken voor troepen. Maar dat was een probleem voor later, nu lag het silhouet van Babylon voor hem, zichtbaar door het licht dat eruit oprees. Hij moest zich op zijn plan concentreren. En terwijl zijn schip het zomerpaleis aan de noordzijde van de stad passeerde, kneep Seleukos zijn ogen tot spleetjes op zoek naar tekenen van brand langs de oostoever, net voorbij de brug, nu nog maar op anderhalve mijl afstand.

Hij zag nog altijd niets toen hij langs de vijf man hoge muur gleed die de paleistuinen rond de oostelijke stadshelft omsloot. De muur vormde een donker silhouet tegen het zwakke licht dat uit het paleis zelf kwam en al snel verdween alles weer in de duisternis. Ze waren nog niet ontdekt, anders waren er wel kreten van de oevers te horen geweest. De vloot dreef traag op de stroming voort, want de zeilen waren al enige tijd gestreken om de schepen minder zichtbaar te maken.

Al snel doemde het noordelijke fort op, het stond buiten de hoofdmuur van de stad en bewaakte de Ishtarpoort, waar de processieweg naar het paleis begon. Na de buitenmuur kwam de met blauw geglazuurde tegels beklede binnenste stadsmuur, met daarachter, twinkelend van de vele lichtjes, het zuidelijke fort. Op de westoever stond de wachttoren die het begin vormde van de landmuur rond de westelijke stad; ze voeren inmiddels tussen de bebouwing door en Seleukos was dan ook niet verbaasd toen hij de eerste alarmkreten hoorde, afkomstig van het zuidelijke fort en de westelijke wachttoren. Dit was het punt waarop ontdekking vrijwel onvermijdelijk was vanwege de waakzame ogen op beide oevers. De brug was nu duidelijk zichtbaar, zo'n duizend pas verderop, over de hele lengte verlicht door toortsen, een strook van vuur van tweehonderdvijftig pas over de breedte van de donkere rivier. Seleukos' hart sprong op toen hij figuurtjes vanaf de oostzijde de brug op zag stromen; dat was alleen mogelijk als de poort openstond. En toen werd het geflakker van vlammen achter de muur zichtbaar: de gebouwen rond de Esagila, de Tempel van Mardoek, stonden in brand en bedreigden de tempel zelf. Dit, en alleen dit, zo had Seleukos gemeend, kon de Babyloniërs ertoe brengen om de poorten te openen zodat ze de hydraulische pompen konden halen die gebruikt werden om de tuinen via leren slangen te bewateren; ze zouden ze bij de brug opstellen om de tempel ernaast te kunnen redden. En ook Seleukos wilde de tempel redden, want dat was een cruciaal onderdeel van zijn plan.

'Voorwaarts!' schreeuwde Seleukos, nu snelheid belangrijker was dan onopgemerkt blijven. De riemen van de trireem werden naar buiten gebracht en de zeilen van de transportschepen werden gehesen, ze bolden op in de warme bries en stuwden de vloot met verhoogde snelheid voort. Pijlen kwamen van beide zijden aangevlogen, maar richtten weinig schade aan omdat de schepen in het midden van de rivier bleven, op de grens van het bereik van de boogschutters.

'Sneller!' beval Seleukos op vijfhonderd pas van het doel. De mannen op de brug waren zo druk bezig met de pompen en slangen dat ze de vijandelijke macht nog niet hadden opgemerkt. De trireem kliefde door het water, nam een voorsprong op de logge transportschepen en gleed op de oostoever af. Pijlen klapten met trillende schacht in het dek nu het schip binnen bereik was gekomen. Seleukos en zijn wapenbroeders knielden naast hun schild en sloegen geen acht op de suizende projectielen, al hun aandacht was op de nog altijd openstaande poort gericht.

Tweehonderd pas nog en de mannen bij de pompen begonnen te roepen en naar de vloot te wijzen, maar ze werden gemaand door te pompen door officieren en priesters, voor wie het leven van onbetekenende mensen niets was vergeleken met de schoonheid van de Tempel van Mardoek.

Seleukos glimlachte inwendig: het ging zoals hij verwacht had. Hij wist nu dat de poort open zou blijven, zodat de slangen erdoor konden voor de heilige taak van het blussen. 'Ladders klaar!'

Tien korte ladders, niet meer dan de hoogte van twee man, werden naar voren gebracht; achter elke stelden zich vijf wapenbroeders op.

Op vijftig pas draaide het schip bij, de riemen aan bakboord gingen achteruit. Op een geblaft bevel werden de stuurboordriemen ingetrokken vlak voordat de romp tegen de meest oostelijke pijler van de brug kwam. De ladders gingen tegen de brug en Seleukos en zijn mannen klommen razendsnel omhoog. Hij sprong over de balustrade en landde op het geplaveide wegdek, zijn mannen kwamen direct achter hem aan. Nu werd de dapperheid van de pompende mannen tot het uiterste beproefd; velen gingen ervandoor toen ze de gewapende soldaten op zich af zagen komen. Maar ze hadden niet bang hoeven zijn, want ze waren niet het doelwit van de aanval, niemand was dat, behalve zij die tussen Seleukos en zijn doel probeerden te komen: de tweede poort.

Seleukos stormde door de eerste poort, hij sprong over de leren slangen en beukte een protesterende priester opzij. Met zwellende borstkas legde hij rennend de dertig pas tussen de twee muren af, zijn mannen, die met hun zwaarden op hun schilden sloegen en hun oorlogskreten slaakten, volgden hem op de hielen, terwijl de tweede poort met verbazingwekkende snelheid, op met ganzenvet gesmeerde scharnieren, begon dicht te gaan. Met een laatste versnelling wist Seleukos tussen de deuren door te komen, toen de opening nog maar drie pas was; een twaalftal van zijn mannen wist hem te volgen voordat de deuren dichtsloegen en de slangen afknepen.

Maar twaalf man was genoeg; Seleukos stak in op een bebaarde veteraan, duidelijk de commandant van de wacht, die op hem afstormde met geheven zwaard. In een fontein van bloed ging de man neer, terwijl Seleukos' mannen afrekenden met de wachters die bereid waren om te vechten. Dat waren er maar weinig, de meeste wilden hun leven niet riskeren in een gevecht met mede-Macedoniërs zonder dat ze de reden daarvoor kenden; toen enkele wachters dood of stervend op de grond lagen, knielde de rest in overgave.

'Open de poort!' beval Seleukos.

Binnen enkele ogenblikken zwaaiden de twee deuren open, geholpen door een systeem van contragewichten van hoge ouderdom. Op de brug zag hij de eerste eenheden van zijn mannen zich opstellen, terwijl erachter meer troepen zich ontscheepten en lege transportschepen plaatsmaakten voor volle.

Seleukos wachtte tot de voorste eenheden door de tweede poort waren en sprak met de generaal aan het hoofd, een Griekse huurling in Ptolemaeus' dienst. 'Neem honderd man en zorg dat de brand geblust wordt, Callias; de Babyloniërs moeten zien dat het mijn mannen waren die de Tempel van Mardoek hebben gered.'

Callias fronste. 'Maar ze zullen toch beseffen dat u opdracht voor de brand hebt gegeven om de poorten open te krijgen?'

Seleukos glimlachte en sloeg Callias op de schouder. 'Dat denken ze eerst misschien wel, maar ik ontken het natuurlijk en beweer dat het een goddelijke ingreep was die bewijst dat de goden aan mijn kant staan of iets dergelijks; als ik het maar vaak genoeg herhaal wordt het vanzelf al snel de waarheid. Alternatieve feiten kunnen erg nuttig zijn. Aan de slag nu, er zijn twee forten en een paleis die we moeten innemen.'

Het garnizoen in het zuidelijke fort, dat binnen de stadsmuren lag, zag geen reden Docimus trouw te blijven en opende de poort zodra ze vijfduizend man – de helft van Seleukos' infanterie – over de processieweg hun kant op zagen komen. De commandant van het garnizoen bood Seleukos ceremonieel zijn zwaard aan, die het weigerde. 'Als jij en je mannen trouw aan mij zweren, Temenos, dan zal ik jullie meer betalen dan Docimus deed en jullie op je post houden.'

'Erg genereus van u, heer,' antwoordde Temenos, die zichtbaar opgelucht was. 'De meeste jongens hebben weinig zin om te vertrekken aangezien ze hier een vrouw hebben.'

'Net als ik; heb je nieuws over haar?'

'Zover ik weet is ze nog altijd in haar vertrekken in het paleis van Nebukadnezar, samen met de andere achtergebleven vrouwen van officieren. Docimus heeft ze niet aangeraakt.'

'Des te beter voor hem. Stuur een paar van je mannen om haar van mijn komst op de hoogte te stellen, Temenos. Ze moeten bij haar blijven tot ik kom.'

Blij dat hij zijn nieuwe commandant zo snel van dienst kon zijn salueerde Temenos en ging aan het werk.

Seleukos' genereuze voorwaarden werden ook door de wachters van de Ishtarpoort dankbaar geaccepteerd, met een brede glimlach openden ze hun poort, maar de commandant van het noordelijke fort, net achter de Ishtarpoort, had een andere opvatting van trouw. 'Waarom zou ik me overgeven? We hebben hier genoeg voorraden om het zes maanden uit te houden, en binnen die tijd zullen er hulptroepen komen.'

'En wie gaat er naar jouw mening komen om je te ontzetten?' vroeg Seleukos, oprecht geïnteresseerd.

'Alketas.'

Seleukos lachte en gooide zijn hoofd in zijn nek. 'Alketas heeft zich in Pisidië ingegraven; hij gaat nergens heen.'

'Eumenes dan?'

'Nog onwaarschijnlijker; Cappadocië is zijn satrapie. Waarom zou hij zijn makkelijk verdedigbare bolwerk in de bergen verlaten en zich blootgeven door jou te komen helpen? Nee, je kunt het maar beter onder ogen zien: je staat er alleen voor en dat zal nog lang zo blijven. Ik heb hier de helft van mijn infanterie bij me, terwijl de andere helft in de stad strategische kruispunten, gebouwen en poorten heeft ingenomen en nu bewaakt. Als je zin hebt om tot zonsopkomst te wachten, dan zul je zien dat mijn cavalerie voor alle poorten patrouilleert, en zoals je wel gemerkt zult hebben beheers ik de rivier, zodat niemand de stad in of uit kan zonder dat ik het weet, dus het zou weleens een flinke tijd kunnen duren voor je een boodschapper de stad uit krijgt om hulp te halen.'

Kort na zonsopkomst werd het lijk van de commandant van de muur gegooid en ging de poort van het noordelijke fort open; het garnizoen kwam naar buiten met een olijftak ten teken van verzoening en de handen uitgestrekt om te laten zien dat ze ongewapend waren. 'Goed om te weten dat ik troepen erf die over een flinke dosis gezond verstand beschikken,' zei Seleukos tegen Callias, die zwart van de rook was teruggekeerd. 'Hoe staat het met de brand?'

'Geblust, heer. De gebouwen rond de tempel zijn allemaal verwoest, de verblijven van de priesters, hun keuken en eetzaal, de opslagruimten, maar de tempel zelf is gered, er is enkel wat rookschade; een likje verf en wat verguldsel en alles is weer bij het oude.'

Seleukos keek tevreden. 'Mooi, ik denk niet dat iemand medelijden met de priesters heeft, afgezien van de priesters zelf. Ik ben ervan overtuigd dat ze maar al te graag het gerucht willen verspreiden dat de brand een goddelijke interventie ten gunste van mij was als ik een nog veel mooier onderkomen voor ze bouw.'

Callias grijnsde. 'Comfort staat bij hen gewoonlijk voorop, heer.'

'Altijd. Goed, beman met wat soldaten het noordelijke fort en neem de eed van trouw van deze gevangenen af, zij kunnen dan het garnizoen versterken. Daarna gaan we met Docimus praten voordat ik mijn vrouw laat komen.'

Maar Docimus wilde niet praten met iemand die hij beneden zijn stand vond; hij weigerde naar de paleismuur te komen, die gedecoreerd was met taferelen van Babylonische koningen die op leeuwen en ander wild joegen tegen een achtergrond van smaragdgroene geglazuurde tegels. Hij stuurde zijn onderbevelhebber Polemon. 'En uiteraard,' zei Polemon op arrogante toon aan het einde van een lange lijst van eisen, 'neemt hij de hele schatkist mee.'

'Ben je klaar?' vroeg Seleukos behoorlijk geïrriteerd.

Polemon keek duidelijk op Seleukos neer, iets wat vergemakkelijkt werd doordat hij hoog op de muur stond. 'Ik geloof het wel.'

'En verwacht hij echt dat ik daarmee instem?' Seleukos ging de eisen op zijn vingers langs. 'Een escorte van duizend soldaten en voldoende schepen voor hen, voorraden voor een maand en reservekleding en -wapens voor allemaal. Plus zijn selectie van meubels en kunstwerken uit het paleis, een gevolg van persoonlijke slaven voor hem en zijn huishouden, plus transport voor al zijn paarden en daarbovenop ook nog eens de schatkist. Ben ik nog iets vergeten?'

'Nee.'

Seleukos schudde het hoofd vol ongeloof. 'Als aanhangers van Perdikkas zijn jullie allebei ter dood veroordeeld, een vonnis dat ik tot enkele ogenblikken geleden niet van plan was te voltrekken. Als ik jou was zou ik snel afstand nemen van die verwaande kwast die gelooft dat mensen die niet uit Pella stammen niet meer dan boerenkinkels zijn, en naar beneden komen om bij deze tamelijk beledigde boerenkinkel om genade te smeken.'

Polemon, die dezelfde kijk op aristocratisch bloed had als Docimus, keek weer minachtend en met duidelijke weerzin naar Seleukos. 'Je hebt niet de autoriteit om onze executie te bevelen.'

'Nu ben je gewoon dom. Ik ben satraap van Babylonië, wat Docimus ook mag denken, en dus kan ik de executie bevelen van iedereen die ik maar wil. En je kunt Docimus vertellen dat hoe langer hij me laat wachten, hoe hoger hij op mijn lijstje komt – net als jij, wat dat betreft. Weg nu!'

De kracht van Seleukos' stem verraste Polemon zichtbaar en hij deed een stap naar achteren voordat hij zich omdraaide.

'Dood ze gewoon,' zei Callias toen Polemon verdwenen was. 'Macedoniërs zijn arrogant en kijken neer op Grieken, zelfs op Spartanen als ik, maar degenen die neerkijken op andere Macedoniërs zijn onverdraaglijk; steek ze in ieder geval de ogen uit zodat ze niet de kwelling hoeven ondergaan naar u te kijken.'

'Dat is een verleidelijke gedachte, vriend, maar wat zou er gebeuren als Alketas en Eumenes een bondgenootschap weten te sluiten en Anatolië in handen krijgen? Waar zou ik dan staan als ik hun bondgenoten heb laten executeren?'

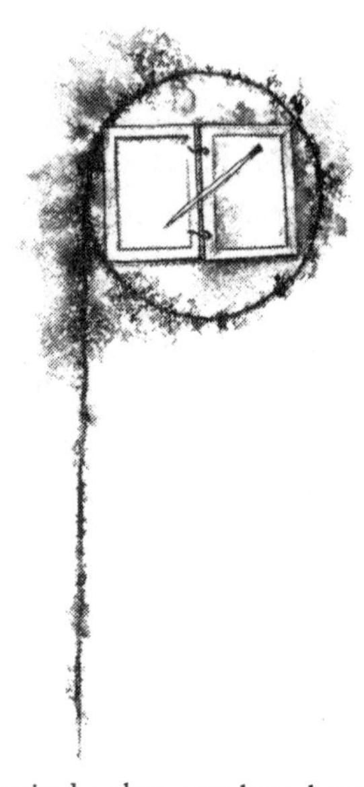

EUMENES, DE SLUWE

'Het is het ideale moment,' stelde Eumenes terwijl hij om de beurt Alketas, Attalus, Docimus en Polemon aankeek. Ze stonden tegenover elkaar, een stevige wind rukte aan hun haar en mantel. Ze bevonden zich op een heuvel in een met sneeuw bedekt bergachtig terrein even ten zuiden van Iconium, op de grens tussen Frygië en Pisidië – een olijftak lag tussen hen in en hun gewapende escortes wachtten achter hen, lager op de heuvel, net buiten gehoor. Hieronymus zat achter Eumenes en maakte aantekeningen van de onderhandelingen. 'Antipatros neemt de koningen en een groot deel van zijn leger mee terug naar Europa. Daarmee is Antigonos alleen in Anatolië; en we weten allemaal dat drieduizend van Antigonos' mannen onder leiding van Holcias enkele maanden geleden zijn gedeserteerd. Zijn jongens zijn niet blij. Als we onze krachten bundelen hebben we voldoende troepen om hem onmachtig te laten lijken door hem als een idioot door West-Azië te laten hollen. Intussen leven wij van het land en nemen wat we willen, zoals ik al een tijdje doe, maar dan op veel grotere schaal. Antigonos wordt dan steeds meer een lachertje en de deserties zullen toenemen, zodat zijn leger slinkt, terwijl de bevolking hem zal verachten omdat hij niet kan verhinderen dat wij overal ellende brengen. Hij zal gedwongen zijn om te onderhandelen; wij vragen alleen amnestie en dat alles weer wordt zoals het was. Daarmee komt er een einde aan de burgeroorlog.'

'Dus dan krijg ik Babylonië terug?' vroeg Docimus, die de kleine Griek vol afkeer aankeek.

Goden, die Macedoniërs van hoge geboorte hebben even weinig hersenen als manieren. 'Seleukos is daar nu satraap, op bevel van Antipatros; het zal volgens mij niet makkelijk zijn om hem daar weg te krijgen, vooral ook omdat je de satrapie sowieso zonder enige officiële toestemming hebt gepakt.'

'Ooit zal ik die klootzak laten boeten voor wat hij heeft gedaan.'

'Wat? Hem laten boeten omdat hij jouw en Polemons leven heeft gespaard en jullie een vrijgeleide naar Pisidië heeft gegeven?'

'Hij heeft ons vernederd; hij stond ons geen escorte, geen bagage en geen slaven toe; we mochten alleen onze vrouwen en kinderen en een paar tunieken meenemen.'

'En jullie wapens,' herinnerde Eumenes hem. 'Jullie zijn als vrije mannen gekomen, niet als gevangenen.'

'We hadden geen enkele drachme meer,' klaagde Polemon, 'niets.'

'Maar al jullie kosten werden voor jullie betaald. Volgens mij kunnen jullie Seleukos maar beter dankbaar zijn. Hij had het volste recht om jullie te laten executeren. Je zou zelfs kunnen zeggen dat hij de wet heeft overtreden door dat niet te doen.' Eumenes wuifde verdere tegenwerpingen weg en wendde zich tot Alketas en Attalus. 'Denk na: als we Antigonos om de tafel kunnen krijgen is de oorlog voorbij en is onze positie veilig.'

De twee mannen keken elkaar aan en keken vervolgens weer naar Eumenes.

Ik geloof dat ik het pleit aan het beslechten ben; ergens diep in de militaire geest van een Macedoniër sluimert waardering voor strategie en mogelijk is die nu ontwaakt in deze twee fraaie exemplaren. Ik kan wat ik nu wil zeggen maar beter zo voorzichtig mogelijk formuleren. 'Nu we niet langer een vloot hebben, is het binnenland onze enige mogelijkheid.'

Attalus verstijfde en keek strak naar Eumenes' gezicht op zoek naar onderliggende kritiek.

Eumenes hield een hand op. 'Ik uit hier geen beschuldigingen, Attalus, ik stel alleen vast hoe onze situatie is: sinds de vloot van Rhodos jouw schepen heeft vernietigd toen je het eiland wilde innemen, kunnen we niets tegenover Kleitos' vloot stellen en daarom moeten we uit de buurt van de kust blijven. Breng je mannen daarom naar mij in het binnenland en samen zullen we het Antigonos lastig maken. Wat denken jullie?'

'Ik zal natuurlijk het opperbevel op mij nemen, met Attalus uiteraard als mijn onderbevelhebber,' zei Alketas.

Eumenes keek verbaasd naar de man, die bijna tien jaar jonger was dan hij. 'Natuurlijk niet; ik ben de opperbevelhebber en jij kunt mijn tweede man zijn.'

'Ik neem geen...'

'Bevelen van een Griek aan.' *Goden, bewaar ons voor de arrogantie van deze lieden; ze verliezen nog liever een oorlog dan dat wat zij als hun waardigheid beschouwen wordt aangetast.* 'Nee, je neemt bevelen aan van een commandant die zich bewezen heeft, een die wint. Een die Neoptolemus en Krateros heeft verslagen; een die Antipatros tot wanhoop dreef en naar huis stuurde; een die slimmer was dan Antigonos. Met andere woorden een winnaar; mannen volgen winnaars.' Hij keek hen strak aan en daagde hen uit hem tegen te spreken.

'Wij zijn ook winnaars,' stelde Alketas met een stem die minder krachtig klonk dan bedoeld.

Dat was te veel voor Eumenes. 'Winnaars? Attalus is net bijna zijn hele vloot kwijtgeraakt in zijn ondoordachte en slecht verkende aanval op Rhodos; en met "slecht verkende" ben ik nog mild, in die zin dat die woorden enige vorm van verkenning veronderstellen, normaal toch een voorwaarde voor een militaire strategie, maar hij blunderde in zijn idee dat Macedoniërs altijd Grieken zullen verslaan. Tja, het verlies van veertig schepen en bijna vijfduizend man vertelt een heel ander verhaal.' Eumenes stond op, duwde zijn stoel naar achteren, zodat die omkieperde, en wees ziedend naar Attalus. 'Probeer je maar niet te verdedigen, want dat is precies wat er gebeurde. En wat jou betreft, Alketas, wat heb jij gedaan behalve je in Pisidië verstoppen? O, ja, het is je gelukt om Alexanders halfzuster Cynnane te doden; dat was een briljante zet, toch? Het leger sloeg bijna aan het muiten. Je moest door je zuster gered worden en je broer werd gedwongen om de dochter van dat kreng met Philippus te laten trouwen, wat de problemen van die arme Perdikkas alleen maar vergrootte. Ga maar terug naar Pisidië en zet je winnende strategie daar voort. Of wees verstandig en ga met me mee naar Frygië; sluit je bij me aan en dan hebben we echt een kans om te winnen.'

'Alleen als ik het opperbevel heb,' hield Alketas vol.

Eumenes hield zijn hoofd schuin, alsof hij het niet goed had gehoord, en glimlachte licht toen hij besefte dat hij het wel degelijk goed had gehoord. 'Heren, ik verspil mijn tijd met jullie; ons overleg is afgelopen. Vaarwel allemaal. Kom, Hieronymus, ik neem aan dat je hebt meegekregen hoe hardleers en koppig de Macedonische krijgersklasse is.' Met die woorden draaide hij zich om en liep met stevige pas terug naar zijn escorte van Cappadocische cavaleristen, dat lager op de helling stond te wachten.

'Jij bent een Macedoniër, Apollonides,' zei Eumenes tegen de commandant van zijn escorte na nog even te hebben nagedacht over de koppigheid van Alketas. Ze daalden de heuvel af terwijl er een lichte sneeuw naar beneden kwam; de vlokken die op de hals van zijn paard vielen smolten direct. 'Waarom riskeert Alketas liever de dood dan dat hij bevelen van een Griek aanneemt?'

Apollonides aarzelde niet met zijn antwoord. 'Honderden jaren hebben de Grieken op de Macedoniërs neergekeken als een stel ongeletterde boerenkinkels met een dialect van het Grieks waar zelfs een Epiroot zich voor zou schamen; dat is niet iets wat adellijke families snel vergeten. Sinds koning Philippus het grootste deel van Griekenland twintig jaar geleden onderwierp, vinden ze dat hun superioriteit bewezen is en daarom zien ze het als onmogelijk om bevelen aan te nemen van...'

'... ondergeschikten die ze hebben verslagen. Ja, dat begrijp ik allemaal wel, maar ik vraag me af waarom ze het zó ver doordrijven dat ze liever sterven dan een bevel van een Griek aannemen. Jij volgt tenslotte wel mijn bevelen op.'

'Ja, heer, maar ik ben een soldaat die zich door de rangen omhoog heeft gewerkt; ik ben niet geboren met het gevoel rechten te hebben, zoals Alketas. Ik ben in een hut geboren en mijn vader gaf meer om zijn schapen dan om mij. En terecht, want de schapen hielden de familie in leven en ik was enkel een last tot ik zes werd en van enig nut kon zijn door de kudde te hoeden. Omdat ik niet de oudste was had ik weinig andere keuzes dan in het leger gaan en dat heeft me een goed leven gegeven; waarom zou ik dat allemaal op het spel zetten alleen omdat u een Griek bent? Ik besef dat het mijn plaats is om bevelen op te volgen, en wie ze geeft is mij om het even. Alketas daarentegen... tja, het kost hem meer dan alleen zijn trots en waardigheid als hij buigt voor een Griek; hij zou zijn gezicht thuis nooit meer durven laten zien.'

'Nou, hij zal sowieso niet naar huis teruggaan als hij in Pisidië blijft zonder vloot om hem te beschermen,' mijmerde Eumenes, 'dus veel maakt het uiteindelijk ook niet uit.'

Toen ze die avond het kamp naderden, negen mijl ten noorden van Iconium – een stad die al veel te lijden had gehad onder de roofzucht van Eumenes' leger – besefte hij dat er iets mis was: een heel deel, aan de rand van het kamp, leek opvallend leeg, want er was geen rook van kookvuren te zien.

'Ze zijn midden in de nacht vertrokken,' vertelde Xennias, 'heel stilletjes; tegen de tijd dat ik het doorhad was het al te laat. Ze zaten aan de andere kant van het kamp en zijn naar het noorden vertrokken; ze waren al anderhalve mijl onderweg toen ik ze inhaalde. Diocles, hun leider, weigerde te stoppen en afgezien van aanvallen kon ik niets doen.'

'Hoe kunnen drieduizend mannen "heel stilletjes" het kamp uit glippen? Drieduizend man volledig bewapend en met al hun bagage en dan stilletjes? Nee, Xennias, dat lijkt me niet.'

Xennias' gezicht toonde zijn ongenoegen dat hij niet geloofd werd. 'Denk wat u wilt, heer, maar zo is het gebeurd.'

Pas op, maak hem niet tot vijand. 'Het spijt me, mijn vriend, je hebt vast gelijk. De vraag is: wat doen we eraan? We kunnen niet toestaan dat een vijfde van het leger zo maar verdwijnt. Weet je waar ze heen gaan? Ik neem aan naar Antigonos.'

'Nee, heer, ze hebben door uw tactiek gezien dat plunderen werkt: de mannen die vorige maand bij Antigonos zijn gedeserteerd hebben zich in Cappadocië gevestigd. Nu Nicanor naar Macedonië is teruggeroepen hebben onze jongens...'

'... besloten zich bij hen te voegen. Dat zullen we nog weleens zien; roep de cavalerie, alles, licht en zwaar, Macedoniërs, Cappadociërs, Thraciërs, Paflagoniërs en alle andere -iërs die we nog hebben, zorg dat ze zo snel mogelijk klaarstaan. Die klootzakken zullen Cappadocië niet halen.'

'Ze zijn verderop in het dal, zo'n anderhalve mijl voor ons,' zei Apollonides, die zijn paard in een wolk van opstuivend zand tot stilstand bracht; zijn adem wolkte in de koude berglucht.

'Mooi. We volgen ze een tijdje stapvoets om onze paarden rust te gunnen voordat we ze pakken. Hoe zijn ze geformeerd?'

'In een standaardcolonne; heel gedisciplineerd, er zijn geen achterblijvers en de rangen marcheren in perfecte orde.'

Eumenes dacht daar even over na. 'Ze hebben hun discipline dus bewaard, dat is een goed teken. Ik kan ze misschien weer terugnemen. Wie gaat er aan het hoofd van de colonne?'

'Diocles, nog altijd, met enkele van zijn onderofficieren.'

Eumenes glimlachte, grimmig en vastberaden. 'Dan is hij makkelijk te vinden.'

Een gekreun steeg op uit de colonne toen twee rijen cavalerie van achteren aan weerszijden langs de deserteurs galoppeerden in een dal waarvan de lichtbruine hellingen uit scherpe rotsen, steenslag en hier en daar een plak sneeuw bestonden. Terwijl Eumenes langs de colonne reed werden er bevelen geblaft en de lange slang van mannen kwam tot stilstand; bezorgde gezichten keken naar hem.

Wat dachten jullie eigenlijk? Dat ik jullie zomaar zou laten gaan, zodat ik nauwelijks sterk genoeg ben om te overleven terwijl jullie mijn provincie plunderen? Eumenes reed tot aan het hoofd van de colonne en bleef op enkele passen van Diocles staan, een oude en stevig gebouwde veteraan met een grijze baard en een bruine, gelooide huid, die demonstratief niet salueerde. 'Mannen, mijn mannen, waar gaan jullie heen?' Eumenes' stem klonk hoog en helder in de koude lucht.

'We gaan voor onszelf op pad,' zei Diocles. 'We zijn het afgelopen jaar niets anders dan bandieten geweest die het land plunderen, daarom vonden we dat we net zo goed voor onszelf kunnen beginnen, het gaat heel goed zonder u; zo is er meer voor ons, begrijpt u?' Zijn glimlach toonde een gebit vol gaten en verrotting en bereikte zijn ogen niet.

'En jullie dachten dat mijn satrapie Cappadocië wel een mooi gebied is om te plunderen?'

'Nou ja, u bent er momenteel niet, toch?'

'Zodra jullie zouden gaan plunderen waren jullie me daar tegengekomen.'

'En bovendien hebben we gehoord dat Antipatros zijn zoon Nicanor als satraap heeft aangewezen, in uw plaats.'

'Hij is niet de legitieme satraap. Ik ben door Perdikkas benoemd, maar ik ben niet gekomen om met je te praten.'

'Waarom bent u dan hier, Griek?'

'Hierom!' Met één vloeiende beweging dreef Eumenes zijn paard naar voren, trok zijn zwaard, leunde naar voren en liet de punt door de keel van de veteraan gaan.

Met een blik van volkomen verrassing en vervolgens ontreddering greep Diocles naar zijn keel, maar dat kon het bloeden niet stelpen; op de gezichten van zijn onderofficieren, net achter hem, stond ontzetting te lezen, net als bij de soldaten vooraan in de colonne. Hij begon te wankelen, alsof hij dronken was, er klonk een gorgelend geluid in zijn keel terwijl het bloed ruimhartig over zijn leren kuras stroomde. Zijn knieën begaven het en hij ging neer, zijn benen trillen op een verontrustende manier.

'Pak ze,' schreeuwde Eumenes en hij wees naar de onderofficieren.

Die deden geen poging zich tegen arrestatie te verzetten, want ze konden zich nergens voor de cavalerie verstoppen; ze deden niets toen ze een voor een onthoofd werden.

'Ze zijn goed gestorven,' verklaarde Eumenes, die vanaf zijn paard op de onthoofde lichamen neerkeek, 'maar ze zijn onnodig gestorven, door domheid. Dachten jullie nou echt dat ik of Antigonos jullie en Holcias' mannen zou laten samengaan zodat jullie een deel van het rijk kunnen verwoesten? Het had ons mogelijk zelfs bij elkaar gebracht voor een tijdelijke wapenstilstand om met jullie af te rekenen, en dan zou het niet gaan om die paar die hier zonder hoofd liggen, nee, jullie waren er allemaal aan gegaan om als voorbeeld te dienen voor eenieder die denkt voordeel uit de burgeroorlog te kunnen halen.

Wat er ook gebeurt, we zullen de orde in het rijk handhaven, want zonder orde is er niets om voor te vechten; niet voor mij, niet voor Antipatros of Alketas of Antigonos; begrijpen jullie dat? Keer daarom terug naar jullie plichten en dan hebben we het er niet meer over. Maar onthoud: Antigonos gaat heel wat wreder met Holcias afrekenen dan ik met jullie heb gedaan.'

ANTIGONOS, DE EENOGIGE

'De berichten klopten, vader. Leonidas brengt ze nu vanuit hun kamp,' vertelde Demetrios, die zijn paard naar de heuveltop dreef, waar Antigonos met zijn oude vriend Philotas stond en naar het oosten keek. 'De list heeft gewerkt.'

Antigonos grinnikte en wreef in zijn handen terwijl hij naar de lage wolk keek die over de hoogvlakte lag, het gebied vanwaaruit Holcias en zijn deserteurs het westen van Cappadocië hadden geterroriseerd. 'Een prima kerel, die Leonidas, hij kon kennelijk erg overtuigend afkeer van mij simuleren dat ze hem zo snel vertrouwden. Slechts vier maanden en ze kiezen hem tot hun generaal. Ik vraag me af hoe hij dat voor elkaar heeft gekregen.'

Demetrios haalde zijn schouders op. 'Hij heeft ze ongetwijfeld een vette buit in het vooruitzicht gesteld. Wat gaat u met ze doen?'

'Ik ga ze gebruiken om die sluwe kleine Griek te slim af te zijn, dat ga ik doen; breng de cavalerie in gereedheid.'

Met een verbaasd gezicht wendde Demetrios zijn paard en daalde de helling af naar de plek waar vierduizend man cavalerie op de vlakke dalbodem in formatie stond – tweeduizend man aan weerszijden van de ondiepe, snelstromende rivier van net tien pas breed.

Opnieuw grinnikte Antigonos en hij blies in zijn tot een kom gevormde handen om ze te warmen in de koude berglucht. 'De komst van de winter valt me elk jaar zwaarder, de kou trekt rechtstreeks in mijn botten.'

Philotas bromde. 'En dat is niet het enige waar hij in trekt; op onze leeftijd mogen we ons gelukkig prijzen als we ergens tussen herfst- en lente-equinox nog een stijve kunnen krijgen.'

'Spreek namens jezelf, beste vriend, naar mijn ervaring levert een stel warme en bereidwillige handen heel wat op.' Hij keek naar zijn bleke vingers. 'Kon ik de mijne maar warm houden.' Maar de temperatuur kon zijn goede humeur niet bederven; eindelijk begon alles te lopen zoals hij gehoopt had. Hij had uiteraard in de sterkst mogelijke bewoordingen geprotesteerd – zoals van hem verwacht werd – toen Antipatros hem bevel had gegeven de koningen over te dragen: verlies van status voor hemzelf, slecht voor het moreel van de manschappen, verminderde legitimiteit van het koninklijke leger en nog veel meer, en dat had hij allemaal vol overtuiging beargumenteerd, maar gelukkig had Antipatros alle bezwaren verworpen, waarna hij zich er met een norse gratie en een zuur gezicht bij had neergelegd, hoewel hij in werkelijkheid opgelucht en blij was geweest. Antipatros vertrok voorgoed uit Azië en de koningen gingen met hem mee – en met hen de twee harpijen die zich als waanzinnigen aan hun prooi vastklampten. En nog beter was dat Antipatros die spionerende bruut Kassandros meenam.

Het was de nuttigste dag sinds lange tijd, hij was al die overbodige bagage kwijt en stond nu alleen aan het hoofd van het leger van Azië; en nu Antipatros op weg was naar huis, kon Antigonos eindelijk met Eumenes afrekenen, bij voorkeur door hem aan zijn kant te krijgen, want je had nooit genoeg manschappen en competente generaals om ze aan te voeren, zeker voor wat hij zich in het hoofd had gezet; en Eumenes had zich zonder enige twijfel als een erg competente generaal ontpopt.

Van beneden op de vlakte klonk een hoorn.

'De deserteurs zijn in zicht,' observeerde Philotas toen de ruiters zich in beweging zetten; rij na rij van Macedonische zware cavalerie met lans maar zonder schild. Hun gecombineerde geur, van zowel mens als paard, steeg op naar het uitkijkpunt en vervulde Antigonos met nog meer welbehagen, want het was het parfum van oorlog.

Hij haalde enkele keren diep adem en wendde zijn gezicht naar de hemel, genietend van het leven. 'We kunnen maar beter op pad gaan, beste vriend.'

De twee mannen daalden langs de helling af op de stijve manier van ouderen die op verraderlijke grond liepen. Intussen reed de cavalerie door het dal naar het oosten, waar in de verte uit de met mist omhulde heuvels een colonne infanterie stroomde, begeleid door weinig cavalerie, heel weinig cavalerie.

Zodra de infanteriecolonne de dalbodem had bereikt gingen Demetrios' ruiters over in een draf en vervolgens in galop, ze legden de anderhalve mijl naar de infanterie zo snel af dat de soldaten geen tijd hadden om een linie te formeren; ze waren in het open veld overvallen door cavalerie, en met weinig eigen ruiters was hun lot bezegeld: ze moesten zich overgeven als ze niet vernietigd wilden worden.

'Goed gedaan, Leonidas,' zei Antigonos even later toen hij de gevangengenomen deserteurs bereikte, die allemaal op de grond zaten en fluisterend en nerveus naar de cavalerie keken die hen omringde. 'Dat was een sterk staaltje.'

'Dank u, generaal.' Leonidas stond op en greep de uitgestoken onderarm van zijn generaal. 'Zoals gewoonlijk bij dit soort lui betekende hun inhaligheid hun ondergang.'

'Jij verraderlijke klootzak!' schreeuwde een stem toen Antigonos en Leonidas elkaar omhelsden.

'Voor jou is hij misschien dan wel een verraderlijke klootzak, Holcias,' stemde Antigonos in, 'maar voor mij is hij een trouwe klootzak en ben jij de verraderlijke klootzak. En hou verder je bek voordat ik mijn grootmoedige humeur verlies.'

Holcias, een jonge officier die in navolging van Alexander baardloos door het leven ging, keek vuil naar Leonidas en Antigonos, maar hield zoals geadviseerd zijn mond.

Antigonos leunde voorover naar Leonidas' oor. 'Ik heb nog een klus voor je deze winter, dit keer in Eumenes' kamp in Nora; zoek daar een officier, bij voorkeur van de cavalerie, die voor een redelijke hoeveelheid goud wil overlopen.'

'Met genoegen.'

'Discreet.'

'Zoals altijd.'

'Bravo.' Antigonos sloeg hem op de schouder en richtte zich vervolgens tot de gevangenen. 'Jullie zijn allemaal verraderlijke klootzakken, stuk voor stuk. Jullie verdienen standrechtelijke executie, allemaal, hier en nu.' Hij wees naar zijn cavalerie die hen omsingelde. 'Ze scheuren jullie aan stukken, ze wachten alleen nog op een teken van mij.' Tot Antigonos' tevredenheid begon niemand om zijn leven te smeken. *Ze weten dat ik gelijk heb en ze verwachten niet anders; hoe groot zal de verrassing zijn.* 'Maar ik zal het bevel niet geven. Niet vandaag en niet op een andere dag, op voorwaarde dat jullie allemaal een eed afleggen op jullie beschermgoden: een eed dat jullie direct naar Macedonië terugkeren en nooit meer een voet in Azië zetten.'

Deze woorden leidden tot verbaasde blikken bij niet alleen de gevangenen, maar ook Antigonos' mannen, en vooral ook Demetrios, die zijn vader geschokt aanstaarde.

'Jullie hebben me goed gehoord. Jullie zijn vrij om te vertrekken als jullie zweren nooit meer terug te komen; aanvaarden jullie dat?'

Ze hadden weinig tijd nodig om een besluit te nemen en al snel echode het gejuich door de kale vallei, waar de deserteurs enkele ogenblikken eerder hadden gemeend te zullen sterven.

'Waarom doet u dit, vader?' vroeg Demetrios terwijl de eed werd afgenomen.

Antigonos keek naar zijn zoon, zijn ene oog twinkelend van plezier. 'Eumenes heeft de leiders van de mannen die bij hem deserteerden laten executeren en de rest weer in dienst genomen, hij heeft ze uit elkaar gehaald en verdeeld over betrouwbaarder eenheden. Ik heb net laten zien dat ik grootmoediger ben dan de sluwe kleine Griek bij het straffen van deserteurs. Vergeet niet dat Eumenes' mannen in principe allemaal vogelvrij zijn en normaal gesproken geen genade hoeven te verwachten, maar als ik deze deserteurs laat leven zouden heel wat van zijn mannen serieus kunnen overwegen om naar mij over te lopen; en als ik Eumenes zover krijg dat hij een veldslag met me aangaat, zullen ze eerder geneigd zijn zich over te geven als ze weten dat ze een eerlijke behandeling krijgen.' Hij gebaarde naar de deserteurs, die de eed aflegden voor geïmproviseerde altaren gemaakt van schilden op in de grond gestoken speren. 'En bovendien, wat heb ik verder aan ze? Ik kan ze nooit meer vertrouwen en waarom zou ik mijn beste troepen vervuilen met die lui, zoals Eumenes heeft gedaan? Nee, laat die jongens maar naar Macedonië teruggaan, waar ze een volgend probleem voor Antipatros kunnen vormen.' Hij wreef in zijn handen en grinnikte weer. 'Al met al niet slecht voor een dag werk. En dan nu, zoon, gaan we weg uit deze winterse bergen en naar de kust bij Tarsos, wat heel wat beter is dan je ballen eraf laten vriezen in Celaenae, een stad die we dan eerst nog zouden moeten innemen; ik ga me de rest van de winter samen met Leonidas bezighouden met de duistere kunst van infiltratie, terwijl jij lekker bij Phila in bed kruipt.' Hij was even stil en fronste. 'Ik ben de afgelopen tijd zo druk geweest dat ik er niet aan toe ben gekomen je te vragen hoe het huwelijksleven je bevalt.'

Demetrios wierp een blik op zijn vader om te kijken of die hem in de maling nam. 'Heel goed, dank u,' antwoordde hij toen hij besloot dat de vraag oprecht was. 'Ze is zo meegaand als ik me maar kan wensen, al leest ze te veel boeken naar mijn smaak.'

'Is dat zo? Daar moet je een einde aan maken. Een vrouw moet zich niet te veel ontwikkelen; voor je het weet krijgt ze meningen, snap je.'

Demetrios knikte. 'Phila heeft er al een paar gegeven, vooral over literatuur; ik kan niet zeggen dat ik er veel van begreep, maar ze lijkt wel belangstellend te luisteren als ik over Alexanders campagnes en oorlog in het algemeen praat.'

'Nou, dan maar hopen dat je haar in het voorjaar een hoop te vertellen hebt als we die kleine Griek eenmaal hebben gevonden.'

'Eumenes' leger is iets meer dan zes mijl hiervandaan, aan de andere kant van die heuvels in het zuidoosten,' rapporteerde de verkenner aan Antigonos toen die vier maanden later aan het begin van het campagneseizoen zijn mannen naar het noorden leidde.

'We mogen hem niet verder laten gaan,' zei Antigonos na even nagedacht te hebben. 'Zeg de verkenners dat ze zich moeten terugtrekken; ik wil niet dat Eumenes weet dat we hem hebben gevonden, want dan zal hij om ons heen proberen te trekken.' Hij keek naar een ruwe kaart van Anatolië, zo simpel dat hij nauwelijks van nut was, maar iets beters had hij niet; Philotas, Leonidas en Demetrios stonden om hem heen. 'Hij wil terug naar Frygië om daar weer een seizoen lang te plunderen.' Hij wendde zich tot Leonidas. 'Wat is de dichtstbijzijnde stad?'

'Orcynia, zo'n dertig mijl naar het noordwesten.'

'Daar zal hij naar op weg zijn; we houden hem daar tegen voor hij schade kan aanrichten. We gaan in geforceerde marsen zodat we er eerder zijn; Demetrios, jij leidt de cavalerie rond zijn zuidelijke flank en zorgt dat je achter hem komt, zodat hij afgesneden wordt van zijn basis in Cappadocië. Philotas en ik zullen de rest van het leger zo snel we kunnen naar Orcynia brengen en voor de poorten van de stad slag leveren. Eumenes zal ongetwijfeld met zijn Cappadociërs eerst proberen met jou en je cavalerie af te rekenen, terwijl de rest van zijn leger zich in slagorde opstelt om ons aan te pakken. Hij zal nog voor een lelijke verrassing komen te staan.' Hij keek naar Leonidas. 'Kun je een boodschap bij onze man krijgen om hem het tijdschema van het plan te vertellen?'

Leonidas glimlachte. 'Ik sluip hun kamp vannacht binnen, maak u geen zorgen, hij is er klaar voor.'

Antigonos wreef in zijn handen en grinnikte zachtjes. Het liep precies zoals hij had gehoopt. Tijdens de wintermaanden had hij gespannen Leonidas' vorderingen gevolgd; de prijs was hoog, maar als alles zo zou verlopen als gepland was het het geld waard. Zodra Leonidas het succes van zijn missie had gemeld en het smelten van de sneeuw in het binnenland was begonnen, zodat de passen in het Taurusgebergte begaanbaar werden, en nadat Demetrios zich van Phila's bed had kunnen losrukken, had Antigonos zijn leger vanuit Tarsos weer naar het noorden gebracht met als doel de confrontatie met Eumenes aan te gaan zodra die uit zijn winterkwartier in Cappadocië was gekomen. Het was allemaal verlopen zoals hij het bedacht had en na twee dagen wachten vlak bij de grens hoefde hij zijn leger alleen nog maar voor Orcynia op te stellen in afwachting van de komst van de vijand. *Als Demetrios een vlucht onmogelijk maakt zal Eumenes wel moeten vechten. Goden, dat gaat mooi worden; niets mooiers dan het seizoen beginnen met een goede slag in plaats van maanden lang om elkaar heen draaien. Niettemin hoop ik dat het gevecht niet al te bloedig wordt, want er moeten zo veel mogelijk van zijn Macedoniërs bij mij komen; en bovendien mag ik die sluwe kleine Griek wel. Hij heeft me nooit beledigd en ik geloof niet dat hij iets tegen me heeft. Hij zou een erg nuttige bondgenoot kunnen zijn.*

Twee dagen nadat zijn verkenners Eumenes' leger hadden gevonden zag Antigonos het in het oosten door de zachte regen naderen. Hij had enkele uitputtende dagen achter de rug, waarin hij zijn manschappen in geforceerde marsen naar Orcynia had geleid. Orcynia was een streng ogende stad met lage, oeroude gebouwen van grijs steen, die niets te bieden had afgezien van de mogelijkheid er een gunstig slagveld uit te kiezen. Dat had hij gedaan door zijn leger boven aan een flauwe helling op te stellen in afwachting van Eumenes. En daar was dan diens leger, dat volgens zijn verkenners en spionnen in het vijandelijke kamp zo'n twintigduizend man infanterie en bijna vijfduizend ruiters telde. *In aantallen zijn we aan elkaar gewaagd – dat wil zeggen op dit moment.*

Terwijl hij toekeek maakte een groepje ruiters zich los van de oprukkende hoofdmacht en zette hun paarden tot galop aan; de voorste man had een olijftak aan zijn lans gebonden ten teken van wapenstilstand. *Hij wil dus onderhandelen, ik vraag me af wat hij biedt.*

'Mijn meester Eumenes groet u, heer,' zei de boodschapper toen hij voor Antigonos stond, die in een stoel zat onder een luifel die tegen de regen was opgezet.

'En ik groet hem.'

'Ik zal uw groet overbrengen, heer. Mijn meester Eumenes wenst u en uw familie een gezond en lang leven.'

'Is dat zo? Wil dat zeggen dat hij zich zonder gevecht aan me overgeeft?'

'Zeker niet, heer, hij hoopt alleen dat u en uw familie de slag zullen overleven en dat hij het erg jammer vindt dat die zal plaatsvinden; hij ziet een gevecht als onafwendbaar, tenzij u zich ertoe kunt zetten om u over te geven.'

'Hij had altijd al gevoel voor humor, Eumenes,' zei Antigonos met oprechte genegenheid. 'Ga naar hem terug en zeg hem dat ik meer dan bereid ben om zijn leger onder mijn bevel te nemen, een legervergadering bijeen te roepen om zijn doodvonnis te herroepen en hem mijn onderbevelhebber in Azië te maken, waarbij hij officieel weer satraap van Cappadocië wordt.' Antigonos wuifde de boodschapper weg. 'Kom terug zodra je zijn antwoord hebt.'

'Denk je dat hij instemt?' vroeg Philotas toen de boodschapper op weg was naar Eumenes' kamp anderhalve mijl verderop.

'Natuurlijk niet: het zou gezichtsverlies betekenen. Nee, hij moet vechten, maar ik heb een list bedacht waardoor zijn leger snel bereid zal zijn zich over te geven nadat er enkele tientallen slachtoffers zijn gevallen; en jij, beste vriend, speelt een rol in mijn list.'

En terwijl Antigonos Philotas vertelde wat hij moest doen hield het op met regenen en brak de zon door, waardoor de koude, grijze muren van Orcynia opwarmden in het licht van de late middag en de stad er minder afwerend uitzag. Overal in het kamp vlamden kookvuren op en de geuren van rook en gegrild schapenvlees vulden de lucht, terwijl de stemmen van de mannen harder klonken nu hun avondrantsoen wijn hun kelen smeerde.

Antigonos zat in zijn tent en leegde net zijn tweede beker wijn toen de boodschapper werd aangekondigd. Philotas verliet de tent aan de achterkant, zodat Antigonos de boodschapper alleen ontving.

De man salueerde en hield zijn lans met olijftak in de andere hand. 'Het spijt mijn meester zeer dat hij niet kan ingaan op uw grootmoedige aanbod – waar hij u voor dankt – om redenen waarvan hij zeker is dat u ze begrijpt.'

Antigonos zei niets, hij knikte enkel.

'Hij vraagt u het volgende te overwegen,' ging de boodschapper verder toen hij besefte dat Antigonos alleen van plan was te luisteren. 'Er kan veel bloedvergieten voorkomen worden als u het aanvaardbaar vindt om de krachten met hem te bundelen als gelijkwaardige partners, met een gedeeld bevelhebberschap, om in ieder geval te voorkomen dat het rijk in Azië uit elkaar valt. Hij zou...'

'Antigonos,' zei Philotas, die opgewonden de tent binnenkwam. 'Ze zijn er bijna, ze zijn net gezien. Ze zullen voor de maan opkomt bij ons zijn.'

Antigonos stond op en dronk zijn beker leeg. 'Prachtig, mijn vriend, zijn het er zoveel als we verwacht hadden?'

'Meer zelfs, maar alleen infanterie.'

'Meer? Des te beter.' Hij keek weer naar de boodschapper. 'Je zei?'

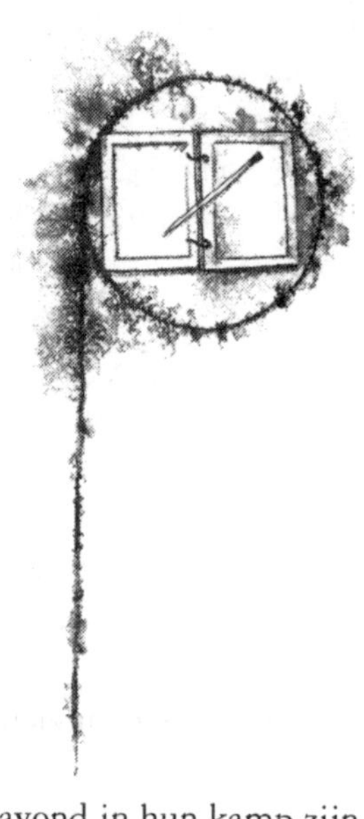

EUMENES, DE SLUWE

'Ik geloof het niet,' stelde Eumenes. 'Ik verzeker u, heer, dat is wat hij zei, de versterkingen waren in zicht en het waren er meer dan ze hadden verwacht – allemaal infanterie. Ze zullen vanavond in hun kamp zijn.'

Eumenes wuifde geïrriteerd met zijn hand. 'Nee, nee, ik geloof je wel, ik geloof dat ze dat gezegd hebben; ik geloof alleen niet dat het de waarheid is. Een van zijn officieren, waarschijnlijk Philotas, te oordelen naar je beschrijving, komt binnen net als een boodschapper van de vijand aanwezig is en geeft zomaar gevoelige informatie? Nee, ik geloof er niets van; het is een list bedoeld om mij te laten denken dat ik tegenover een overmacht sta en dat ik me maar beter kan overgeven zonder gevecht. Ik trap er niet in.' Hij wendde zich tot zijn disgenoten Hieronymus, Xennias, Parmida en Apollonides, die allemaal met hem rond het kampvuur zaten. 'Wat denken jullie?'

'Ik ben het met u eens,' zei Xennias vol overtuiging. 'Het is te mooi om waar te zijn, niemand laat dergelijke informatie los in aanwezigheid van een boodschapper van de vijand.'

'Niemand, op een domoor na,' waarschuwde Parmida, 'maar we weten dat Antigonos geen domoor is, dus als het echt was, had hij de officier een reprimande gegeven en hem niet verder ondervraagd.'

'Tenzij hij wil dat we weten dat hij echt versterkingen heeft gekregen om zo een slag te voorkomen,' meende Apollonides. 'Tenslotte zei u zelf dat u niet goed begrijpt waarom u en Antigonos nog vechten nu Antipatros met de koningen terug naar Europa is.'

'Dat is waar.'

'Of het nu waar is of niet,' zei Hieronymus, 'het veroorzaakt verwarring en twijfel en ik vermoed dat dat nu juist de bedoeling was, ik zou zeggen dat Antigonos met die bedoeling misleidende informatie verspreidt.'

Eumenes staarde een tijdje in het vuur, gefascineerd door de patronen in de gloeiende houtblokken. 'Uiteindelijk,' zei hij, 'doet het er niet toe of het waar is of niet; ik moet morgen toch tegenover hem staan en met mijn sterkere cavalerie hoef ik me niet al te veel zorgen te maken over zijn aantallen infanteristen. Nee, heren, we kunnen het nu geloven of niet, maar morgen zullen we de waarheid ontdekken.'

'De breedte van de falanx is zeker tweeduizend pas,' observeerde Xennias terwijl ze te paard zaten en keken naar Antigonos' leger dat zich de volgende ochtend vlak na zonsopgang formeerde.

'Onmogelijk,' zei Eumenes, die weigerde te geloven wat zijn ogen zagen, vijftienhonderd pas verderop boven aan de glooiende helling. 'Dat zou betekenen dat hij rond de tweeëndertigduizend man heeft.'

'Dan moet het toch kloppen van die versterkingen.'

Eumenes keek ongelovig naar de falanx, terwijl Antigonos' peltasten en cavalerie zich opstelden om de flanken van de enorme formatie te beschermen; lichte troepen kwamen achter de linies tevoorschijn en waaierden naar links en naar rechts uit, klaar om toe te slaan als de twee legers op elkaar af zouden komen. 'Ik kan het nog steeds niet geloven.' Hij keek over zijn schouder naar zijn eigen falanx, iets minder dan de helft in breedte van die waar ze tegenover stonden: de gezichten van de mannen het dichtst bij hem stonden duidelijk bezorgd. *Ze zullen niet standhouden tegenover die overmacht, vooral niet nu ze weten dat Antigonos vorig jaar de deserteurs in zijn leger niet heeft laten executeren.* Hij keek naar zijn flanken, bestaande uit Thraciërs, Paflagoniërs, Bithyniërs en andere huurlingeninfanterie, bijna vijfduizend man aan beide zijden, en vervolgens naar Xennias' en Apollonides' Macedonische wapenbroeders op links en zijn eigen Cappadocische cavalerie op rechts, beide gesteund door allerlei lichte cavalerie. *De cavalerie en de huurlingen moeten de slag voor me winnen; ik kan niet op het centrum vertrouwen, ik zal de falanx terugtrekken en de cavalerie en de huurlingen rond de flanken van dit monster sturen. Als ik zijn legertros kan pakken, zoals ik bij Neoptolemus deed, dan is er een goede kans...* Maar Eumenes' gedachtegang werd onderbroken door beweging in zijn linkerflank: zijn wapenbroeders, de Macedonische elitecavalerie, begon richting vijand te rijden. 'Waarom vallen ze aan, Xennias? Wie heeft het bevel gegeven?'

Xennias keek verbijsterd hoe Apollonides zijn en Xennias' mannen naar voren leidde, bijna vierduizend in getal, de heuvel op; ze gingen in een snelle draf over en bereikten het punt halverwege de legers.

Toen Antigonos' mannen een machtig gebrul lieten horen, beantwoord door de cavaleristen die met hun lans in de lucht zwaaiden, drong de gruwelijke waarheid tot Eumenes door. 'Ze deserteren, de klootzakken. Xennias, wat weet jij hiervan?'

Xennias schudde zijn hoofd, zijn ogen verraadden zijn verbijstering. 'Niets, heer, ik heb geen enkele aanwijzing van mijn jongens gekregen en ik praat maar zelden met Apollonides' mannen.'

Apollonides en zijn deserteurs bereikten de linie van Antigonos en keerden hun paarden; hoorns klonken op en het grote leger zette zich in beweging, de helling af.

Zonder cavalerie ben ik verloren. 'Blaas de aftocht!' schreeuwde Eumenes tegen zijn hoornblazer achter hem, die net zo bang keek als de meeste van zijn mannen.

Het signaal was lang en helder en werd door het hele leger herhaald en met veel opluchting ontvangen; ze gingen naar achteren, pas voor pas in het aanzicht van de legermacht die met stevige pas de helling af kwam. Eumenes bewoog zich niet, hij was gebiologeerd: er was iets mis. En toen, nu de vijandige falanx langs de helling daalde en in zijn totaliteit zichtbaar werd en hij over de rangen heen kon kijken, zag hij het. 'De falanx is maar acht rijen diep!' schreeuwde hij naar Xennias en Parmida. 'De klootzak heeft ons beetgenomen: zijn falanx is maar half zo diep als normaal zodat hij twee keer zo groot lijkt. We kunnen dit nog winnen.' Hij wendde zich tot zijn hoornblazer. 'Blaas halt!'

Het signaal klonk op en werd langs de linie herhaald, maar het was al te laat: er heerste verwarring, want veel eenheden geloofden het bevel niet – of wilden het niet geloven – en bleven zich terugtrekken, terwijl andere eenheden stopten en zich naar de vijand keerden, waardoor het leger uit elkaar viel.

En Antigonos liet zijn cavalerie aanvallen.

Ze denderden omlaag, furiën uit de muil van Hades, ze schreeuwden hun triomf bij de aanblik van een wanordelijk en verward leger; de drieduizend die oorspronkelijk bij Antigonos waren plus de vierduizend deserteurs die de blik op de flanken van Eumenes' leger hadden gericht met het enthousiasme van moordenaars die een weerloze prooi zien.

Eumenes had aan één blik genoeg om te beseffen dat alles verloren was. *Ik moet redden wat er nog te redden valt.* 'Parmida, Xennias, kom mee, we moeten tenminste de Cappadociërs weghalen!' Hij wendde zijn paard en galoppeerde naar zijn elitecavalerie, die zwijgend stond te wachten ondanks de golf van dood die van de heuvel op hen afkwam. Voor de huurlingen was de aanblik van de aanstormende horde te veel, ze draaiden zich om en sloegen op de vlucht. Terwijl Eumenes er met de Cappadociërs vandoor ging, stortte Antigonos' cavalerie zich op de vluchtende infanterie en er volgde een slachtpartij, terwijl de falanx in het midden ging zitten ten teken van overgave.

Verraden en bedrogen, en dat allemaal op één ochtend, mijmerde Eumenes terwijl hij zijn favoriete cavalerie wegleidde van de slachtpartij. *Ik ben het even helemaal kwijt, en ik dacht nog wel een intelligent man met een behoorlijke intuïtie te zijn. Ik heb zin om die Apollonides een gruwelijk langzame dood te laten sterven. Maar alles op zijn tijd, eerst moet ik deze puinhoop achter me laten.*

Toen de zon zijn hoogste punt bereikte oordeelde Eumenes het veilig genoeg om na de overhaaste vlucht een rust in te lassen; vanaf een heuveltop niet ver van de Cappadocische grens overdacht hij de situatie.

'De meeste bereden boogschutters,' rapporteerde Xennias na een telling, 'ongeveer de helft van de Paflagonische lichte cavalerie en nog zoiets aan Thraciërs zijn ons gevolgd, plus nog een en ander aan gehuurde cavaleristen; alles bij elkaar tweeduizend man naast de zeshonderd Cappadociërs.'

'Zesentwintighonderd man van twintigduizend,' zei Eumenes. Hoewel de aantallen hem niet verbaasden werkte het horen van het getal ontnuchterend. 'De falanx heeft zich in zijn geheel overgegeven, dus moeten er zo'n achtduizend doden zijn; zodra hij de falanx had zal Antigonos alle huurlingen hebben laten afslachten zodat hij ze niet hoeft te betalen en ze niet voor iemand anders kunnen gaan vechten. Ik weet hoe de Macedonische militaire geest werkt en het is bepaald niet iets fraais; het huidige gezelschap uiteraard uitgezonderd, Xennias.'

'Uiteraard, heer.'

Eumenes keek naar de wanordelijke groepjes cavaleristen die hun met schuimend zweet bedekte paarden afveegden of vuurtjes probeerden aan te steken met vochtig hout om een maaltijd te bereiden. 'En hij heeft natuurlijk de legertros te pakken?'

'Ik ben bang van wel, heer. Hij heeft zelfs Hieronymus in handen. Hij heeft alles wat we bezaten.'

'Tja, dat zal hem de trouw van de falanx opleveren.' Eumenes onderbrak zichzelf. 'Nee, ik moet niet bitter zijn, hoe graag ik mezelf ook zou willen beklagen. Wie kan het ze kwalijk nemen?' Hij keek naar Xennias en vervolgens naar Parmida. 'Goed, heren, we hebben een plan nodig. Antigonos zal na zijn overwinning ongetwijfeld de achtervolging inzetten en ons naar Cappadocië opjagen in een poging mij gevangen te nemen, waarmee de oorlog in het noorden ten einde is. Laten we hem maar helpen bij zijn voornemen. Xennias, jij leidt de rest van de mannen terug naar Cappadocië, we ontmoeten elkaar weer in het fort van Nora.'

'Nora, tot uw orders, heer.'

'Zodra je er bent verzamel je brandhout en alles wat eetbaar is uit de omgeving; het fort is weer bevoorraad nadat we er zijn vertrokken, maar wie weet hoe lang we er zullen moeten blijven als Antigonos besluit dat een belegering de moeite waard is.'

'Ik zal zorgen dat alles klaar is als u terugkomt van waar u naartoe gaat; waar is dat eigenlijk?'

'Ik neem Parmida en zijn Cappadociërs, samen met de bereden boogschutters, en trek rond Antigonos heen. Hij zal mijn huurlingen hebben gedood en achtergelaten in zijn haast om me op te jagen; als ik niet voor een fatsoenlijke begrafenis zorg zodat ze in goede orde de Styx kunnen oversteken, zal ik nooit meer een soldaat kunnen huren. En daarna,' hij zweeg even om een vals glimlachje te tonen, 'ga ik Apollonides doden zodat ik me weer iets beter voel.'

Zijn opwinding over naderende wraak onderdrukkend liep Eumenes de volgende nacht gekleed in een mantel met kap door Antigonos' kamp. Eerder die dag was het zoals hij verwacht had: de vlakte voor Orcynia lag bezaaid met lijken, een feestmaal voor aaseters en vliegen. Hij stuurde zijn mannen zonder omhaal de stad in met de opdracht de inwoners bijeen te drijven, waarbij hij een tiental dat luidruchtig protesteerde liet executeren. Ze kregen bevel zestien grote brandstapels op te werpen met steeds vijfhonderd lijken erop, elk met een munt onder de tong voor de veerman; het geld was onder dwang van de burgers afgepakt omdat de doden beroofd waren en het dus hoogstwaarschijnlijk om het geld van de huurlingen zelf ging. De rooklucht van de vuren zat nog in zijn kleren toen Eumenes steeds dieper Antigonos' kamp binnendrong. Om hem heen zat het zegevierende leger rond talloze hoog oplaaiende kampvuren, ze dronken op hun eigen gezondheid en op het geluk dat ze de volledige legertros van de verslagen vijand buit hadden gemaakt. Ze snoefden en zongen luidruchtig en vermaakten zich met de verse lading kampvolgsters die in hun handen was gevallen; de vrouwen kon het niet schelen wie ze over zich heen kregen, zolang ze betaald, gevoed en beschermd werden – en niet al te vaak een pak slaag kregen.

Door deze chaos liep Eumenes ongemerkt verder, een kleine gestalte te midden van duizenden. Hij stapte zorgvuldig over dronken lichamen en parende stelletjes of groepen heen, hij wuifde vrolijk naar wijnzakken die hem werden aangeboden en sloeg ze met een schorre, verdraaide stem af. Hij naderde het hart van het kamp, waar zijn doelwit zijn tijdelijke onderkomen moest hebben. Hij streelde het wapen in de schede onder zijn mantel. Het was een lang en slank tweesnijdend mes, dat zonder mankeren tussen ribben zou verdwijnen: het wapen van een sluipmoordenaar, een wapen dat Eumenes veel plezier gaf.

Voor zich zag hij het enorme paviljoen dat het centrum van het kamp domineerde: Antigonos' hoofdkwartier, de plek waar al zijn officieren aan het feestvieren waren, waar ze hun bevelhebber feliciteerden met zijn overweldigende overwinning door verraad en een sluwe list. *Laat ze maar feesten; ze verdienen het, allemaal op één na.* In een hoekje diep in de schaduw tussen twee tenten hurkte Eumenes neer en hield de ingang van het paviljoen in de gaten, die bewaakt werd door twee uit de kluiten gewassen soldaten, silhouetten tegen het licht dat uit de tent stroomde.

Het zou een lange wacht worden, daar was Eumenes van overtuigd, maar het was beter om vroeg te zijn teneinde het risico te vermijden dat hij Apollonides miste en de volgende avond moest terugkomen. Nee, de volgende avond wilde Eumenes veilig in Nora zijn; want in die onneembare vesting was hij van plan de gebeurtenissen uit te zitten. Misschien kreeg hij dan hulp van zijn potentiële maar onwillige bondgenoten Alketas en Attalus – al leek dat onwaarschijnlijk. Nee, hij wachtte niet op hulp, maar op de dood: een specifieke dood, die van Antipatros. Eumenes had de wil om te leven zien wegtrekken uit het gezicht van de oude regent toen hij rouwde om de dood van zijn zoon Iollas. Hij was er zeker van dat het niet lang zou duren, en als het eenmaal zover was... tja, wie weet wat er dan zou gebeuren, hoe de verhoudingen zouden verschuiven. Vanuit zijn bolwerk in Nora kon Eumenes toekijken hoe het tij keerde en zich misschien helemaal terugtrok, zodat hij weer vaste grond onder de voeten kreeg.

Maar dat was de toekomst en hier, in het heden, was Eumenes opeens alert en vergat hij al zijn plannen, want het doelwit kwam in zicht, lachend met een officier, iemand die hij vaag meende te herkennen. De twee liepen het paviljoen uit, sloegen rechts af en liepen door de met toortsen verlichte hoofdstraat van het kamp – als je kon spreken van een hoofdstraat in deze willekeurige en wanordelijke verzameling tenten. Ze maakten grappen alsof ze oude vrienden waren. Eumenes trok zijn kap dieper over zijn gezicht en volgde hen; hij probeerde zo veel mogelijk in de schaduwen te blijven zonder al te opvallend het licht te mijden.

Na een tijdje stopten ze. 'Ik wens je een goede nacht, mijn vriend,' zei de hem vaag bekend voorkomende officier, terwijl ze elkaars onderarmen beetpakten. 'Je zult ontdekken dat Antigonos een bijzonder gul man is, kijk om te beginnen maar eens wat er in je tent op je wacht.'

'Daar twijfel ik niet aan, Leonidas,' zei Apollonides, 'heel wat guller dan die sluwe kleine Griek.'

Daar vergis je je in, verraderlijk stuk stront; ik heb een bijzonder geschenk voor je, een dat je voor altijd meeneemt.

De mannen gingen uiteen, Leonidas liep verder en Apollonides betrad een ronde leren tent met een paal in het midden, het soort dat aan officieren was voorbehouden. Met een glimlach om de lippen liep Eumenes naar de tent ernaast en sloop eromheen en hurkte in de schaduw achter Apollonides' tent. Hij hoefde niet lang te wachten, want al snel doofde het licht dat onder de rand scheen en klonk het lage gekreun van een vrouw die genot ervoer. Het ritme versnelde en eindigde in een luidere uitbarsting van extase, begeleid door een laag, mannelijk gegrom. Al snel volgde het geluid van diepe ademhaling.

Na zo lang in de schaduw te hebben gewacht als hij kon verdragen tilde Eumenes het leer iets op om naar binnen te gluren. In de tent brandde een olielampje dat net genoeg licht gaf om de omtrek van een bed zichtbaar te maken: te oordelen naar de vorm was de vrouw er nog steeds. *Dat maakt de zaak wat gecompliceerder; jammer voor haar, maar het is niet anders.* Hij trok zijn mes, kroop naar de plek waar het bed het dichtst bij de tentwand moest zijn, tilde het leer op en rolde eronderdoor. Hij was binnen; roerloos hield hij zijn adem in en luisterde naar de geluiden van slaap. Toen hij eenmaal zeker wist dat geen van beiden zijn komst had opgemerkt stond hij op en sloop zo geruisloos mogelijk naar het hoofdeinde van het bed.

Het ging snel, zo snel dat haar lichaam zich nauwelijks aanspande: een hand over haar mond terwijl het mes in haar oog verdween en haar hersenen doorboorde; met enkele draaiingen van de pols maakte hij pulp van het orgaan. Zodra hij klaar was knielde hij aan Apollonides' kant. Hij drukte zijn hand op diens mond en prikte met de scherpe punt van zijn mes in de hals. Apollonides' ogen vlogen open.

'Goedenavond, Apollonides,' fluisterde Eumenes, de spieren in zijn armen strak gespannen om zijn hand stevig op de mond van de zich verzettende Apollonides te drukken. 'Blijf stil, we willen toch niet dat het mes uitglijdt; kijk wat het met je mooie vriendinnetje heeft gedaan.' Hij duwde Apollonides' gezicht opzij zodat hij de vrouw kon zien, die op haar rug lag terwijl er langzaam bloed uit de verwoeste oogkas stroomde. 'Nu ben ik in de verleiding om je te vragen waarom je me verraden hebt, maar ik geloof dat het beter is om mijn nieuwsgierigheid te bedwingen, want als ik mijn hand weghaal zal het enige antwoord dat je me waarschijnlijk gaat geven een harde schreeuw om hulp zijn.' Eumenes zag met veel plezier dat Apollonides' ogen hem wijd open in paniek aanstaarden. 'Dus in plaats daarvan zal ik je mijn theorie vertellen en je kunt antwoorden met je ogen als je wilt: ik denk dat je een hoop geld is aangeboden, waarschijnlijk door die man die daarnet afscheid van je nam. Ik vond hem er al bekend uitzien en dat zou weleens uit Nora deze winter kunnen zijn. Maar het doet er eigenlijk niet zoveel toe wie de tussenpersoon was, want het resultaat is bekend: je hebt het geaccepteerd, want ondanks je verzekering vorig jaar dat je me trouw bleef omdat ik jouw generaal was en dat het je niets kon schelen dat ik geen Macedoniër was, vond je dat je trouw aan een Griek tegen geld kon inruilen terwijl trouw aan een Macedoniër om persoonlijke eer gaat. Klopt dat?'

Apollonides' ogen lieten instemming noch ontkenning zien; hij lag stil, zijn lichaam stijf.

Eumenes haalde de schouders op en stootte het mes onder de kaak naar binnen. 'Uiteindelijk interesseert het me niet.' Hij keek naar het van pijn vertrokken gezicht, terwijl de rug hol trok en de benen trilden. 'Maar in ieder geval heb je mij nog gezien voordat je de veerman ontmoet.' Hij draaide het lemmet en verwoestte de hersenen. 'Al is het niet voor lang, dat is zeker, wat jammer is voor jou maar plezierig voor mij, want ik voel me ziek als ik jou zie, ook al ben je dood.'

Hij trok het mes uit Apollonides' hoofd en veegde het aan de deken af. Vervolgens stond hij op, pakte een rol uit een buidel die aan zijn riem hing en legde hem op de borst van de dode man.

'Ik zie je in Nora met een man minder,' schreeuwde Antigonos naar de vestingmuren, zwaaiend met de rol. 'Heel grappig.'

'Dat vond ik ook,' antwoordde Eumenes, die naar het kleine gezelschap keek dat beneden op de kale rotsen met een olijftak stond.

'Al zou ik als ik jou was niet vertrouwen op een man die voor geld te koop is, dus beschouw zijn dood als een gunst die ik je bewezen heb.'

'Nou, dank je, Eumenes. Je stond altijd al bekend om je onbaatzuchtigheid. Maar het was niet gewoon geld waarmee ik Apollonides kocht, het was een heleboel geld.'

'Het is en blijft geld. Maar dat ligt nu allemaal in het verleden; ik heb wraak genomen, zoals je gezien hebt, en ik heb er buitengewoon van genoten. Jammer van het meisje, maar afgaand op de geluiden die ze maakte stierf ze na goed geneukt te zijn.'

Antigonos grijnsde. 'Ze was een van mijn favorieten.' Hij wuifde de herinnering aan haar weg. 'Goed, Eumenes, kom je nog naar buiten zodat we van man tot man kunnen praten?'

'Hoe garandeer je mijn veiligheid?'

Antigonos wenkte een man van middelbare leeftijd naderbij. 'Dit is Polemaeus, mijn neef. Je kent hem. Hij blijft in het fort zolang je bij mij bent; dat lijkt me eerlijk.'

'Het leven van je neef betekent niets voor de ballingenjager; niet dat ik hem gezien heb sinds hij me in Sardis probeerde te vermoorden.'

'Dat is omdat hij verdwenen is, niemand heeft hem of zijn vossenneukers meer gezien.'

Eumenes dacht even na. 'Goed, Antigonos, ik kom en we praten.'

'Maar er is één voorwaarde: dat je niet...'

'Steeds je zinnen afmaakt. Afgesproken.'

Ze omhelsden elkaar met verbazingwekkende hartelijkheid; Eumenes was oprecht blij om na twaalf jaar zijn oude vriend weer te zien, ondanks het feit dat hij Perdikkas' bevel om hem te helpen Cappadocië te veroveren had genegeerd, om nog maar te zwijgen van de nederlaag onlangs in de slag.

'Goed, beste vriend,' zei Antigonos nadat ze het zich gemakkelijk hadden gemaakt onder een luifel met wijn en gevulde wijnbladeren. 'Ben je echt van plan daar voor altijd binnen te blijven?'

'Ooit zal ik naar buiten moeten komen, maar dat duurt nog wel even.' Eumenes keek om zich heen naar de menigte, die zich verzameld had toen Antigonos' mannen het nieuwtje hoorden dat de sluwe kleine Griek, de moordenaar van Krateros, met hun generaal praatte.

'Ik schijn een attractie te zijn; hebben ze nog nooit eerder een Griek van minder dan gemiddelde lengte gezien?'

'Heel wat, maar nooit een die nog beide benen bezat.'

Eumenes hief zijn beker en dronk op de humor.

'Dus als je niet naar buiten komt...'

'Om onderworpen te worden aan het bevel tot executie van de legervergadering.'

'En als ik dat kan opheffen?'

'Dan kunnen we verder praten; je weet waar je me kunt vinden. Ik heb voorraden voor meer dan een jaar en tegen die tijd kan de wereld heel anders zijn. Ik heb de meeste mannen van mijn leger weggestuurd met een ruimhartige dank voor de trouw die ze me hebben betoond – ik zou je erkentelijk zijn als je ze in dienst neemt als je ze tegenkomt in plaats van ze te vermoorden.'

'Dat hangt ervan af of ze me van nut zijn.'

'O, het zijn allemaal goeie jongens, net als de achtduizend die je bij Orcynia hebt afgeslacht zouden zijn geweest als je de moeite had genomen met ze te praten.'

'Het was slim van je om ze een begrafenis te geven, dat heeft je het respect van veel van mijn mannen opgeleverd.'

'Het ging me niet om hun respect, maar ik ben ze niettemin dankbaar.' Hij hief de beker naar het groeiende publiek en werd beloond met een steen die rakelings langs zijn rechteroor suisde; er volgde een tweede, beter gemikt, die hem op de schouder trof.

'Moordenaar!' werd er geroepen. 'Jij hebt Krateros gedood!'

Er werden meer stenen geworpen en de menigte begon naar voren te dringen.

'Terug,' schreeuwde Antigonos, 'terug, stelletje idioten. Nog één stap en ieder van jullie die ik herken is dood!'

De meute stopte, maar de stenen bleven komen; Eumenes zag zich gedwongen zijn waardigheid te vergeten en een stoel als schild te gebruiken.

Antigonos ging voor hem staan, de armen gestrekt. Toen de eerste steen zijn rug raakte en hij zich omdraaide om de mannen met woedende blik aan te kijken, vloeide de vechtlust uit hen weg en schuifelden ze naar achteren.

'Ik besefte niet hoezeer de jongens je nog haten,' zei Antigonos toen hij Eumenes langs het steile pad omhoog naar Nora leidde, een beschermende arm om zijn schouders geslagen. 'Je kunt je maar beter in je fort terugtrekken, al was het maar voor je eigen veiligheid.'

Eumenes glimlachte wrang. 'Je had het eerder over het opheffen van het doodvonnis?'

Antigonos bromde. 'Je komt dus niet naar buiten en ik word gedwongen om deze rots te belegeren?'

'Niemand dwingt je.'

'Je weet heel goed wat ik bedoel. Hoe dan ook, ik laat Leonidas hier om het beleg te leiden; ik ga terug naar het westen om met je vrienden Alketas en Attalus af te rekenen.'

'Het zijn niet mijn vrienden, al geef ik toe dat ik dat wel had gewild.'

'Ja, je lijkt momenteel niet al te veel vrienden meer te hebben; ik heb zelfs Hieronymus in mijn kamp.'

'Houd hem voorlopig maar, hij zal het fijn vinden om de gebeurtenissen vanuit jouw standpunt te zien.'

'Zeker; ik heb hem alles verteld over je stiekeme maniertjes en ook nog heel wat over de anderen.'

Eumenes lachte terwijl de poort openging en Polemaeus naar buiten kwam. Hij pakte Antigonos' aangeboden onderarm. 'Haast je terug naar het westen, Antigonos, en maak je om mij geen zorgen als je achter Alketas en Attalus aan gaat. Ik zit hier goed, comfortabel en warm in dit fort. Kom terug als je afgerekend hebt met die arrogante domme klootzakken – misschien kun je me het plezier doen om ze een langzame en pijnlijke dood te geven, aangezien het deels door hen komt dat ik hier zit. Kom later in het jaar terug en je zult ontdekken dat als Antipatros eenmaal een babbeltje is gaan maken met de veerman we meer gemeen hebben dan nu.'

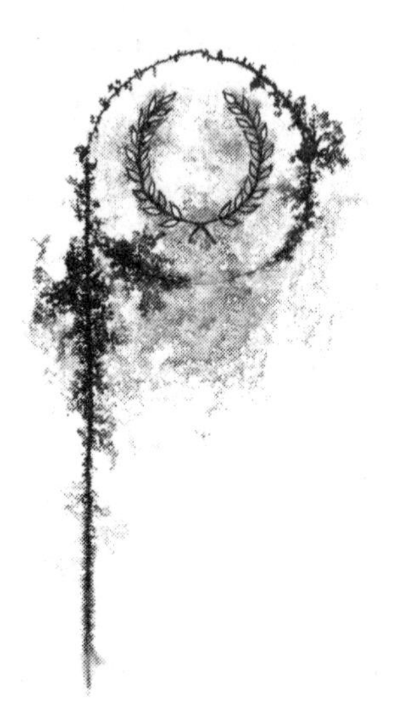

ANTIPATROS, DE REGENT

Het was een troosteloze plek, hoog op de kliffen. Het was troosteloos ondanks de warme zon en de zee die in de diepte glinsterde en zich blauw tot aan de horizon uitstrekte. Het was niet troosteloos vanwege iets in de natuur: het was troosteloos omdat Antipatros dat zo ervoer, want hier, naast de andere graven van zijn familie, had hij de tombe voor zijn zoon Iollas gebouwd. Hier kwam Antipatros de meeste dagen huilen, voor het sombere gebouw, zo hoog als twee man en met afbeeldingen van de jonge bewoner in een gevecht, op jacht, en zich ontspannend in het symposion met een beker in de ene hand en een poëtische tekst in de andere. Hier voelde hij de jaren zwaar op hem drukken; hier zouden binnenkort, zo wist hij, ook zijn beenderen rusten, want hij was moe van het leven en verlangde alleen nog maar naar vrede. *Vrede*, dat was het woord dat constant in zijn hoofd galmde. Vrede, hoe hevig verlangde hij er wel niet naar, want niets in deze wereld leek hem nog vreugde te schenken, zelfs in de armen van Hyperia, zijn vrouw, vond hij geen troost die het verdriet om Iollas' dood kon verminderen. Maar het was niet enkel verdriet dat hem plaagde, zeker niet; er was ook schuldgevoel. De schuld die hij voortdurend voelde als hij wakker was en ongetwijfeld ook in zijn onbewuste als hij sliep; schuldgevoel omdat hij de oorlog tegen Eumenes tot een persoonlijke zaak van eer had gemaakt, waardoor hij hem niet beëindigd had toen hij vanuit zakelijk oogpunt verder zinloos was. En terwijl hij om Iollas rouwde, wenste hij met heel zijn hart dat het Kassandros was geweest die was gestorven en niet diens jongere broer, want hij bleef maar voelen dat Iollas tien keer zoveel waard was als zijn oudste broer. En Kassandros' dood zou de weg openen voor Nicanor en dan... tja, dan zou de last die op hem drukte minder zijn.

Maar zo was het niet: Iollas was de Styx overgestoken en Kassandros bevond zich nog in het rijk der levenden en keek met nauwelijks verholen ongeduld naar Antipatros; want ook hij wist dat zijn vader binnenkort zou sterven en dacht alleen aan wat hij bij diens dood te winnen had. En zo besefte Antipatros dat hij de moeilijkste beslissing van zijn leven moest nemen. Zittend op een steen keek hij met van verdriet gevulde ogen naar de tombe en worstelde met het besef dat wat hij noodzakelijkerwijs moest doen onvermijdelijk tot burgeroorlog in Macedonië zelf zou leiden. Want hij wist heel goed dat Kassandros niet zijn schouders zou ophalen als hij overgeslagen werd en de man zou feliciteren die zijn rechtmatige erfenis – want zo zou Kassandros het zien – inpikte.

Kassandros zou niet begrijpen dat het regentschap geen erfelijke titel was; als oudste zoon zou hij het als zijn recht zien om alles te erven wat zijn vader bezat op het moment van zijn dood, het zou niet bij hem opkomen dat hij ongeschikt voor de positie was. Antipatros glimlachte bitter bij het besef dat als Kassandros zou beseffen hoe ongeschikt hij voor de taak was hij ironisch genoeg juist veel geschikter zou zijn geweest.

Met een zucht stond hij op, waarbij hij met zijn handen op zijn gezwollen knieën drukte om makkelijker overeind te komen. Hij liep naar de tombe en legde er een hand op. 'Ik had je nooit die heuvels in moeten sturen, Iollas; ik zal het mezelf nooit vergeven.' Er trok een nieuwe golf van verdriet door hem heen, direct gevolgd door schuldgevoelens toen in zijn hoofd onvermijdelijk weer de wens opdook dat Kassandros erbij was geweest en dat hij hem de heuvels in had gestuurd om de verkenners te leiden. Hij kuste het koude steen, draaide zich om en liep naar de plek waar een knecht met zijn paard wachtte.

'Je moet eten, schat,' zei Hyperia met haar liefste, zorgzaamste stem. 'Door alleen naar het lam te kijken krijg je niets binnen.'

Antipatros ontwaakte uit zijn mijmeringen. 'Het spijt me, Hyperia, wat zei je?'

Hyperia, die een ligbank met hem deelde, streelde zijn onderarm. 'Ik zei dat je iets moet eten.'

'Ik weet het, maar alles smaakt hetzelfde; ik kan niet meer genieten van maaltijden.'

'Kom, vader,' zei Kassandros vanaf de andere kant van de tafel, waar hij op een bank zat, terwijl Polyperchon naast hem lag. 'Eet, of het nu smaakt of niet, anders kwijnt u weg.'

En dat zou je maar al te graag willen. Antipatros pakte een koteletje en scheurde het vlees eraf, al was het maar om nog wat langer in leven te blijven en zo het onvermijdelijke uit te stellen. Onder het kauwen keek hij naar Polyperchon, kaal en in de zestig, met een nietszeggend rond gezicht, een kalme blik en milde manieren. Hij was onderbevelhebber in hart en nieren: betrouwbaar en met aandacht voor details, op het obsessieve af – Krateros zelf had hem als zijn tweede man gekozen, en dat was een compliment. Maar een goede volgeling is niet vanzelfsprekend een charismatisch leider, en Macedonië had een leider met charisma nodig om te voorkomen dat Kassandros eerst het regentschap en dan – mochten de goden het verhoeden – de troon zou stelen. De troon was van zijn jeugdvriend Philippus geweest, de tweede van die naam, en daarna van Alexander, diens zoon; de troon die hij, Antipatros, moest bewaren voor de erfgenamen uit de Argeadenfamilie; de troon die naar hij vermoedde Kassandros begeerde – hij had tenslotte de Grote Ring van Macedonië van Perdikkas' dode vinger gestolen. Er zou voor altijd schande over zijn huis komen als Kassandros zijn ambitie waarmaakte en de troon stal die hij, Antipatros, gebonden door zijn eer moest bewaken.

Nee, hij zou het regentschap aan Polyperchon doorgeven; waarschijnlijk betekende het een doodvonnis voor hem, maar wat was het alternatief? Als hij het aan Nicanor gaf, dan zou hij een van zijn zoons verdoemen tot broedermoord; alle andere mogelijkheden waren nog slechter en de koningen zelf konden niet regeren. Adea en Roxanna zouden alleen voor zichzelf regeren en proberen de ander uit de weg te ruimen, en bovendien zouden aristocratie en leger van Macedonië hen niet accepteren. Adea had nog een poging gedaan de macht te grijpen toen het leger terug naar Europa marcheerde; ze had uit naam van haar echtgenoot Philippus geprotesteerd over de omstandigheden van de manschappen. Opnieuw waren de mannen in opstand gekomen vanwege het uitblijven van soldij, maar dit keer was Antipatros gewoon weggelopen en in het geheim de Hellespont overgestoken. Hij zat alweer in Macedonië toen de soldaten beseften dat ze vastzaten en Adea geen antwoorden had op de problemen waarmee ze worstelden. Stilletjes marcheerden ze naar Europa en smeekten Antipatros om vergiffenis, waarna de jonge onruststookster met lege handen stond; nee, zij zou niet regeren. Net zomin als haar bittere rivale Roxanna, die geen kans maakte omdat ze een oosterse was.

Daarmee was alleen Olympias nog over, die enkel wraak en dood zou brengen. Antipatros legde zijn afgekloven botje neer en pakte de volgende kotelet, zijn hoofd spijtig schuddend. *Het moet Polyperchon worden. Ik zal Antigonos, Lysimachus en zelfs Ptolemaeus en Eumenes schrijven met het verzoek hem te steunen tegen Kassandros. Misschien kan Polyperchon het met hun hulp volhouden tot de jonge Alexander oud genoeg is. Maar wat dan? Hij zou in de macht van zijn moeder Roxanna zijn, en van zijn grootmoeder Olympias; wat zou er dan van Macedonië worden? Maar in ieder geval wordt mijn huis de schande bespaard dat te stelen wat ik beloofd heb te beschermen.*

'Ik heb gehoord dat Athene een boodschapper stuurt, vader,' zei Kassandros, zijn toon achteloos, terwijl hij een stukje lamsvet van zijn vinger knipte, waarbij hij een slaaf in de borst raakte.

'Dat heb je goed gehoord,' antwoordde Antipatros met weinig enthousiasme.

'Het gaat vast en zeker over ons garnizoen in Fort Munychia bij Piraeus?'

'Dat is het enige waar ze aan kunnen denken. Er is daar een factie, een factie met weinig realiteitszin, die denkt me over te kunnen halen om de troepen uit de stad weg te halen. Ze weten dat vele democratische ballingen dan naar Athene terugkomen en de oligarchie ten val zullen brengen, waarna die onverantwoordelijke waanzin van democratie weer begint.'

Polyperchon knikte, bedachtzaam kauwend. 'Door de democratie zijn ze in hun huidige positie beland: ze hebben mensen die niets dan hun naam bezitten het recht gegeven te stemmen, en omdat die niets te verliezen hebben leidde het tot een rampzalige buitenlandse politiek.'

Antipatros legde zijn half afgekloven koteletje neer, nam een groene olijf en bestudeerde die voordat hij eraan begon te knabbelen. 'Mijn oude vriend Phocion begrijpt dat, en daarom weigerde hij de delegatie te leiden; in een brief aan mij verontschuldigde hij zich voor de naïviteit van de anti-Macedonische factie, die meent dat ik het garnizoen wel zal weghalen als teken van respect voor hem en onze overleden vriend Aristoteles, waardoor de weg voor de terugkeer van democratie openligt.' Hij verraste iedereen aan tafel door te grinniken, het eerste teken van vrolijkheid sinds Iollas' dood. 'Phocion was een leerling van Plato en begrijpt dus heel goed hoe dwaas een dergelijk bizar systeem is.'

Kassandros stuurde het gesprek weer in de richting waar hij het wilde hebben. 'Dus als Phocion niet komt, wie leidt dan de delegatie?'

Hij kent het antwoord al, wat is hij van plan? 'Phocion schreef in zijn brief dat Demades zich had aangeboden en samen met zijn zoon Demeas komt. Demades denkt dat ik welwillend tegenover de delegatie zal staan omdat hij een trouw aanhanger van mij is en zich heeft ingezet om pro-Macedonische wetgeving door de raad te krijgen, bovendien heeft hij heel wat van zijn medeburgers die mij het leven zuur maakten vervolgd.'

'Zei u "trouw", vader?'

Antipatros keek zijn zoon fronsend aan. *Ah, daar gaat het om.* 'Wat weet je?'

Kassandros produceerde een vals glimlachje – het was een van de vele trekjes van zijn zoon waar Antipatros een hekel aan had. 'Vlak nadat Perdikkas was vermoord glipte ik zijn tent binnen.'

'En stal zijn ring, ik weet het.'

Kassandros keek verbaasd. 'Wie heeft je dat verteld?'

Antipatros keek naar het betreffende sieraad aan zijn wijsvinger. 'Zo'n beetje iedereen; maar ga verder.'

'Tja, ik had de tijd om wat rond te kijken en ik opende wat kisten en snuffelde in zijn brieven.'

Antipatros was niet van plan Kassandros te kritiseren voor zijn stiekeme gedrag. 'Ik kan het je niet kwalijk nemen.'

Hyperia stemde daarmee in. 'Tenslotte is kennis macht.'

'Inderdaad. En ik vond iets wat ons macht over Demades geeft.'

'Wat?'

'Een brief, of eigenlijk drie brieven; ze waren samen opgerold. De eerste was van Demades aan Perdikkas; de tweede een kopie van Perdikkas' antwoord en de derde Demades' reactie daarop.'

Antipatros spitste de oren. 'En?'

'En in de eerste beschrijft Demades u als "een stuk oud en rottend touw" waarmee de ooit zo glorieuze stad Athene uit rancune is vastgebonden. Hij stelt een bondgenootschap voor om u af te zetten als regent en de legers van de Griekse stadstaten en van Perdikkas samen te laten optrekken.'

'De verraderlijke klootzak, na al het geld dat ik hem heb gestuurd. Wat zei Perdikkas?'

'Die was natuurlijk geïnteresseerd gezien hoe jullie relatie toen was, maar hij schreef dat als ze dachten dat hij de garnizoenen zou terugtrekken ze er volkomen naast zaten.'

'Nou, dan heeft hij in ieder geval één ding goed gedaan,' zei Polyperchon, die zijn vingers aflikte.

'Ja. En in de derde brief schreef Demades dat als Perdikkas de Grieken vrij zou verklaren, waarmee het juk van Macedonië zou verdwijnen, hij zeer bereidwillige bondgenoten kreeg.'

Zowel Antipatros als Polyperchon verslikte zich in de monumentale omvang van de leugen.

'Die een mes in je rug planten zodra je je omdraait,' zei Antipatros toen hij zich hersteld had.

'Zelfs als je een Griek stevig bij zijn kloten pakt en hem vraagt wat zijn favoriete kleur is,' stelde Polyperchon, 'dan nog weet je niet of hij naar waarheid antwoordt.'

'Waarom heb je me niet eerder over deze brieven verteld?'

Kassandros haalde de schouders op. 'Omdat ze eerder niet van belang waren, we hadden de handen vol aan de problemen in Azië, terwijl het in Europa relatief rustig was. Maar nu we weer terug zijn doen we er goed aan iedereen duidelijk te maken wie hier de baas is. Wat wilt u dat ik doe, vader?'

'Ik zou graag willen dat je het weinige leven dat Demades nog rest zo onaangenaam mogelijk maakt, maar helaas is dat niet mogelijk.'

'Waarom niet?'

'Als we nog enige morele autoriteit bij de Grieken willen houden moeten we binnen de grenzen van de wet handelen; neem hem en zijn zoon daarom gevangen zodra ze aankomen en dan zullen we ze berechten zodat iedereen de onpartijdige rechtspraak van Macedonië kan zien. We vragen de Korinthiër Deinarchos om het proces te voeren, want hij is momenteel in de stad en heeft zich altijd een goede vriend betoond; we kunnen erop vertrouwen dat hij tot de juiste uitspraak komt.'

'En deze drie brieven,' declameerde Deinarchos, die de belastende stukken een voor een ophield. 'Deze drie brieven zijn alles wat nodig is om het verraad van Demades en zijn zoon Demeas zonder enige twijfel te bewijzen.' Deinarchos keek naar de vijftig juryleden die op banken op de agora zaten. 'Ze bewijzen dat ze Perdikkas hebben benaderd en hem een bondgenootschap hebben voorgesteld tegen Antipatros, de regent van Macedonië.' Met een dramatisch gebaar wees hij naar Antipatros. 'Duidelijk hoogverraad, daar Athene aan Macedonië onderworpen is en Antipatros toen regent van Macedonië was en nog altijd is.'

Antipatros voelde zich kortademig worden toen Deinarchos de brieven een voor een voorlas en ze vervolgens overhandigde aan Kassandros, de voorzitter van het hof, die ze doorgaf aan de juryleden om te bekijken. Hij wreef over zijn borst en keek naar Demades en Demeas, die zodra ze in Pella waren aangekomen waren opgepakt. Demades, een in rijke gewaden geklede, gezette ijdeltuit, ook al liep hij tegen de zestig en was hij kaal, had heel wat processen meegemaakt en zat er met een geamuseerde uitdrukking bij. Hij maakte af en toe een aantekening. Antipatros genoot van de symmetrie, want nu was Demades de aangeklaagde, terwijl hij vier jaar eerder zijn medeburgers Demosthenes en Hyperides de doodstraf had bezorgd, op Antipatros' verzoek en tegen een flinke beloning. Demades verdiende dit volkomen, omdat hij Antipatros' geld had aangenomen en zich vervolgens tegen hem had gekeerd.

Demeas, een elegante en geparfumeerde losbol die tegen de dertig liep, het product van een verhouding tussen zijn vader en een berucht meisje van twijfelachtige zeden, keek heel wat minder ontspannen dan Demades; er waren zweetplekken zichtbaar in zijn pastelblauwe tuniek van fijn linnen, versierd met borduurwerk langs de zomen en op de mouwen. Hij haalde voortdurend zijn hand door zijn geoliede krullen, die tot op zijn schouders vielen. *Je dacht op een glorierijke missie te komen, jochie, zonder rekening te houden met mij, en nu zit je daar en komt je laatste reis snel naderbij.* Antipatros vertrok zijn gezicht toen hij een scherpe pijn in zijn borst voelde; zijn ademhaling werd enkele momenten gejaagd en oppervlakkig, waarna ze kalmeerde.

'Je bent niets dan een Macedonische stroman,' overschreeuwde Demades Deinarchos, die een lange lijst opsomde van wandaden, sommige waar maar de meeste verzonnen, die Demades zou hebben begaan in zijn lange, van corruptie vergeven loopbaan, die begon als roeier in de Atheense vloot. 'Een stroman, hoor je me? Een stroman die een bliksemschicht geleend van Zeus gebruikt omdat je zelf geen wapen tegen me hebt. Waarom verspillen we ieders tijd met dit proces als je elke taveernehouder op de weg hiernaartoe had kunnen betalen om een mes tussen mijn ribben te steken?' Hij wendde zich tot Antipatros. 'En hoe zit het met de ballingenjager Archias, Antipatros?' Hij sloeg zijn hand theatraal tegen zijn voorhoofd. 'Maar natuurlijk, vergeten: Archias werd overgehaald naar Ptolemaeus in Tyros te komen om te vertellen hoe hij het gif regelde dat Kassandros mee naar Babylon nam; je weet wel, het gif waarmee Iollas Alexander vergiftigde.'

Er ontstond hevige opwinding onder de aanwezigen, Antipatros voelde weer de druk op zijn borst; zijn ademhaling werd snel en oppervlakkig. *Dus daar is hij naartoe verdwenen; Ptolemaeus wil van hem een bevestiging van de leugens in* De laatste dagen en het testament van Alexander.

'Er lijkt sprake van een jammerlijke fout, Antipatros,' ging Demades verder ondanks het tumult. 'Volgens mij moeten mijn zoon en ik niet hier terechtstaan, maar jij en je zoons, en wel voor de moord op Alexander.'

Het werd de juryleden te veel, ze stonden op en wezen naar de twee beklaagden. 'Schuldig! Schuldig!' scandeerden ze. Demeas wendde zich doodsbang naar zijn vader, maar Demades ging kalmpjes zitten met de tevreden blik van iemand die op de drempel van de dood zijn laatste en grootste kunststukje had uitgehaald, want hij wist dat het nieuws over dit proces door de hele hellenistische wereld verspreid zou worden.

Antipatros hijgde en hield zijn borst vast, terwijl Kassandros het doodvonnis uitsprak en onmiddellijk de zaak verder in eigen hand nam: met getrokken zwaard kwam hij naar voren.

Demeas werd door de wachters ruw op de knieën gedwongen; zonder dralen en met een kracht die niet mogelijk leek voor zijn tengere lichaam en die voortkwam uit woede, sloeg Kassandros het hoofd eraf voor de geschokte ogen van zijn vader, die vrijwel meteen verblind werd door een krachtige fontein van warm bloed, terwijl Demeas' geoliede krullen de grond raakten.

Je zoon voor je ogen zien sterven! Dat had hij niet verdiend, Kassandros, dat was wreedheid puur om de wreedheid. Als ik nog enige twijfel had gehad, dan is die nu weggenomen: jij mag niet heersen. Weer ging er een steek van pijn door Antipatros' borst; hij hapte naar adem en slaakte een luide kreet, maar niemand merkte het omdat Demades' hoofd op dat moment van zijn schouders werd geslagen. Met moeite kwam hij overeind en schreeuwde nogmaals voordat het plaveisel omhoogkwam en zijn gezicht raakte.

'Geef hem ruimte om adem te halen, meesteres,' zei een stem die uit het donker klonk. 'Hij komt bij. Als hij genoeg lucht krijgt komt het goed.'

Maar Antipatros wist dat het niet waar was, want hij kwam weliswaar bij, maar niet voor lang; hij had nog een laatste taak te vervullen voor zijn afspraak met de veerman. Hij opende zijn ogen.

'Echtgenoot,' zei Hyperia, terwijl de arts in Antipatros' ogen keek. 'Ik was zo bang.'

Met een zwak handgebaar wuifde Antipatros de arts weg. 'Dat hoeft niet, Hyperia, ik ben nog helder van geest. Roep Kassandros, Polyperchon en de hoofden van de grote families.'

'Ze zijn er al, ze wachten beneden.' Ze wendde zich tot de arts. 'Roep ze, allemaal.'

'Maar meesteres...'

'Doe wat ik zeg.'

De scherpe klank in haar stem schoof alle medische zorgen opzij en al snel stond het vertrek vol mensen.

Antipatros schoof de Grote Ring van Macedonië van zijn vinger en keek er met zwakke ogen naar, vervolgens bestudeerde hij de gezichten rond zijn bed: Hyperia, Kassandros en Polyperchon; achter hen de hoofden van de aristocratische families; hij voelde zijn krachten wegvloeien en zijn ademhaling verzwakken en spande zich een laatste keer in. 'Kassandros, je moet dit goed opnemen.'

'Ja, vader, dat zal ik doen.'

'Jij zult de tweede man achter Polyperchon zijn.' Hij reikte de ring naar zijn plaatsvervanger. 'Polyperchon, in aanwezigheid van getuigen benoem ik je tot regent van Macedonië en de twee koningen.' Piepend haalde hij een aantal keer adem en hij verzamelde het laatste restje kracht voor zijn laatste woorden. 'Laat nooit een vrouw Macedonië regeren.'

KASSANDROS, DE JALOERSE

Woede, rauwe, blinde woede raasde door Kassandros terwijl zijn vaders hand zakte en de verbaasde Polyperchon de Grote Ring van Macedonië in zijn hand hield. Woede terwijl Antipatros' ogen glazig werden toen het levenslicht eruit verdween, om nooit meer terug te keren. Maar het moest terugkeren, zodat hij dit verschrikkelijke onrecht kon herstellen.

'Vader!' gilde Kassandros in het onbeweeglijke gezicht van de man die hem zojuist zijn erfenis had ontstolen. 'Vader! Vader!' Hij sloeg Antipatros op de rechterwang en vervolgens met de rug van zijn hand op de linker, heen en weer, tot ruwe handen hem wegtrokken van het lichaam, terwijl hij bleef schreeuwen. 'Laat me los! Vader! Vader!' Hij worstelde zich vrij en ging weer naar het lijk, zijn ogen vulden zich met onmannelijke tranen. 'Ik ben uw zoon; niet dat stuk onbenul.' Hij draaide zich om en probeerde Polyperchon te stompen, die snel wegdook.

'Houd hem vast,' beval Hyperia, haar stem schel maar gebiedend, terwijl ze een stap naar achteren deed, weg van haar stiefzoon, die inmiddels in alle richtingen uithaalde.

Dezelfde ruwe handen grepen Kassandros bij de armen en schouders; deze keer kon hij zich niet bevrijden. 'Hyperia, wist jij dat hij dit ging doen?'

'Kassandros, je vader is net gestorven; toon respect voor zijn wensen en gedraag je waardig; onteer jezelf niet met dat hysterische gedrag waar zelfs iemand van mijn geslacht zich voor zou schamen.'

'Wist je het?'

'Nee, Kassandros, maar ik vermoedde het, en als je vader mij om raad had gevraagd had ik ingestemd met deze handelswijze. Je bezit niet het juiste karakter om veel macht te hebben.'

'En die verlepte onbenul wel?' grauwde Kassandros naar Polyperchon.

'Breng hem weg,' beval Polyperchon, die de ring aan zijn wijsvinger schoof, 'en sluit hem op in een kamer tot hij gekalmeerd is en zich waardig als een rouwende zoon gedraagt.'

'Waardig? De pot op met waardig! Rouwende zoon? Bestolen zoon! Dat ben ik, bestolen. Ik ben bestolen van mijn erfenis en je verwacht dat ik daar waardig onder blijf?'

Maar Kassandros verzette zich niet langer en liet zich wegvoeren uit de sterfkamer, door de rouwende menigte, van wie niemand hem in de ogen durfde te kijken. *Goed zo, kijk maar weg, stelletje schapen. Ooit, en dat zal al heel snel zijn, zullen jullie me allemaal om gunsten smeken en dan zullen we nog weleens zien wie me durft aan te kijken.* Die gedachte troostte hem enigszins en meteen ging het methodische deel van zijn geest aan het werk en werd de hysterie onderdrukt, een hysterie die hem van jongs af aan plaagde als hij zich gedwarsboomd voelde. *Nee, dit verandert niet opeens omdat ik het wil; als ik mijn zin wil krijgen moet ik dit stilletjes en subtiel aanpakken. Met moord lukt het niet, het moet volgens de wet gebeuren zodat het onherroepelijk wordt. Ik heb dat nodig waar ik weinig van bezit: vrienden.*

En toen de grote families van Macedonië samenkwamen voor de begrafenis van hun voormalige regent bestudeerde Kassandros alle gezichten met hernieuwde belangstelling vanuit de gedachte dat hij één troef had: de obscure afkomst van Polyperchons clan. Hoewel het om een aristocratische familie ging, stamde ze oorspronkelijk uit Tymphaia, dat net over de grens in Epirus had gelegen voordat Philippus het gebied bij Macedonië had gevoegd. Weliswaar was Polyperchons vader Simmias getrouwd met een Macedonische van hoge geboorte en had hij zich in Pella gevestigd, maar hij kon zich niet op zuiver Macedonisch bloed beroemen. Helaas had Polyperchon ook een voordeel jegens Kassandros – het deed hem pijn om het tegenover zichzelf te moeten toegeven – en dat betrof zijn oorlogservaring: hij had zich onderscheiden tijdens Alexanders veroveringstocht. In de slag bij Issos had hij zich zo dapper gedragen dat hij als beloning het bevel over de Tymphaïsche eenheden van de falanx had gekregen. *Maar wat is er belangrijker voor de grote families: bloed of roem?* Hij dacht over de kwestie na terwijl de gebeden werden gereciteerd en de brandstapel oplaaide.

Hymnen begeleidden het knetteren van de vlammen, maar Kassandros voelde niets toen de rook van zijn vaders brandende lichaam naar de hemel rees: geen verdriet, geen verlies, geen spijt, geen schuld; niets. Hij was leeg wat zijn vader betrof, het ultieme verraad had hem gezuiverd van elk gevoel voor de man die hij het nooit naar de zin had kunnen maken; aan wiens verwachtingen hij nooit had kunnen voldoen en die hem nooit de warmte van onvoorwaardelijke lof had gegeven; de man die hem nooit had gemogen en die het meestal onmogelijk had gevonden om zijn afkeer te verbergen. Maar nu was hij daarvan bevrijd; hij hoefde niet meer te vechten voor het respect van die ene man die altijd had geweigerd hem respect te geven. Nee, dat was allemaal voorbij; voorbij en vergeten, weggevaagd door het grootste vertoon van wantrouwen dat een vader ooit zijn zoon kon aandoen: hem passeren en zijn erfenis aan een ander geven, aan iemand die niet eens lid van zijn clan was.

Het was een bevrijdend moment, besefte Kassandros, want hij hoefde nooit meer rekening te houden met iemand anders dan hijzelf; nu hij bevrijd was van zijn vader hoefde hij nog maar voor één iemand te leven.

Maar hij had hulp nodig. Nicanor, zijn volle broer, zat in Cappadocië, daar tot satraap benoemd door zijn vader als vervanger van Eumenes. Kassandros dacht daarom aan zijn halfbroers, weliswaar Hyperia's zoons, maar in ieder geval van zijn bloed. Ze wilden ongetwijfeld maar al te graag aanzien verwerven en zouden hem beschouwen als degene die hun dat kon brengen, en niet die middelmatige Polyperchon, die – zoals natuurlijk was – zijn eigen zoon Alexandros naar voren zou schuiven. Iollas was de oudste geweest, daarna kwam de tweeling Pleistarchos en Philippus, zeventien jaar oud en bezig man te worden. De twee jongsten, Alexarchos, vier jaar, en Triparadeisos, nog in de armen van zijn min, waren beloften voor de toekomst. En dan waren er uiteraard ook nog zijn zusters en zwagers; daar kon hij de meeste steun verwachten, want Antipatros had ze perfect verdeeld: Phila, zijn volle zuster, zat in Azië met Demetrios; Nicaea in het noorden van Europa met Lysimachus en Eurydike in Egypte met Ptolemaeus. In elk werelddeel een; daar zou hij beginnen, maar hij wist nog niet goed hoe het daarna verder moest, want hij was nog te geschokt door wat er gebeurd was.

'En als ze ons pakken en als gijzelaar gebruiken?' vroeg Pleistarchos de volgende dag toen Kassandros, Philippus en hij een wildzwijn volgden in de heuvels aan de overkant van de rivier de Orontes, ten oosten van Pella.

'Jullie zijn familie,' benadrukte Kassandros, 'denk je dat Phila of Eurydike zou toestaan dat hun broers zo behandeld worden, terwijl jullie op een diplomatieke missie zijn? Nee, Ptolemaeus en Antigonos zullen naar jullie luisteren. Ik heb geld, manschappen en schepen nodig; in ruil zullen ze een verwant hebben die Macedonië regeert en niet een usurpator met zijn eigen ambities. Nadat ik de mensen van onze clan en de boeren van onze landerijen achter onze zaak heb geschaard ga ik persoonlijk met Lysimachus praten en daarna zullen wij drieën samen met hem alle landen rond de zee regeren. We zullen elkaar steunen zonder ons met elkaars zaken te bemoeien. Vertel ze dat en kom zo snel mogelijk terug met hun antwoord. Er ligt een schip op jullie te wachten zodra we Amphipolis bereiken; het zet jou, Pleistarchos, bij Tarsos af en vaart dan met Philippus verder naar Tyros; daarna brengt het jullie beiden terug naar mij. Ik zal in Thracië bij Lysimachus zijn.' Kassandros veegde het zweet van zijn voorhoofd en greep zijn zware zwijnenspeer stevig beet, vastbesloten om eindelijk het dier te doden dat hem tot dusverre was ontsnapt.

'Bedoel je dat we niet naar Pella teruggaan?'

'Nee, als ik Polyperchon was zou ik ons alle drie doden.'

De tweeling keek elkaar aan, stilzwijgend kwamen ze tot overeenstemming. 'We doen het,' zeiden ze eenstemmig.

Kassandros en de tweeling waren na de grafceremonie voor hun vader zo snel uit Pella vertrokken als het decorum toeliet; hij had spottende blikken geoogst toen hij aankondigde op zwijnenjacht te gaan zodat hij eindelijk het recht verdiende om aan te liggen bij maaltijden. Niet dat hij nou zo graag het wildzwijn wilde doden, maar het was een goed excuus om Pella te verlaten en door het land te reizen en te overnachten bij families met wie zijn clan banden had; mensen die sympathiek tegenover zijn positie stonden; mensen die misschien meenden meer baat bij Kassandros als regent te hebben dan bij Polyperchon. Hij was van plan pas naar Macedonië terug te keren als hij zijn rechtmatige plek kon innemen.

Langzaam gingen ze tegen de helling omhoog, de jachtslaven waren aan beide zijden voor hen in een V uitgewaaierd om het wild naar de drie broers in de punt te drijven. Achter hen volgden meer slaven, die de paarden vasthielden.

'Als Antigonos en Ptolemaeus bereid zijn hulp te sturen, waar moet die dan heen?' vroeg Philippus, zijn stem gedaald tot een gefluister nu de spanning van de jacht steeg.

'Ik ga naar Azië zodra ik met Lysimachus heb gesproken, samen met mensen van onze clan,' antwoordde Kassandros, die de groeiende onrust diep in zijn buik probeerde te negeren. *Ik mag mijn angst niet tonen; wat er ook gebeurt, ik moet me niet omdraaien en wegrennen.*

Een schreeuw kondigde de komst van een zwijn aan en daarna klonk er een gil. Brullend en buiten zinnen door de indringers in zijn territorium kwam het wildzwijn uit zijn schuilplaats gesprongen, het scheurde de dij van de slaaf die hem had verstoord open, bloed pompte uit de wond en de man viel hulpeloos ter aarde. Het dier stormde naar beneden, de razernij dreef de korte poten voort die het zware, gespierde lijf droegen – algauw het gewicht van twee man. Kleine, rode oogjes fonkelden in de dikke vacht en vervaarlijke slagtanden, messcherp en al rood van het bloed, staken uit de schuimende bek. Steeds sneller kwam het recht op Kassandros en zijn twee broers af.

Kassandros' hart begon wild te slaan en hij voelde urine langs zijn been lopen, maar hij wist controle over zijn blaas te krijgen, zodat het niet zichtbaar zou zijn. *Was ik er maar nooit aan begonnen.* Maar hij kon niet vluchten, al helemaal niet omdat zijn twee broers inmiddels naar voren stapten richting het aanstormende dier. Kassandros schraapte al zijn moed bij elkaar en volgde hen, terwijl de slaven haastig een cirkel vormden om te voorkomen dat het wildzwijn kon ontsnappen.

Philippus sloeg als eerste toe, met angstaanjagende snelheid wendde het woedende dier zich in diens richting; de speerpunt kwam tegen de flank van het zwijn en scheurde het vel open, maar wist niet door de ribbenkast te komen. Philippus sprong net op tijd naar rechts om te voorkomen dat de slagtanden hem zouden ontmannen. Het resultaat was dat Kassandros recht voor het aanstormende dier stond. Hij hield zijn speer strak voor zich, de punt gericht op de borst van het monster; maar het beest was slim en met een zijwaartse beweging van zijn kop sloeg het de speer opzij en sprong op Kassandros af. Met een scheut van pijn, intens en verschroeiend, werd Kassandros de lucht in geslingerd, hij schreeuwde van ellende, terwijl het wildzwijn onder hem zo luid brulde dat Kassandros' jammerkreten volledig overstemd werden. Draaiend kwam hij neer en greep naar zijn verwoeste scheen, die van knie tot enkel openlag. Hij zag Pleistarchos zijn speer met al zijn kracht vastklemmen terwijl hij teruggedrongen werd door het dier dat tegen de speer in zijn borst duwde. Met het beeld van zijn broer liggend aan de maaltijd terwijl hij naast hem overeind zat verloor Kassandros het bewustzijn.

Pijn had Kassandros nooit makkelijk kunnen verdragen en al snel sleurde die hem uit de comfortabele diepten van bewusteloosheid naar het hardvochtige domein van de werkelijkheid. Hij kreunde, zijn gezicht vertrokken van de pijn; hij sloeg met zijn vuisten op het zachte matras.

'Lig stil,' zei een stem. 'Uw been was zwaar toegetakeld, maar ik heb het gezet en gehecht; u zult bij voldoende rust genezen.'

Hij opende zijn ogen en zag een gezicht met een met grijs doorschoten baard hem aankijken. 'Wie ben jij?'

'Ik ben Nicanors arts.'

'Mijn broer Nicanor? Maar die is in Cappadocië.'

'Nee, ik dien Nicanor van Sindus.'

De pijn maakte hem suf en hij kon zich niet op de naam concentreren.

'Ik heb uw moeder gekend,' zei een man van middelbare leeftijd met lang, donkerbruin haar en een kastanjebruine baard die in een stoel zat; de avondzon stroomde naar binnen door het open raam, het saffraangele gordijn van fijn linnen bewoog in de zachte bries.

'Mijn moeder is dood.'

'Ik weet het, ik was erg verdrietig toen ze stierf.'

Kassandros werd onmiddellijk wantrouwig. 'Wat betekende ze voor jou?'

Nicanor stak zijn hand in een geruststellend gebaar op. 'Niets op de manier die je nu denkt. We zijn nicht en neef en groeiden samen op, tot we de leeftijd bereikten waarop we vanwege het fatsoen niet langer met elkaar mochten omgaan. Nee, Kassandros, ik mocht haar graag. Nadat ze met je vader was getrouwd zag ik haar af en toe, als ik naar Pella kwam. Ik was verdrietig toen ze stierf, dat kan ik je verzekeren.'

Kassandros vertrok zijn gezicht weer door de pijn in zijn been. 'Mij deed het nog meer verdriet, dat kan ik jou verzekeren; en ik vermoed dat het kind dat in haar schoot stierf ook niet al te blij was.'

Nicanor stond op en liep naar het bed. Met een handgebaar stuurde hij de arts weg. 'Je hebt het volste recht om bitter te zijn. Je hebt zelfs vele redenen om bitter te zijn, niet het minst vanwege de manier waarop je vader je heeft behandeld.'

Kassandros keek Nicanor verwonderd aan. *Sympathiseert hij met me?* 'Het is gebruikelijk dat de oudste zoon de erfenis van zijn vader krijgt.'

'Inderdaad. Maar ik weet een interessant feit: voordat ik met Alexander naar het oosten ging sprak ik met je vader, vlak nadat hij tot regent was benoemd. Ik vroeg hem wat die positie inhield, want we hadden al meer dan honderd jaar geen regent in Macedonië gehad en het interesseerde me. Hij vertelde me dat hij de macht van een koning had op één ding na.'

'En dat was?'

'Dat hij de titel niet kon doorgeven; alleen een koning kan dat.'

'Maar ik ben zijn zoon!'

Nicanor stak zijn handen op om Kassandros tot zwijgen te brengen. 'Je luistert niet, Kassandros. Hij kon de titel niet doorgeven, alleen een koning kan dat doen.'

Kassandros fronste, even vertrok zijn gezicht van pijn en hij onderdrukte een kreun. Langzaam drong de betekenis van wat Nicanor had gezegd tot hem door. 'In dat geval had hij niet het recht om het regentschap op Polyperchon over te dragen.'

'En hij had jou ook niet tot regent kunnen benoemen; alleen de koningen kunnen dat doen en aangezien geen van beide koningen in staat is te regeren kunnen ze niet hun eigen regent aanwijzen en zonder regent kunnen deze koningen niet regeren. Het is een paradox.'

Opeens was Kassandros de pijn die in zijn been raasde vergeten. *Natuurlijk. Waarom zag ik dat niet eerder? Het ligt zo voor de hand: mijn vader had het recht niet om zijn macht door te geven.* 'Polyperchons positie is dus niet wettelijk.'

'Precies; hij heeft geen recht op het regentschap en jij zou dat ook niet hebben gehad als hij jou had benoemd.'

'Ik rebelleer dus niet tegen hem als ik een leger op de been breng.'

'Hoe kun je rebelleren tegen iemand die geen heerser is? In wezen heeft Macedonië op dit moment geen regering; dus als het land met de punt van een speer wordt veroverd kun je met recht stellen dat je geen misdaad hebt begaan en dat je machtsgreep legaal was.'

'Waarom geef je me dit advies? Je bent me niets verschuldigd.'

'Maar als ik jou help, ben je mij wat verschuldigd; iets wat ik van Polyperchon nooit krijg: ik ken hem, hij is een sterke ondergeschikte maar zal een zwakke en weifelende leider zijn; in jou zie ik meedogenloosheid en kracht. Daar ik zelf geen ambitie heb om Macedonië te regeren heb ik liever dat jij heerst dan Polyperchon. Ik neem aan dat je niet blij bent met de situatie en van plan bent om er iets aan te doen.'

'Ja.'

'Mag ik vragen wat?'

'Ik stuur mijn broers naar Ptolemaeus, die nog in Syrië is, en Antigonos, die nu in Pisidië campagne voert tegen Alketas en Attalus; zelf ga ik met Lysimachus praten.'

'Je drie zwagers, ja, die zouden kunnen helpen, en als ze geen hulp willen sturen, dan kunnen ze er in ieder geval toe overgehaald worden je niet te hinderen. Welke maatregelen neem je nog meer?'

'Ik roep alle mannen die trouw aan mijn familie zijn verschuldigd op om de basis voor een leger te vormen. Dat is op het moment alles.

Ik moet weten of ze me manschappen, schepen en geld willen sturen.'

'En als ze je een leger geven en een vloot om het te verplaatsen, waar ga je dan heen?'

Kassandros voelde boosheid in zich opborrelen; hij had er geen behoefte aan ondervraagd te worden, vooral niet omdat de vragen zijn gebrek aan ideeën blootlegden. Hij had geen tijd gehad om alles te plannen, want het was allemaal zo snel gegaan; het enige wat hij tot nu had gedaan was Pella ontvluchten.

Nicanor was verstandig genoeg om dat te begrijpen. 'Van Pella kan geen sprake zijn; een Macedoniër die de hoofdstad ontheiligt met oorlog maakt zich onmogelijk, nee, je moet de oorlog winnen lang voordat je Macedonië bereikt. Bevecht hem in het zuiden, in Griekenland; laat de Grieken maar lijden onder twee legers op campagne. Je hebt Piraeus nodig. Je moet het garnizoen van Munychia in handen krijgen.'

'Menyllus is daar nu de bevelhebber; mijn vader heeft hem benoemd nadat Athene zich had overgegeven.'

'Is hij te vertrouwen?'

'Ik zou het niet weten, ik ken hem nauwelijks.'

'Stuur mij dan; als ik onmiddellijk met een snel schip vertrek, is er een goede kans dat ik in Athene kom voordat het nieuws van je vaders dood daar bekend wordt. Ik zal het garnizoen op de hoogte brengen en een geschreven bevel van jou tonen dat ik Menyllus als bevelhebber vervang.'

'En dan kun je Piraeus voor me houden tot ik met mijn leger kom.'

'Precies. Polyperchon zal gedwongen zijn iets te doen; hij raakt alle aanzien kwijt als hij jou Griekenland laat bezetten zonder dat hij ingrijpt. Hij moet dus wel naar het zuiden gaan; versla hem daar en marcheer dan in triomf naar het noorden en neem Macedonië in zonder dat er een zwaardslag binnen de grenzen nodig is.'

'En hoe zit het met de koningen?'

Nicanor glimlachte en maakte een vaag gebaar. 'Ik zou stap voor stap te werk gaan, ze kunnen wel wachten, ze gaan tenslotte nergens heen.'

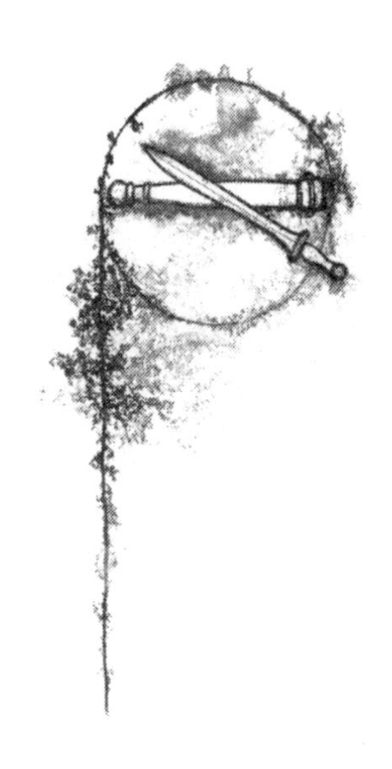

ADEA, DE KRIJGER

Dit was misschien haar kans – waarschijnlijk haar laatste kans. Antipatros was eindelijk dood; wat had ze gehuild, tranen van geluk, toen ze het nieuws van zijn overlijden had gehoord. De man die haar het recht – haar recht als koningin – had ontzegd om namens haar man te spreken en in zijn naam te regeren. Hij was weg en had zijn zoon niet tot zijn opvolger benoemd.

Het idee dat Kassandros zou heersen na de dood van Antipatros had Adea geplaagd sinds haar terugkeer naar Europa; het was duidelijk dat de oude man het geen jaar meer zou volhouden en het leek vanzelfsprekend dat zijn oudste zoon hem zou opvolgen, en ze wist heel goed hoe Kassandros over haar dacht. Er waren maar weinigen, als er al iemand was, onder de aristocraten van Macedonië die haar gunstig gezind waren. Dat was ook de reden waarom ze altijd een beroep deed op de gewone soldaten; hun eerbied voor Alexander en zijn bloed strekte zich uit tot haar echtgenoot Philippus als zijn halfbroer en tot haar als de nicht van de grote man.

Ze keek naar haar echtgenoot. Ze stonden in zijn kamer hoog in het paleis met uitzicht over Pella; hij had een grijns op zijn gezicht terwijl een slaaf hem zijn zwaard omgorde en zijn ceremoniële uniform op orde bracht: het uniform van de koning van Macedonië.

Ze wreef een vlek van de bronzen borstplaat, ingelegd met zilveren steigerende paarden met robijnen als ogen en diamanten op de hoeven, en schikte vervolgens de purperen mantel die over zijn schouders was gedrapeerd en tot aan zijn roodleren laarzen hing.

Ze veegde wat kwijl van zijn ene mondhoek en deed een stap naar achteren om hem nog eens goed te bekijken. 'Heel mooi, Philippus, je ziet er schitterend uit. Een echte koning.'

Philippus giechelde en hield een hand voor zijn mond – met de andere hield hij zijn helm vast, bekroond met een pluim van rood paardenhaar en twee lange veren aan weerszijden. 'Mag ik paardrijden, Adea? Mag het? Mag het?'

'Vandaag mag het, Philippus.'

'O, dank je, dank je.' Om zijn dankbaarheid te benadrukken liet hij een straaltje urine langs zijn been lopen.

Gewend aan dergelijke uitingen van opwinding zei Adea niets, terwijl de slaaf zijn meester droogveegde; hij was dan misschien bepaald geen perfecte koning en had het verstand van een achtjarige, maar hij was gezeglijk en belachelijk dankbaar voor alles wat ze hem toestond, en 'koninkje spelen' was een van zijn favoriete spelletjes.

Ze bekeek zichzelf in de gepolijste bronzen spiegel: haar borstplaat, haar helm en haar scheenplaten glansden allemaal en haar zwaard hing op de juiste manier. *Een krijgshaftige koningin, moeder zou trots op me zijn.* Tevreden pakte ze de rol die ze voor de gelegenheid had geschreven en nam de slappe hand van haar echtgenoot en leidde hem de kamer uit.

Het leger van Macedonië was inmiddels een gemengd gezelschap met baardloze rekruten, grijze veteranen die oud genoeg waren om hun overgrootvader te zijn, en relatief onervaren garnizoenssoldaten van uiteenlopende kwaliteit, die vooral gewend waren de ongelukkige lokale bevolking van de stad waar ze gelegerd waren te terroriseren. Maar al was de gevechtskracht twijfelachtig, paraderen konden ze als de beste. Ze stonden dan ook in strakke blokken opgesteld, zowel te voet als bereden, op het paradeveld buiten de noordpoort van Pella.

Adea zat op haar merrie, haar echtgenoot naast haar op zijn hengst, terwijl Polyperchon het saluut in naam van de koningen in ontvangst nam. Naast hem zag zijn zoon Alexandros er even onbeduidend uit als zijn vader, alleen het haar dat op zijn hoofd resteerde was bruin in plaats van grijs. *Geen uitstraling en bloedeloos, allebei; dit moet mijn kans zijn.*

Ze wierp een blik naar links en keek in de koude ogen van haar rivale Roxanna, die onder haar sluier kookte van haat. Ze zat op haar met kussens bedekte wagen met haar vierjarige zoon naast haar. Adea keek weer voor zich uit met een gevoel van triomf in haar borst, want ze had een morele overwinning op die oosterse wilde kat gehaald door te paard naast haar echtgenoot te verschijnen; ze was de krijgshaftige koningin, bereid om de manschappen aan te voeren, terwijl Roxanna niet meer was dan een verwende oosterse die in weelde baadde, het tegenovergestelde van een Macedoniër. Het was een goede zet, want ze wist dat het niet onopgemerkt zou blijven. Ze voelde trots opwellen toen het leger haar echtgenoot als koning toejuichte – ze negeerde het feit dat het kind van het kreng in de adoratie deelde. Philippus straalde en knikte heftig met zijn hoofd, hij pompte met zijn vuist in de lucht tot Adea hem zachtjes bij de elleboog beetpakte en zijn arm naar beneden bracht. 'Niet bewegen, Philippus, je moet je waardig gedragen, anders komt de veerman en neemt je mee.'

'De veerman?' Philippus bevroor, zijn ogen schoten van links naar rechts, op zoek naar zijn grootste angst; alleen al het horen van de naam was genoeg om het man-kind in bedwang te krijgen als hij lastig werd.

Adea stond zich een korte glimlach toe vanwege het gemak waarmee ze inmiddels haar man in de hand kon houden, die in bijna alles op haar leunde en die op zijn eigen manier hartstochtelijk aan haar was toegewijd. Voor haar was het de hoogste prioriteit om hem veilig te houden en te zorgen dat hij gerespecteerd werd, want hoewel iedereen wist dat hij het verstand van een achtjarige bezat, feit bleef dat hij van Alexanders bloed was, diens halfbroer, en voor de manschappen was dat van groot belang en ze eerden hem als hun koning en beschouwden hem als hun talisman.

'Soldaten van Macedonië,' schreeuwde Polyperchon met monotone stem toen het gejuich voor de koningen wegstierf. 'Twee dagen geleden hebben we de grafriten voor Antipatros gehouden, wiens verdiensten voor ons land onmetelijk zijn.' Hij hief zijn hand met de Grote Ring van Macedonië op. 'Ik sta hier voor jullie, voor deze legervergadering, om te zeggen dat hij op zijn sterfbed in al zijn wijsheid de ring van Macedonië aan mij heeft geschonken. Ik vraag jullie nu om mij formeel te aanvaarden als regent van Macedonië en van de twee koningen, Alexander en Philippus, die hier voor jullie aanwezig zijn. Wat zeggen jullie, soldaten van Macedonië?' De laatste zin ging van monotoon over in een haal omhoog en klonk luid over het paradeterrein, waar doodse stilte over neerdaalde.

Polyperchon, zijn ring nog steeds geheven, keek om zich heen. Hij was verbijsterd over het ontbreken van het luide gejuich waarop hij had gerekend en liet zijn hand zakken; vanuit de rangen van het leger begonnen gedempte gesprekken op te klinken.

Nu is mijn kans, nu sta ik voor ze als een krijger-koningin. Adea pakte de teugels van Philippus' paard en dreef haar rijdier naar voren tot ze naast Polyperchon stond, wiens woede over haar initiatief onverholen was. 'Soldaten van Macedonië,' schreeuwde ze met haar heldere stem, die schel noch diep was, maar melodieus, zodat haar woorden als muziek klonken na Polyperchons monotonie. 'Mijn echtgenoot, de koning, wenst te laten weten dat hij Polyperchon steunt.'

Polyperchon keek haar verrast aan.

'Maar je betaalt er een prijs voor,' fluisterde Adea opzij. 'Soldaten van Macedonië,' ging ze verder, 'mijn echtgenoot, de koning, vraagt jullie Polyperchon te steunen, jullie kunnen ervan verzekerd zijn dat koning Philippus hem richting zal geven in zijn taak. Polyperchon zal mijn echtgenoot raadplegen over alle zaken, zowel militair als civiel, en ik, koningin Eurydike, zal jullie officieren op de hoogte stellen van het besprokene. Polyperchon en mijn echtgenoot zullen eenzelfde status hebben. Steun hem, soldaten van Macedonië, steun Polyperchon als jullie regent en Philippus als jullie koning.'

Het gejuich kwam onmiddellijk en was luid en Adea wist dat ze haar doel eindelijk had bereikt, ze stond nu in het centrum van de macht, zoals haar recht was als kleindochter van Philippus, de tweede van die naam. Dit keer was er niet de vernedering van mislukking, zoals was gebeurd toen Antipatros haar te slim af was geweest, eerst in De Drie Paradijzen en vervolgens nog eens op de oevers van de Hellespont, waar hij haar met een muitend leger had achtergelaten, zonder de middelen om het tevreden te stellen. Nee, dit keer was haar plaats veilig; Polyperchon kon haar nu niet te slim af zijn, want hij had zijn positie aan haar te danken, ze was die onbeduidende figuur zonder enig charisma te hulp geschoten door het leger met haar bezieling te overweldigen.

'Wat doe je?' siste Alexandros, Polyperchons zoon.

'Een oude man te hulp komen die het leger niet kon overtuigen met een toespraak zonder enig vuur.'

'Als je denkt dat ik Philippus over ook maar iets zal raadplegen,' zei Polyperchon, 'dan heb je het flink mis.'

'Ik denk dat ook helemaal niet, ouwe; ik denk dat je mij raadpleegt, als vertegenwoordiger van de koning.' Ze glimlachte kil naar hem en leidde vervolgens Philippus' paard naar voren naar de jubelende manschappen. 'Zwaai naar ze, Philippus, niet glimlachen; we spelen koninkje, weet je nog wel? Koningen glimlachen niet, dat weet je.'

'Nee, Adea, dat doen ze niet; koningen zijn estig.'

'Ernstig, Philippus; koningen zijn ernstig.'

'Ja, Adea,' stemde hij in en hij deed zijn best om ernstig te wuiven, terwijl Polyperchon naast hen kwam om in de toejuichingen te delen.

Die onbenul heeft mijn voorwaarden aanvaard door naar ons toe te komen; ik ben er. Ze keek om naar Roxanna, die hulpeloos op haar wagen zat. *Zij zal furieus zijn nu ik haar zoon naar de tweede rang heb verdrongen; Polyperchon zal voor hem spreken tijdens onze bijeenkomsten.*

Voor het eerst sinds ze in Babylon met Philippus trouwde en de naam koningin Eurydike aannam voelde Adea een zekere mate van veiligheid. Het was nu niet meer van het allerhoogste belang dat ze zwanger werd; ze had de hoop inmiddels bijna opgegeven dat het ooit nog zou gebeuren en hun paringen had ze tot één keer per maand beperkt, de rest van de tijd moest Philippus het maar zelf doen. Nee, nu had ze macht als spreekbuis voor haar echtgenoot in de raad, en ze werd beschermd door de liefde van het leger zodat Polyperchon het niet zou wagen haar opzij te schuiven.

Eindelijk zouden ze naar haar luisteren.

'We moeten Diogenes naar Cilicië sturen, naar Antigenes en Teutamus, zij beheren de rijksschatkist in Cyinda,' zei Adea tegen Polyperchon, die tegenover haar aan de raadstafel in het midden van de troonzaal zat. Ze negeerde opzichtig Alexandros, die – ongevraagd – naast zijn vader had plaatsgenomen. 'Ze weten dat Diogenes Antipatros' schatbewaarder was en zullen hem respecteren, en met de brief ondertekend door jou en mijn echtgenoot zullen ze al het geld dat we nodig hebben aan hem overdragen; het kan hierheen gebracht worden in het schip waarmee hij erheen gaat. In tien tot twaalf dagen is het allemaal geregeld.'

Polyperchon schudde zijn hoofd, duidelijk niet overtuigd. Hij probeerde niet richting Philippus te kijken, die de vergadering voorzat vanaf de verhoogde troon aan het einde van de tafel, waar hij met zijn olifantje speelde. 'Alketas en Attalus zitten vlakbij in Pisidië; ze zouden weleens lucht van het transport kunnen krijgen.'

Waarom komt hij toch altijd met futiele mogelijkheden? Elke bijeenkomst is hetzelfde: dat kunnen we niet doen want dit of dat zou kunnen gebeuren. 'Rhodos heeft vorig jaar hun vloot vernietigd, ze zitten in het binnenland en Antigonos is op weg naar ze toe of is er al om ze aan te pakken; ze hebben het veel te druk om zich bezig te houden met een schip met een schat aan boord.'

'Maar het zou kunnen,' zei Alexandros. 'En moeten we het risico nemen dat we hen verrijken terwijl we het geld net zo goed uit Griekenland kunnen persen?'

'Wie heeft jouw mening gevraagd?' snauwde Adea. 'Jij vertegenwoordigt niemand; je hebt geen zetel in deze raad.'

'Hij is mijn zoon en ik heb hem gevraagd aanwezig te zijn.' Polyperchon sloeg met zijn vuist op tafel. 'En hij heeft gelijk: ze zouden van de lading kunnen horen en sterker worden dan ze al zijn.'

Adea wierp een giftige blik op Alexandros, die een grijns naar haar trok, en sprak vervolgens nadrukkelijk tegen zijn vader. 'En er zóú een storm kunnen opsteken en het schip zóú kunnen zinken. Er zóú van alles kunnen gebeuren, maar er gebeurt niets als we het niet doen, we zitten in Macedonië met een wanhopig tekort aan geld en in Cilicië zijn honderden talenten aan goud en zilver, dus laten we zo snel mogelijk vijfhonderd naar hier halen. Als de situatie in Athene zo slecht is als jij zegt, dan hebben we geld nodig om steun te kopen. Wie is eigenlijk die Nicanor van Sindus die het garnizoen in Piraeus heeft overgenomen?'

'Hij is bepaald geen vriend van me, integendeel zelfs.' Polyperchon keek naar zijn zoon en knikte.

'Volgens de mensen die ik hem liet volgen,' zei Alexandros, 'raakte Kassandros gewond tijdens zijn jachtpartij en Nicanors arts heeft hem opgelapt; Nicanor vertrok nog dezelfde dag naar Athene en kwam daar eerder aan dan de boodschapper met het nieuws van Antipatros' dood die wij gestuurd hadden; hij nam het garnizoen over met een brief van Kassandros die hij in naam van zijn vader had geschreven. Dat is nu bijna een halve maan geleden.'

'En Kassandros, waar is die nu?'

Polyperchon keek haar aan met zorgelijke ogen. 'Zodra zijn been voldoende was genezen om in een draagstoel te kunnen reizen ging hij naar Thracië; daar is hij bij Lysimachus.'

Voor Adea iets kon zeggen klonk er gekijf bij de deur; alle ogen gingen die richting op, en daar verscheen Roxanna, die zich samen met haar zoon een weg langs de wachters baande, zijn min en twee slavinnen volgden hen.

'Waarom ben ik niet op de hoogte gebracht van deze bijeenkomst?' snauwde Roxanna.

Adea stond op en keek haar rivale aan. 'Omdat je niet in de raad zit.'

'Hou je bek, kuttenlikker, ik vroeg het aan de regent.' Ze stapte op Polyperchon af, haar ogen schoten vuur achter haar sluier. 'Er zijn vier bijeenkomsten geweest en ik ben geen enkele keer op de hoogte gesteld. Ik ben de moeder van de koning.'

'Een van de koningen,' bracht Polyperchon haar in herinnering.

Roxanna wees naar Philippus, die op de troon knielde, gebogen over zijn olifant, alsof hij zich zo klein mogelijk probeerde te maken. 'Noem je dat een koning? Hij had bij de geboorte gewurgd moeten worden.' Ze wendde zich naar haar zoon, de jonge Alexander. 'Hier is een koning; het bloed van mijn echtgenoot stroomt door zijn aderen. Hij zou op de troon moeten zitten in plaats van dat beest. En ik zou aan de tafel moeten zitten om voor hem te spreken.'

'Polyperchon spreekt voor hem,' schreeuwde Adea. 'Hij is de regent.'

'En wat ben jij, vrouwengek? Ben jij regent? Nee! En toch zit je aan tafel.'

'Ik vertegenwoordig mijn echtgenoot.'

'Met welk recht?' Roxanna's stem was nu een hoog gekrijs.

'De wil van het leger, oosterse hoer!'

De handeling was bliksemsnel: een flits van een lemmet en bloed spoot uit Adea's bovenarm. Roxanna hief haar hand om opnieuw toe te slaan met de dolk die ze in haar mouw verborgen had gehouden, maar haar tegenstander was te snel.

Opgeleid als krijger en bedreven in de kunst van het zwaardvechten greep Adea Roxanna's pols toen haar hand omlaagkwam voor de steek, ze duwde de oosterse tegen de grond, ging op haar zitten en hield haar pols in een ijzeren greep vast. 'Laten we eens kijken wat voor lelijks zich daaronder verbergt.' Ze rukte de sluier van Roxanna's gezicht en keek op in verbazing. 'Je bent dus toch tamelijk knap; je zou bijna mijn type zijn, afgezien van dat lelijke litteken op je gezicht.' Ze begon de hand met de dolk omlaag te drukken.

Roxanna gilde, het kind huilde en greep zich aan zijn min vast, urine stroomde van de troon.

'Nee, Adea!' schreeuwde Polyperchon en hij trok haar van de kronkelende Roxanna, terwijl zijn zoon de dolk afpakte.

Adea liet zich in bedwang houden, haar beide armen op de rug gedraaid; ze genoot van de doodsangst op Roxanna's gezicht voordat die haastig de sluiter weer omsloeg en op haar knieën ging zitten. 'Denk je dat die bescherming biedt?' Met een plotse beweging leunde ze achterover tegen Polyperchon en haalde uit met haar voet. Roxanna's hoofd vloog achterover en ze sloeg tegen de vloer, de sluier kleurde rood van het bloed afkomstig uit een geplette neus. 'Haal haar weg voordat ik het kreng vermoord.'

De slavinnen keken elkaar aan, onwillig om hun meesteres in die onwaardige situatie aan te raken, en barstten in tranen uit.

'Wachters!' schreeuwde Alexandros. 'Breng de koningin naar haar vertrekken.'

Met weinig omhaal, want Roxanna riep weinig respect op, werd ze de zaal uit gesleurd. Haar huilende zoon, die zich aan zijn min vastklampte, volgde, samen met de slavinnen, die om zichzelf huilden, want ze vreesden de straf die hun wachtte omdat ze getuige waren geweest van de vernedering.

'Goed,' zei Adea, die de zoom van haar tuniek scheurde, 'waar waren we voor die domme onderbreking?'

Polyperchon keek haar met onverholen verbazing aan. 'Wil je nu nog verdergaan met het overleg?'

Ze drukte de reep stof tegen de wond in haar arm; ondanks al het bloed was hij niet diep. 'Natuurlijk, regeringszaken moeten door, ondanks die oosterse wilde kat.' Ze ging weer aan tafel zitten. 'Dus Kassandros is weg uit Macedonië en is nu in Thracië bij Lysimachus, zijn zwager. Klopt dat?'

Polyperchon schudde het hoofd om zijn gedachten te ordenen na de korte maar gewelddadige onderbreking. 'Ja, dat klopt.' Hij ging weer zitten.

'Hij is dus openlijk in opstand gekomen?'

'Nee, nog niet, maar ik ben ervan overtuigd dat hij het van plan is; hij heeft zijn broers naar Ptolemaeus en Antigonos gestuurd. Hij zoekt steun.'

'Nog een zwager en de vader van de derde; hij doet een beroep op familiebanden en zal vast wel bij ten minste één succes hebben. Des te meer reden om voor geld hier te zorgen.'

Polyperchon zuchtte, verslagen door haar volharding. 'Goed, we riskeren het.'

Adea glimlachte, ze drukte de lap stof nog steeds tegen haar wond. 'Mooi, ik ben blij dat we het eens zijn, Polyperchon. En maak je geen zorgen om Alketas en Attalus. Antigonos houdt ze bezig.'

ANTIGONOS, DE EENOGIGE

'Ze hebben een pas ten oosten van Termessos bezet, bij een stadje genaamd Kretopolis,' rapporteerde Demetrios terwijl hij met een doek stof en zweet van zijn gezicht veegde. 'Het is een goede positie, tenminste, als ze zich in slagorde zouden opstellen.'

'Alketas heeft zijn leger nog op kamp?' vroeg Antigonos, eerder hoopvol dan verrast.

'Ja, vader, hij weet nog niet dat we hier zijn.'

Antigonos grinnikte en wreef krachtiger in zijn handen dan hij gewoonlijk deed. 'Het is ons gelukt. Hoe ver is het nog naar die pas?'

'Iets meer dan drie mijl, iets zuidelijk van het westen. Aan de noordkant is een helling die te doen is; als we daarover aanvallen hebben we het voordeel hoger te zitten.'

'Goed gedaan, Demetrios, je wordt nog eens een echte generaal.' Antigonos keek naar de zon. 'We zouden er in een uur kunnen zijn, dan hebben we nog een paar uur daglicht; net genoeg tijd. We kunnen beter nu gaan dan tot morgenochtend wachten met het risico dat hun verkenners ons vannacht ontdekken. Ik ga voorop met de falanx, jij gebruikt de cavalerie en de olifanten om tegenaanvallen af te slaan als we naar ze afdalen; dat wordt een onaangename verrassing voor ze.'

Demetrios keek zijn vader ontzet aan. 'Olifanten tegen Macedoniërs inzetten? Ze tegen fortificaties gebruiken is één ding, maar tegen de jongens op het slagveld?'

'Ik weet dat het nooit eerder is gebeurd, zoon, maar dit is oorlog, en hoe sneller het achter de rug is, hoe beter. Als Eumenes bereid is om afspraken te maken zou dit de laatste slag van de oorlog kunnen zijn.'

Maar op het moment waarop hij dit zei besefte hij dat het een afschuwelijke teleurstelling zou zijn als het waar was. Hij was dol op oorlog en hij had zich enorm vermaakt tijdens deze: falanx tegen falanx, wat een genot. Maar hij moest ook winnen; het was zinloos om het conflict te laten voortslepen door met opzet een slag te verliezen, en daarom had hij zijn leger in slechts acht dagen in geforceerde marsen van Cappadocië naar Pisidië gebracht, waarbij hij vijfendertig tot vijfenveertig mijl per dag had afgelegd. Het was een van de favoriete tactieken van Alexander geweest en nu maakte hij, Antigonos, er met succes gebruik van, want hier stond hij op een uur marcheren van zijn vijand, die meende dat hij nog ver in het oosten was.

Goden, dit wordt mooi.

'Geen hoorns,' beval hij toen hij het leger opdroeg in beweging te komen. 'Pas als we daar zijn.'

'Het is alsof je in een mierennest port,' observeerde Antigonos lachend boven het getrompetter van de olifanten uit. 'En zo te ruiken waren ze net bezig met hun avondmaal.' Hij keek langs de helling naar Alketas' kamp beneden, opgeslagen bij de pas die het hoogland van Pisidië verbond met de ruige kust van Pamfylië. Piepkleine figuurtjes renden heen en weer, doodsbang door het lawaai van de olifanten die opeens boven hen waren verschenen. De verrassing was compleet en het geschreeuw van de officieren werd door de wind omhooggevoerd, ze probeerden wanhopig de manschappen in eenheden te dirigeren. Maar het was te laat; Antigonos' leger had een hogere positie en was al volledig in slagorde. Met een simpel handgebaar gaf Antigonos het signaal om op te trekken en de grote falanx bewoog zich met gestage pas voorwaarts, langs de helling naar de vijand toe, met voor zich uit boogschutters en slingeraars en op de flanken peltasten.

Alketas had talloze gebreken, maar niemand kon hem van lafheid beschuldigen: om tijd te winnen zodat de falanx zich kon formeren ging hij met de cavalerie, drieduizend man sterk, en lichte infanterie recht op het oprukkende vijandelijke leger af in een poging de opmars te stuiten. De paarden stroomden omhoog, hun borst zwoegend van de inspanning om tegen de helling op te galopperen, terwijl hun berijders hun oorlogskreten slaakten en hun rijdieren tot grotere snelheid aanzetten. Het gesuis van het eerste salvo vulde de lucht en de hemel werd verduisterd door pijlen, maar Alketas leidde nog altijd zijn mannen voorwaarts.

Het was het moment waarop Antigonos had gewacht: zodra Alketas dichter bij hem dan bij zijn eigen falanx was, gaf hij Demetrios het afgesproken signaal; de twintig olifanten trompetterden opnieuw en begonnen af te dalen, voor ze uit rende lichte infanterie en op de flanken bevonden zich cavaleristen – de paarden waren inmiddels gewend aan de onbekende geur van de grote dieren. Door de helling nam hun snelheid toe en de levende oorlogsmachine naderde snel de vijandelijke infanterie, die nog lang niet in slagorde stond. Alketas besefte dat hij het gevaar liep afgesneden te raken van zijn falanx en liet de cavalerie omkeren en daalde de helling af. Ogenblikken voordat de ramp zich zou voltrekken wist hij te hergroeperen; maar de ramp was enkel even uitgesteld, en niet eens voor lang, want Antigonos' infanterie bereikte de in chaos verkerende falanx, waarvan de flank door de olifanten was toegetakeld, met talrijke mannen die verpletterd, gemangeld en gespietst waren. Ze hadden geen keus: ze gingen zitten ten teken van overgave, het gebeurde in een golf vanaf de linkerkant, die door de olifanten was verpletterd, en ging door de hele, tienduizend man tellende formatie tot aan de ongeschonden rechterflank, die ook het gevaar zag.

'Attalus, Docimus en Polemon,' sprak Antigonos zijn gevangenen toe, die in ketenen in zijn tent aan hem voorgeleid waren. 'Ik had jullie liever in betere omstandigheden ontmoet, maar helaas moet ik jullie als opstandelingen beschouwen die een doodvonnis hebben gekregen.'

'We zijn geen rebellen,' benadrukte Attalus. 'We zijn trouw aan mijn zwager, Perdikkas, die laaghartig is vermoord door Antigenes,

Seleukos en Peithon; zij zijn de rebellen, niet wij, want zij hebben de man vermoord aan wie Alexander zijn ring gaf.'

'Tja, nu draagt Antipatros de ring, al zal dat niet lang duren. Omdat de politieke situatie binnenkort weleens heel anders kan komen te liggen neig ik ernaar om jullie levens voorlopig te sparen en te kijken of er niet een vorm van toenadering mogelijk is; tot het zover is houd ik jullie in Celaenae. Goed, ik veronderstel dat het geen zin heeft jullie te vragen waar Alketas is?'

Attalus glimlachte. 'Geen probleem. Hij zit in Termessos, ze zullen hem nooit uitleveren; de jonge mannen van de stad vereren hem als een held.'

Antigonos bromde wat. 'We zullen wel zien.' Hij knikte naar de wachters. 'Neem ze mee.'

Termessos lag trots op een heuvel en keek uit over een brede, vruchtbare vallei, bevloeid door talrijke stroompjes die uit de heuvels naar de rivier stroomden. Hoge torens beheersten het silhouet van de stad, sommige waren verdedigingstorens in de stadsmuur, andere waren midden in de stad opgetrokken door families die hun status met hoogte wilden benadrukken. Termessos oogde als een rijke stad, een die niet had geleden onder de Alexanders verovering of door de recente burgeroorlog, waarin het vurig trouw was gebleven aan Perdikkas en vooral Alketas. Voor deze stad, in de velden waar een rijke oogst aan het rijpen was, stond Antigonos met een leger van inmiddels zestigduizend infanteristen en tienduizend man cavalerie, want hij had de gevangengenomen mannen van Attalus in zijn strijdmacht opgenomen. Hij glimlachte tegen de delegatie uit de stad die vlak voordat de zon zou ondergaan met een olijftak naar hem toe was gekomen.

'Het zit dus zo, heren, ik blijf hier tot Alketas aan me uitgeleverd wordt.' Hij keek om zich heen naar de rijkdom aan gewassen. 'Ik heb geen haast, zo te zien is er voldoende voedsel voor mijn mannen voor de komende maanden.' Hij haalde zijn schouders op, zijn ene oog twinkelde boosaardig. 'Maar hoe langer jullie me laten wachten, hoe minder jullie de komende winter te eten hebben; maar alles is beter dan dat ik de stad stormenderhand inneem, vinden jullie niet?'

'Zeker, heer,' zei de grijsbaardige leider van de delegatie, die zijn handen wrong, 'en we danken u voor die genade, maar helaas ligt het zo dat onze zoons niet naar ons willen luisteren, ze geven Alketas niet op en het lukt ons niet om ze op andere gedachten te brengen.'

'Wat zijn dat voor zoons die jullie hebben dat ze weigeren hun vader te gehoorzamen?'

'Respectloze, heer.'

Antigonos dacht daar even over na. 'Tja, ik kan alleen maar zeggen dat het een moeilijke winter voor jullie in de stad gaat worden, terwijl wij hierbuiten het prima kunnen uithouden, dus jullie hoeven je om ons geen zorgen te maken. Ik heb jullie verder niets meer te zeggen totdat jullie zoons hebben geleerd wat respect voor je vader betekent, dus ga ik mijn avondmaal nu gebruiken. Ik stel voor dat jullie dat ook doen en jullie zoons zonder eten naar bed sturen.'

Antigonos trok een poot los van de geroosterde gans en keek naar zijn jonge gast, net aangekomen uit Tarsos, die aan de andere kant van de tafel naast Demetrios lag. Het nieuws had hem verbaasd. 'Het is niet echt een verrassing, Pleistarchos, hij was een gebroken man na de dood van Iollas; maar Polyperchon, dat is opmerkelijk. Een uitstekende onderbevelhebber met een goed oog voor details, logistiek en bevoorrading, en een man met zicht op geldzaken, maar bepaald geen leider – alleen al zijn stem is genoeg om je in slaap te wiegen.' Hij stootte zijn oude vriend Philotas aan, die naast hem lag. 'Kun je je voorstellen dat hij zijn leger een opzwepende toespraak geeft voor ze het slagveld betreden?'

Philotas verslikte zich in zijn wijn. 'Je moet de reveille voor ze blazen zodra hij klaar is, anders zouden de jongens het bevel om op te trekken niet horen boven het gesnurk uit.'

Antigonos lachte en beet in zijn ganzenpoot. 'Dus je broer is een gepikeerd man, neem ik aan?'

'Het was zijn erfenis, niet die van Polyperchon.'

'Dat was ze niet, m'n jongen, ze was van niemand. Antipatros had niet het recht het regentschap over te dragen zonder instemming van een vergadering van alle satrapen, iets wat nu niet snel zal gebeuren. Maar daar ligt Kassandros' kans.'

'Helpt u hem dus?'

'Dat heb ik niet gezegd, m'n jongen. Ten eerste: wat is hij van plan?'

Antigonos fronste en keek Pleistarchos aan toen die Kassandros' plannen had verteld. 'Je ligt; heb je je zwijn gedood?'

Er verscheen een uitdrukking van trots op Pleistarchos' gezicht, dat niet zo smal was als dat van zijn broer, maar wel even bleek oogde. Hij had een pluizig rood baardje. 'Een halve maan geleden.'

'En Kassandros?' vroeg Demetrios – hij had op zijn veertiende zijn wildzwijn gedood.

Pleistarchos' beschaamde zwijgen sprak voor zich.

'Slechts weinig mannen hebben hun hele leven op de bank rechtop moeten zitten en van die lui heeft niemand ooit iets gedaan wat in de verste verte memorabel was, laat staan Athene nemen en Polyperchon dwingen om in Griekenland te vechten. Ik vraag me af of je broer een uitzondering is. Ga morgen terug naar hem en zeg hem dat ik erover zal nadenken.'

'Maar u zegt geen nee.'

'Nee, ik heb geen nee gezegd.'

'En als u besluit om hem te helpen, geeft u hem dan geld, mannen en schepen?'

'Dat hangt van de situatie dan af, als ik ten gunste van Kassandros beslis.'

Verdere gedachten over het onderwerp werden onderbroken door de komst van de grijsbaard die de delegatie van Termessos had geleid.

'Dus,' zei Antigonos nadat hij de man had aangehoord, 'als we ons 's ochtends terugtrekken, dan zullen jullie ongehoorzame zoons naar buiten komen, zodat de oudere generatie de kans heeft om Alketas te grijpen en aan mij uit te leveren?'

'Daar hopen we op; ze zullen willen kijken hoeveel schade er aan de gewassen is en wij zullen ze aanmoedigen dat te doen en de meesten van ons zullen met ze meegaan. We laten enkele van de jongere vaders achter en hopen dat die de kans krijgen om hem te pakken.'

Antigonos hoorde het geamuseerd aan. 'Als het werkt zal er een oorlog tussen de generaties bij jullie uitbreken; jullie zoons zullen jullie nooit meer vertrouwen.'

De grijsaard haalde zijn schouders op. 'Zo was het altijd al.'

Ik heb het beter gedaan met de mijne. 'Goed dan, ik zal me morgenochtend terugtrekken, maar op één voorwaarde?'

'En die is?'

'Dat jullie me Alketas brengen, dood.'

De ogen waren uitgepikt en rond het lijk rook het naar bederf. Het hing aan een strop tussen Antigonos' kamp en de muren van Termessos.

'Hoe lang laat u hem daar hangen, vader?' vroeg Demetrios toen hij en Antigonos terugreden, begeleid door een groot escorte om de luidruchtiger aanhangers van de dode opstandeling op afstand te houden. 'Hij hangt er al drie dagen.'

De stadsoudsten hadden hun woord gehouden: Alketas was gepakt en vermoord toen de jonge mannen de stad hadden verlaten om hun boerderijen te inspecteren en te controleren of Antigonos' leger echt was vertrokken. Sommigen probeerden ook afgedwaalde soldaten te pakken. Antigonos keek om naar het lijk. 'Ik denk dat het zijn taak nu wel heeft gedaan, de jongeren van de stad beseffen nu dat ze de zaken niet in eigen hand moeten nemen.' Hij wendde zich tot de officier die het cavalerie-escorte leidde. 'Snijd hem los en laat hem langs de weg liggen.'

'Vader! Hij was een Macedonische edelman.'

Antigonos wendde zijn oog naar zijn zoon. 'Hij was een Macedonische edelman en dus had hij moeten weten dat hij Cynnane niet kon doden; dat is zijn straf voor het vermoorden van Alexanders zuster. Als de jonge mannen van de stad die hem zo vereren hem een begrafenis willen geven, dan heb ik daar niets tegen. Ik wil verder niets meer met hem te maken hebben.'

Toen Antigonos bij zijn tent terugkeerde, werd hij daar opgewacht door een opgewonden Pleistarchos, in gezelschap van Philotas.

'Ik dacht dat je drie dagen geleden naar je broer was vertrokken?'

'Dat was ook zo, Antigonos.' De ogen van de jongen glinsterden.

'Ik waarschuw je, beste vriend,' zei Philotas, zijn stem ernstig, 'wat hij te zeggen heeft kan je verleiden tot overhaast handelen. En ik spreek als iemand die jou goed kent.'

Antigonos keek Pleistarchos geïnteresseerd aan. 'En?'

'Gisteren kwam ik in Tarsos aan, mijn schip wachtte op me en mijn broer was aan boord.'

'Fijn om te horen, maar je bent vast niet helemaal hier gekomen om me dat te vertellen.'

'Nee, Antigonos. Vlak voor we zouden vertrekken kwam er een ander schip uit Macedonië de haven in. Ik herkende de passagier: Diogenes, mijn vaders schatbewaarder. Mijn broer en ik volgden hem en zijn escorte tot we zeker wisten waar hij naartoe ging; vervolgens zijn we zo gauw mogelijk naar u gekomen.'

'En?'

'En hij was op weg naar Cyinda.'

Antigonos keek naar Philotas, die een veelbetekenend lachje gaf. 'Het lijkt erop dat Polyperchon geld nodig heeft.'

'Als je het inpikt begin je een nieuwe oorlog, slechts drie dagen nadat je de oude hebt beëindigd.'

Antigonos grijnsde. 'Laten we niet op de zaken vooruitlopen.' Hij keek naar Pleistarchos; die was opgeblazen van trots. 'Is er plaats voor honderd man op je schip?'

'Het zal geen prettige reis zijn, maar het is maar een dag varen.'

Antigonos sloeg de jonge man op de schouder. 'Laten we dan gaan.'

De schemering was aangebroken toen de bereden colonne eindelijk de rivierhaven van Tarsos bereikte; in het midden waren vier stevige wagens beladen met kratten; slaven haastten zich heen en weer, ze staken toortsen aan zodat de lucratieve handel ook 's avonds verder kon.

'Polyperchon lijkt van plan een hoop steun te kopen,' zei Philotas toen de colonne het schip dat naast hen lag afgemeerd bereikte.

Antigonos draaide zich om en begon wat met touwen te rommelen in de hoop dat hij een zeeman zou lijken en deed alsof hij niets zag van wat er zich vlak bij hem afspeelde. 'We laten ze alles eerst aan boord brengen zodat ze er niet mee vandoor kunnen.'

Philotas ging naar hem toe en deed ook alsof hij druk met de touwen bezig was. 'En ze besparen ons dan een hoop werk.'

Antigonos wierp een blik op een pakhuis aan de kade, de dubbele deur stond op een kier; in het licht van de toortsen die aan weerszijden fel brandden kon Antigonos nog net Demetrios, Pleistarchos en diens broer Philippus zien, die met de mannen op zijn teken wachtten.

Nadat de laatste krat was ingeladen en Diogenes hem op het dek op zijn lijst had afgetekend, kwam het signaal: Antigonos, met de kap van zijn mantel over zijn hoofd getrokken, liep over de loopplank de kade op, vergezeld door Philotas, en ging bij het andere schip aan boord.

'Wie ben je?' snauwde Diogenes. 'Van mijn schip af!'

'Ik ben de rechtmatige eigenaar van al dat geld,' antwoordde Antigonos en hij trok zijn kap naar achteren.

'Antigonos?'

'Heel juist, Diogenes. Antipatros heeft me tot opperbevelhebber van Azië gemaakt en dat is Aziatisch geld.'

'Antipatros is dood, Polyperchon heeft nu het bevel.'

'Dat weet ik allemaal en het maakt me in het geheel niets uit; je kunt kiezen: of je verlaat het schip en gaat op eigen gelegenheid terug naar Macedonië, of je blijft aan boord en dient voortaan een nieuwe meester.'

'Wachters!' Maar zodra Diogenes om hulp schreeuwde zag hij dat het schip door honderd man was omsingeld, allemaal met getrokken zwaard; zijn wachters waren nergens te bekennen.

'Een beetje te laat daarvoor, dunkt me. Wat kies je?'

Diogenes slikte en liet zijn schouders hangen. 'Mijn familie is in Pella; ik ga zelf terug naar huis.' Hij overhandigde Antigonos zijn lijst en verliet het schip.

Antigonos floot toen hij zijn oog over de cijfers liet gaan. 'Vijfhonderd talent; dat is echt het begin van een oorlog, Philotas. Tja, ik begon me net te vervelen na drie hele dagen vrede.'

'Wat ga je doen? Macedonië binnenvallen?'

'Natuurlijk niet. Waarom zou ik dat doen als ik iemand heb die het met alle liefde voor me wil doen?' Hij keek om zich heen en zag degenen die hij zocht. 'Pleistarchos, Philippus, kom hier.' Toen de jongens op hem af liepen probeerde hij te bedenken wie wie was. 'Ga terug naar jullie broer en vertel hem dat ik geld, schepen en manschappen heb. Als hij van al die dingen wat wil lenen, zodat hij naar Athene kan om daarna Macedonië in te nemen, moet hij naar me toe komen voordat ik van gedachten verander.'

'Ja, heer,' zeiden ze gelijktijdig. 'Dank u.'

'O, en zeg hem dat het jullie snelle denkwerk was waardoor ik bereid ben hem te helpen; ik weet dat hij niet de aardigste is, maar het zal hem geen kwaad doen als hij wat dankbaarheid toont. Jullie kunnen gaan.'

De tweeling draaide zich om en begaf zich naar hun schip, terwijl Demetrios zijn mannen aan boord van het geldschip liet gaan. 'Terug naar Pisidië, vader?'

'Ja.'

'En daarna? Afrekenen met Eumenes?'

Antigonos glimlachte en schudde het hoofd. 'In zekere zin, maar met een brief in plaats van het zwaard. Er ligt een kans voor ons: nu er oorlog in Europa komt hebben we de gelegenheid om Azië in te nemen. Wie is er dan beter geschikt om ons te helpen de campagne te plannen dan onze sluwe kleine Griek? Tenslotte mogen de mensen die een hekel aan ons hebben hem wel, en daarmee krijgen we er enkele interessante nieuwe vrienden bij. Ik ga hem schrijven, zijn landgenoot Hieronymus kan hem de brief brengen zodat hij beseft dat het een oprecht aanbod is.'

'Wat bent u van plan hem te bieden?'

'Hij kan mijn onderbevelhebber worden en me helpen Azië te verenigen voor de twee koningen; precies wat hij de hele tijd wil doen, dat weet je toch.'

Demetrios dacht er even over na. 'Hij zal het aanbod waarschijnlijk aannemen. Hoe zit het met Polyperchon?'

'Polyperchon zal het te druk met Kassandros hebben om me tegen te kunnen houden; en Kassandros wil alleen Macedonië. Ik ga Ptolemaeus met rust laten en met Seleukos reken ik later wel af als hij zich niet onderwerpt.' Hij krabde nadenkend in zijn volle baard. 'Nee, bij nader inzien moet ik nog een tweede brief schrijven, en wel aan de moeder van alle onheil. Ik zal haar aanmoedigen om Polyperchon het leven zuur te maken.'

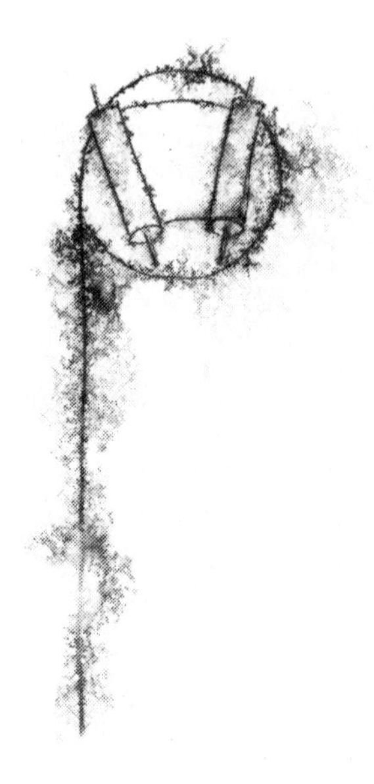

POLYPERCHON, DE GRIJZE

Het nieuws was nooit goed, de vooruitzichten waren zelden tot nimmer hoopvol. Polyperchon keek naar de stapel documenten op zijn schrijftafel en verlangde naar vroeger, toen Antipatros of Krateros de baas was en hij zich alleen met de details hoefde bezig te houden, details waar hij van hield: alle kleinigheden van het organiseren, het plezier dat hij voelde als inkomsten en uitgaven in evenwicht waren, het controleren en nogmaals controleren of alle bevelen waren doorgegeven, begrepen en uitgevoerd. En dan de vreugde van de slag in de voorste rij van de falanx; dat was het leger: orde, discipline en geweld. Dat was het leven waar Polyperchon voor gekozen had, niet deze nieuwe rol die hem onverwacht opgedrongen was, zonder hem iets te vragen. Hij had hiervoor niet gekozen: niet voor het geven van bevelen in plaats van ze te ontvangen en vervolgens te zorgen dat ze uitgevoerd werden; niet voor het leven van een machthebber met het besef dat als hij verloor niet alleen zijn loopbaan voorbij was, maar ook zijn leven. Hij keek naar de Grote Ring van Macedonië, die hij met tegenzin aan zijn rechterhand droeg. *En toch zit ik ermee opgescheept; zelfs als ik hem vrijwillig aan Kassandros geef zou hij mij en mijn zoon vermoorden. Ik moet de rest van mijn leven proberen te zijn wat ik niet ben, en dat allemaal vanwege één domme fout.*

En het was een domme fout geweest. Hij had zich onderscheiden in Alexanders leger, eerst bij Issos, waardoor hij het bevel had gekregen over een *syntagma* van tweehonderdzesenvijftig landgenoten. Daarna had hij zich tijdens de veroveringstocht langzaam omhooggewerkt tot hij deel ging uitmaken van Alexanders buitenste kring, net binnen diens blik. En toen had hij de fout gemaakt, hij had gelachen om een Pers die de *proskynesis* maakte, het op de knieën gaan en buigen, zoals verplicht was voor de Grote Koning en waar Alexander bij zijn Perzische onderdanen ook op stond. Hij had gelachen om de man die bijna met het voorhoofd op de grond kwam en had gezegd dat hij met zijn hoofd harder op de grond moest slaan. Alexander had een woedeaanval gekregen en had hem van zijn ligbank gesleurd en hem voor zijn kameraden vernederd: hij werd gedwongen het eerbewijs te brengen dat hij net had bespot, en hoewel niemand hardop lachte, wist Polyperchon heel goed dat men hem achter zijn rug altijd zou blijven uitlachen. Dus toen Krateros – die zelf niet veel ophad met Alexanders overname van Perzische gewoonten – naar Macedonië werd gestuurd om Antipatros te vervangen, was Polyperchon maar al te blij dat hij als onderbevelhebber mee mocht. Maar als hij had geweten waartoe het zou leiden, zou hij in het oosten zijn gebleven en had hij het gegrinnik op de koop toe genomen. Want al had Alexander er uiteindelijk op gestaan dat ook Macedoniërs de vernederende handeling uitvoerden, zodat er geen verschil tussen hen en de veroverde volken zou bestaan, was hij de eerste die het had gedaan en daarom zou hij altijd het mikpunt van spot blijven.

Als hij die fout niet had gemaakt was hij nu misschien wel Ptolemaeus' rechterhand of Peucestas' kwartiermeester of zelfs Eumenes' schatbewaarder geweest; het maakte hem allemaal niet uit, zolang er maar iemand was die hem vertelde wat hij moest doen. En zo iemand miste hij nu, want hij wist niet hoe hij moest reageren op het nieuws dat hij net had gekregen. 'Dus dat kleine kreng Adea had het mis. Antigonos is niet trouw gebleven.'

Alexandros, die tegen een venster leunde dat uitzicht bood op de heuvels in het noorden, schudde het hoofd. 'Nee, vader.'

Polyperchon wendde zich tot de man die voor zijn schrijftafel stond. 'Heeft hij alles gestolen, Diogenes?'

Diogenes sloeg zijn ogen neer, vernederd door de herinnering. 'Tot aan de laatste munt.'

Polyperchon zat met zijn hoofd in zijn handen, een houding die hij de laatste tijd opmerkelijk vaak aannam. 'Hij heeft me daarmee zo goed als de oorlog verklaard en ik zal dom en zwak lijken als ik me niet tegen hem verzet. Wat moet ik doen?'

Alexandros liep naar de schrijftafel en stuurde Diogenes met een handgebaar weg en ging zitten. 'Vader, dit is geen moment voor besluiteloosheid; u moet naar het zuiden, vergeet Antigonos. Ja, hij heeft het geld gestolen en nee, we zullen nooit meer iets uit de schatkist van Cyinda krijgen, maar het heeft geen zin om daarover te jammeren. De vraag is: wat gaat Antigonos met zijn nieuwe rijkdom doen? En het antwoord daarop lijkt me duidelijk.'

Polyperchon keek op naar zijn zoon, een sprankje hoop in zijn ogen. 'Echt waar?'

'Ja. Antigonos heeft het veel te druk in Azië, hij komt echt niet hiernaartoe; hij blijft daar en stuurt iemand om ons het leven zuur te maken.'

Polyperchon dacht even na. 'Kassandros?'

'Uiteraard. Diogenes vertelde dat Pleistarchos en Philippus erbij waren toen Antigonos het geld in beslag nam; hij denkt zelfs dat zij het transport verraden hebben om zo bij Antigonos in de gunst te komen. Kassandros is duidelijk degene die het vuile werk voor Antigonos in Europa moet opknappen: hij was niet bij de veroveringstocht en heeft dus geen belangstelling voor Azië, en zelfs als hij die had heeft hij te weinig vrienden om iets te kunnen uitrichten. Het ligt dus voor de hand dat hij naar Europa kijkt, maar dan heeft hij daar wel een basis nodig.'

'Athene?'

'Ja, vader, Athene. Antigonos zal Kassandros troepen geven en die zal vervolgens naar Athene varen; we moeten Piraeus heroveren voordat hij daar aankomt, want hij mag Athene niet innemen.' Alexandros sloeg met zijn vuist op tafel. 'We moeten heel Griekenland uit zijn handen houden.'

'Hoe doen we dat?'

'Alle steden worden er bestuurd door oligarchieën die Kassandros' vader heeft ingesteld.'

'Ja, maar dat is toch zeker een goede zaak? Democratieën zijn lichtzinnig; de macht kan maar beter in handen van de rijken liggen, want die voeren een behoedzaam beleid om hun rijkdom te beschermen en te vergroten.'

'Zo zie ik het ook, maar die machthebbers zijn, zoals ik al zei, benoemd door Antipatros; dus aan wie zullen ze trouw zijn in geval van oorlog, aan ons of aan Kassandros?'

Polyperchon hoefde die vraag niet te beantwoorden.

'Dus als wíj nieuwe mensen aan de macht brengen,' ging Alexandros verder, 'dan zullen die trouw aan ons zijn. De Atheense oligarchie gaat niets doen aan Nicanor van Sindus in Piraeus. Phocion weigerde het gezantschap naar Antipatros te leiden dat voor opheffing van het garnizoen kwam pleiten, en de rest van de oligarchen, die misschien wel tegen het garnizoen waren, hebben gehoord wat er met Demades en zijn zoon is gebeurd. We moeten dus van het hele stel af en voor een nieuw bestuur zorgen dat zo tegen Nicanor gekant is dat ze misschien zelf wel proberen hem te verdrijven.'

Polyperchon gebaarde zijn zoon met open handen dat hij het antwoord moest geven op de vraag hoe ze het moesten aanpakken, aangezien hij het zelf niet wist.

'U kondigt de vrijheid van alle Grieken af; alle ballingen zijn vrij om naar huis terug te keren. De democraten zullen naar hun steden gaan en de oligarchieën zullen in een zee van bloed gesmoord worden; en dan hebben we in één klap alle bondgenoten die we in het zuiden nodig hebben – vooral ook omdat we een leger in de buurt hebben om gedachten aan volledige onafhankelijkheid te ontmoedigen.'

'De vrijheid van de Grieken afkondigen?'

'Ja; bedenk hoe geliefd we zouden worden. Met democraten in Athene aan de macht en het koninklijke leger achter me kan ik Nicanor vanuit een veel betere positie bedreigen dan nu, ik kan hem overhalen zich uit Munychia terug te trekken voordat Kassandros met zijn leger komt. Hij zal ergens anders aan land moeten gaan, maar waar dat ook is, hij zal als een vijandelijke macht worden gezien en wij als de redders. Zo zullen we hem verslaan.' Alexandros sloeg weer op de schrijftafel, waardoor de stapels papieren opvlogen.

Polyperchon legde ze snel weer goed. 'De vrijheid van de Grieken afkondigen?'

'Ja, vader. Het heeft geen zin het steeds weer te zeggen, u moet het op schrift stellen en door heel Griekenland verspreiden.'

En dat was iets wat Polyperchon kon doen: het was bijna een bevel en er was aardig wat werk voor nodig om het tot in de puntjes uit te voeren. 'Ik doe het.'

'Mooi. Over de gevolgen van al die democratieën die we scheppen maken we ons wel zorgen als Kassandros eenmaal verslagen is. Ik ga met onze officieren spreken en zorg dat het leger over twee dagen klaar is om naar het zuiden te marcheren, met de vloot als ondersteuning. Ik wil in Attica zijn als het nieuws de ronde doet zodat ik dankbare delegaties kan ontvangen en veel nieuwe vrienden maak. Als alles geregeld is kunt u naar het zuiden komen en gehuldigd worden als de redder van Griekenland, waar elke burger in elke stad weer een stem heeft, ongeacht hoeveel geld hij heeft – en mogen de goden ze helpen.'

Polyperchon keek tevreden naar de vloot, honderd schepen sterk, die voor anker lag bij het begin van de zeearm die tot aan Pella liep, negen mijl landinwaarts. De haven van Pella was te klein voor zoveel triremen en daarom waren ze hier op zee bijeengebracht, terwijl het leger zich op de vlakte voor Pella had verzameld. Nu was alles klaar voor een nieuwe Macedonische tocht naar Griekenland. Het leger was 's ochtends op mars gegaan, hij zag het in het zuiden over de kustweg trekken, richting Pydna en vervolgens door naar Thessalië. Met hoorngeschal dat tegen de kliffen aan de overkant van de baai echode hees de vloot het anker en zeilde op de stevige bries uit het noordoosten weg, na eerst met een paar slagen van de roeiers op gang te zijn gekomen.

Polyperchon merkte dat hij zwaaide naar de majestueuze vloot die zuidwaarts voer; hij herinnerde zich zijn waardigheid en bracht zijn hand snel omlaag en keek om naar zijn escorte om te zien of iemand moest lachen om het kinderachtige gebaar; niemand keek hem aan.

Net toen de vloot in de verte verdween en Polyperchon zijn paard wendde om terug naar Pella te gaan, hoorde hij een waarschuwingskreet. Hij keek naar het oosten. Aan de horizon waren zeilen verschenen, tientallen; het ging om zeker zestig schepen, hun rompen kwamen net in zicht.

'Wat denk jij?' vroeg Polyperchon aan de commandant van zijn escorte, die met zijn hand boven zijn ogen keek.

'Volgens mij komen ze hierheen; als ze naar het zuiden op weg waren zouden ze de baai wel oversteken.'

'Kun je zien wat voor schepen het zijn?'

De officier kneep zijn ogen even samen. 'Ik weet het niet zeker, heer, maar ik geloof niet dat het koopvaarders zijn.'

'Oorlogsschepen?'

'Daar moeten we denk ik wel van uitgaan, heer.'

Antigonos. Polyperchon keek naar het zuiden, waar zijn vloot nu verder weg was dan de nieuwkomers. *Zelfs als ik ze een boodschap zou sturen moeten ze tegen de wind in terugroeien; hoe wist hij het juiste moment voor een aanval? Nu de meeste van mijn schepen weg zijn kan ik niet voorkomen dat hij Pella bereikt.* Hij wendde zich weer tot de officier. 'We rijden terug naar Pella; stuur een boodschapper op volle snelheid vooruit en laat de havenmeester de verdediging van de haven op orde brengen. We mogen die vloot niet laten landen.'

'Met alle respect, heer, als dat een invasievloot is zullen ze het leger niet in een vijandige haven van boord laten gaan. Ze zullen een bruikbare baai of iets dergelijks in de buurt zoeken. En als ik een vijandelijke vloot was die onze vloot wil vernietigen, dan zouden ze toch de achtervolging inzetten en niet naar Pella's haven varen?'

Polyperchon krabde op zijn hoofd. Tegen de logica van de man viel weinig in te brengen, en als hij er niet naar handelde zou hij op een in paniek geraakt oud wijf lijken. Maar kon hij het zich wel veroorloven niets te doen terwijl er een kleine kans bestond dat die vloot een bedreiging voor hem was? 'Je hebt natuurlijk gelijk. Maar ik vind het beter om op alles voorbereid te zijn. Nu het leger en de vloot zijn vertrokken en we enkel nog een klein garnizoen in de stad en de haven hebben is Pella kwetsbaar. We moeten opschieten.' Hij dreef zijn paard voorwaarts, sloot zijn ogen en kreunde inwendig toen hij besefte dat de officier net zijn beoordelingsvermogen in twijfel had getrokken, en in plaats van hem terecht te wijzen had hij zichzelf gerechtvaardigd. *Dat was geen leiderschap.*

De ketting was voor de haven gespannen toen Polyperchon en zijn escorte door de poort kwamen gegaloppeerd; de muren waren bemand met boogschutters, tussen hen in stonden op regelmatige afstand vuurpotten om pijlen aan te steken. De artilleriestukken waren geladen en op de havenmond gericht en bij de poorten stonden eenheden klaar om pogingen om troepen buiten de muren aan land te zetten te verhinderen mocht de vloot vijandelijk blijken te zijn. En als men door de ketting zou breken, lagen de laatste drie triremen – die waren gebleven om boodschappen te kunnen versturen – volledig uitgerust en bemand klaar om als laatste defensielinie te dienen.

'Ze komen zeker hierheen, ze zijn net langs die heuvel drie mijl vanhier gepasseerd,' zei de havenmeester, die in de verte wees. 'Ik heb daar een mannetje gezet, u kunt hem signalen zien geven.'

Polyperchon hield zijn hand boven zijn ogen, vanaf een heuvel in het zuiden zag hij flitsen. 'We kunnen nu alleen maar afwachten.'

Toen het voorste schip in zicht kwam speelde Polyperchon even met het idee om een opzwepende toespraak tot de manschappen te houden en hij overwoog welke woorden hij zou moeten gebruiken, toen een stem vanaf de uitkijktoren schreeuwde: 'Poseidon! Poseidon!'

Polyperchon spande opnieuw zijn ogen in en tuurde in de verte. En inderdaad, op de boeg van het voorste schip stond Poseidon, naakt op wat zeewier na, zwaaiend met zijn drietand. Kleitos de Witte was naar Pella gekomen.

'Antigonos is zo snel tegen Lydië opgetrokken,' vertelde Kleitos toen hij op de kade stond, 'dat hij de weinige troepen van mijn satrapiegarnizoen volkomen overrompelde; de meeste mannen gaven zich over en werden in zijn leger opgenomen. Hij stond al voor de muren van Sardis voordat ik zelfs maar wist dat hij was binnengevallen; hij stuurde me een boodschap en gaf me de keus: onder hem dienen of onder de grond liggen. Daar ik geen van beide opties erg aanlokkelijk vond, zag ik geen andere mogelijkheid dan de vloot bij Ephesos te redden.' Hij zweeg even om een sliert zeewier die vochtig aan zijn wang kleefde te verwijderen en wees vervolgens met zijn drietand naar zijn schepen. 'En dat is zoals je ziet wat ik gedaan heb. Zover ik weet is hij vervolgens op weg naar Hellespontisch Frygië gegaan om Arrhidaeus hetzelfde ultimatum te stellen.'

'Hij vervangt alle benoemingen van Antipatros met zijn eigen mannetjes,' zei Polyperchon, 'een voor een.'

'Ja, dus ik heb een snel schip gestuurd om Arrhidaeus te waarschuwen, maar ik betwijfel of hij zich tegen Antigonos teweer kan stellen: diens leger telt inmiddels ruim zeventigduizend man.'

Polyperchon sloeg Kleitos op de met zeewier behangen schouder. 'Goed gedaan. Wat weet je van Assander in Carië?'

'Ik neem aan dat hij naar Antigonos overloopt. Intussen is Kassandros naar Azië overgestoken, samen met twee van zijn broers en zo'n vijfhonderd man van zijn clan; hij gaat zich bij Antigonos voegen.'

Polyperchon kreunde. 'Ik had gehoopt dat zijn beenwond hem langer in Thracië zou houden. En hoe zit het met Nicanor in Cappadocië? Hij zal zich ongetwijfeld bij Antigonos aansluiten aangezien hij Kassandros' broer is.'

'Heb je hem niet gezien?'

'Hem waar gezien?'

'Hier. Hij kreeg te maken met een opstand in zijn satrapie; hij was niet erg populair en is verdreven. De bevolking geeft de voorkeur aan Eumenes, al wordt die nog altijd belegerd in Nora. Nicanor had te weinig loyale troepen om zich te verzetten. Hoe dan ook, Nicanor trok twee dagen voor ik ging door Sardis, ik heb hem een schip met bestemming Macedonië gegeven. Hij had er al moeten zijn.'

'Ik kan maar beter met zijn stiefmoeder gaan praten.'

'Nee, dat doe ik niet,' zei Hyperia, haar kin uitdagend geheven terwijl ze voor de raadstafel in de troonzaal van het paleis stond. Koning Philippus, die zijn olifant stevig vasthield, zat aan het hoofd met een blik van verwarring in zijn ogen en een lopende neus.

Polyperchon toonde zijn ring. 'Ik beveel je in de naam van Macedonië te zeggen waar hij is.'

Hyperia wuifde de ring weg. 'Je kunt wat mij betreft bevelen wat je wilt; als ik mijn stiefzoon aan je zou uitleveren ga je hem als gijzelaar gebruiken tegen Kassandros.'

Polyperchon ontkende noch bevestigde de beschuldiging.

'Hij heeft niets met Kassandros' rebellie te maken,' ging Hyperia verder, 'en als ik een schriftelijke bevestiging van je krijg dat je hem niet zult vastzetten of hem iets anders aandoet, dan zal ik ervoor zorgen dat hij zweert niets tegen jou te ondernemen.'

'Je bent niet in de positie om te onderhandelen, kreng,' snauwde Adea. 'Je stiefzoon is een verrader.'

Hyperia keek met ijskoude ogen naar de jonge koningin. 'Mijn stiefzoon is geen verrader; daartoe moet je eerst de wapens opnemen tegen de rechtmatige leider van de staat. Dat heeft hij niet gedaan.'

'Nicanor is de broer van Kassandros...'

'Maar hij heeft zich nog niet bij hem aangesloten,' zei Polyperchon.

'Val me niet in de rede, ouwe.' Ze keek boos naar Polyperchon en richtte haar boosheid weer op Hyperia. 'Ik ben de koningin van Macedonië en ik spreek namens de rechtmatige koning. Je levert je stiefzoon uit of ik laat je executeren.'

Hyperia staarde haar vol ongeloof aan. 'Je hebt niet eens het recht om dat dreigement te uiten, en zeker niet tegen mij.'

'Ik kan doen wat ik wil uit naam van koning Philippus. Je levert je stiefzoon uit of je zult de gevolgen dragen.'

Hyperia schudde haar hoofd vol ongeloof. 'Polyperchon, vertel de jongedame alsjeblieft dat ze daar de macht niet toe heeft.'

Polyperchon aarzelde. *Als ik Hyperia tegen Adea bijval, dan steun ik in wezen Kassandros' opstand tegen mezelf; een belachelijke situatie. Maar als ik Adea steun, geef ik haar veel meer macht dan ze in werkelijkheid heeft. Ze zou zelfs machtiger worden dan ik; ook dat is een belachelijke situatie.* 'Ik geef je die geschreven verzekering dat ik hem niet laat oppakken of hem anderszins kwaad zal doen.'

'Wat!' krijste Adea, waardoor haar echtgenoot opsprong van zijn troon.

Hyperia negeerde haar. 'En ik zorg dat hij zweert niets tegen je te ondernemen.'

Polyperchon knikte. 'Dank je, Hyperia, je kunt gaan.'

Adea sprong op. 'Nee, dat mag ze niet! Ze verbergt een verrader.'

'Nee, Adea, ze beschermt haar stiefzoon en ik ga ervan uit dat hij zich gedraagt als deze dame van hoge Macedonische geboorte voor hem instaat.'

Adea keek hem aan alsof hij het walgelijkste insect ooit was. 'Je bent een zwakke ouwe kerel die het niet verdient om Macedonië te regeren. Jij, Polyperchon, bent een probleem.' Ze draaide zich om en marcheerde naar de deur. Philippus keek naar haar, toen naar Polyperchon, en haastte zich vervolgens achter haar aan.

'Je moet dat kleine kreng onder de duim houden,' zei Hyperia op zakelijke toon voordat ze de zaal uit liep. 'Zíj is een probleem.'

Polyperchon leunde achterover in zijn stoel en zuchtte. Het was waar, sinds Adea met steun van het leger een plaats in de raad had gekregen was ze met de dag hongeriger naar macht geworden. *Maar hoe kan ik haar ambities intomen?* En toen schoten hem Antipatros' laatste woorden te binnen: 'Laat nooit een vrouw Macedonië regeren. *Hoe maak ik haar onschadelijk?* Meteen zag hij wat hij moest doen. *Als ik haar niet kan controleren, dan moet ik de hulp inroepen van een vrouw die dat wel kan.*

OLYMPIAS, DE MOEDER

'En met deze os, dit zwijn en deze ram, in dank voor het leven van het jongetje gegeven, vader Zeus, erken ik hem als de mijne.' Aeacides, koning van Epirus, gooide de drie harten van de offerdieren, die op de tempelvloer lagen, op het vuur op het altaar. 'En ik noem hem Pyrrhus en voor de goden en mijn volk verklaar ik hem tot mijn erfgenaam en erfgenaam van de troon van Epirus.'

Ik kan alleen maar hopen dat hij wat meer ruggengraat en ondernemendheid heeft dan jij, mijn mollige neef. Olympias keek vol afkeer naar haar familielid, dat zijn tien dagen oude zoontje toonde aan de verzamelde stamhoofden van zijn bergkoninkrijk. Ze bevond zich samen met hun vrouwen in het aparte vrouwengedeelte. 'Het jong is gezond, naar ik aanneem?' vroeg ze Thessalonike, die naast haar stond.

'Hij zou aan een slaaf gegeven zijn met de opdracht hem op een bergtop achter te laten als dat niet zo was.'

Olympias keek naar het schreeuwende bundeltje dat Aeacides hoog boven zijn hoofd hield. 'Tja, ik geef het kleine mormel een paar jaar om te kijken of er iets van hem te maken valt en dan neem ik een besluit.'

'Wat voor besluit?'

'Een besluit of hij recht op leven heeft natuurlijk; Epirus kan zich niet nog zo'n koning als zijn vader veroorloven, want dan zal Macedonië ons opslokken – of zou dat in ieder geval doen als er een heerser zat in het bezit van een fatsoenlijk stel kloten in plaats van die ouwe Polyperchon met zijn slappe zak.' Ze gromde bij de gedachte aan de nieuwe regent van Macedonië; ze was nog altijd verbijsterd door het nieuws van Polyperchons benoeming en Kassandros' vlucht uit Pella. Het had haar daarentegen in het geheel niet verbaasd dat Kassandros zich bij Antigonos in Azië had gevoegd, samen met twee van zijn broers. Het bericht was die ochtend gekomen terwijl ze zich klaarmaakte voor de *dekate*, de naamgevingsceremonie, die nu op haar einde liep. Maar wat haar wel verrast had was de brief van Antigonos waarin hij haar een bondgenootschap tegen Polyperchon voorstelde; een bondgenootschap dat tegen haar aard in ging. Ze verachtte Antipatros en zijn hele familie, net als iedereen die ooit iets positiefs over hen had gezegd, maar het feit dat de oude regent zijn zoon Kassandros had gepasseerd vond ze prachtig. *De lelijke kleine rat is in het openbaar vernederd. Hij zal verteerd worden door woede en die zal hem van binnenuit leegvreten.* Ze glimlachte bij de zoete gedachte aan Kassandros die zich opvrat en hoopte dat het een langdurig en bitter proces zou zijn. Maar als ze het aanbod van Antigonos aannam was ze in wezen de bondgenoot van Kassandros.

Terwijl Aeacides door de tempel schreed en zijn zoon toonde aan de nobele families die ooit zijn onderdanen zouden zijn, overwoog Olympias haar mogelijkheden. Haar weg naar de macht liep via haar kleinzoon, koning Alexander, die momenteel in Pella zat en onder de voogdij was van een man die middelmatigheid een slechte naam bezorgde; de vraag was dus hoe ze het kind onder haar hoede kon krijgen. Als het eenmaal zover was, zou ze afrekenen met die kwijlende idioot die vanwege een of andere merkwaardige gril van de goden medekoning was geworden.

De mannen liepen achter hun koning de tempel uit, gevolgd door de vrouwen. De burgers van Passaron, samengepakt op de agora, juichten het nieuwe lid van de koninklijke familie toe met een enthousiasme dat voortkwam uit de verwachte gulheid die de trotse vader zou betonen. Toen ze boven aan de trap kwam pakte Olympias Thessalonikes arm en trok haar opzij. 'Kom, we hebben belangrijkere zaken dan hier bij die vuile bende te blijven staan. We moeten besluiten nemen.'

'Ik geloof niet dat we genoeg feiten kennen om een beslissing te kunnen nemen,' zei Thessalonike, die Antigonos' brief weer op tafel legde. Zij en Olympias zaten in de schaduw van een oude olijfboom in de paleistuinen. Het feest ging beneden in de stad door, maar de twee vrouwen negeerden het lawaai. 'We moeten weten of Kassandros steun heeft voor een invasie van Griekenland voordat u Aeacides kunt overhalen om Macedonië binnen te vallen.'

'Wat maakt het uit? Alleen al de dreiging dat hij naar Griekenland gaat dwingt Polyperchon tot handelen; hij moet naar het zuiden als hij niet het risico wil lopen heel Griekenland te verliezen en waarschijnlijk ook nog eens Thessalië. Nu Antigonos de schatkist van Cyinda in handen heeft kan hij het zich niet veroorloven de inkomsten uit de Griekse staten te verliezen. Hij moet het zuiden beschermen; volgens een van mijn spionnen is het bevel aan het leger om aan te treden zelfs al uitgegaan; misschien is het al op weg naar het zuiden. Macedonië ligt open. Nu heb ik de kans terug te pakken wat van mij is en wraak te nemen voor de overeenkomst in De Drie Paradijzen waarbij ze me genegeerd hebben. Ze hebben me daar zelfs niet genoemd! Ze zullen rekening met me moeten houden als ik Macedonië neem!'

'Ja, moeder.' Thessalonike legde een kalmerende hand op Olympias' dij. 'Maar denk verder niet aan De Drie Paradijzen, u weet dat het uw denken vertroebelt.'

Olympias haalde diep adem en kalmeerde zichzelf; het feit dat ze geen rol had gespeeld in de belangrijkste bijeenkomst van het tijdperk was een zware slag voor haar ijdelheid geweest. 'Maar hoe dan ook, dit is mijn kans.'

'Misschien, maar als u het onverdedigde Macedonië met het leger van Epirus verovert terwijl Polyperchon Kassandros verdrijft, moet u nog altijd tegen hem en het koninklijke leger van Macedonië vechten. Dan bent u de buitenlandse invasiemacht; dat gevaar kunt u vermijden door eerst de afloop af te wachten.'

Olympias zweeg.

'En stel dat Kassandros Polyperchon verslaat en naar het noorden trekt om het regentschap op te eisen, wat dan? Gaat u dan ook tegen hem vechten? Wat er ook gebeurt, als u Macedonië zonder slag of stoot hebt ingenomen zult u de strijd moeten aangaan met degene die in het zuiden wint. Is het echt verstandig een oorlog tegen Kassandros te voeren?'

Olympias twijfelde niet. 'Hij is nog steeds mijn vijand, gezien wat zijn familie mij heeft aangedaan.'

'Maar is dat zo, moeder? Is dat echt zo? Op dit moment is Polyperchon als opvolger van Antipatros uw directe vijand en u hebt me altijd geleerd dat de vijand van je vijand je vriend is, hoe verachtelijk hij ook is. En ik geef toe, verachtelijker dan Kassandros is nauwelijks mogelijk. Maar als hij Polyperchon verslaat en doodt, is het dan niet beter om tot een of ander vergelijk met hem te komen zodat u niet gezien wordt als iemand die met een invasieleger aan de macht is gekomen? De troepen van Epirus kunnen naar huis, ze worden vervangen door Kassandros' leger.'

'Dat is allemaal vanuit de veronderstelling dat Antigonos Kassandros daadwerkelijk een leger geeft.'

Thessalonike glimlachte en nam een slokje van haar gekoelde wijn. 'Moeder, er zijn tegenwoordig zoveel legers; Antigonos heeft er vast nog wel een over.'

Olympias dacht na over het advies van haar geadopteerde dochter. *Ze heeft gelijk; ze is behoorlijk sluw, dat is zeker. Ik moet wachten tot het duidelijk is hoe de zaken liggen. Maar hoe dan ook zal ik snel in het middelpunt van de aandacht staan.* Ze pakte Antigonos' brief en las hem nogmaals om te kijken of er een verborgen boodschap in zat die ze over het hoofd had gezien.

Na onherroepelijk met Polyperchon in conflict te zijn gekomen vanwege mijn inbeslagneming van vijfhonderd talent op weg naar Macedonië, zou een bondgenoot in het westen een geruststelling voor me zijn. Hoewel ik een invasie van Macedonië door het leger van Epirus in principe niet kan goedkeuren, heb ik geen idee wat je gaat doen als het zogenaamde koninklijke leger naar het zuiden marcheert omdat mijn stroman daar op een strategisch belangrijke plek aan land is gegaan. Ik wil je laten weten dat ik je steun bij wat je ook doet, zolang het mij niet schaadt en je niet probeert de gebeurtenissen in Azië te beïnvloeden, want wat daar gebeurt beschouw ik als mijn persoonlijke zaak, deze gebieden vormen niet langer onderdeel van het koninkrijk Macedonië. Als altijd je vriend, Antigonos.

Nee, de betekenis was duidelijk: hij wilde dat ze Macedonië binnenviel, maar kon dat niet rechtstreeks zeggen; Kassandros was duidelijk zijn stroman en hij had duidelijk gemaakt dat Azië en Macedonië voortaan twee gescheiden zaken waren, die niet meer verenigd zouden worden – in ieder geval zolang Antigonos leefde.

Wat moest ze dus doen? *Ik kan de slangen niet langer vertrouwen, niet nadat ik het laatste antwoord volkomen verkeerd begreep; en als ik het zou doen, welke vraag zou ik dan moeten stellen?*

'U denkt toch niet weer aan de slangen, moeder?' Olympias keek Thessalonike verbaasd aan. 'Hoe wist je dat?'

'Omdat u dat altijd doet als u een besluit moet nemen; maar wat is de zin van het raadplegen als u geen persoonlijke vragen kunt stellen? Vergeet niet dat ze er de vorige keer volledig naast zaten.'

'Ik stelde de verkeerde vraag.'

'Dat is mijn punt. Waarom wendt u zich niet tot het oudste orakel, waar je slechts één vraag stelt?'

'"Wat moet ik doen?"' Olympias glimlachte. 'Ja, de moedergodin zal me helpen; morgen gaan we naar Dodona.'

Het eikenbosje was een vredige plek met een sterke spiritualiteit. Het bevond zich op de vlakte tussen de uitlopers van de met sneeuw bedekte Tomaros en de stad Dodona, waar pelgrims samendromden die gretig religieuze prullaria kochten van gewetenloze verkopers die maar al te graag profiteerden van hun bijgelovigheid of religieuze vuur. Het was al eeuwen een plek van verering en voorspelling. Het orakel lag slechts vierentwintig mijl ten zuiden van Passaron en was van oorsprong een heilig bos gewijd aan de moedergodin Gaia; later kwam daar Dione bij, maar in de tijd van Homerus was ze al vervangen door Zeus en was Dione tot een aspect van zijn echtgenote Hera verworden. Maar Olympias was niet geïnteresseerd in de religieuze hiërarchie van de bewoners, ze was enkel geïnteresseerd in de waarheid van het orakel, niet zozeer in welke godheid haar uitsprak; ze had er dit keer voor gekozen de priesteressen van Gaia te raadplegen.

Er klonk zacht getinkel van bronzen klokken die aan de takken van de eiken hingen en die zachtjes in de bries bewogen; met een forse klap werd de ram verdoofd die Olympias als offer had meegenomen. Het dier merkte niet meer dat zijn keel werd doorgesneden en gaf zich met weinig strijd en nog minder besef over aan zijn taak de Moeder gunstig te stemmen.

Nu volgden gebeden en hymnen en de zeven priesteressen, gesluierd en in volumineuze gewaden van sneeuwwitte wol gewikkeld, wiegden tijdens hun verering heen en weer en zongen lof en dank aan de aarde onder hun voeten, het wezen van de moeder zelf waar alle leven uit voortkwam, terwijl ze met kleine zilveren cymbalen sloegen, die aan hun duim en middelvinger waren gebonden.

Olympias en Thessalonike voegden zich bij de priesteressen, ze hadden een dag gekregen om de heilige teksten te leren. Ze zongen en reciteerden terwijl de zon boven de top van de Tomaros rees zodat het bosje uit de schaduw kwam, waarbij de wind aanwakkerde, zodat het getinkel in de bomen in volume toenam en zich mengde met het geritsel van de bladeren, die een begin van herfstkleuren toonden.

Toen de zon zijn hoogste punt bereikte kwam de verering tot een tinkelend hoogtepunt en werd ze afgesloten met een zucht van religieus ontzag van alle aanwezigen.

'Grote Moeder,' zei de hogepriesteres, sprekend tegen de grond. 'Toon u ruimhartig aan onze zuster Olympias, die gekomen is om een leidraad te vragen. Gebruik uw zicht om wat vastgelegd is te zien. Spreek door mij zodat haar vraag tot haar tevredenheid kan worden beantwoord.' Een tijdje zei ze niets meer, ze luisterde naar het geluid van de bronzen klokken in de bomen en de wind die door de takken blies. Toen knielde ze neer op een knie, sloeg met haar cymbalen en raakte de aarde ermee aan, zodat het geluid werd gesmoord. 'Ze is gekomen,' kondigde ze aan met een stem vervuld van ontzag. 'Vraag en u zult wijsheid ontvangen.'

'Wat moet ik doen?' zei Olympias, vervuld van de mystiek van het moment.

Niemand bewoog zich, de priesteressen concentreerden hun aandacht allemaal op de geluiden in de bomen, ze interpreteerden het geritsel van de bladeren, het gekraak van de takken, het getinkel van de klokken, terwijl de wind toenam, afnam en weer aantrok.

Hoe lang ze daar stonden, bewegingsloos, daar had Olympias geen idee van, ze was vervuld van gelukzaligheid door de nabijheid van de Moeder. Ze legde haar hand op haar schoot, nu onvruchtbaar, maar nog altijd een krachtige herinnering aan haar vrouwelijkheid, ze dacht aan de twee kinderen die uit haar waren voortgekomen: het eerste nu dood en het andere in Sardis, wachtend op degene die het waagde naar de hoogste prijs te reiken; maar ze wist inmiddels dat geen man haar ooit waardig zou zijn. Ze rouwde om het lot van haar kinderen en ze rouwde om haar onvermogen daar verandering in te brengen, zoals ze rouwde om de bitterheid die nu haar eigen leven beheerste, en ze bad dat het antwoord van het orakel haar lijden zou verlichten.

Als één sloegen de zeven priesteressen met hun cymbalen en riepen: 'Ze heeft gesproken.'

Olympias voelde een huivering van verwachting; haar hartslag versnelde.

De hogepriesteres tilde haar sluier op; ze rolde met haar ogen. 'Wees voorzichtig, Olympias. Doe nu nog niets, want je wens wordt je aangeboden. Vraag raad aan je enige ware vriend, want zijn daden zullen je besluiten beïnvloeden.'

Ze rolde opnieuw met haar ogen en haar blik kwam weer terug, de priesteres liet haar sluier zakken en haar medepriesteressen begonnen een laag gezang, ze draaiden Olympias hun rug toe, het orakel was voltooid.

'Wat betekent het volgens u?' vroeg Thessalonike toen ze het eikenbosje verlieten.

Olympias dacht op de terugweg naar Passaron over de vraag na, comfortabel in de kussens en bontvachten van haar overdekte reiswagen gelegen: wat was haar wens? Ze had er immers vele. Macht, wraak, extase, haar zoon levend, de uitroeiing van het huis van Antipatros; al die verlangens wervelden door haar hoofd, allemaal benadrukten ze hun urgentie. En wie was haar enige ware vriend? Ze meende er geen te hebben.

Ook Thessalonike kon geen licht op het orakel werpen, want ze kende veel van de verlangens van haar adoptiemoeder, maar ze wist niet welke het diepst ging. En zo ratelde de wagen door de zuidpoort van Passaron terwijl Olympias twijfelde of ze een audiëntie moest vragen bij de koning om hem te verzoeken het leger in gereedheid te brengen voor een invasie van Macedonië, want voorbereiding was nog niet iets doen in de zin van tot handelen overgaan. Of moest ze het orakel letterlijk nemen en tegen haar instinct in gaan door af te wachten? Niets doen op het moment waarop Macedonië rijp voor de pluk was ging tegen haar hele wezen in.

En zo betrad ze haar vertrekken nog even onzeker over wat ze moest doen als toen ze naar het orakel ging, maar nu met de kennis dat absoluut niets doen met instemming van de Moeder zelf gebeurde.

Ze zat na te denken hoe frustrerend het was om met de duimen te draaien toen de boodschapper van Polyperchon kwam; ze trok de rol bijna uit zijn handen, zo groot was haar nieuwsgierigheid te weten welke wens de Moeder als belangrijkste beschouwde.

Ze liep met de brief naar het raam om meer licht te hebben en begon te lezen.

Van Polyperchon, regent van Macedonië, aan Olympias, koningin, gegroet. Ik schrijf op een moment van groot gevaar voor Macedonië, het koninkrijk waar we beiden van houden. Het wordt bedreigd vanuit het zuiden en het oosten; ik zou willen dat het niet ook vanuit het westen gebeurde. Daartoe, koningin Olympias, stel ik een bondgenootschap voor. Ik ben, zoals je weet, de regent van de twee koningen, Alexander en Philippus, maar ik meen dat nu de tijd is gekomen dat jij als Alexanders grootmoeder hem onder je hoede neemt en hem voorbereidt op zijn rol in de wereld. Ik zou het daarom als een grote gunst beschouwen als je terugkwam naar Macedonië om het regentschap met me te delen.

Olympias ging zitten en verfrommelde onbewust de brief. *Het regentschap! Eindelijk weer macht.* En toen zag ze het, haar ware verlangen: *De zoon van mijn zoon ontmoeten en zien hoeveel van zijn vader in het kind zit. Ja, Grote Moeder, u hebt gelijk: van alle dingen is dat mijn grootste verlangen.*

Ze klapte in haar handen, waarna er een slaaf verscheen. 'Haal Thessalonike.'

'En toch aarzelt u,' zei Thessalonike nadat ze de brief had gelezen. 'Waarom? Het is precies wat u wenst: macht en uw kleinkind.'

Olympias knikte en glimlachte. 'Ja, maar ik ben er zeker van dat het een valstrik is; wie geeft er nu zoiets weg zonder iets terug te vragen?'

'Zijn westgrens is dan veilig, dat is belangrijk voor Polyperchon.'

'Maar hij verleidt me naar Pella te komen, waar ik aan vele gevaren blootsta.'

'Dan komen we terug bij het orakel: u moet advies vragen aan uw enige ware vriend.'

Op dat moment besefte Olympias wie sinds de dood van haar zoon de zaak van haar familie altijd had gesteund, ook al was hij daardoor vogelvrij verklaard en in ballingschap gedwongen.

Ze ging aan haar schrijftafel zitten en begon aan een brief.

Mijn waarde vriend Eumenes...

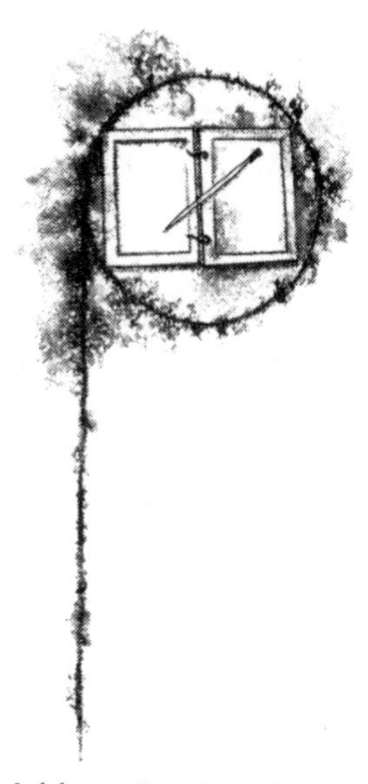

EUMENES, DE SLUWE

Eumenes lag op zijn rug en keek omhoog naar de nachthemel. Met al zijn wilskracht wenste hij een wolk van fatsoenlijke afmetingen sneller te bewegen om de driekwart maan te bedekken. Om hem heen hoorde hij de ademhaling van de honderd man die hij had uitgekozen voor de expeditie, negentig Macedoniërs en tien van zijn Cappadociërs, velen met touw en werpankers. Ze hielden zich verborgen op de met rotsen bezaaide helling halverwege de poort van het fort van Nora en de belegeringslinie die hem en zijn overgebleven volgelingen sinds de lente gevangenhield. Ze droegen geen kuras of helm en hadden hun wapens en sandalen met lompen omwikkeld; ze wachtten op de langzaam bewegende wolk, het vooruitzicht van de komende actie versnelde hun hartslag.

Eindelijk verdween de maan achter de wolken en was het donker genoeg. Eumenes wendde zich tot Xennias, naast hem, en wees schuin naar beneden. Xennias knikte en kroop tussen de rotsen door de heuvel af, samen met de negentig Macedoniërs. Eumenes telde in zijn hoofd tot tweehonderd. Zijn handpalm op het met leer omwikkelde gevest van zijn zwaard zweette en hij bad dat de wolk die het maanlicht blokkeerde niet opeens besloot om zijn tocht langs de hemel te versnellen.

Toen het moment daar was stond Eumenes op, hij lette er zorgvuldig op geen steentjes los te maken en wenkte zijn Cappadociërs om hem te volgen. Gebukt ging hij in een andere richting naar beneden dan Xennias en diens mannen, want zij waren slechts een afleidingsmanoeuvre. Eumenes zou de echte missie van die nacht uitvoeren, en hij had er maar weinig of helemaal geen mannen voor nodig; de tien man, bewapend met pijl en boog en zwaard, waren er alleen voor als het misliep en hij zich een weg terug naar het fort moest vechten.

In de diepe duisternis onder de nachtwolken slopen ze de helling af, hun voeten zorgvuldig neerzettend, naar een greppel met erachter een houten palissade zo hoog als twee man, die rond de steile heuvel liep waarop Nora stond. Bijna drie mijl lang was hij, met op regelmatige afstanden gevechtstorens. Het was een lange linie om te bemannen en Leonidas, Antigonos' bevelhebber ter plaatse, had niet voldoende manschappen om dat dag en nacht te doen. Dus wie door de belegeringslinie wilde breken kon dat het beste in de late uurtjes in het donker doen.

In de loop van de belegering had Eumenes een paar uitvallen gewaagd en zelfs een enkele grootschalige aanval op de belegeraars uitgevoerd, maar elke keer was hij teruggeslagen; de laatste tijd deed hij het alleen nog af en toe om zijn mannen bezig te houden. Beide zijden begrepen dat de uitvallen voornamelijk voor de vorm waren en om de verveling te doorbreken, en dus ging iedereen goedgemutst de strijd aan, er vielen weinig slachtoffers en na afloop werden de gevangenen snel geruild. Maar deze missie was geen aanval met de bedoeling uit te breken, maar om iemand naar binnen te laten. Die middag had een man een signaal gestuurd door de zon op een gepolijste bronzen schijf te laten schitteren, het betekende dat hij een brief voor Eumenes had. Deze man had al eerder brieven gebracht en wist daarom precies wat hij moest doen nadat hij een bevestiging had gekregen.

Nu was het slechts een kwestie van het juiste moment kiezen.

Vlak bij de greppel met gepunte staken erin gekomen hurkte Eumenes neer en luisterde. In de verte blafte een vos, een andere antwoordde; hij bleef bewegingsloos, zijn mannen gespannen achter hem. Het vage geluid van stemmen kwam op de bries vanuit het westen aangedreven, twee, misschien drie man die zachtjes praatten en naderbij leken te komen, waarschijnlijk wachters die over de weergang achter de palissade liepen. Hij gebaarde zijn mannen zich klein te maken; hij keek omhoog en zag de top van de muur als een zwarte lijn tegen een vrijwel donkere achtergrond. Binnen een tiental hartslagen verschenen er inderdaad de vage vormen van drie hoofden en schouders boven de palissade. *Kut! Dat kunnen we niet gebruiken en het is te donker om ze neer te schieten.* Hij keek weer naar de hemel: de wolk leek voor de maan te blijven hangen, maar hoe lang nog? En zelfs als de maan tevoorschijn kwam was de kans om gelijktijdig drie hoofden met dodelijke precisie te raken erg klein, zelfs voor zijn Cappadociërs, die als de beste schutters van zijn leger werden beschouwd – iets wat hij uit eigen ervaring kon bevestigen. En bovendien zou de maan hen even zichtbaar maken als de mannen op de muur en wie weet hoeveel ogen er nog meer waren. *Loop door en jullie leven nog wat langer.*

Maar het was het begin van de afleidingsmanoeuvre die de aandacht van de mannen trok. Met veel kabaal van schreeuwende stemmen en werpankers die over de palissade werden geworpen en zwaarden die tegen hout rammelden bij het beklimmen verscheurden Xennias en zijn mannen de stilte van de nacht.

De drie mannen op de muur stopten en keken in de richting van het lawaai. 'Denken jullie dat ze onze verdediging testen of is het weer een afleidingsmanoeuvre?' vroeg er een aan zijn kameraden.

'Afleidingsmanoeuvre?'

'Ja, hoe denk je anders dat Eumenes brieven krijgt? Het enige wat Leonidas niet snapt is hoe de boodschapper weet waar hij moet zijn om de brief over te dragen aan degene die hem naar het fort brengt.'

Ik ben bang dat je net je lot hebt bezegeld, vriend. Eumenes gebaarde naar een van zijn mannen dat hij hem moest volgen en naar twee andere dat ze twintig pas langs de palissade verder moesten sluipen. Vervolgens kroop hij naar voren, het lawaai van de afleiding overstemde alle geluiden die hij maakte toen hij zich in de greppel liet glijden. Hij maakte zijn touw en werpanker gereed en wachtte tot de twee mannen naar zijn mening in positie moesten zijn. Met een knik naar zijn metgezel zwaaide hij het anker boven zijn hoofd en gooide het vervolgens over de palissade, waar het met een klap tegenaan kwam, waardoor de wachters schrokken. Hij trok het touw strak en het anker vond houvast; hij werkte zich omhoog terwijl zijn kameraad aan zijn eigen touw de palissade beklom. De wachters kwamen hun kant op gerend. Hij sprong over de rand en stortte zich gebukt op de drie mannen die over de weergang op hem afrenden. Hij raakte hen in de benen en ze vielen neer. Een zwaard suisde door de lucht en raakte met de doffe klap van een slagersmes vlees en bot, de schreeuw die volgde deed pijn aan Eumenes' oren. Hij sprong overeind en eenmaal op beide voeten staand maakte hij een draai terwijl hij zijn zwaard uit zijn omwikkelde schede trok. Met een gedempte grauw vloog hij de twee mannen aan die net overeind kwamen, terwijl zijn metgezel zijn gillende slachtoffer afmaakte.

Hij wilde nu doden, want hij voelde bloeddorst. Hij was niet langer de secretaris uit Kardia, die Eumenes was lang geleden verdwenen, toen hij een duel met Neoptolemus had uitgevochten en diens lijk van de wapenrusting had ontdaan. Nu was hij een aanvoerder, een zegevierende generaal, een strijder die de afgelopen maanden weinig anders te doen had gehad dan zich verder bekwamen in wapengebruik. Hij doodde de eerste wachter door diens keel door te snijden met het gemak waarmee je een lam offert, waarna hij onder de zwaardslag van de tweede man door dook. Hij draaide om zijn as en zwaaide zijn kling in de gespierde dij, tot op het bot, waar hij zo vast kwam te zitten dat het heft uit zijn hand werd gewrikt toen de wachter met een schreeuw naar de goden neerging. Eumenes' andere twee kameraden kwamen aangesneld, hun wapen in de hand, en al snel heerste er stilte; de drie wachters lagen bewegingsloos onder de maan, die net achter de wolken tevoorschijn kwam, het licht reflecteerde in de groeiende poel van bloed.

'Laat ze hier, maar leg ze op een respectvolle manier neer,' fluisterde Eumenes tegen zijn kameraden.

Terwijl ze zijn bevel uitvoerden tuurde Eumenes rond. Hij glimlachte toen hij zag wat hij zocht: een schimmige figuur schoot tussen de afvalhopen van een maandenlange belegering door. Hij snelde de ladder op naar de weergang.

'Goed gedaan, Helius,' zei Eumenes en hij nam de aangeboden rolkoker aan, waarna hij de man een zware beurs overhandigde.

'Ik was bang dat ze nooit zouden gaan, heer.' Helius knikte naar de drie lijken.

'Dat hebben ze ook niet gedaan, ze zijn er nog.'

'Nou ja, u weet wat ik bedoel, heer.'

'Zeker. De volgende keer ontmoeten we elkaar tussen de eerste en tweede toren aan de zuidkant van de linie. Ze hebben daar het kamp net verlaten vanwege ziektes.' Eumenes schepte genoegen in de verschrikte uitdrukking op Helius' gezicht. 'Maak je geen zorgen, je zult er niet lang zijn. Snel naar binnen en snel weer weg en niemand overkomt iets, net als vannacht; afgezien van die drie dan.' Hij sloeg zijn boodschapper op de schouder. 'Veilige reis terug.' Het lawaai van de afleidingsmanoeuvre verminderde, het was tijd om te gaan. Eumenes pakte zijn touw en liet zich zakken, zich afvragend wie hem geschreven had.

... en dus wil ik graag je mening over deze zaak. Eumenes legde de brief neer naast die van Antigonos en schudde zijn hoofd in ongeloof. Hier zat hij, opgesloten in een heuvelfort in Cappadocië, met nog maar iets minder dan zeshonderd man en hun paarden over, en toch werd hem het hof gemaakt door zowel Antigonos als Olympias. Hij glimlachte. *De wereld is echt een andere plek sinds de dood van Antipatros.* Het nieuws van het overlijden van de oude regent was de vorige dag gekomen met Hieronymus, die hem Antigonos' brief bracht; hij was voorbereid op een veranderend politiek landschap na het overlijden, maar het was zo ingrijpend veranderd dat het bijna onherkenbaar was, en dat deed hem bijzonder veel genoegen. *Kassandros gepasseerd ten gunste van Polyperchon! Die zag ik niet aankomen; net zomin als Kassandros en die grijze onbenul, wat dat betreft. Het zou me niet eens verbazen als ik ook van Polyperchon een aanbod krijg, of misschien duikt zelfs Kassandros wel op om me om hulp te vragen.*

Hij keek weer naar het aanbod van Antigonos; hij sloeg de beleefdheidsfrasen over en zocht meteen de relevante passage op. *Ga naar Leonidas en zweer trouw aan mij en je krijgt je vrijheid en satrapie Cappadocië terug, op voorwaarde dat je onder mij dient.*

Hij dacht over de precieze betekenis na en pakte vervolgens weer Olympias' brief. Ook hier ging hij meteen naar de belangrijkste zin. *Als ik Polyperchons aanbod aanneem, ben je dan bereid de beschermheer van het kind te worden en ook de verantwoordelijkheid voor mijn veiligheid op je te nemen?*

Hij glimlachte opnieuw. *Dus iedereen doet net alsof ik nooit ter dood ben veroordeeld door de legervergadering; ze zijn voor het gemak even vergeten dat ik Krateros heb gedood. Nou, Eumenes, jij sluwe kleine Griek, hoe kunnen we voordeel uit beide voorstellen halen, want het zou zonde zijn een van de twee te beledigen met een weigering.*

Hij las de eed die Antigonos hem wilde laten zweren en schudde het hoofd. *Ik moet trouw zweren aan jou en aan jou alleen, Antigonos, terwijl ik weet dat je van de koningen af wilt; je denkt zeker dat ik dom ben, hè? Maar zo gaat dat niet.* Hij pakte een pen en herschreef de eed net zo lang tot hij een formulering had die hem beviel.

Tevreden met zijn werk stond hij op en legde beide brieven in een kist, die hij zorgvuldig op slot deed. Hij liep de kamer uit met de nieuwe versie van de eed in zijn hand, richting het lawaai en de chaos van de binnenplaats. Daar hingen vijftig paarden in een tuig rond hun borst aan een constructie die over de hele breedte van de binnenplaats liep; met hun achterbenen raakten ze de grond en ze werden aangezet om met hun voorbenen te slaan en te bokken totdat het zweet schuimend op hun flanken stond. Hij keek een tijdje toe, tevreden met zichzelf omdat hij een manier had bedacht om de dieren in vorm te houden. Als ze uitgeput waren werden ze uitgespannen en kwamen er vijftig andere om hun plaats in te nemen. 'Hoe staan ze er vandaag voor?' vroeg hij Parmida, die toezicht hield.

'Geen verwondingen tot dusverre, heer.' Parmida ging weer verder met de volgende lading paarden die opgehesen werd. Vele handen trokken aan touwen zodat de voorhand van de snuivende en hinnikende dieren door middel van een systeem van katrollen werd opgetakeld. De paarden protesteerden elke keer weer, ook al werden ze al maanden aan de oefening onderworpen.

Maar het werkte: de paarden waren nog altijd fit, misschien niet voldoende voor een veldslag, maar in ieder geval wel voor een flinke mars mochten ze ooit Nora uit komen. Voor de twee brieven waren gekomen, eerst die van Antigonos, daarna die van Olympias, was Eumenes zich langzaam gaan afvragen of ze ooit nog weg konden. Het was een lange, saaie periode geweest, maar hij had de mannen beziggehouden en over het algemeen vond hij dat ze redelijk in vorm waren gebleven. De uitvallen en de dagelijkse oefeningen, waarbij ze rond de binnenplaats renden, worstelden, de wapens kruisten en gymnastiek deden, hadden samen met hun sobere dieet gezorgd dat ze slank en even fit als de paarden waren. Hij feliciteerde zichzelf met wat hij als een triomf van leiderschap beschouwde. Hij keek om zich heen en zag de man die hij nodig had.

'Wel, wat vind jij, Hieronymus?' vroeg Eumenes zijn landgenoot nadat hij zijn werkstuk had gelezen. 'Jouw versie is veel gunstiger voor de koningen en Olympias dan de oorspronkelijke.'

'In de oorspronkelijke wordt alleen Antigonos genoemd, zoals je weet. Hiermee zweer ik trouw aan Antigonos in zijn streven de Argeaden te beschermen in de personen van Alexander, Philippus en Olympias; dat lijkt me meer dan redelijk.' Plotseling klonken er kreten en een gil op. Toen hij omkeek zag hij een man op de grond liggen met bloed dat uit een hoofdwond gutste; het paard dat het had toegebracht sloeg en trapte met zijn hoeven in de lucht en sprong op en neer op zijn achterbenen, volledig in paniek. Toen hij zag dat Parmida kwam aansnellen om de zaak te regelen wendde hij zich weer tot Hieronymus. 'Ik zweer nog steeds trouw aan Antigonos; maar ik zweer niet hem te zullen steunen als hij stappen onderneemt tegen het koninklijk huis, en ik geloof niet dat iemand dat van me kan vragen.'

Hieronymus krabde zich op het achterhoofd en herlas de eed. 'Ik neem aan dat je het zo kunt stellen.'

'Ga ermee naar Leonidas en vraag hem wat hij ervan vindt; zeg maar dat dit een eerlijker eed is, omdat ik niet in een positie kan worden gedwongen waarin ik een verrader moet worden.' Hij keek zo onschuldig mogelijk. 'Niemand zou dat toch willen, nietwaar?'

Hieronymus grinnikte. 'Nooit van zijn leven, Eumenes; we weten allemaal dat jij de trouwste persoon op aarde bent, al begrijp ik niet goed waarom je je trouw aan een Macedonisch kind en een Macedonische idioot geeft; maar misschien ben ik nog te veel een Kardiër om dat echt te kunnen begrijpen. Hoe dan ook, het zijn interessante tijden en het bevalt me wel om ze van nabij te observeren; ze zijn zeker een geschiedenisboek waard.'

'Misschien moet jij het schrijven.'

Hieronymus rolde de eed op. 'Ja, dat heb ik overwogen; als beginpunt zou ik de dood van Alexander nemen en dan doorgaan tot de mijne. Ik zie nog enkele gedenkwaardige jaren voor me.' Hij tikte op de rol. 'Ik breng je tegen de avond Leonidas' antwoord.'

'Hij heeft de zaak met zijn officieren besproken,' zei Hieronymus na zijn terugkeer die avond, 'en ze waren het er allemaal over eens dat het eerlijk en zelfs rechtvaardig was dat je ook de koningen en Olympias in je eed noemt; wie zou er tenslotte niet trouw aan ze zijn?'

'Antigonos om te beginnen, afgaande op zijn formulering.' Eumenes gebaarde zijn vriend tegenover hem aan de schrijftafel te gaan zitten en schonk hem een beker wijn in. 'Leonidas is dus dom genoeg om mijn versie van de eed te accepteren? Ongelooflijk; Antigonos zal woest zijn. Wat gebeurt er nu?'

'Leonidas heeft de autoriteit om de eed af te nemen, dus in theorie kun je morgen naar buiten lopen en je rol als satraap van Cappadocië weer op je nemen; je hoeft Antipatros' zoon Nicanor er niet eens uit te gooien, want die is vorige maand naar Macedonië gevlucht.'

'Dat komt mooi uit.'

'Er is ook nog interessanter nieuws: Leonidas hoorde vandaag dat Kassandros naar Azië is overgestoken en zich bij Antigonos heeft gevoegd, die momenteel Arrhidaeus belegert in Kios aan de Propontis; hij vraagt Antigonos om hulp.'

Hij is dus bij Antigonos; dat betekent dat hij om Macedonië wil vechten en hij zal geen vriend van de koningen zijn. Als ik de eed aan Antigonos afleg en vervolgens op Olympias' verzoek naar Macedonië ga, heb ik Antigonos en Kassandros als vijanden; maar als ik hier blijf en een leger op de been breng, terwijl ik afwacht hoe de zaken zich ontwikkelen en voorwend trouw aan Antigonos te zijn, dan wordt misschien duidelijker welke koers ik moet varen. Eumenes dacht nog even langer na over zijn opties. 'Dus als ik Antigonos' aanbod aanvaard, moet ik in wezen Olympias afwijzen.'

'In wezen, ja,' antwoordde Hieronymus na een moment van contemplatie. 'Maar het hoeft geen directe afwijzing te zijn.'

Eumenes knikte en nam een slok uit zijn beker, die hij met beide handen vasthield. 'Jouw gedachten komen overeen met de mijne. Als Leonidas zo dom is om mijn versie van de eed te accepteren, kan ik zonder meer als beschermheer van Alexander en Olympias optreden zonder mijn eed aan Antigonos te breken en gelijktijdig onder Antigonos dienen zonder Olympias af te vallen. Ik sta dan, zoals men wel zegt, met een voet in beide kampen.' Hij leunde voorover en schonk Hieronymus bij. 'Kun je voor mij een brief naar Olympias brengen?'

'Met genoegen. Ik zou haar graag een keer ontmoeten.'

'Ik zal haar aanraden voorlopig niets te doen; ze moet Polyperchons aanbod afslaan noch aanvaarden tot ik weet wat Antipatros met Kassandros van plan is.'

KASSANDROS, DE JALOERSE

Hij zou altijd mank blijven. Niet heel erg, maar toch, hij was mank. En mank zijn was een teken van zwakte. Dat het tijdens een zwijnenjacht was gebeurd was geen verzachtende omstandigheid aangezien hij het dier niet had gedood, dat had zijn jongere broer gedaan. Kassandros zuchtte; het was weer een van die dingen die het leven hem had gebracht om hem op de proef te stellen. De tegenslagen stapelden zich op, maar hij was van plan terug te vechten; zijn tijd zou nog komen, mank of niet.

Hij keek naar de grote vloot die in de Propontis lag, silhouetten tegen de ondergaande zon. De schepen blokkeerden de haven van Kios, waar Antigonos Arrhidaeus had omsingeld nadat hij hem eerst uit Kyzikos had gejaagd. Met zijn optreden had Antigonos verhinderd dat Arrhidaeus een leger stuurde om Eumenes te ontzetten. Na de vlucht van Kleitos naar Macedonië was Arrhidaeus de laatste van Antigonos' vijanden in Anatolië. Eumenes werd nog belegerd in Cappadocië maar was aan het onderhandelen, Alketas was dood en Attalus, Docimus en Polemon zaten veilig opgesloten in een fort bij Celaenae. Als Antigonos deze laatste tegenstander had verslagen had hij de handen vrij om zijn aandacht op het zuiden te richten en misschien, heel misschien, zou hij hem de grote vloot lenen – of een deel ervan – voor zijn expeditie naar Athene, het beginpunt van de campagne om Polyperchon te verslaan en Macedonië in handen te krijgen, zijn geboorterecht.

Maar nu moest hij nog wachten en dus zouden er meer vernederingen volgen, en hij wist dat er die avond weer een zou komen. Hij zuchtte opnieuw, keerde de indrukwekkende aanblik de rug toe en hinkte naar Antigonos' tent in het midden van diens kamp op de Aziatische kust. In het noorden, ver weg, waren koopvaardijschepen te zien die door de vernauwing van de Bosporus voeren, gedomineerd door de stad Byzantion aan de Europese zijde van de zee-engte.

De meeste gasten waren er al toen hij binnengelaten werd; er klonk uitbundig gelach en de wijn werd vrijelijk geschonken, want Antigonos ontving Lysimachus, die onverwacht vanuit Thracië naar Azië was overgestoken.

'Geld, je vraagt altijd hetzelfde,' bulderde Antigonos met een grijns en hij sloeg Lysimachus op de rug, waardoor diens wijn uit zijn beker klotste.

'Geld!' schamperde Demetrios. 'We hebben allemaal geld nodig.'

Lysimachus wierp een boze blik op de jongen. 'Stil, jonge hond, anders zul je een geslagen jonge hond zijn, de keuze is aan jou.'

Demetrios deed zijn mond open om te antwoorden, maar zijn vader bracht hem tot zwijgen door er een hand op te leggen.

Kassandros deed geen moeite zijn plezier in de vernedering van Demetrios te verbergen; de jongen liet geen kans voorbijgaan om hem in te wrijven dat hij rechtop aan de maaltijd moest zitten, en hij deed ook graag zijn manke loop na. Als gast van diens vader kon Kassandros weinig anders doen dat het slikken. *Maar zodra ik jullie niet meer nodig heb, ja, dan zullen we nog weleens zien, arrogant kereltje.*

'Geld,' bulderde Antigonos opnieuw, waarmee hij Lysimachus' aandacht van Demetrios afleidde. 'Ik heb nauwelijks genoeg voor mijn eigen behoeften.'

Lysimachus probeerde te glimlachen; hij had nooit een warme glimlach gehad en Kassandros zag duidelijk hoe vals hij nu was. 'Je hebt geld nodig, Antigonos, voor je eigen behoeften, zoals je al zei; ik daarentegen heb het voor ons allemaal en onze veiligheid nodig.'

'Ben je nog altijd forten aan het bouwen?'

'Ik vecht tegen de Geten en andere monsterlijke stammen in het noorden, ik vergroot mijn satrapie en bouw aan onze verdediging tegen de dreiging van nog verder naar het noorden; een echte dreiging; een dreiging die deze kant op komt, en ik heb geld nodig om verder te gaan. Antipatros heeft me een hoop beloofd en hij heeft ook daadwerkelijk een deel gestuurd, maar sinds zijn dood heb ik niets meer gekregen.' Hij zag Kassandros een beker wijn van een slaaf aannemen en wees naar hem. 'Heeft hij mijn verzoek niet overgebracht toen hij van mij naar jou toe ging?'

Antigonos keek naar wie hij wees. 'Wie, hij? Kassandros? Tja, hij zei wel iets over geld, maar hij was vooral bezig een leger en een vloot van me los te weken en nam dus niet de moeite er al te veel op door te gaan.'

'Die denkt alleen aan zichzelf,' zei Lysimachus minachtend.

'Doen we dat niet allemaal?' antwoordde Kassandros.

De blik die Lysimachus op hem wierp was giftig; hun relatie was niet bepaald verbeterd tijdens Kassandros' verblijf in Thracië. Lysimachus had ronduit elke militaire hulp geweigerd, ondanks het pleidooi van Nicaea, die zei dat hij volledig instemde met Antipatros' keuze van zijn opvolger en dat hij dan wel Kassandros' zwager was, maar dat wilde nog niet zeggen dat hij hem aardig moest vinden. 'Persoonlijk denk ik aan iedereen; waarom zou ik anders het weinige geld dat ik heb besteden aan het bouwen van een enorm netwerk aan fortificaties?' Lysimachus wendde zich weer tot Antigonos. 'Ik heb geld nodig en jij hebt geld.'

'Zo eenvoudig ligt het niet; Antigenes en zijn Zilveren Schilden bewaken de schatkist van Cyinda en hij staat niet toe dat ik er iets uit haal zonder toestemming van Polyperchon, die wat Antigenes en diens onderbevelhebber Teutamus betreft de legitieme regent is, aangezien hij de Ring van Macedonië heeft.'

'Tja, dan moet je hem en de Zilveren Schilden afmaken.'

'Mijn jongens zullen daar nooit aan meedoen; heel wat hebben vaders of grootvaders in de Zilveren Schilden.'

'Je jongens kunnen in de stront zakken, doe wat goed voor jou is. Maar vergeet Antigenes; ik heb gehoord wat er in Tarsos is gebeurd en ik wil een deel van die vijfhonderd talent.'

Antigonos trok een beledigd gezicht. 'Is dat de enige reden waarom je me kwam opzoeken, mijn oude vriend?'

'Vijfhonderd talent!'

'We zouden ons op z'n minst kunnen bedrinken voordat je me in mijn eigen tent eisen begint te stellen.'

'Ik zal me bedrinken zodra je me geld hebt beloofd,' gromde Lysimachus met lage stem.

Antigonos keek hem ernstig aan. 'En hoe kunnen we weten dat die dreiging waar je het over hebt echt bestaat? Heb je bewijzen?'

Lysimachus deed weer een poging tot een glimlach, dit keer met meer succes, al was hij nog even kil. 'Dat is de andere reden waarom ik gekomen ben.' Hij richtte zich tot een Thracische officier die hem begeleidde. 'Haal ze.'

Naar adem snakkend en met wijd open ogen van ontzag staarde Kassandros naar de twee reuzen, begin twintig, die de tent in schuifelden; ze werden begeleid door Thraciërs die kettingen vasthielden die vastzaten aan ijzeren halsbanden, terwijl de twee ook zware handijzers en voetijzers droegen. Ze waren zeker een halve kop groter dan alle aanwezigen – dan wie dan ook die Kassandros ooit had gezien, inclusief Seleukos. Met hun vuurrode haar dat in pieken omhoog stond leken ze nog groter. Hun bleke huid, bedekt met vreemde wervelende patronen in blauw en groen, zat strak rond hun fraai gebeeldhouwde lichamen, die tot jaloerse bewondering zouden leiden bij de Olympische Spelen of andere spelen. Hun bleekblauwe ogen keken recht vooruit, ze voelden geen behoefte om zich heen te kijken nu ze opgevoerd werden voor een onthutst publiek.

'Dit, heren,' zei Lysimachus, duidelijk ingenomen met de reacties op de voorstelling, 'is wat we te vrezen hebben: Kelten. Dit zijn er twee van honderdduizenden die er precies zo uitzien, sommige zijn zelfs nog groter. Ze trekken vanuit het noordoosten onze richting op, ongetwijfeld voortgedreven door andere stammen die het voorstellingsvermogen te boven gaan. Tot dusverre hebben we geluk gehad, ze zijn langs ons gegaan door meer naar het westen te trekken, onderweg moordend en plunderend, en als ze land vonden dat hun beviel hebben ze zich er gevestigd en de mensen wier voorouderlijke grond het was hebben ze tot hun slaven gemaakt. Maar over niet al te lange tijd is er te weinig land voor ze in het westen en zullen ze hun ogen op ons richten.' Hij liep naar de gevangene het dichtst bij hem, greep hem bij zijn testikels en kneep.

De kaak van de man verstrakte, zijn lichaam spande zich en zijn ogen knipperden en werden enigszins vochtig, maar hij maakte geen geluid en vertoonde geen teken van pijn.

'Zien jullie?' Lysimachus liet het geplette scrotum los. 'Ze voelen geen pijn of zijn te trots om die te tonen; hoe dan ook, ze zijn meer dan een formidabele vijand.'

'Waar heb je ze vandaan?' vroeg Antigonos, zichtbaar onder de indruk.

'Ze waren gevangenen van de Geten; een stel van mijn Thraciërs heeft ze meegenomen bij een strooptocht over de Donau.' Hij keek naar hun emotieloze gezichten en schudde verwonderd zijn hoofd. 'Ik had al heel wat over ze gehoord, maar dit zijn de eersten die ik met eigen ogen heb gezien en zij maken me alleen maar vastberadener om ze buiten onze landen te houden. Nu, Antigonos, voordat ik je opnieuw om geld vraag, zal ik je een kleine demonstratie van hun kunnen geven.' Hij wendde zich tot de Thracische wachters. 'Is de gevechtsring gebouwd?'

'Bijna klaar, heer.'

Het was donker toen de ring af was: de afscheiding was hoog en sterk zodat hij niet beklommen of doorbroken kon worden; brandende toortsen rondom zorgen voor verlichting. De twee Kelten werden door hun Thracische bewakers naar het midden geduwd, waarna ze zich haastig terugtrokken, terwijl een bevende slaaf de taak had hun handijzers los te maken; hij werd als dank door de ene gewurgd; geen van de toeschouwers probeerde in te grijpen. Twee lange zwaarden werden in de ring gegooid. Lysimachus wenkte een van de Thracische bewakers en fluisterde iets in diens oor. De Thraciër schreeuwde naar de Kelten in hun eigen taal.

De winnaar blijft leven, neem ik aan. Kassandros verheugde zich op de strijd tussen de twee reuzen.

Ze keken elkaar aan, knikten, waarna ze beiden een zwaard opraapten en elk naar een eigen kant van de ring gingen, vijftien pas uit elkaar.

Een moment lang heerste er stilte, en toen, na een wederzijds knikje van instemming, brulden de twee mannen, de rug hol, de armen langs het lichaam, het gezicht naar de hemel gewend. Hun stemmen vermengden zich in een dodelijke kreet die omhoog- en omlaagging.

Kassandros voelde het bloed in zijn aderen bevriezen. *Wat een formidabele bondgenoten zouden ze zijn.* Hij voelde opwinding bij de gedachte.

En toen kwamen ze in beweging. Ze stormden met vliegensvlugge passen op elkaar af, ze zwaaiden met hun wapen boven hun hoofd voordat ze hoog opsprongen en hun zwaarden richting nek van de tegenstander lieten suizen; met een regen van vonken kwamen de klingen met een metalige klap tegen elkaar, het ijzer verboog door de kracht. Met opgezwollen borst beukten de twee Kelten tegen elkaar, als twee bronstige stieren die vechten om de koeien. Ze weken terug, hun voeten stevig op de grond, en ze haalden opnieuw uit met hun verbogen zwaard, ze zochten de nek, dijen, armen en heupen van de ander, een werveling van woeste bewegingen: pareren, ontwijken, springen, wegduiken. Steeds weer zwaaiden de zwaarden door de lucht, in alle richtingen, omlaag, naar links, naar rechts, omhoog, en steeds weer slaakten ze hun oorlogskreten. En toen spatte het eerste bloed op van zweet glanzende huid, maar van wie het afkomstig was kon Kassandros niet zien, en de kemphanen leek het niets te kunnen schelen; hun roodbevlekte zwaarden bleven alle kanten op flitsen. Een natte, zware klap en een ongelovige blik op het gezicht van de een toen hij zijn arm, zwaard nog altijd in de hand, in het toortslicht door de lucht zag vliegen; het was het laatste wat hij zag. Zijn hoofd viel van zijn schouders en raakte de grond op hetzelfde moment als zijn knieën, het bloed pompte nog enkele verflauwende hartslagen uit zijn wonden. De overwinnaar keek neer op de lege, starende ogen van zijn tegenstander en gooide vol afkeer zijn zwaard neer.

'Dat, heren,' zei Lysimachus, 'is ware razernij. En als jullie dit indrukwekkend vonden, dan moeten jullie weten dat de bewaker ze verteld heeft dat de winnaar gespietst zal worden, en niet vrijgelaten zoals jullie waarschijnlijk dachten. Voor beiden zou het een schande zijn een makkelijke dood te verkiezen boven het gruwelijke einde op een staak. Zo denken ze. Bedenk nu wat er zou gebeuren als tweehonderdduizend van deze krijgers de Donau oversteken of door de Succipas in het Haemusgebergte trekken om Thracië te veroveren; van daaruit zullen ze naar Macedonië gaan of steken ze de Hellespont over naar Anatolië. Als je dat weet, Antigonos, kun je me dan nog het geld weigeren?'

Antigonos keek naar de van bloed druipende krijger, die volkomen roerloos stond, terwijl zijn borst op en neer ging. 'Je punt is duidelijk, Lysimachus.'

'Vertel hem dat hij blijft leven als hij dit keer wint,' schreeuwde Demetrios, die de ring in sprong en zijn zwaard trok. 'En geef hem een nieuw wapen.'

'Weg daar, idioot!' schreeuwde Antigonos. 'Wat wil je bewijzen?'

'Dat ze niet onoverwinnelijk zijn. Vertel het hem, Lysimachus.'

Lysimachus knikte naar de Thracische bewaker, die vervolgens tegen de Kelt schreeuwde; de man keek naar Demetrios en glimlachte, dun en grimmig, hij tilde zijn been op, legde zijn zwaard op zijn knie en boog de kling recht en schopte vervolgens het Griekse zwaard weg dat als vervanging naar hem was gegooid. Met enkele bewegingen vanuit zijn schouders deed hij wat oefenslagen, links en rechts.

Dit moet mijn geluksdag zijn. Kassandros leunde naar voren om het gevecht beter te zien. *Ik ben dol op de arrogantie van de jeugd.*

Demetrios stond gebogen en door de knieën gezakt, zijn zwaard aan zijn zij in zijn rechterhand, zijn linker, met de palm omlaag, was uitgestoken voor balans; zijn gewicht verplaatste hij van de ene voet op de andere.

De Kelt had kennelijk genoeg proefslagen gemaakt en trok zich terug naar de rand van de ring, direct tegenover Demetrios. De man trok zijn schouders naar achteren en huilde met holle rug weer naar de hemel. Demetrios stormde voorwaarts, flitste door de ring en stootte zijn zwaard in de keel van de nietsvermoedende Kelt, net toen die het einde van zijn kreet had bereikt. Het geluid werd gesmoord in het bloed dat zijn keel vulde. Het hoofd van de man kwam naar voren en hij keek geschokt omlaag naar zijn overwinnaar. Hoog boven Demetrios uittorenend wankelde de Kelt en viel vervolgens op zijn knieën.

Demetrios trok zijn zwaard los; het leven week uit de man en hij klapte tegen de grond. 'En als ze komen, Lysimachus, moeten we bedenken hoe we ze gaan verslaan. Maar ik ben het met je eens, het zou beter zijn als ze niet kwamen; je zou het geld moeten krijgen.'

Het arrogante joch zal nu onmogelijk zijn; zelfs Lysimachus lijkt onder de indruk. Kassandros draaide zich om en wilde weglopen.

'Waar ga je heen?' riep Antigonos hem na. 'We hebben nog niet gegeten en je bent mijn gast.'

Met een zucht verlegde Kassandros zijn koers naar de tent en nam zijn plaats in, gezeten op een ligbank tussen mannen die allemaal aanlagen.

'Wat gebeurt er allemaal in het zuiden en oosten?' vroeg Lysimachus toen de gesprekken over de kracht en dapperheid van de Kelten en de sluwheid van Demetrios waren stilgevallen.

'Seleukos zit comfortabel in Babylon,' antwoordde Antigonos terwijl hij een stuk brood afbrak en zijn houten bord schoonveegde. 'Hij lijkt stilletjes een leger op de been te brengen, maar ik weet niet waar hij het wil inzetten.'

'Nu Antigenes en zijn Zilveren Schilden terug in Cilicië zijn heeft hij zijn ogen waarschijnlijk op Susiana gericht.'

'Mogelijk. Maar wat zouden Peithon in Medië en Peucestas in Persis daarvan vinden? Ze zouden het weleens zo bedreigend kunnen vinden dat ze gaan samenwerken.'

'Mogelijk.'

'En wat zou Ptolemaeus ervan denken?'

'O, het kan Ptolemaeus niets schelen wat er in het oosten gebeurt; hij schijnt weer richting Egypte te trekken. Hij heeft in alle grote steden garnizoenen achtergelaten: Damascus, Tripolis, Tyros, Berytos; voorlopig laat ik ze links liggen. Ik geef hem wat tijd zodat hij zich veilig zal voelen en dan reken ik met hem af. Misschien doet Seleukos voor die tijd al wat werk voor me door naar het westen te marcheren, maar ik betwijfel of ik zoveel geluk heb.'

Lysimachus fronste terwijl hij een stuk harde kaas bekeek. 'Waar haal je het recht vandaan om hem aan te pakken?'

'Antipatros heeft me generaal van heel Azië gemaakt.'

'Hij is dood. Kun je niet beter Polyperchon de benoeming laten bevestigen?'

Antigonos wuifde het idee weg. 'Polyperchon zal er niet lang meer zijn.'

'Je lijkt nogal zeker van je zaak te zijn; hoe komt dat?'

'Kijk, Arrhidaeus zit nu volledig opgesloten in Kios en dus is het nog slechts een kwestie van afwachten. In de tussentijd kan ik net zo goed iets nuttigs doen, vooral nu Polyperchon de vrijheid van alle Griekse steden heeft afgekondigd; ze zullen de oligarchen executeren en de democratieën herstellen en die zullen in de rij staan om hem te steunen.' Hij pakte zijn beker en hief hem richting Kassandros. 'Vandaag is je geluksdag, Kassandros. Ik heb momenteel troepen en schepen over. Neem ze mee naar Athene en versla het leger dat Polyperchon zal sturen en reken dan af met die democratieën voordat ze weer voet aan de grond krijgen.' Hij nam een forse slok, boerde en dronk de rest van de wijn op. 'Je bent me dank verschuldigd, Kassandros.'

Dat mag zo zijn, maar dat wil nog niet zeggen dat ik je terug zal betalen. Kassandros glimlachte naar Antigonos, hief zijn beker en dronk op hem. 'Je zult er geen spijt van hebben.'

'Dat hoop ik niet. Zorg nu maar dat Polyperchon de enige is die spijt zal hebben.'

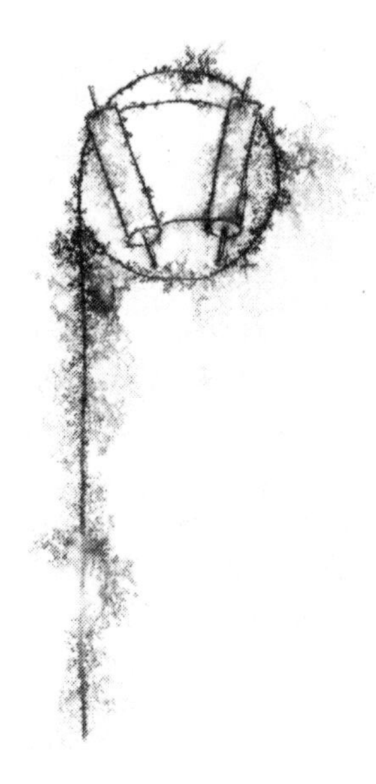

POLYPERCHON, DE GRIJZE

Polyperchon zuchtte zwaar toen hij de brief van zijn zoon herlas.

Bij mijn aankomst in Athene ontdekte ik dat Nicanor van Sindus huurlingen had geworven om het garnizoen in Munychia te versterken, en met die legermacht heeft hij de hele haven van Piraeus in handen genomen, inclusief de ketting die de havenmond afsluit. Zo houdt hij al onze schepen tegen, net als de Atheense graanvloot. Zijn positie is sterk, maar we hebben een goede kans als we snel en met een overweldigende macht ingrijpen. Ondanks een boodschap van Olympias met de opdracht om in naam van haar kleinzoon koning Alexander het garnizoen te ontbinden is hij blijven zitten, en ik neem aan dat hij Kassandros elk moment verwacht. Die kan inderdaad eerder komen dan we dachten, want er gaan geruchten dat Antigonos en Eumenes tot een of ander vergelijk zijn gekomen en dat het beleg van Nora is opgeheven, zodat er troepen zijn vrijgekomen.

Hij dacht even na over Olympias' brief: *Ze is weliswaar niet onmiddellijk op mijn aanbod ingegaan, maar haar schrijven aan Nicanor bewijst dat ze Kassandros als vijand ziet, ook al staat ze misschien niet volledig aan mijn kant. Kassandros weet in ieder geval niet dat ik toenadering tot Olympias heb gezocht.* Hij wierp een blik op Adea, die naast Kleitos aan de andere kant van de raadstafel zat, haar echtgenoot hurkte achter haar op zijn troon. *Dat gerucht over Antigonos en Eumenes heb ik ook gehoord en dus zal het wel waar zijn; daarmee hoeft Antigonos in Anatolië alleen nog Arrhidaeus te verslaan, en welke richting gaat hij dan op kijken: zuid of west?*

Hij zuchtte nog harder en richtte zijn aandacht weer op de brief.

Ik heb de stad zelf in handen, net als de lange muren die Athene met Piraeus verbinden. Ondanks de smeekbeden van Phocion en de andere oligarchen heb ik Hagnonides, de leider van de democratische factie, uit ballingschap gehaald en elke dag komen er meer democraten terug, zodat ze de vergadering spoedig zullen domineren. Maar dat is niet in alle Griekse steden het geval, in sommige is er hevig verzet tegen uw decreet, waaronder in Megalopolis.

Ik heb niet voldoende manschappen om én met Nicanor af te rekenen én Athene in handen te houden én het decreet af te dwingen bij halsstarrige oligarchieën; ik vraag u daarom, vader, om met versterkingen naar het zuiden te komen. Ik heb deze brief aan Kleitos meegegeven, hem kunt u vragen stellen die u eventueel nog hebt.

Polyperchon zuchtte opnieuw en keek naar Kleitos, die in het midden van de tafel zat. 'Maken versterkingen het verschil?'

'Zeker.' Kleitos legde de enorme schelp neer die hij aan het bewonderen was geweest. 'Piraeus kan met voldoende troepen worden ingenomen door het vanaf de lange muren te bestormen, en Megalopolis zal zich na een beleg overgeven, maar daartoe zijn er meer soldaten nodig; soldaten en mogelijk olifanten.'

'En als die twee doelen zijn bereikt heeft Kassandros, als hij komt, geen toegang tot Athene of potentiële bondgenoten, en de laatste paar oligarchieën zouden dan snel vallen en heel Griekenland is in mijn handen.'

'Precies.'

'Maar je laat Macedonië openliggen voor Antigonos,' zei Adea.

Kleitos verborg zijn irritatie. 'Als we ervan uitgaan dat Nicanor Piraeus bezet houdt voor de komst van Kassandros, wat me heel aannemelijk lijkt, dan komt die uiteraard over zee en dat betekent dat Antigonos hem een vloot moet lenen. Nu is onze eenogige vriend niet dom en zal hij hem niet zijn hele vloot meegeven, en dus moet hij zijn troepen verdelen.' Kleitos zweeg even en richtte zich tot Polyperchon om te kijken of die zijn gedachtegang volgde.

Dat deed hij. 'Twee zwakkere halve vloten.'

'Precies.'

'Beide twee keer zo makkelijk te verslaan.'

Kleitos haalde zijn schouders op. 'Laten we het hopen. Ik stel voor dat je met versterkingen naar het zuiden gaat en Piraeus inneemt. Ik ga met mijn vloot intussen naar de Propontis. Onderweg moet ik Kassandros tegenkomen en dan kan ik met hem afrekenen, daarna zal ik Antigonos verslaan, zodat hij niet naar Europa kan oversteken.'

'En dan ontzet je Arrhidaeus in Kios, zodat we een bondgenoot in Azië hebben.' Polyperchon glimlachte, naar zijn idee voor het eerst sinds hij vervloekt was met de ring. 'Het zou perfect kunnen zijn.' Hij zweeg even en sloeg toen tegen zijn voorhoofd. 'Goden! Het ís perfect. Met één brief krijgen we nog een bondgenoot in Azië.'

'Een brief aan wie?' vroeg Adea op wantrouwige toon.

'Eumenes.'

'Eumenes? Maar hij heeft net een eed van trouw aan Antigonos gezworen, als de geruchten kloppen.'

Zelfs zij heeft het gehoord; dan moet het wel echt waar zijn. 'Ik heb ook een versie van die geruchten gehoord: naar het schijnt heeft hij ook de koningen en Olympias aan die eed toegevoegd en daarom zal hij mijn aanbod niet afslaan, en dan heeft Antigonos een zo groot probleem in Azië dat hij geen tijd heeft om naar Europa over te steken, als hij dat al van plan was.'

'Wat bied je hem?'

Ik kan het haar beter vertellen, anders denkt ze dat ik iets verberg. Polyperchon tilde zijn hand met de ring omhoog en keek met genoegen naar het sieraad. 'Als regent zal ik hem Antigonos' titel van opperbevelhebber in Azië aanbieden en hem tot beschermer van de koningen maken; ik beloof hem dat ik ze naar hem stuur, uiteraard op een vaag tijdstip in de toekomst. Ik zal hem ook toestemming geven vijfhonderd talent uit de schatkist van Cyinda te halen en plaats Antigenes en diens Zilveren Schilden onder zijn bevel.'

Kleitos grinnikte vanwege de subtiliteit van het plan. 'Dat is een ruimhartig aanbod. Daarmee is Antigonos de rebel en zullen hij en

Eumenes wel opnieuw moeten vechten, net nadat ze vrienden waren geworden; wat jammer.'

'Inderdaad, het kan ze jaren bezighouden. Als je naar de vloot in Athene gaat, vaar dan via Ephesos, daar kun je de boodschapper afzetten; hoe eerder we Eumenes naar onze kant lokken, hoe beter.'

'Het is maar een kleine omweg. Eenmaal in Athene kan ik met mijn vloot naar de Propontis vertrekken, ik zal een paar schepen achterlaten om een oogje op Nicanor van Sindus in Piraeus te houden.'

'Met wat geluk valt je aankomst in Azië samen met het nieuws dat het weer oorlog is tussen Eumenes en Antigonos, waarbij Eumenes dan ook namens mij vecht, de regent, en namens beide koningen; zijn optreden zal volkomen legitiem zijn, hij heeft het recht aan zijn zijde. Dat zal onze eenogige vriend iets geven om over na te denken als hij zijn schepen ten onder ziet gaan.'

'Dan is er geen moment te verliezen,' zei Kleitos, die steunend op zijn drietand opstond en zijn schelp oppakte.

'Zeker niet. Ik marcheer morgen, licht en snel.'

Polyperchon stak zijn vuist in de lucht, een hoorn klonk, waarna het signaal overgenomen werd langs de colonne van drieduizend cavaleristen, tienduizend infanteristen en tweeëntwintig olifanten; de gebruikelijke trits kampvolgers was afwezig, want dit zou een geforceerde mars worden, de legertros zou in zijn eigen tempo reizen.

De voorhoede van tweehonderd man lichte cavalerie, Thessaliërs met breedgerande leren hoeden, draafde weg toen de colonne zich in beweging zette. Al snel bereikte het leger een tempo waarmee men dertig mijl op een dag aflegde, wat vermoeiend was voor infanterie die geen deel had uitgemaakt van Alexanders leger, waarvan snelheid een belangrijk wapen was geweest.

Polyperchon wierp een blik opzij op koning Philippus, die tussen hem en Adea reed, grijnzend en kwijlend terwijl hij bewonderend naar zijn leger keek, zoals hij het die ochtend genoemd had toen het hem groette. *En ik veronderstel dat het in theorie ook zo is; al weten alleen de goden wat hij ermee zou doen als hij daadwerkelijk het bevel voerde, en die komen waarschijnlijk niet meer bij van het lachen.*

Adea reed in ijzige stilte, ze had de discussie verloren waarin ze gepleit had om net als Roxanna en haar zoon achter te mogen blijven.

'Het leger van de koning moet ten minste één koning bij zich hebben,' had hij haar verteld toen ze klaagde dat Roxanna de tijd zonder toezicht zou misbruiken om gevaarlijke vrienden te maken.

'Het leger van de koning hoort beide koningen bij zich te hebben,' wierp ze tegen.

'Dat zou moeten,' stemde hij in, 'maar de andere koning is vier jaar oud en reist in een wagen, net als zijn moeder, en we zullen zo snel marcheren dat zelfs als we met de twee koningen vertrokken, we na minder dan twee mijl er nog maar één zouden hebben.' *Als hij tenminste niet van zijn paard valt en ergens in een greppel belandt.* De logica was onweerlegbaar en Adea was gedwongen de regeling te accepteren, al was het met tegenzin.

Roxanna was weinig verrassend maar al te blij dat ze moest achterblijven, maar dat was onderdeel geweest van Polyperchons plan: als Olympias zou horen dat haar kleinzoon alleen met zijn moeder in Pella was, zou ze eerder geneigd zijn om zijn aanbod te aanvaarden, zo hoopte hij. *En als alles volgens plan verloopt ben ik veilig in het zuiden, het oosten en het westen en hoef ik me alleen nog zorgen te maken over de woeste stammen in de heuvels in het noorden, maar dat is nooit anders geweest. Met wat geluk is die oosterse harpij het eerste van Olympias' slachtoffers.*

En dus ging Polyperchon in een ongewoon optimistische stemming op weg naar Athene en bleef de eerste vier dagen van de mars in dat goede humeur, tot de colonne Pharygai bereikte, een kuststad in Aetolië, niet ver van Lamia. Daar wachtte een delegatie van Atheense oligarchen hem op, geleid door Phocion, die eiste hun kant van de zaak te mogen bepleiten, iets wat Polyperchons stemming volledig bedierf.

'En Hagnonides, de leider van de democratische factie, is ook net aangekomen,' vertelde de officier van de wacht hem terwijl hij het stof van de mars afspoelde voordat hij Phocion zou ontvangen.

'Is dat zo? Houden die Grieken dan nooit op hun standpunten te bepleiten in plaats van gewoon te doen wat hun wordt opgedragen? Nou ja, ik veronderstel dat het wel goed uitkomt, ik zal ze tegelijk ontvangen.' Hij droogde zijn hoofd en nek en gooide de handdoek naar een wachtende slaaf. 'Zeg maar dat ze opschieten. Haal ook de koning erbij, het wordt een officiële zaak; ik maak er een hoorzitting van.'

Philippus grijnsde en zette een hoge borst op; alle aanwezigen stonden terwijl hij zijn plaats innam op de troon, die op een verhoging aan het hoofd van de binnenplaats was geplaatst. Eenmaal gezeten, met aan weerszijden van hem een lijfwacht, zwaaide hij met zijn olifant naar zijn vrouw toen die haar zetel naast Polyperchon innam, en wees op zichzelf toen hij er zeker van was dat ze hem gezien had. 'Ik speel voor koning!'

Adea wierp hem een strenge blik toe, waardoor hij ineenkromp op zijn troon. Hij liet zijn schouders hangen, boog het hoofd en begon zachtjes te jammeren.

Polyperchon keek naar de twee delegaties die klaarstonden en gebaarde dat ze mochten naderen.

'Heer regent,' zei Phocion toen hij voor hem stond. Hij was inmiddels tweeëntachtig jaar en zijn baard was sneeuwwit, net als het piekerige haar op zijn hoofd. Hij liep krom en gebruikte een stok, maar zijn stem was nog krachtig. 'Ik verzoek u me de welwillendheid te betonen om iemand van veel grotere eloquentie voor me te laten spreken; onderweg werd hij ziek, maar mijn verlangen dat hij degene zou zijn die het smeekschrift aanbiedt was zo groot dat we hebben gedraald zodat hij de mogelijkheid kreeg volledig te herstellen; anders waren we wel eerder voor u verschenen.'

Bespaarden de goden me maar die langdradige Grieken. Polyperchon kreunde. 'Wie?'

'Het zou een verzuim mijnerzijds zijn om niet eerst zijn kwaliteiten als zowel orator als...'

'Zeg gewoon hoe hij heet!' *Goden, die Grieken en hun liefde voor hun eigen stem.*

'Deinarchos van Korinthos.' Phocion maakte plaats voor de redenaar, die nu voor Polyperchon stond. Hij zag er ernstig en waardig uit en had een rol in zijn hand.

Polyperchon was verbluft en viel naar Phocion uit. 'Jij, de grote vriend van Antipatros, hebt Deinarchos, een andere grote vriend van Antipatros, meegenomen om je zaak te bepleiten? Jij, die hebt samengespannen met Nicanor van Sindus. Jij, die ongetwijfeld verlangt naar de komst van Kassandros naar Athene omdat hij jou zaak zal steunen, wilt dat deze man, deze verrader, je zaak bepleit?'

'Ik ben geen verrader van Macedonië,' benadrukte Deinarchos. 'Ik ben altijd een grote steunpilaar van Macedonië geweest; ik vervolgde Demades en wist hem veroordeeld te krijgen.'

'Je bent altijd een steunpilaar van Antipatros geweest, niet van Macedonië, want anders had je wel beseft dat Macedonië niet van Antipatros' zoon Kassandros is en dat het de Atheense oligarchie niet steunt.' Hij richtte zich tot de officier van de wacht. 'Neem hem mee en zoek uit wat hij van de plannen van Kassandros en Nicanor van Sindus weet en executeer hem daarna.'

'Dat kunt u niet doen!' schreeuwde Deinarchos, terwijl er krachtige soldatenhanden op zijn schouders werden gelegd.

'Ik kan het en doe het.'

'Maar ik ben in goed vertrouwen gekomen, dat moet u toch beseffen.'

'Ik zie alleen een aanhanger van mijn vijand die komt pleiten voor een andere oude vriend van Antipatros, voor een man die alleen wil dat ik mijn decreet over de vrijheid van de Grieken terugdraai, zodat hij en zijn bende aan de macht kunnen blijven en Kassandros tegen mij kunnen steunen; daar komt niets van in! Neem hem mee!' De wachters sleepten de tegenstribbelende Deinarchos mee, terwijl Polyperchon nadacht over de rechtvaardigheid van zijn besluit om een man zonder proces te executeren die zijn leven had besteed aan het vervolgen van mensen die veel vaker onschuldig dan schuldig waren, en dat tegen flinke sommen uit de Macedonische schatkist.

Er brak chaos op de binnenplaats uit; beide delegaties begonnen hun standpunt over de beslissing uit te schreeuwen, de ene was voor, de andere tegen. Hagnonides, een magere man met een ratachtig gezicht, die de democratische factie leidde, bulderde van het lachen en wees naar de ongelukkige man. 'Dat is voor alle onschuldigen die je hebt laten executeren of verbannen!'

Polyperchon zat met gesloten ogen en probeerde uit alle macht zijn kalmte te bewaren, maar intussen kookte hij vanbinnen, terwijl het kabaal toenam. *Ik kan deze mensen niet verdragen.* 'Stil allemaal!' barstte hij met zoveel geweld uit dat iedereen onmiddellijk zweeg. 'Stilte, zeg ik. Stilte!' Hij haalde een paar keer diep adem en keek toen naar Phocion. 'Je wilt dat ik mijn decreet over de vrijheid van de Grieken herroep, zodat die zeventienduizend burgers die Antipatros naar Thracië verbande niet kunnen terugkeren en de negenduizend burgers die meer dan tweeduizend drachmen bezitten aan de macht blijven. Is dat niet waar?'

'Heer regent, het is geen eenvoudige kwestie van ja en nee; we moeten eerst kijken naar...'

'Nee, dat moeten we niet, Phocion. Beantwoord de vraag: ja of nee?'

'Maar dan zouden we de essentie van de zaak negeren; als we niet tot de kern van de...'

'Ja of nee!'

'Maar dat antwoord geven...'

'Ja of nee!'

'Uiteindelijk zou het antwoord mogelijk een voorlopig ja kunnen zijn, maar...'

'Maar niets. Ik heb mijn antwoord. Hagnonides, waarom ben jij hier?'

'Om u te danken, Polyperchon, voor het herstellen van onze rechten als burgers van Athene en dat u ons helpt deze oligarchen,' hij spuugde het woord uit, 'voor het gerecht te slepen. We zijn altijd trouw aan Macedonië geweest en dat zullen we altijd blijven; we zullen deze mannen voor de raad, de echte democratische raad van Athene, brengen en straffen. Stuur ze in dierenkooien terug naar de stad en we zullen het afhandelen.'

Een uitbarsting van gelach onderbrak Polyperchons antwoord en iedereen keek naar de koning, die het uitschaterde en met opgetrokken knieën op de troon zat, de handen in de zij, en zo een weinig koninklijke aanblik bood.

'Philippus!' schreeuwde Adea, die opstond. 'Philippus, gedraag je.'

Domme meid, dat zeg je niet in het openbaar tegen de koning van Macedonië, hoe idioot hij zich ook gedraagt.

Philippus keek naar zijn vrouw, hij probeerde zijn lachen te stoppen, maar de tranen bleven over zijn wangen stromen.

'Philippus, hou op.' Adea fluisterde iets in zijn oor.

Philippus stopte abrupt met lachen; hij keek wantrouwig om zich heen. 'De veerman? Waar?'

Adea fluisterde weer iets.

Philippus knikte langzaam en begrijpend. 'Ja, ik ben koning, maar het was grappig: die man kwam om voor die andere man te spreken,' hij wees naar Phocion, 'maar in plaats daarvan namen ze hem mee om hem dood te maken.'

'Ja, Philippus, maar dat was al even geleden. Je moet letten op wat er nu gebeurt.' Ze aaide over zijn wang, hij keek haar aan en kwijlde.

Er hing een ongemakkelijke stilte over het hof, iedereen deed net alsof het de normaalste zaak van de wereld was dat de koning van Macedonië en zijn echtgenote zich zo gedroegen.

Phocion verbrak uiteindelijk de stilte toen Adea weer zat.

'Mag ik te mijner verdediging spreken, heer regent?'

'Nee, ik heb genoeg van breedsprakige Grieken.' Polyperchon stond op.

'Heer regent!' schreeuwde een lid van Phocions delegatie, die naar voren rende en Polyperchon bij de schouder pakte. 'Denk aan alles wat Phocion voor Macedonië heeft gedaan; aan alles wat wij voor Macedonië hebben gedaan door de Grieken rustig te houden; we gaven het goede voorbeeld door onze belastingen te betalen en we leverden mannen, niet alleen voor de infanterie, maar ook als roeiers. We zijn altijd trouw geweest.'

Polyperchon maakte zich los uit de greep. 'Lieg niet in de aanwezigheid van de koning!'

Dat was te veel voor Philippus; hij sprong van zijn troon, pakte een speer van een van de lijfwachten en stormde op het delegatielid af.

'Hegemon!' schreeuwde Phocion, wijzend op het naderende gevaar.

Hegemon draaide zich om en sprong opzij, waardoor de speerpunt rakelings langs hem heen ging.

Polyperchon stapte naar de koning en sloeg zijn armen om hem heen, waardoor Hegemon zich uit de voeten kon maken. 'Wat doe je?'

Philippus keek Polyperchon aan, woede in zijn doffe ogen. 'Hij jokte! Dat heb je zelf gezegd. Je mag niet jokken, dat heeft mijn vrouw gezegd. Ik jok nooit, niet meer.'

'Ja, nou, dat wil nog niet zeggen dat je iemand moet doden als hij jokt.'

'Ik speel voor koning, ik kan doen wat ik wil.'

Polyperchon nam de speer uit Philippus' hand en wendde zich tot Adea. 'Neem hem mee naar zijn tent en probeer hem duidelijk te maken dat hij zich waardig moet gedragen op deze reis.'

'En hoe zit het met ons?' vroeg Phocion.

'Ik zet jullie allemaal op een schip naar Athene en jullie raad moet de zaak afhandelen voordat ik aankom. Dit is geen zaak van Macedonië; we bemoeien ons niet met de binnenlandse politiek van de Griekse staten.' Met die schaamteloze verdraaiing van de waarheid verliet Polyperchon de binnenplaats, waar rumoer uitbrak. *Maar goed dat ik de speer van die idioot heb afgepakt; zelfs hij zou hebben begrepen dat ik jokte.*

Na beide delegaties over zee naar Athene te hebben gestuurd, de ene in ketenen, de andere niet, zette Polyperchon zijn mars naar het zuiden voort. Hij voelde opluchting toen hij zich bij Alexandros aansloot in diens kamp op de velden buiten de stad, waardoor ze een leger van in totaal vijfentwintigduizend man hadden dat van de rijkdommen van Athene leefde.

'Ze hebben al een delegatie gestuurd met het verzoek om te vertrekken, vader,' zei Alexandros toen ze door het kamp liepen zodat de mannen, die hun avondmaal aan het bereiden waren, konden zien dat hij was gekomen. Hij begroette hen en maakte grapjes met oude kameraden. 'Ze beweren dat er opstand tegen het nieuwe bewind zal komen als er door onze eetlust een voedseltekort in de stad ontstaat. Ze zijn extra bezorgd omdat ze Phocion ter dood hebben gebracht; ze hebben hem en vijf anderen de gifbeker laten drinken, ondanks hun lange staat van dienst voor Athene.'

'Tja, dat is hun eigen fout, moeten ze maar niet zo extreem zijn. Ze hadden ze ook kunnen verbannen, zoals ook met hen gebeurde; Phocion spaarde hun leven toen hij de kans had ze te doden, en toch konden zij het niet opbrengen hetzelfde te doen.'

'En ze maakten er een knoeiboel van door de beul te weinig geld toe te wijzen zodat hij niet voldoende bladeren van de gevlekte scheerling kon kopen. Het resulteerde in de gruwelijke situatie dat de halfdode Phocion geld uit zijn eigen beurs pakte en aan de beul gaf zodat die meer gif kon kopen. Dat is uiteraard bekend geworden en hier en daar wordt gefluisterd over de wreedheid van Hagnonides en zijn factie.'

'Typisch Grieken.' Polyperchon keek richting Athene, naar de grandioze, kleurig beschilderde gebouwen op de Acropolis die gloeiden in de warme stralen van de avondzon en boven de oeroude stad uittorenden. 'Dan kunnen we de zaak maar beter zo snel mogelijk afhandelen; zodra we Nicanor van Sindus uit Piraeus hebben neem ik het leeuwendeel van het leger mee naar Megalopolis en dan kunnen de Atheners ophouden met klagen.' Hij beantwoordde de groet van een groep veteranen, die hij nog herkende van de bestorming van een fort in Bactrië. Hij herinnerde zich hun namen en vroeg hoe het met hen ging. Vervolgens liep hij richting zijn tent. 'We moeten maar een aanvalsplan opstellen.'

'Ik heb er al een bedacht, vader. Ik zal het u vertellen.'

'Ik denk dat het heel goed gaat werken, Alexandros,' zei Polyperchon toen ze zijn tent naderden. 'Heeft Kleitos genoeg schepen achtergelaten om de havenmonding te blokkeren voor het geval ze over zee willen ontsnappen?'

'Ja, vader, twaalf moet voldoende zijn.'

'Mooi. Kunnen we morgenavond alles klaar hebben?'

'Daar zal ik voor zorgen.'

'Heeft Olympias nog een keer aan Nicanor van Sindus geschreven?'

'Niet dat ik weet, nee. Ik moet bekennen dat het me verbaasde dat ze hem een brief had geschreven.'

Polyperchon beantwoordde de groet van de wachters toen hij zijn tent betrad. 'Volgens mij wilde Olympias laten zien dat ze aan mijn kant staat, ook al heeft ze het aanbod dat ik haar deed nadat je naar het zuiden was gemarcheerd nog niet aanvaard.'

'En wat was dat?'

'Ja, wat was dat?' echode een vrouwenstem.

Polyperchon schrok en draaide zich om. Adea zat aan de raadstafel, terwijl de koning op zijn troon hurkte.

'Ik wacht hier al een tijdje op je, want we moeten overleggen hoe het verder moet, en nu hoor ik dat je Olympias een of ander aanbod hebt gedaan zonder dat zelfs maar tegen me te zeggen. Hoe zit dat?'

'Het was niet belangrijk,' zei Polyperchon, hopend dat ze niet opmerkte hoe ongemakkelijk hij zich voelde. 'Ik bood haar een ontmoeting met haar kleinzoon aan, op de grens tussen Macedonië en Epirus, op voorwaarde dat ze haar neef zou tegenhouden als die gebruik zou willen maken van mijn afwezigheid, waardoor er nog maar vijfduizend soldaten in Macedonië zijn.'

Adea keek hem vol wantrouwen aan. 'En dat was alles?'

'Ja.'

Ze keek hem enkele momenten aan voordat ze tot een besluit kwam en begon te glimlachen. 'Goed dan, kunnen jullie de situatie aan de koning uiteenzetten?'

Nadat hij de friemelende koning had toegesproken en Adea haar echtgenoot bij de hand de tent uit had geleid, keek Polyperchon Alexandros aan. 'En?'

'En wat?'

'Denk je dat ze me geloofde?'

'Misschien, het klonk geloofwaardig. Maar wat hebt u Olympias echt aangeboden?'

Alexandros floot toen zijn vader hem de waarheid had verteld. 'Dat is een doodvonnis voor het meisje.'

'Ik weet het. We moeten haar goed in de gaten houden voor het geval ze iets vermoedt.'

Geschreeuw van buiten voorkwam dat ze de zaak verder bespraken; de commandant van de wacht kwam haastig de tent binnen. 'Kom snel, heer!'

Polyperchon en Alexandros snelden naar buiten en keken in de richting waarin de officier wees.

Polyperchon voelde de moed hem verlaten. 'Goden boven en beneden, Kleitos heeft ze gemist en wij zijn te laat.' Aan de horizon waren in de laatste stralen van de ondergaande zon zeilen te zien, vele tientallen. Kassandros naderde Athene en ze konden er niets tegen doen. Polyperchon draaide zich om, hij had genoeg gezien. 'We zullen morgenochtend een delegatie naar hem sturen; misschien kunnen we een volledige oorlog nog voorkomen.'

Maar de ochtend bracht nog minder hoop voor Polyperchon toen Alexandros haastig zijn tent betrad. 'Adea!'

'Wat is er met haar?' vroeg Polyperchon, die een stuk brood in olijfolie doopte en een hap nam.

'Ze is weg. En de koning is ook weg.'

Polyperchon sprong op. 'Waarnaartoe?'

Alexandros haalde zijn schouders op, maar Polyperchon kreeg het misselijke gevoel dat hij het al wist. Hij liep snel zijn tent uit om te kijken; en het gevoel werd bevestigd toen hij richting Piraeus keek: de vloot voer weg.

'Vaart Kassandros nou weg, vader?'

Polyperchon schudde het hoofd. 'Nee, zoon. Kassandros blijft hier met het leger dat de vloot heeft overgezet. De vloot gaat naar de Propontis. Adea was op de hoogte van al onze plannen; ze is met de koning naar Kassandros overgelopen en heeft hem over Kleitos verteld. Kassandros stuurt zijn vloot op weg om Kleitos tussen zijn vloot en die van Antigonos te verpletteren.'

ANTIGONOS, DE EENOGIGE

'Toen ik ervan hoorde, Leonidas, was ik sprakeloos.' Antigonos' ene oog keek zijn ondergeschikte priemend aan. Leonidas was net in het kamp bij Chalkedon aan de Bosporus aangekomen en stond in de houding voor hem. 'Sprakeloos in die zin dat ik zo onsamenhangend brulde van woede dat ik niet kon spreken. Heb je enig idee hoe boos ik was en nog altijd ben over wat je hebt gedaan?'

Leonidas weerstond koppig de blik van zijn bevelhebber. 'U hebt me de autoriteit gegeven om met hem te onderhandelen en dat was onderdeel van de onderhandelingen. Bovendien leek het mij en al mijn officieren heel redelijk dat hij ook trouw aan de koningen wilde zweren. Zijn we niet allemaal trouw aan hen en aan Olympias als de moeder van Alexander?'

'M'n reet!' Antigonos sloeg met zijn vuist op zijn schrijftafel. 'Mijn dikke, pokdalige reet! Je bent trouw aan mij en mij alleen!'

Leonidas deinsde terug door de uitbarsting. 'En u bent trouw aan de koningen... toch?'

Antigonos beheerste zich. *Dat kan ik niet openlijk ontkennen als ik zeker van de mannen wil zijn.* 'De koningen zijn in Europa; ze zijn uit Azië vertrokken. Ik ben de opperbevelhebber van Azië en dus moet iedereen in Azië uiteindelijk trouw aan mij zijn, en Eumenes is in

Azië. Maar jij,' Antigonos hief een waarschuwende vinger naar Leonidas op, 'jij hebt hem een uitweg uit zijn eed geboden, want hij kan beweren dat zijn trouw aan de koningen boven zijn eed aan mij gaat, en hij zou nog gelijk hebben ook!' Hij kwam half overeind toen hij die laatste woorden schreeuwde en liet zich vervolgens weer in zijn stoel vallen, zwaar ademend. 'Dus nu is die sluwe kleine Griek niet alleen weer terug als satraap in Cappadocië, waar hij een nieuw leger op de been brengt, maar hij kan dat leger ook nog eens gebruiken om iedereen aan te vallen die volgens de koningen of die heks Olympias een vijand is. En ik kan heel goed als die vijand worden beschouwd, daar ik net Kassandros heb voorzien van troepen en schepen om Polyperchon te bedreigen, die, zoals je misschien nog weet, officieel de regent en houder van de ring van Macedonië is, hoe betwistbaar ook. Door jouw stommiteit moet ik Eumenes opnieuw bevechten.'

'Tenzij hij zich aan zijn eed aan u houdt.'

Antigonos' mond viel open en hij staarde Leonidas lange tijd ongelovig aan. 'Als hij dat van plan was had hij de eed niet hoeven veranderen,' wist hij eindelijk met van woede verstikte stem uit te brengen. 'Ga nu weg, voordat ik je ballen eraf ruk en ze in je kont duw zodat je ze er morgen weer uit kunt schijten.'

Leonidas salueerde, huiverend bij het beeld, en verliet de tent.

Antigonos dronk een volle beker wijn leeg en schonk hem weer vol en wendde zich tot Demetrios en Philotas, die in de schaduw zaten. 'Als hij niet onlangs zoveel nut had gehad had ik het ook echt gedaan.'

'Ik zou het nog steeds doen,' zei Philotas.

Demetrios keek bezorgd naar zijn vader. 'Wat gaat u doen?'

'Wat kan ik anders doen dan een sterk leger naar Cappadocië sturen om de kleine Griek opnieuw gevangen te nemen en hem de keuze te bieden tussen een nieuwe eed aan mij zweren of de behandeling ondergaan waar Leonidas maar net aan ontsnapt is. Ik zal Menander de opdracht geven; ik moet vertrouwen in hem tonen, anders gaat hij misschien terug naar Europa, of zelfs naar het zuiden naar Ptolemaeus of Seleukos om zijn diensten daar te verkopen. Vijfduizend man moet genoeg zijn, voor de helft cavalerie, lichte infanterie, peltasten en Thracische boogschutters en slingeraars.' Hij keek naar zijn zoon. 'Regel het, Demetrios. Ze moeten morgenochtend vertrekken en met lichte bepakking reizen; ik wil dat ze in Cappadocië zijn voor het nieuws van hun komst daar bekend is. Snelheid, dat is de essentie. Aan het werk, en stuur Menander naar me toe.'

'Ja, vader,' zei Demetrios, die opstond en wegliep.

'En let erop dat geen van de jongens ooit onder Eumenes heeft gediend,' riep Antigonos zijn zoon na. 'Hij heeft een merkwaardig talent om trouw te inspireren.'

'En jij niet, beste vriend?' vroeg Philotas.

'O, de jongens volgen me uiteraard, maar ik ben een Macedoniër en ik ben een soldaat vanaf de dag dat ik mijn eerste wildzwijn doodde, dus zij begrijpen mij en ik begrijp hen. Maar Eumenes is een Griek en hij was een secretaris, en die twee dingen samen betekenen wat de jongens betreft dat hij zich op professionele basis in de kont laat nemen. En toch valt het niet te ontkennen dat de Macedoniërs die onder hem dienen hem erg trouw zijn. Het is iets wat ik moeilijk kan begrijpen, maar we moeten er gewoon rekening mee houden.'

'Je wilde me spreken, Antigonos?' vroeg Menander nadat de wacht hem had binnengelaten.

'Ja, ga zitten; je moet iets voor me doen.'

'Ik zal mijn best doen,' zei Menander toen hij van de missie op de hoogte was gebracht.

'Daar ben ik van overtuigd. En als je hem in handen hebt, laat je dan niet inpakken door zijn honingzoete woorden. Hij kan heel overtuigend zijn.'

'Ik ken onze sluwe kleine Griek maar al te goed.'

'Vader!' schreeuwde Demetrios, die binnen kwam stormen.

'Wat is er?'

'Vader, we worden aangevallen bij Kios.'

'Onze belegeringslinie?'

'Nee, vanaf zee. Ze hebben de schepen van de blokkade overrompeld, ze zijn allemaal gezonken of buitgemaakt, met uitzondering van de schepen in de haven, want de havenketting heeft het gehouden. Toen de boodschapper op weg ging vielen ze de zeemuur aan.'

'De zeemuur? Hoe kan dat?'

'Ik weet het niet.'

Antigonos vloekte. 'Polyperchon lijkt toch enig militair verstand te hebben. Ik vermoed dat het de oude Poseidon zelf is, met zijn drietand en zeewier en alles, hij wil Arrhidaeus ontzetten en maakt gebruik van het feit dat ik Kassandros ruim de helft van mijn schepen heb uitgeleend.' En toen schoot hem iets te binnen. 'Als hij hier is, moet hij langs Kassandros zijn gekomen, en óf ze hebben elkaar op de een of andere manier gemist óf...'

Demetrios begreep wat zijn vader bedoelde. 'Of hij heeft hem ingemaakt en dan hebben we geen noemenswaardige vloot meer.'

'We moeten erheen.'

Het was een deprimerende, maar ook indrukwekkende aanblik die hun wachtte toen ze in een *lembos* – klein en snel – rond een kaap de baai in roeiden waaraan Kios lag. Antigonos wreef in zijn oog, niet in staat te geloven wat hij zag. 'Hoe hebben ze dat gedaan?'

'Belangrijker nog,' zei Philotas, 'waaróm hebben ze dat gedaan? Ze zouden Arrhidaeus moeten ontzetten, niet hem aanvallen.'

Ze waren alle drie verbijsterd, want te midden van de vijandelijke vloot stond een belegeringstoren tegen de zeemuur, terwijl het onmogelijk was om daar een dergelijk grote constructie neer te zetten.

'Belegeringstorens drijven niet,' zei Demetrios.

'Maar schepen wel,' zei Philotas, een al even vanzelfsprekende observatie. 'En twee met een platform ertussen gebouwd kunnen die toren dragen.'

Antigonos begreep toen wat er aan de hand was. 'Het is geen belegeringstoren, of eigenlijk wel, maar hij wordt voor het tegenovergestelde gebruikt. Omdat wij de haven in handen hebben haalt hij het garnizoen via de toren uit de stad en daarna worden de mannen verdeeld over de andere schepen, en we kunnen er niets tegen beginnen, we kunnen alleen maar toekijken en Kleitos' slimheid bewonderen. Misschien had ik hem niet moeten bedreigen.'

'We kunnen maar beter niet hier blijven, vader.' Demetrios wees naar twee schepen die hun boeg naar hen wendden en zich losmaakten van de vloot. 'Ik denk dat ze willen weten wie we zijn.'

'Tja, zonder schepen kunnen we niets anders doen dan van een afstandje toekijken.' Antigonos richtte zich tot de trierarchos. 'We gaan.'

De twintig roeiers aan elke zijde van het schip kreunden onder hun taak en het schip wendde de steven. Antigonos, inmiddels in een pragmatische stemming, keek naar de stad. *Merkwaardig genoeg komt dit me juist erg goed uit: als hij Arrhidaeus en zijn vierduizend man naar Europa brengt ben ik van hem af; als hij hem ergens langs de Aziatische kust afzet is hij aan mijn genade overgeleverd.* Er verscheen een glimlach op zijn gezicht. *Wat hij ook doet, ik kan al heel snel veilig naar het zuiden marcheren.*

'Vader, kijk,' schreeuwde Demetrios, die naar het westen wees.

Daar, van achter de eilandstad Kyzikos, verschenen vijf of zes schepen die geroeid werden; vier andere volgden, en nog een zestal, en toen nog veel meer; minstens honderd schepen voeren direct op de baai van Kios af.

'Kassandros, ik neem alle slechte dingen die ik ooit over je heb gezegd terug.' Antigonos wreef in zijn handen terwijl hij omkeek naar Kios. 'Kleitos breekt de operatie af om ze op te vangen.' *Goden, een zeeslag, dit wordt mooi.*

Met grote snelheid liet Kleitos zijn vloot Kios de rug toekeren, maar met snelheid kwam ook de vloek van haast: door een misverstand tussen de twee trierarchoi gingen de schepen die de belegeringstoren droegen elk een andere kant op; ze trokken aan de touwen waarmee de toren was vastgesjord en die begon te zwaaien en gaf zijn bewegingen door aan de schepen die hem droegen; toren en schepen gingen steeds heftiger schommelen. Boven op de toren waren figuurtjes te zien die zich uit alle macht angstig vastklampten terwijl het grote bouwsel steeds heftiger heen en weer ging, totdat het met een klap tegen de stadsmuur aan kwam; veel van de mannen op de toren vielen terwijl het ding de andere kant op zwaaide en even vlak boven zee bleef zweven, waarbij hij de achterstevens van de twee schepen zo ver omlaag drukte dat er water aan boord stroomde. De in paniek geraakte roeiers begonnen massaal door de roeipoorten te kruipen. De grote toren kwam weer omhoog, een enorme, trage slinger die een tweede keer tegen de muur beukte, waardoor het bovendeel versplinterde en velen die daar nog zaten omkwamen. En opnieuw zwaaide hij richting zee en duwde met overweldigende kracht op de schepen, zodat ze onder water kwamen. Dit keer raakte de toren met een trage gratie de zee, waar honderden zeelieden het hoofd boven water probeerden te houden. Het water rond de toren spatte hoog op, het witte schuim glinsterde in de zon. Langzaam en doelbewust kwam de toren weer omhoog, alsof hij een laatste keer probeerde zich te verheffen uit zijn waterige graf; hij stuurde grote golven uit die de schepen in de buurt deden deinen alsof een boze hand het op ze voorzien had. Het was een laatste stuiptrekking, het ding kantelde weer en verdween nu in de golven en nam zijn dragers mee de diepte in.

'Soms kun je ook te slim zijn,' zei Antigonos tevreden. 'Maar het heeft Kleitos niet vertraagd.'

Terwijl ze naar de hypnotiserende ondergang van de toren hadden staan kijken had Kleitos, met zeewier stromend van hoofd en schouders en zijn drietand voorwaarts gericht, het grootste deel van zijn vloot bij de zeemuur weg gemanoeuvreerd en met dekken vol soldaten van Arrhidaeus begon de vloot een gevechtslinie te formeren tegenover de naderende vijandelijke vloot.

De twee vloten waren minder dan drie mijl uit elkaar en ze vertraagden hun tempo zodat ze hun linie zo strak mogelijk konden maken om te voorkomen dat ze doorbroken zou worden en de vijand van achteren kon aanvallen.

Antigonos voelde zich hulpeloos nu hij op afstand moest toekijken terwijl de twee vloten zich klaarmaakten. Hoewel hij altijd een landgeneraal was geweest, en dan ook nog een die zichzelf als infanterist beschouwde, voelde het verkeerd alleen toeschouwer te zijn bij een slag die zou beslissen wie de zeestraat tussen Europa en Azië zou beheersen. Hij besefte echter heel goed dat hij geen admiraal was en dat degene die de terugkerende vloot aanvoerde geen behoefte aan zijn aanwezigheid had.

Op geschreeuwde bevelen van de officieren en het schelle gefluit van de roeimeesters spreidden de roeiers hun houten vleugels en Kleitos' vloot schoot naar voren – de toren, de twee gezonken schepen en de honderden verdronken mannen waren vergeten. Antigonos kneep zijn oog samen om beter te kunnen zien wat zijn vloot deed, maar de formatie van Kleitos was zo compact dat er nauwelijks grote openingen waren en hij kon niet goed zien wat daarachter gebeurde.

Antigonos gebaarde dat ze op een afstandje moesten volgen, want hun schip, een kleine, snelle lembos met open dek, was ongeschikt voor gevechtshandelingen.

Kleitos had inmiddels kruissnelheid bereikt, de riemen kwamen met een geoefend ritme omhoog en verdwenen weer in het water, het gefluit van de roeimeesters vermengde zich met het geschreeuw van meeuwen die bij de schepen cirkelden en in het water doken naar overboord gegooide lekkernijen. De grote linie van oorlogsschepen schoot voorwaarts, weg van Antigonos, het ritme van de roeiriemen versnelde en de schepen bereikten aanvalssnelheid nu ze de vijand naderden. Toen werd er opeens vanaf de muren van Kios geschoten; brandende pijlen klommen door de lucht en daalden vervolgens richting de schepen.

'Ha! Nu ze de stad uit zijn hebben onze jongens hem ingenomen,' zei Antigonos tevreden. Op dat moment werd de ketting die de havenmond afsloot weggehaald en zes schepen, het restant van de blokkadevloot onder bevel van de Kretenzer Nearchos, voeren de haven uit en gingen achter Kleitos' vloot aan. 'Goed zo, Nearchos, pak de achterblijvers,' zei Antigonos, die opnieuw in zijn handen wreef en zich weer tot de trierarchos richtte. 'Ga naar ze toe, eens kijken of we iets kunnen doen. Open de wapenkist.'

De boogschutters bleven schieten tot de vloot buiten hun bereik raakte; ze hadden gedaan wat ze konden, twee van de schepen stonden in brand, de vlammen aangewakkerd door een frisse wind uit het noorden.

De lembos bereikte de schepen die uit de haven voeren en nam positie in aan de achterzijde van de formatie die op de brandende schepen afkoerste.

Het tempo van de fluiten nam toe en de twee vloten kwamen op ramsnelheid. Antigonos, een stel werpsperen in de linkerhand, smeekte Poseidon hem de overwinning te schenken; hij hoopte dat Kleitos' voortdurende imitatie van de god zich tegen hem zou keren. Maar toen bedacht hij dat deze aardse Poseidon talrijke zeeslagen had gewonnen; nog maar twee jaar geleden had hij voor Antigonos bij Cyprus een zege behaald, en ook in deze wateren had hij een keer een vijandelijke vloot verpletterd; zijn beschermgod leek hem buitengewoon gunstig gezind te zijn. *Ik had zijn talent in Cyprus nodig en nu moet ik ertegen vechten; het was dom van me om hem te bruuskeren.*

Toen kwam het geluid van de eerste botsingen over het water aangezweefd: metalen rammen die met een klap de buik van schepen doorboorden; het staccato van versplinterende en brekende riemen, vermengd met het geschreeuw van de roeiers als hun roeispaan tegen hun borst beukte en die indrukte; hoog boven alles uit klonk het gekrijs van metaal dat langs hout trok nu de roeiers de schepen naar achteren manoeuvreerden om zich los te maken van de gewelddadige paring.

Masten vielen en verpletterden velen op Kleitos' overvolle dekken, Arrhidaeus' mannen leden er wreed onder – ze zaten midden in een zeeslag waar ze niet op gerekend hadden toen ze aan boord gingen. Werpankers vlogen door de lucht om een prooi te vangen en in een dodelijke omhelzing te nemen. En nu waren de drommen mannen van Arrhidaeus door hun aantallen in het voordeel; zwaarbewapend stroomden ze de vijandelijke schepen op, ze sprongen over de smalle kloof en overweldigden de veel kleinere aantallen vijanden; ze duwden hen doorboord en bloedend in een zee die al kolkte van de stervenden.

'Ze zijn aan de winnende hand,' observeerde Philotas, die keek hoe het centrum van Kleitos' linie oprukte.

Wat Antigonos zag bevestigde die woorden en hij gebaarde naar de trierarchos om terug te keren. 'Naar Chalkedon, hier kunnen we niets meer doen.'

De zes schepen die uit de haven waren gekomen draaiden ook om, ze hadden met de brandende schepen afgerekend en waren met te weinig om met succes de hoofdmacht aan te vallen; ook van achteren maakten ze geen kans.

De roeiers kromden hun rug om vaart te maken terwijl Antigonos naar achteren naar de slag bleef kijken, die alleen maar wanhopiger werd. Kleitos was nu door het centrum gebroken, waardoor Antigonos' vloot in tweeën was gespleten, zijn schepen waren rijp om een voor een te worden gepakt. Het gehuil van de stervenden zweefde over de golven, losgezongen van de maritieme chaos waaruit het was voortgekomen. Ze roeiden weg en Antigonos overwoog zijn volgende zet. Aan de uiteinden van de zeeslag maakten enkele schepen zich los, de zijne, overlevenden die richting oosten voeren, naar Chalkedon, vanwaaruit ze slechts acht dagen eerder naar Athene waren vertrokken. *Ik kan het me niet veroorloven om een nederlaag te accepteren; het zou betekenen dat deze wateren voor langere tijd in vijandelijke handen zijn. Op de een of andere manier moet ik een zegevierende vloot verslaan met de restanten van een verslagen vloot.* Hij bleef naar de ramp kijken en hoopte dat er meer schepen zouden ontkomen; er doken er nog enkele op, maar lang niet genoeg voor zijn bedoelingen.

En toen zag hij hoe het verder moest. 'Philotas, als we terug zijn moet jij naar Byzantion oversteken en alle schepen huren die je vindt, vissersboten, koopvaarders, alles wat maar mannen kan transporteren; de prijs doet er niet toe, zorg ervoor.'

'Natuurlijk. Wat ben je van plan?'

Antigonos sloeg zijn zoon op de schouder. 'Demetrios, je weet nog dat leger dat je voor Menander hebt verzameld en dat morgenochtend zou vertrekken?'

'Ja, vader.'

'We stellen het uit. Kleitos' vloot zal ergens moeten overnachten; zorg dat alle boogschutters, slingeraars en peltasten om middernacht in de haven zijn en prop ze in alle beschikbare schepen; beter nog, verzamel iedereen die voor een dergelijke operatie geschikt is. We gaan Kleitos een onaangename verrassing bezorgen, net als hij zijn overwinning aan het vieren is.'

Het was – weinig verrassend – de Thracische zijde van de zeestraat waar Kleitos besloot zijn zegevierende vloot voor die nacht af te meren, maar dat maakte Antigonos niets uit; hij voelde geen behoefte Lysimachus toestemming te vragen voor het betreden van diens territorium, want hij zou alweer terug in Azië zijn voordat de satraap van Thracië er zelfs maar van gehoord had.

Hij grinnikte toen de geïmproviseerde vloot van tweehonderd schepen in alle soorten en maten noordwaarts roeide, geleid door vuren op het strand en het dronken schreeuwen en zingen in de verte. Hoeveel man Demetrios op de schepen had weten te proppen was onduidelijk, want ze waren haastig opgetrommeld en nog sneller in de boten geduwd. Antigonos' lembos en de zes schepen die in de haven hadden gelegen, samen met twaalf triremen en twintig grote koopvaarders die Philotas in Byzantion had gehuurd – voor een prijs die zelfs de meest roofzuchtige piraat zou doen duizelen –, voeren vooraan. Daarachter kwamen de schepen die de ramp hadden overleefd, vierenvijftig, onder bevel van Kassandros' man Nicanor van Sindus. Achteraan voeren ruim honderd kleinere schepen, sommige zo klein dat ze maar vijf of zes man konden vervoeren; Demetrios commandeerde de linkerflank en Nearchos de rechter. Maar welk formaat ze ook hadden, alle schepen zaten vol soldaten, licht bewapend en snelvoetig. *Meer dan vijfduizend man van precies het juiste soort voor een grondig bloedbad.* Bij die gedachte moest hij opnieuw grinniken; Antigonos was van plan deze avond te genieten, ter compensatie van de pijn van overdag.

Toen ze de feestende overwinnaars dichter naderden kon Antigonos in het flakkerende licht van de vuren zien dat de meeste boten op het strand waren getrokken, van Kleitos' honderdtwintig schepen lag slechts een dertigtal, de grotere, voor anker en dobberde voor de kust, met een minimale bemanning om de wacht te houden.

Ze hadden het plan al besproken voor ze uitvoeren, toen ze in de haven druk bezig waren de overval te organiseren. Alle officieren, zowel van de vloot als van het landleger, wisten wat er van hen verwacht werd: niets minder dan moord. En zo splitste de vloot zich in drie eskaders toen ze nog op een afstand van het strand waren die hen onzichtbaar maakte voor ogen gewend aan vuren van drijfhout. Antigonos bleef duizend pas ten westen van het feest, Demetrios met zijn kleinere schepen ging naar de oostkant, en Nicanor van Sindus richtte zich met het restant van zijn oorlogsschepen op Kleitos' vloot.

Tweehonderd pas van het strand gaf Antigonos de roeiers een teken om hun kreunende arbeid te staken zodat de schepen in stilte over de kalme zee gleden, onder een heldere hemel besprenkeld met de rijkdom van het heelal. In de lage golven raakten de kielen vlak voor het strand het zand en de schepen kwamen zachtjes tot stilstand. Voorzichtigheid was niet langer geboden – het was al een wonder dat ze zo ver waren gekomen zonder dat er alarm was geslagen – en Antigonos knikte naar Philotas naast hem en sprong in het ondiepe water; hij hoefde zijn mannen niet te wenken, ze kwamen vanzelf, allen met een zwarte hoofdband om als herkenningsteken in het gevecht. Hij droeg geen helm en ging gekleed als de peltasten die hem volgden: een tuniek en sandalen. Hij was enkel gewapend met een speer en een zwaard, en met zijn schild aan zijn linkerarm rende hij in stilte over het strand richting de vuren. Links van hem waaierde de met bogen en slingers bewapende lichte infanterie uit tot een paar honderd pas landinwaarts, ze bewogen zich sneller, renden, om in positie te zijn op het moment waarop de hoofdmacht van beide zijden zou toeslaan.

Antigonos hoorde Philotas' raspende adem en glimlachte. *Ik zal die ouwe rukker zijn conditie flink inwrijven als we straks een stuk of tien bekers wijn achteroverslaan. Goden, dit is mooi.*

Het zingen en lachen nam in volume toe met de stijgende dronkenschap van de overwinnaars, maar toch klonken al snel de eerste alarmkreten boven het feestgedruis uit; Antigonos versnelde. Op vijftig pas suisden de eerste projectielen van de boogschutters en slingeraars door het donker, ze troffen vlees of deden zand opstuiven. Luid schreeuwend bereikte Antigonos zijn doel, opgetogen dat de verrassing was geslaagd, met vreugde doorboorde hij een jongeling die angstig was opgesprongen en vervolgens te geschokt was om zich te kunnen verweren; hij klapte dubbel rond de speer die hem vastpinde, terwijl Antigonos hem in het kruis trapte en zijn wapen lostrok, waarna de jongen brullend op zijn knieën zakte. Hij ploegde verder, haalde met zijn speer uit naar kelen en buiken en beukte gezichten in met zijn schild.

Hij sprong naar voren met zijn vuisten bij elkaar, waarna hij zijn armen spreidde; met zijn schild in zijn linkerhand sloeg hij een man bewusteloos, met zijn rechtervuist de tanden uit de mond van een andere. Verder ging hij, door een groepje van vier zeelieden die wankelend op hun benen stonden, en bereikte een eenheid van Arrhidaeus' mannen, die min of meer probeerden in gevechtsformatie te komen. 'Laat ze geen linie vormen,' schreeuwde hij naar de troepen achter zich terwijl hij gelijktijdig zijn speer muurvast begroef in de ribbenkast van de man die hun officier leek te zijn. Hij trok zijn zwaard en met een zwaai sneed de kling door de kin van de volgende man, diens kaak hing nog aan een bloedige draad terwijl zijn tong op de grond plofte. En toen zag hij Nicanors oorlogsschepen, ze hadden de afgemeerde boten bereikt, zodat die ingesloten waren; slechts enkele schepen wisten te ontsnappen. Nicanors mannen stroomden de vijandelijke schepen op en overweldigden de spaarzame bemanningen. Met een nonchalante slag doorboorde hij het oog van een schreeuwende soldaat die zich met zijn zwaard zwaaiend boven het hoofd op hem had willen storten. Hij bleef vervolgens even staan en liet zijn mannen voorbij zodat hij op adem kon komen. Achter hem lagen de doden; voor hem vochten de levenden, maar de verrassing was zo volkomen geweest en de invloed van Dionysus op de verdedigers zo overweldigend dat die zich al snel bij de doden voegden.

Brandende stukken hout van de vuren werden in de op het strand getrokken schepen gegooid, tegen zijn bevelen in, en in woede sloeg hij de arm af van een van zijn eigen mannen toen die een van de vijandige schepen in brand wilde steken. 'Blijf van de schepen af! Hoor je me? Blijf van de schepen af! Ze zijn van mij!' Maar het rumoer was zo groot dat maar weinigen hem hoorden. De vlammen sloegen hoog op en in hun licht kon hij de schepen zien die probeerden te ontsnappen: de meeste maakten geen kans tegen de overmacht, maar één, het grootste, wist stand te houden, en ondanks de pogingen van vele mannen om het te enteren en de riemen te pakken voer het naar achteren, weg van Nicanors schepen en de nacht in. 'Kleitos!' Om zich heen kijkend kreeg hij een kleine boot in het oog, met zes roeiers, die net bezig was te landen. Hij rende erheen en waadde door het bloederige water. 'Draai om!' blafte hij. De stuurman volgde het bevel op en schreeuwde naar de roeiers, hij deed het met de snelheid en precisie van iemand die zijn hele leven op schepen heeft doorgebracht.

Antigonos klom met enige moeite aan boord. 'Breng me op gehoorafstand van dat schip.' De stuurman grijnsde en liet daarbij een gebit vol gebroken tanden zien, hij begon het roeiritme aan te geven en de boot gleed weg, de slachtpartij op het strand achter zich latend.

'Kleitos!' schreeuwde Antigonos met zijn handen in een kom rond zijn mond toen ze het vluchtende schip naderden. 'Kleitos, kom terug en zweer trouw aan mij; vecht voor mij, Kleitos.'

Vaag verscheen er een figuur aan bakboord die naar zee tuurde terwijl het schip vaart minderde. 'Antigonos? Ben jij dat?'

'Kleitos, ik heb een fout gemaakt. Ik had in vrede naar je moeten komen.'

'Het is een beetje laat nu, vind je niet?'

'Absoluut niet. Je krijgt je satrapie terug; kom naar mij en dien onder mij.'

Een holle lach zweefde over het water; Antigonos kon net zien dat Kleitos met zijn drietand naar hem wees.

'Je kunt geen satrapieën toewijzen of afnemen, Antigonos; dat kan alleen de regent in naam van de koningen doen. Ga naar Polyperchon en zweer trouw aan hem en de koningen en dan stopt het vechten en heb je mij niet nodig. Jij bent nu degene die de oorlog aan de gang houdt, Antigonos. Je weigert de rechtmatige regent te erkennen, je gaf schepen aan Kassandros; het draait allemaal om jou.'

'Ik ben de opperbevelhebber van Azië!'

'Nee, Antigonos, dat heb je mis. Niet meer. Polyperchon heeft Eumenes geschreven en hem de positie aangeboden; het zou me verbazen als hij het zou weigeren, denk je niet?'

De informatie was een klap in zijn gezicht. 'Dat is niet waar!'

'Waarom zou ik liegen, Antigonos? Jij bent nu de rebel; jij bent de afvallige. En waarom zou ik dan naar jou overlopen en jou dienen? Vaarwel, Antigonos, geniet van je leven als vogelvrijverklaarde!' Met een laatste zwaai van zijn drietand verdween Kleitos in het donker.

Somber gestemd waadde Antigonos weer aan land. De gevechten waren afgelopen en de grond lag bezaaid met doden en de lucht was zwaar van de rook; hier en daar brandde nog een schip, maar werkploegen zwoegden om alles te doven, terwijl anderen de wapens en bezittingen van de doden verzamelden.

'Was dat Kleitos?' vroeg Demetrios, die naar zijn vader liep met Nicanor van Sindus in zijn kielzog.

'Ja. Hij vertelde me dat Eumenes mijn positie in Azië aangeboden heeft gekregen.'

'Dat heeft Adea me ook verteld,' bevestigde Nicanor. 'In alle haast om de overval voor te bereiden had ik geen tijd om het je te vertellen. Ze heeft Polyperchon in de steek gelaten en is met koning Philippus naar Kassandros overgelopen; ze was een goudmijn van informatie.'

'Dus het klopt?'

'Ja, maar ik zou me er niet al te veel zorgen over maken; Polyperchons dagen zijn geteld. We hebben Adea op weg hierheen in Macedonië afgezet. Ze heeft het regentschap van haar echtgenoot in handen genomen; zij is degene die in Pella de beslissingen neemt.'

'Ik ben niet geïnteresseerd in Pella, maar in Azië. Neem zoveel tijd als je nodig hebt om wat er over is van de vloot op te lappen en ga dan terug naar Athene; breng mijn dank over aan Kassandros en zeg hem dat ik hem naar mijn beste vermogen zal helpen in zijn strijd tegen Polyperchon. In ruil verwacht ik hetzelfde van hem nu ik met het leger naar het zuiden ga om af te rekenen met Eumenes.'

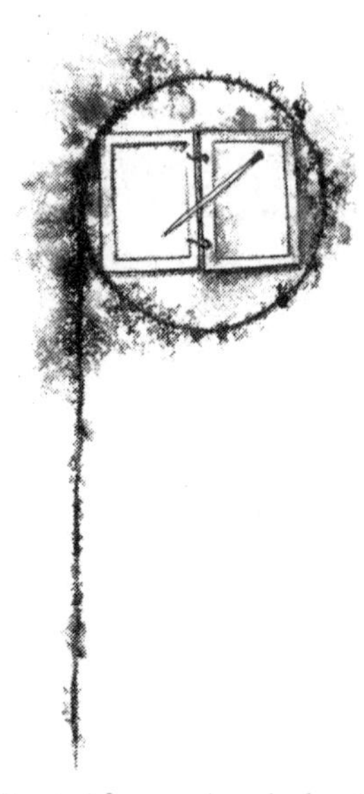

EUMENES, DE SLUWE

'... Verloor zijn oliekruik!' Eumenes en Hieronymus lagen dubbel van het lachen toen de grap voor de vijfde keer werd herhaald in een literair duel tussen Euripides en Aeschylus in Aristophanes' komedie *Kikkers*; ze vermaakten elkaar door het stuk voor te lezen in de ommuurde tuin in het paleis van Mazaca, de hoofdstad van Cappadocië.

'Het leger staat klaar om op mars te gaan,' informeerde Xennias Eumenes bij de toegang tot de tuin.

'Dank je. Ik zal ze toespreken.' Eumenes wreef de tranen uit zijn ogen en stond op, glimlachend naar Hieronymus, die naast hem op een stenen bankje onder een abrikozenboom had gezeten.

Hieronymus glimlachte even warm terug naar zijn landgenoot. 'Niet in de stijl van Euripides, want dan schreeuwen de mannen aan het einde van elke zin...'

'Verloor zijn oliekruik!' riepen ze in koor.

Eumenes onderdrukte een opkomende lachbui en zette een overdreven ernstig gezicht op. 'Ik denk dat enkele inspirerende woorden van de nieuwe opperbevelhebber van Azië ze zal bemoedigen voor een mars door het Taurusgebergte naar Cilicië, nietwaar?'

'Wat had ik graag Antigonos' gezicht gezien toen hij het hoorde; weet jij hoe hij heeft gereageerd?'

'Hij verloor zijn oliekruik!'

Ze brulden het weer uit. Nadat hij zichzelf weer onder controle had wist Eumenes een antwoord te geven: 'Het laatste wat ik vernomen heb is dat hij Arrhidaeus uit Kios heeft gegooid en zo diens poging me in Nora te ontzetten wist te verhinderen, maar dat was nog voor ik mijn eed zwoer. Ik ben eigenlijk nieuwsgieriger naar zijn gezicht toen Leonidas hem vertelde welke eed ik aan hem heb gezworen. Maar dat is allemaal verleden tijd: nu is hij degene die buiten de wet staat en ik heb het recht en de koningen aan mijn zijde, en niet te vergeten ook de schatkist. Pak je spullen, beste vriend, we gaan naar de bank.'

Met lichtvoetige pas besteeg Eumenes de trap naar het podium dat voor het aangetreden leger was opgezet. De afgelopen drie dagen, sinds hij de verrassende brief van Polyperchon had gekregen, had hij alles met een licht gemoed gedaan. Aanvankelijk kon hij niet geloven dat de brief echt was, ook al kende Eumenes de boodschapper en wist hij dat de man bij Polyperchon in dienst was sinds die met Krateros naar het westen was teruggekeerd. Maar hoe langer hij erover nadacht, hoe meer Polyperchons aanbod hout sneed. De belegerde regent kreeg zo een bondgenoot in Azië en plaatste meteen Antigonos buiten de wet; het was een meesterzet, een die hij zelf ook gedaan zou hebben als hij in Polyperchons positie had verkeerd. Ook hij zou 'per ongeluk' hebben vergeten het doodvonnis dat boven hem hing op te heffen – een aardig trucje – voor het geval Polyperchon zich zou bedenken en hij van de nieuwe macht in Azië af moest. *Al met al heel bevredigend.* Hij liet zijn ogen over het leger voor hem glijden, opgesteld in vierkante eenheden. *Geen indrukwekkend leger, zesduizend man kun je eigenlijk geen leger noemen, hooguit een divisie. Maar goed, zodra ik de deuren van Cyinda open heb gekregen zullen de huurlingen toestromen. De vraag is: wat doe ik met Antigenes, het toonbeeld van de ongecompliceerde Macedonische militaire geest?*

Die vraag bleef hem tijdens de eerste dagen van de mars naar het zuiden bezighouden. Ze waren het Taurusgebergte in getrokken, steeds verder omhoog, waarna ze de rivier de Carmalas omlaag volgden, die zich kronkelend een weg naar Cilicië zocht.

Toen ze de zuidelijke uitlopers van het gebergte bereikten begon de tijd voor het vinden van een oplossing te dringen: Parmida – die met zijn vijfhonderd Cappadocische cavaleristen als garnizoen in Cappadocië was achtergebleven – haalde de colonne op een dag in en was direct naar Eumenes gegaan om verslag uit te brengen. 'Mijn verkenners hebben gemeld dat ze Menander op een paar dagen van Cappadocië hebben gezien, met een leger van vijfduizend man; ik ben onmiddellijk vertrokken, maar hij moet er inmiddels zijn.'

Eumenes overdacht het nieuws, op zijn gemak op zijn merrie rijdend. 'Dus Antigonos heeft van Polyperchons aanbod gehoord en ging er, correct, van uit dat ik het zou aanvaarden en dus heeft hij Menander gestuurd om me te arresteren of misschien zelfs te doden. Als ik hem was zou het zeker dat laatste zijn.' Hij richtte zich tot Hieronymus, die heel wat minder ontspannen naast hem reed. 'Ik zou zeggen dat Antigonos de eerste vijandelijke zet heeft gedaan.'

'Beschouw je het accepteren van Polyperchons aanbod en vervolgens naar Cilicië optrekken niet als vijandig?'

'Natuurlijk niet. Ik gehoorzaam enkel Polyperchon, de regent van de rechtmatige koningen van Macedonië, en door dat te doen val ik Antigonos absoluut niet aan.'

'En je breekt je eed ook niet, want die is ook aan de koningen afgelegd.' Er kwam een lachje in Hieronymus op, het klonk raspend in zijn keel. 'Heb ik al eens gezegd dat je de reputatie hebt sluw te zijn?'

'En klein, en een Griek; ik vraag me af welke van die drie dingen het minderwaardigst is in de edelmoedige Macedonische militaire geest.'

'Maar je bent een Griek,' zei Antigenes toen Eumenes hem Polyperchons bevelschrift liet zien bij de poort van Cyinda, een vesting die wel wat op Nora leek, gebouwd op een kale rots boven de vallei van de Carmalas, niet ver van Tarsos.

Ah, ik dacht al dat dat je grote bezwaar zou zijn. 'En daarom heeft de regent me ook op deze positie benoemd: als Griek kan ik geen aanspraken op de troon maken en daarmee ben ik te vertrouwen met het geld en de macht die hij me gegeven heeft, anders dan Antigonos, die zijn positie heeft misbruikt voor persoonlijk gewin.'

Antigenes keek weer naar het bevelschrift en krabde zich op het achterhoofd. 'Dus niet alleen moet ik je vijfhonderd talent in zilver of goud overhandigen, maar ik moet me samen met mijn Zilveren Schilden volgens deze brief ook onder jouw bevel stellen.'

'Aangezien ik tot opperbevelhebber van Azië ben benoemd, door de regent van de twee koningen van Macedonië, en jij en je jongens in Azië zijn, lijkt me dat volkomen logisch.'

Antigenes gaf het bevelschrift aan de officier naast hem, een veteraan van middelbare leeftijd met een litteken van de plek waar ooit zijn linkeroor zat naar waar nog weinig resteerde van zijn neus. 'Wat denk jij, Teutamus?'

Teutamus pakte het bevelschrift aan en las het, hij zei de woorden hardop, langzaam en nadrukkelijk; hij haalde zijn schouders op toen hij klaar was en keek fronsend naar Eumenes. 'Hij is een beetje klein om opperbevelhebber van Azië te zijn, vindt u niet?'

Kijk, daar hebben we het tweede bezwaar; hoe mooi is toch de Macedonische militaire geest. 'Dat mag dan zo zijn, maar mijn gebrek aan lengte maak ik goed met sluwheid. Goed, ik heb een lange reis achter de rug en jullie hebben het bevelschrift gezien. Ik zou nu graag naar mijn vertrekken gaan. Mijn mannen zullen in het dal hun kamp opslaan. Nadat ik me heb opgefrist inspecteren we samen de schatkamers.'

Xennias keek verontschuldigend toen hij Eumenes' kamer betrad. 'Ze zeiden dat ze niet naar u zouden komen, u moet naar hen toe.'

'O, gaan we dat spelletje doen? Wat zijn we weer volwassen.' Eumenes legde de inventarislijst van de schatkist neer, die het afgelopen halfuur boeiende lectuur had gevormd. Hij stond op en liep naar het raam, dat uitzicht bood op zijn leger dat beneden in het dal bezig was het kamp in te richten. 'Tja, als ik toegeef en naar hen toe ga, zal ik zwak lijken. Wat moet ik doen? Wat moet ik doen?' Hij legde zijn handen op zijn rug en keek naar buiten terwijl hij nadacht. 'Vertel ze,' zei hij na een tijdje, 'dat ik besloten heb geen bespreking te houden voor ik de schatkamers heb gezien, ik ga daar nu meteen heen en we zullen de zaken bespreken terwijl ze me rondleiden.' Hij wendde zich tot Xennias. 'Dat moet de Macedonische trots ontzien, lijkt me.'

Xennias glimlachte. 'Het zijn oude krijgers die twee; ze buigen het hoofd alleen voor de koning.'

'Ik ben de vertegenwoordiger van de koningen.'

'U begrijpt me verkeerd: ik zei "koning", enkelvoud; Alexander zelf, niet het kind en de idioot – zoals zij hen beschouwen – die zijn plaats hebben ingenomen.'

Eumenes knikte begrijpend en liep naar de deur. 'Dan moeten we ze de juiste omstandigheden bieden, nietwaar?'

Maar hij vergat zijn irritatie over de twee bevelhebbers van de Zilveren Schilden toen hij al die rijkdommen zag, glinsterend in het licht van de toortsen die de drie vasthielden; het leek wel of alle schatten van de wereld hier verzameld lagen, zoveel was er: aan een gang met een lengte van zeker honderd pas lag de ene kluis na de andere, gevuld met kisten vol munten, stapels zilver- en goudstaven, schalen vol edelstenen – waaronder een robijn zo groot dat Eumenes hem niet in zijn vuist kon omsluiten – beelden, borden en meubelstukken van puur goud en zilver, Alexanders ceremoniële wapenrustingen, en nog allerlei siervoorwerpen van ivoor, gekleurd glas en brons. 'De rijkdom van het hele rijk,' fluisterde Eumenes, overweldigd door wat hij zag.

'En van verder,' zei Antigenes op nonchalante toon.

'Je zou het niet eens merken als ik de vijfhonderd talent meeneem waar ik recht op heb.'

'Inderdaad.'

'Niet dat ik ze meeneem.'

Antigenes fronste. 'Maar je hebt een ondertekend bevelschrift waarin staat dat je toestemming hebt.'

'Ik weet het; maar wat moet ik met al dat geld? Nee, ik neem voldoende mee om een fatsoenlijk aantal huurlingen in dienst te kunnen nemen om mijn leger te versterken – of ons leger moet ik zeggen, aangezien jij en je jongens er nu deel van uitmaken.'

'Maar je kunt een buitengewoon rijk man zijn.'

Ik weet het, beste vriend, en het doet pijn om dit te doen, maar ik moet je laten zien dat ik deze oorlog niet alleen voor mezelf voer. 'Als ik meer nodig heb kom ik terug; voorlopig heb ik honderd talent in zilveren munten nodig, zet ze maar klaar. We moeten vervolgens bekendmaken dat we manschappen gaan werven op bijzonder gulle voorwaarden, en daarna gaan we naar het zuiden om voor de koningen terug te pakken wat Ptolemaeus in Syrië heeft gestolen.'

'En wie zegt dat we dat gaan doen?' vroeg Antigenes, zijn stem agressief.

'Alexander, hij heeft het me in een droom bevolen.' Eumenes' antwoord verbijsterde Antigenes en Teutamus, ze staarden hem aan met iets wat op religieus ontzag leek. 'Ja, vrienden, ik heb de afgelopen nachten diverse dromen gehad waarin Alexander me leidinggaf, en hij vertelde me het volgende: we moeten weer doen wat Perdikkas deed in de eerste dagen na Alexanders dood, voordat het uit de hand liep; we moeten zijn troon in zijn tent zetten en in de schaduw ervan overleggen zodat alles wat we besluiten met zijn zegen gebeurt en hij het opperbevel heeft; hij zal weer met ons zijn.'

'Maar we hebben geen troon,' zei Teutamus.

Goed zo, je hebt goed opgelet en bent tot de kern van het probleem doorgedrongen. Ik begrijp hoe je zo hoog bent opgeklommen binnen de rangen van de Zilveren Schilden. Eumenes zette de toppen van zijn vingers tegen zijn voorhoofd. 'De goden zij dank dat jij bij ons bent, Teutamus, ik heb daar helemaal niet aan gedacht. Wat stel je voor?' Hij keek om zich heen naar alle kisten vol goud- en zilverstaven die om hen heen waren opgestapeld. 'Er moet toch een manier zijn om aan Alexanders wensen te voldoen.'

Teutamus volgde Eumenes' blik en krabde op zijn hoofd.

'We kunnen er een maken,' zei Antigenes, zijn gezicht klaarde op door zijn ingeving.

Eumenes keek ongelovig. 'Een troon maken?'

'Ja, Eumenes, we maken er een.' Antigenes liep naar een krat, tilde het deksel op en pakte een goudstaaf. 'We laten een troon van puur goud gieten.'

'Puur goud,' riep Eumenes uit. 'Dat is toch wel erg zwaar om mee te nemen; we gaan immers op campagne.'

'Dan maken we een vergulde troon en we leggen zijn ceremoniële zwaard en kuras erop.'

'Briljant!' zei Eumenes, zijn gezicht drukte verbazing over de slimheid van het plan uit. 'En ik voeg er nog een verbetering aan toe. Ik heb zijn diadeem.'

'Wat, de diadeem die verdween toen hij opgebaard lag?'

'Ja, die.'

'Maar...'

'Maar heb ik hem gestolen? Nee, dat heb ik niet gedaan; ik heb hem geleend omdat hij onbewaakt was en ik meende dat hij ooit nog eens van pas zou komen, zoals vandaag bijvoorbeeld. Laat vandaag nog de troon maken, het hoeft niet iets bijzonders te zijn, dan zullen we er morgen onze bespreking voor houden en zal ik Alexanders diadeem teruggeven.'

'Moge u ons leiden en inspireren,' zei Eumenes zo eerbiedig als hij kon in deze klucht, terwijl hij de diadeem op de troon legde, die aan het hoofd van de tafel stond in wat nu officieel Alexanders tent was. Maar klucht of niet, de list had opmerkelijk goed gewerkt: de mannen, zowel die van Eumenes als Antigenes' Zilveren Schilden, hadden zich in groepjes rond de tent verzameld en spraken op fluistertoon om Alexanders geest niet te verstoren, die daar naar hun volle overtuiging binnen was. Dat was nog eens bevestigd toen ze zijn ceremoniële kuras en zwaard zagen – een schitterend wapen, zo lang als de pas van een grote man, met een kling zo breed als een hand – die met veel vertoon van de schatkamers naar de tent waren gebracht. En al was Eumenes degene die de bevelen gaf, ze geloofden daadwerkelijk dat ze rechtstreeks afkomstig waren van Alexander, al was het dan in de vorm van diens geest.

En Eumenes was vast van plan om volledig te profiteren van hun goedgelovigheid.

De diadeem lag op de zitting van de vergulde troon, het zwaard leunde ertegenaan en het kuras hing aan de rugleuning; het geheel had zeker mystieke uitstraling, zo meende Eumenes toen hij zijn plaats aan de tafel innam, aan Alexanders rechterhand. En als het hem hielp zijn doelstellingen te bereiken, des te beter. Antigenes en Xennias zaten tegenover hem, terwijl Teutamus en Parmida hun plek aan zijn kant van de tafel hadden, zodat de facties opgesplitst waren, want 'zo wil Alexander het'.

'Goed, heren,' zei Eumenes, die niet naar de anderen keek, maar naar de troon van de geest. 'Vanaf vandaag gaan we voor Alexanders zoon en broer, zijn twee rechtmatige erfgenamen, de gebieden terugwinnen die van ze gestolen zijn.'

'Je stelt dus voor,' zei Antigenes, 'dat we met het leger naar het zuiden gaan en Ptolemaeus' garnizoenen in Syrië en Fenicië aanvallen?'

Eumenes hief een verzoenende hand op. 'Ik stel niets voor, Antigenes. Ik vind alleen dat we het in Alexanders naam moeten doen, want dat is wat hij wil.'

Antigenes fronste maar knikte zijn instemming. 'En waar moeten we het eerst toeslaan?'

'Wij... Dat wil zeggen... Alexander heeft de havens nodig zodat dit leger en dat van Polyperchon in Griekenland uiteindelijk bij elkaar kunnen komen. We hebben dus een grotere vloot nodig. Hoeveel schepen hebben we momenteel in Tarsos?'

Teutamus stak zijn hand met kinderlijk enthousiasme op.

Eumenes trok het goedgunstige gezicht van een *grammaticus* die tevreden was over een vlijtige leerling. 'Ja, Teutamus?'

'Ik was er een paar dagen geleden en toen lagen er een tiental triremen en nog wat biremen, ze worden ingezet tegen de piraten die overal langs de kusten opduiken nu er zoveel huurlingen op zoek naar werk zijn.'

'Dan gaan we twee problemen oplossen door de vloot uit te breiden: we zorgen voor meer werk voor huurlingen en verminderen zo de verleiding voor hen om piraat te worden, en we hebben meer manschappen om die piraten te bestrijden die weigeren om bij onze vloot te dienen.' Hij keek naar de troon en hield zijn hoofd scheef alsof hij probeerde woorden beter te horen en knikte vervolgens. 'We moeten ons klaarmaken om overmorgen naar het zuiden te marcheren; Teutamus, jij blijft in Tarsos om huurlingen voor het leger en de vloot te werven, terwijl wij naar Fenicië gaan en de havens en scheepswerven daar veroveren en alle half afgebouwde schepen van Ptolemaeus overnemen.'

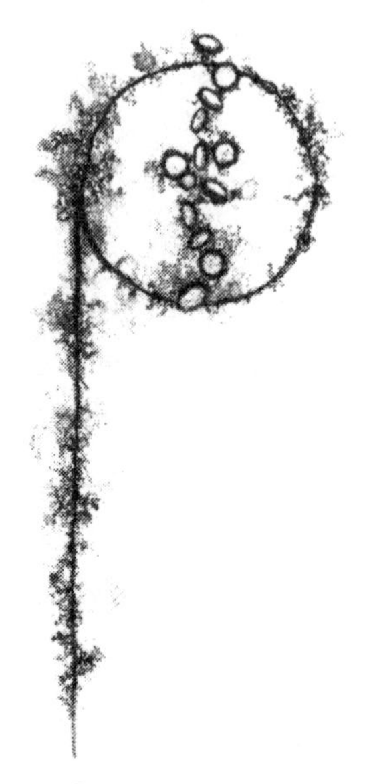

PTOLEMAEUS, DE BASTAARD

'Het is een schitterend gezicht,' stemde Ptolemaeus in en hij sloeg zijn arm om Thais. Ze liepen over de hoofdkade van de grote haven van Tyros, de Sidonhaven, vol schepen die naar vers gezaagd hout roken en krioelden van de mannen die aan het laden waren. 'Honderddrieëndertig tot dusverre en niets kleiner dan een trireem; en er zijn er nog heel wat in aanbouw. Mijn scheepsbouwers zijn druk geweest dit seizoen, overal langs de kust, ze hebben het beste hout dat beschikbaar was gebruikt, ceder voor de rompen, masten en dekken, eiken voor de kielen, en naaldhout voor de riemen, allemaal erg schaars in Egypte. Op Cyprus is er weliswaar een redelijke hoeveelheid van, maar het leek me beter het hout van iemand anders te gebruiken, vind je ook niet, schat?'

Thais nam zijn hand van haar schouder en kuste hem, net toen een eenheid zeesoldaten zich langs hen haastte, op weg naar een machtige quinquereem. 'En nu je een tweede vloot hebt, wat ga je ermee doen?'

'Eigenlijk is het een derde vloot. Vierde zelfs, als je het handjevol schepen in Apollonia in Kyrenaika meetelt.' Hij zweeg even en liet een bevoorradingsploeg passeren, beladen met vaten; toen hun opzichter voor Ptolemaeus boog, sloeg het tiental lijfwachten gespannen de hand op het gevest van hun zwaard. 'Ik heb er een in Alexandrië, een op Cyprus, en deze zal hier in Tyros blijven om de kust te bewaken. Daardoor is het niet erg als een vijand de steden in het binnenland en de kleinere havens inneemt, want ook dan heb ik nog altijd de grootste vloot in de wijde omtrek, met als thuisbasis een goed bevoorrade havenstad, die zo sterk is dat Alexander zelf twee jaar nodig had om hem in te nemen.'

'Ik vroeg niet waar hij was, dat kan ik heel goed met eigen ogen zien, ik vroeg: wat ga je ermee doen?'

'Ah, dat is een goede vraag en een waar ik tot voor kort het antwoord niet zo goed op wist; ik heb hem laten bouwen omdat het kon en ik meende dat het verstandig was.'

'En wanneer kreeg je je openbaring?'

'Nou, er kwam een brief van Kassandros, die onlangs naar Athene is gegaan met een vloot geleend van Antigonos. Hij vroeg me zijn aanspraken op het regentschap te steunen. Persoonlijk ken ik geen man – of ding wat dat betreft – die minder geschikt is voor de positie van regent dan die giftige pad, maar hij heeft zo zijn nuttige eigenschappen: een daarvan is dat hij bijna net zo intens kan haten als Olympias. En omdat hij Alexander tot in het diepst van zijn ziel haatte, kan het Kassandros niets schelen dat Olympias zijn moeder is, terwijl elke andere Macedoniër om die reden heilig ontzag voor haar heeft, en dus heeft hij geen enkele scrupule om haar te vermoorden. Hij is de enige die bereid is het te doen en het is iets wat snel moet gebeuren.'

'Waarom?' vroeg Thais, terwijl ze opzijstapten om vijftien groepen roeiers met hun riemen op de schouders voorbij te laten. Elke groep bestond uit acht man, bij elkaar vormden ze de volledige bezetting van een trireem.

'Afgezien van het feit dat ze een meedogenloze, wrede, wraakzuchtige slang is?'

'Ja, afgezien van de voor de hand liggende redenen.'

'Omdat Polyperchon haar macht heeft aangeboden. Adea is van Polyperchon overgelopen naar Kassandros en heeft haar idioot meegenomen; van haar weet Kassandros dat Polyperchon Olympias heeft gevraagd om toezicht te komen houden op de opvoeding van de jonge Alexander, zodat hij tot een Macedonische koning opgroeit in plaats van een naar luxe smachtende, ontaarde oosterling. Een edel motief, dat zul je moeten toegeven, maar hij had geen slechtere persoon voor de taak kunnen kiezen: Olympias zal uit wrok een bloedbad in Macedonië aanrichten.'

'En wat kan jou dat schelen?'

'Haar ambities kennen geen grenzen: ze zal het hele rijk in naam van haar kleinzoon opeisen. En het vervelende is dat zij de enige persoon is die kans maakt om de diverse legers te verenigen onder één banier: Alexanders banier – Alexander in de vorm van zijn zoon en zijn moeder. In dat verhaal is geen plaats voor mij. En ook niet voor Antigonos, Kassandros, Seleukos of wie je ook nog meer kunt bedenken. Nee, ze moet tegengehouden worden voordat ze te ver gaat, anders zal alles verloren gaan wat we in De Drie Paradijzen hebben gewonnen.'

'Ik dacht dat de overeenkomst van De Drie Paradijzen al in duigen lag?'

Ptolemaeus dacht even na over deze opmerking en keek naar een volgende net afgebouwde trireem die door de havenmond gleed om zich bij de vloot te voegen. *Honderdvierendertig.* 'Zeker niet: ik heb nog altijd Egypte, Seleukos bezit Babylon, Peucestas Persis en Lysimachus Thracië, terwijl Eumenes vogelvrij blijft. De goden mogen weten wat Peithon in Medië uitvoert, maar hij zit er, en Antigonos marcheert rond als opperbevelhebber van het leger van Azië – al lijkt hij het recht in eigen hand te hebben genomen door satrapen die hij niet mag af te zetten en te vervangen door bondgenoten, maar dat is een zaak voor later. Momenteel is het enige wat ingrijpend is veranderd de status van Macedonië, de rest van ons zit nog in zijn persoonlijke paradijs en ik ben volkomen bereid om die buitengewoon onaangename man te helpen als het daardoor zo blijft.'

'Dus als Antigonos zijn vloot terug wil van Kassandros, vertel je hem dat hij schepen van jou kan lenen.'

'Ik ga hem zeker een dergelijk aanbod doen; of ik ze ook daadwerkelijk stuur is een heel andere zaak. Maar het zit in mijn achterhoofd nu de schepen gebouwd zijn. Ik heb dus een vloot waarmee ik van alles kan. Niet slecht voor een jaartje werk, zou ik denken.'

'Zeker niet slecht.' Ze keek hem in de ogen. 'Maar zeg eens, ben je echt van plan het binnenland te laten schieten? Damascus, Jeruzalem, Jericho?'

'Ik ben het niet van plan, maar als iemand naar het zuiden komt en die steden van me af probeert te pakken – Antigonos bijvoorbeeld – zie ik geen reden om er een oorlog over te voeren. Het zou namelijk een oorlog zijn die ik op de lange duur waarschijnlijk ga verliezen en bovendien heb ik bereikt wat ik ermee wilde bereiken.'

'En dat was?'

'Tyros met schepen vullen, nieuwe schepen.' Hij gebaarde naar de drukte in de haven rond hen heen. 'En daar liggen ze. Nee, mijn liefste, nu het werk er vrijwel op zit ga ik met het leger terug naar Egypte en laat garnizoenen in de steden achter met het bevel zich naar Tyros terug te trekken als er een vijandig leger oprukt; zij zijn dan de troepen die aan boord van de schepen kunnen mocht ik besluiten Kassandros te helpen.' Hij keek naar de horizon en schudde het hoofd. 'Nee, het is niet nodig om een oorlog voor deze plek te voeren – nog niet in ieder geval.'

'Heer,' zei Ptolemaeus' hofmeester Lycortas, die in zijn lange gewaden met snelle pas op hem afkwam.

'Wat is er, Lycortas?'

'We zijn er eindelijk in geslaagd de ballingenjager hierheen te lokken, Archias zit op dat schip dat net binnen is.' De hofmeester wees naar een schip dat aan de kade afmeerde. Bij de boeg stond de onmiskenbare figuur van de ballingenjager, omringd door zijn zeven indrukwekkende Thraciërs, allemaal met hun muts van vossenbont op, ondanks de zuidelijke warmte.

'Breng hem naar de audiëntiezaal. Zorg dat hij alleen is, ik wil niet dat zijn vriendjes horen wat ik te zeggen heb.'

'Zeker, heer.'

'En stuur een boodschap naar mijn trierarchos. Mijn schip en escorte moeten klaar zijn om naar Egypte te varen zodra ik met Archias heb gesproken.'

'Zeker, heer.'

'Dat is een gelukje, ik wil al een tijdje met hem praten,' mijmerde Ptolemaeus terwijl hij Lycortas nakeek, die naar de afmerende trireem waggelde. 'Hij is degene die ervoor zal zorgen dat Kassandros Olympias ook inderdaad vermoordt. Nu hij hier is kunnen we echt naar huis.' Hij draaide zich om en liep terug naar de stad.

'Ik verheug me erop naar Egypte terug te keren en de kinderen weer te zien,' zei Thais na een tijdje. Ze waren door de havenpoort gelopen en bevonden zich nu in de smalle, drukke straten van Tyros. 'En ik weet zeker dat Eurydike ook blij zal zijn je terug te hebben, en je kunt je kleine zoontje eindelijk zien.'

Ptolemaeus glimlachte bij de gedachte aan zijn eerste legitieme zoon, zijn naamgenoot, geboren in het vroege voorjaar. Zijn lijfwacht maakte intussen ruim baan voor hem en Thais door een menigte die hem grotendeels gunstig was gezind. Hij had altijd bewust de steden die hij had veroverd met respect behandeld, want hij was van mening dat een welwillende bevolking veel voordeliger voor hem was dan zware belastingen. 'Ja, ik kijk ernaar uit mijn zoontje en erfgenaam te zien. Ik neem aan dat ik zijn moeder weer zwanger moet maken, maar goed, beter dat ik het doe dan iemand anders.'

'En waarom alleen haar?'

Ptolemaeus keek opzij naar Thais. 'Ik dacht dat je geen kinderen meer wilde?'

Thais gilde het uit van het lachen. 'Ik! O nee, beste Ptolemaeus; dat wil ik niet nog eens doormaken. Drie is meer dan genoeg, we houden het bij de veilige methode.' Ze knipoogde schalks naar hem en sloeg hem op de rug; de lijfwachten deden alsof ze niets hadden gehoord. 'Nee, ik heb het over dynastieke politiek, lieveling, niet over het neuken van je concubine.'

Ptolemaeus was even geïntrigeerd als opgewonden. 'Ga verder, maar schiet op, want we hebben geloof ik beiden een bad nodig als we terug zijn in het paleis, en niet een van het kalmerende soort.' Hij sloeg haar op de billen, zijn hand tintelde evenzeer als haar achterwerk.

Thais maakte een sprongetje. 'O, dank je, ik kom helemaal in de stemming. Waar was ik gebleven?'

'Dynastieke politiek.'

'O ja, dynastieke politiek. Maar bij nader inzien kan het wachten tot we ons beter kunnen concentreren, na het bad.'

Ze lagen op een bank op een beschaduwde plek in de paleistuin. Thais nestelde zich in Ptolemaeus' arm, haar haar was nog nat en haar gewaad kleefde aan haar lichaam. 'Laten we ervan uitgaan dat je het deel van het rijk dat jij hebt vergaard nalaat aan je legitieme zoon, wat betekent dat de jonge Ptolemaeus, die Eurydike onlangs heeft gebaard, je erfgenaam is.'

Nog altijd naakt schudde Ptolemaeus de behaaglijke deken van seksuele bevrediging die hem sinds zijn zinderende climax omhulde van zich af en kuste Thais op het voorhoofd. 'Klopt, als het kleine monster in leven blijft.'

'Feit is dat Antipatros zijn grootvader is, of was, en Kassandros zijn oom, en dus vraag ik me af of hij niet te nauw met die familie verbonden is. Als Kassandros Macedonië inneemt, en we kunnen redelijkerwijs veronderstellen dat het hem lukt, zeker als jij hem helpt, dan verkeert hij in de beste positie om Macedonische soldaten te rekruteren. Hij wordt dan een belangrijke machtsfactor en hij zal ongetwijfeld het kind en de idioot vermoorden en zichzelf koning maken.'

'Maar hij blijft in Europa; hij mist het talent om zijn gebied verder uit te breiden.'

'Dat zeg jij, maar bedenk het volgende: wat als hij jou overleeft en hij ziet zijn neefje op de troon van Egypte. Komt hij dan niet in de verleiding dynastieke aanspraken te maken?'

'Ik denk het niet, bovendien heeft hij niet de middelen om iets af te dwingen.'

Thais nam zijn penis en kneep er gedachteloos in. 'Dat denk ik ook. Maar neem nu het omgekeerde geval: jij overleeft Kassandros omdat hij sneuvelt, vermoord wordt, verdrinkt...'

'Of van binnenuit wordt opgevreten door wormen omdat hij zo onaangenaam is.'

'Of dat, inderdaad. Hoe dan ook, hij sterft en hij laat jonge zoontjes na, te jong om te regeren zonder regent; wie kunnen er dan aanspraak maken op de troon van Macedonië?'

Ptolemaeus' gezicht klaarde op nu hij het begreep. 'Een neef kan heel goed aanspraak maken.'

'Zeker. En al helemaal als die neef de zoon is van Ptolemaeus, die naar men zegt de bastaardhalfbroer van Alexander is. En wat er ook gebeurt, de jonge Ptolemaeus zal altijd een paar jaar ouder zijn dan Kassandros' zoon; als die er al komt, want dan moet er eerst iemand op de wereld zijn die dapper genoeg is om haar benen voor hem te spreiden.'

Ptolemaeus draaide haar gezicht naar zich toe en kuste haar vol op de mond. 'Thais, je bent een genie.'

'Ik weet het,' antwoordde ze nadat ze zijn kus had beantwoord, waarbij ze zijn penis voelde zwellen. 'Maar kan één man zowel Egypte als Macedonië regeren?'

'Alleen als alle landen ertussen een onderdeel van het rijk zijn.'

'En dus heb je nog een zoon nodig, maar een zoon die niet aan Kassandros verwant is, zodat hij en Ptolemaeus niet kunnen ruziën over Macedonië omdat hij geen aanspraken op de Macedonische troon kan maken. Maar hij moet niettemin koninklijk bloed hebben – waarmee onze zoons niet in aanmerking komen.'

'Van wie moet die zoon dan zijn?'

'Van jou en Berenice.'

'Berenice?'

'Ja, ze is perfect. Ze is de dochter van Antigone, een Macedonische prinses, en ze is slechts een nicht van Kassandros.'

'Maar ze is ook de nicht van Eurydike; ik denk niet dat het haar zal bevallen.'

Thais kuste zijn borst en begon knabbelend langs zijn lichaam omlaag te gaan. 'Eurydike komt uit een familie van hoge adel, ze begrijpt dynastieke politiek.'

Ptolemaeus sloot zijn ogen toen Thais haar doel bereikte. 'Maar Berenice heeft al kinderen.'

'De tweelingmeisjes zijn perfect om aan kleine heersertjes uit te huwelijken en de jongen kan zich nuttig maken als bestuurder van een van je domeinen; ze zullen eerder nuttig dan een obstakel zijn.'

'En Berenice?'

'Ziet jou wel zitten, daar kun je van op aan. Maar hou op met vragen stellen, ik ben bezig en het is onbeleefd om met volle mond te praten.'

Ptolemaeus glimlachte en ging met zijn handen achter zijn hoofd liggen. Hij keek naar de in de zon glinsterende bladeren van een amandelboom en luisterde naar het geschreeuw van de alomtegenwoordige meeuwen, die boven de stad en de haven cirkelden.

'Heer,' zei Lycortas een respectvol tijdje nadat Thais weer in zijn armen was gaan liggen.

Het moment was zo goed gekozen dat Ptolemaeus besefte dat hij hen gezien moest hebben en gewacht had tot de zaak was afgehandeld. 'Wat is er?'

'De ballingenjager wacht in de audiëntiezaal.'

'Ik kom er zo aan.'

'Zeker, heer. Maar voordat u gaat kunt u beter onze oude vriend Babrak spreken, hij is net aangekomen en zegt dat hij nieuws heeft dat u zal interesseren. Het betreft Eumenes.'

'O, Eumenes, Eumenes, Eumenes,' zei Ptolemaeus, zijn stem duidelijk geamuseerd. 'Je bent niet alleen een slimme en sluwe kleine Griek, maar ook een met heel veel geluk.' Hij richtte zich weer tot de overdonderend oosters uitziende man die op het terras van de paleistuin zat, dat over Tyros uitkeek. 'Dus, Babrak, de kleine Griek is bezig een zeemacht te worden.'

De Pakhtische koopman liet zijn roodgekleurde tanden zien en legde zijn rechterhand op zijn borst, zijn donkere ogen stonden verontschuldigend. 'Ik kan er niet persoonlijk voor instaan, meester. Ik heb het drie dagen geleden gehoord van een neef van me, die met een karavaan beladen met Cappadocisch zout op weg was naar Babylon. Ik kwam, zoals u weet, net uit Babylon vandaan. Ik heb geen reden om hem niet te geloven, maar als je een jongen op de slavenmarkt koopt, kun je maar beter zelf controleren of hij nog maagd is en niet op het woord van de verkoper vertrouwen.'

'Zeker,' zei Ptolemaeus, die zich afvroeg hoe je de maagdelijkheid van een jongen controleerde, en besloot om dergelijke dingen aan de deskundigen over te laten. Hij dacht even na en ging op een rieten stoel met hoge rugleuning zitten, tegenover zijn gast. 'Dus volgens je neef is Antigonos nu praktisch gesproken buiten de wet gesteld en is Eumenes Polyperchons opperbevelhebber in Azië, terwijl Antigenes onder hem dient.'

Babrak neigde het hoofd en spreidde zijn handen. 'Ik had het niet beter kunnen samenvatten, meester.'

'En ze komen deze kant op.'

'Inderdaad, meester.

Ptolemaeus grinnikte. 'O, Eumenes, Eumenes, Eumenes, je geeft het ook nooit op, hè? Je koppigheid zal nog eens je dood worden.' Hij stond weer op, knoopte de gordel van zijn gewaad opnieuw en keek uit over de stad en langs de kust naar het noorden. *Zonde om Berytos, Tripolis en Damascus op te geven, maar Eumenes zal ze niet lang bezitten. En bovendien zal hij Tyros niet krijgen.* 'Wanneer zal Eumenes volgens je neef in Syrië zijn, Babrak?'

'Hij zei dat hij al uit Tarsos was vertrokken en nu ergens bij de kust is waar Alexander tegen Darius vocht.'

'Issos? Hij marcheert snel.' *Als hij zo snel is, zal hij ongetwijfeld veel van de schepen die nog in aanbouw zijn in handen krijgen, ik moet zorgen dat ik ze weer terug kan pakken. Misschien moet ik wat onruststokers met gevulde beurs naar zijn kamp sturen en kijken of ze de trouw van zijn mannen aan het wankelen kunnen brengen.* Hij dacht nog even na over de zaak en pakte toen een beurs van de tafel naast hem, wendde zich tot Babrak en gooide het geld naar hem. 'En is er nog nieuws uit het oosten? Gedraagt onze goede vriend Seleukos zich nog een beetje?'

'Ik had een bijzonder interessant gesprek met Seleukos, vorige maand nog, meester, en hij was bijzonder grootmoedig op het gebied van beloning, spijzen en aanbod aan bedgenoten; de jongens uit het zuiden van Mesopotamië staan bekend om hun inventiviteit, ontaarding en flexibiliteit, wist u dat?'

'Dat wist ik niet, Babrak. Fascinerend gewoon, ik zal eraan denken als ik er ben.'

Er kwam een mistige blik in de ogen van de koopman, die weer wegtrok toen hij het gewicht van de beurs in zijn hand schatte. 'Maar Seleukos lijkt zich goed thuis te voelen in Babylon, de stad was niet overdreven vol met soldaten, iets wat meestal wel het geval is als de bevolking niet al te dol op haar leiders is. Volgens mij wil hij dat ik u vertel hoe zeker hij zich voelt, want hij liet me subtiel een glimp opvangen van een parade van zijn leger zonder me openlijk uit te nodigen te komen kijken.'

'En?'

'Een falanx van zestienduizend vijfhonderd man, zeventwintighonderd Macedonische en Thracische cavaleristen, vierduizend man gemengde oosterse cavalerie, voornamelijk bereden boogschutters, drieënvijftighonderd Griekse huurlingen en Thracische peltasten, tweeëndertig olifanten en ruim zevenduizend man lichte infanterie, vooral boogschutters, slingeraars en speerwerpers.'

'Dat heb je allemaal in een glimp waargenomen?'

'Meester, als ik een dergelijke rijkdom aan informatie zie, doen mijn ogen zich tegoed als die van een man die zijn eerste frisse jongen ziet na een reis van drie maanden met dezelfde bedpartners: grondig en gehaast, maar niet zo haastig dat je een fout maakt.'

De man is geobsedeerd. 'Ja, mooi, heel goed, Babrak. Dat is een aardig leger om je mee te verdedigen, maar niet groot genoeg voor een aanval, hoe bevredigend. Loop met me mee.' Hij ging naar de pergola die de tuin in tweeën deelde. Er waaide een fris briesje doordat de tuin hoog boven de stad lag. 'Waar ga je nu heen?' vroeg Ptolemaeus, terwijl hij stopte om een bloem te bewonderen, een van de vele in een bed rond een klaterende fontein in de vorm van een enorme vis.

'Naar uw Egypte, meester. Alexandrië om precies te zijn. Sinds u er een groot aantal Joden naartoe hebt gedeporteerd na de inname van Jeruzalem is de handel er aanzienlijk toegenomen.'

'Dat was ook een van de bedoelingen van het besluit; de andere was… Och, laat maar. Als je je zaken daar hebt afgehandeld, ga je dan weer richting het oosten?'

'Ja, meester.'

'Kom dan bij me langs voor je uit Egypte vertrekt, ik zal er eerder zijn dan jij, want ik vertrek later vandaag na een ander gesprek, dat naar ik hoop al even vruchtbaar zal zijn.'

'Toen we de mannen hadden gedood die u gestuurd had om ons gevangen te nemen,' zei Archias met een brede en vriendelijke glimlach op zijn gezicht, 'leek het me het beste om een tijdje te verdwijnen. Eumenes werd te goed beschermd, maar zelfs als het me gelukt was om bij de kleine klootzak te komen en hem te doden, was het nog niet zeker of ik mijn geld wel zou krijgen, want het was duidelijk dat Antipatros niet lang meer zou leven nadat hij Iollas had zien sterven. "Ellende kan een man in één nacht doen verouderen."'

'Inderdaad,' zei Ptolemaeus, die de neiging om over de bron van het citaat na te denken onderdrukte. 'En waarom besloot je dan toch naar me toe te komen?'

Archias aarzelde niet. 'Wat motiveert een mens? Geld, puur en simpel.' Hij zweeg even en rook aan de wijn die een zichtbaar geïrriteerde Lycortas hem had ingeschonken. '"Als een man uitgeput is, geeft wijn hem zijn kracht terug." Net wat ik nodig had na de zware reis om hier te komen.' Hij nam een slok en proefde, zijn gezicht klaarde op. 'Ik begrijp waarom uw hofmeester zo'n zuur gezicht trok toen hij deze wijn aan mij serveerde, aan een voormalig tragedieacteur die huurmoordenaar is geworden. Veel te goed voor iemand als hij, zal hij gedacht hebben, ik zag het aan hem.' Hij nam nog een slokje en knikte waarderend. 'Heel goed. Niet de beste die ik ooit heb geproefd en niet de beste die u had kunnen schenken; maar goed genoeg om me te vleien en te tonen dat u zaken wilt doen.'

Ptolemaeus neigde het hoofd en vond het onmogelijk de man niet te mogen. 'Als de zaken zijn afgehandeld heb je misschien zin om me in Alexandrië op te zoeken en dan drinken we een betere wijn dan deze.'

'Dat zou het begin kunnen zijn van een erg vruchtbare vriendschap.' Archias glimlachte opnieuw, nam nog een slok en zette de beker op de ronde marmeren tafel. Hij legde zijn handen in zijn schoot en leunde achterover, alsof hij klaar was om aandachtig naar een voorstel te luisteren.

Ptolemaeus keek de ballingenjager enkele momenten aan, verrast hoezeer hij bij zijn voormalige beroep leek te passen en hoe weinig hij op een huurmoordenaar leek. *Hij is erg zelfverzekerd, dat kan alleen maar een voordeel zijn als het om Olympias gaat.* 'Heb je *De laatste dagen en het testament van Alexander* gelezen?'

'Ik was ooit acteur. Natuurlijk, ik lees alles wat over me geschreven wordt.'

'Dan weet je uiteraard ook welke rol je volgens dat boek in Alexanders dood gespeeld zou hebben.'

'Gespeeld zou hebben? Ptolemaeus, ik heb geen enkele rol gespeeld in Alexanders dood, ik heb alleen een bepaald gif aan Kassandros geleverd en in ruil daarvoor kreeg ik een grote som geld. Ik heb verder niets te maken met wat hij met het gif gedaan heeft nadat hij het van me gekocht had.'

'Je ontkent dus niet dat je Kassandros het gif hebt geleverd?'

'Natuurlijk niet, ik ontken nooit de dingen die ik heb gedaan.'

'Dus je bent bereid, tegen een aanzienlijk bedrag natuurlijk...'

'Natuurlijk.'

Ptolemaeus neigde het hoofd. 'Natuurlijk. Ben je bereid naar Olympias te gaan om haar te vertellen dat wat er in *De laatste dagen en het testament van Alexander* staat waar is: dat Kassandros het gif van jou had.'

'Maar ik wist toen niet waarvoor hij het wilde gebruiken.'

'Uiteraard.'

'Tot ik het verband tussen drie feiten legde: Kassandros ging naar Babylon met een gif dat ik hem geleverd had; zijn halfbroer Iollas was Alexanders schenker en mengde zijn dranken voor hem; en Alexander stierf een paar dagen later. Er bestaat geen twijfel: Kassandros was verantwoordelijk voor de dood van haar zoon.'

'Precies.'

'En hoe lang denkt u dat ik nog in leven blijf nadat ik het aan de wraaklustigste vrouw op aarde heb verteld?'

'Bij een groot gevaar hoort een grote beloning.'

'Hoe groot?'

'Tien talent goud voor jou, een talent zilver voor elk van je kleine vriendjes.'

'Ze zijn niet bepaald klein,' zei Archias; hij slaagde er niet in de verbazing uit zijn gezicht te houden.

'Aan je uitdrukking te zien kan de beloning je goedkeuring wegdragen.'

'Ze is zeker ruimhartig.'

'De helft betaal ik vooruit; als we klaar zijn zal Lycortas het afhandelen. De andere helft krijg je als je na afloop naar Alexandrië komt.'

'Heel redelijk. Maar vertel me, waarom al die moeite om Olympias iets te vertellen wat ze al lang moet vermoeden?'

'Archias, gewoonlijk deel ik mijn motieven niet met anderen, maar omdat je een groot risico zult nemen, zal ik deze ene keer een uitzondering maken. Ja, ze vermoedt al dat Alexander vergiftigd is – en verdenkt ook Kassandros – maar ze is er niet zeker van. Ik ken het karakter van de vrouw die ik informatie wil voeren, als ze onweerlegbaar bewijs heeft voor wie de misdaad heeft gepleegd, is er geen gruweldaad die ze niet zal plegen in haar wraakzucht, en alles zal gericht zijn tegen...?'

Archias glimlachte. 'Kassandros.'

'En zijn familie.'

'Hij zal haar moeten doden.'

'Of zelf sterven, samen met zijn familieleden, en dan bedoel ik allemaal.'

'Maar als je haar dood wilt, waarom betaal je mij dan niet gewoon om de klus te klaren?'

'Ik weet dat je een discreet man bent, maar op de een of andere manier zal toch bekend worden dat ik de moordenaar van Alexanders moeder heb betaald en dan zou het weleens moeilijk voor me kunnen worden om nog soldaten te huren of bondgenoten aan mijn zijde te houden, en meer van dat soort dingen.' Ptolemaeus stond op om aan te geven dat de audiëntie was afgelopen. 'Ik heb liever dat mijn minder fraaie zaken door iemand anders worden afgehandeld, in dit geval door jou en Kassandros.'

KASSANDROS, DE JALOERSE

'En jullie kunnen de raad vertellen dat ik de velden niet aan jullie zal teruggeven totdat jullie alle macht hebben ontnomen aan de armen – dat wil zeggen iedereen die minder dan tweeduizend drachme bezit – en de oligarchie hebben hersteld. Bovendien moeten jullie de man die ik als leider aanwijs aanvaarden en het garnizoen voeden dat ik in Fort Munychia in Piraeus achterlaat.' Kassandros keek een voor een naar de bebaarde gezichten van de Atheense delegatie, die voor hem stond in zijn kamp voor de muren van Athene – de plek waar Alexandros en Polyperchon ook hun kamp hadden gehad. Hij haalde zijn schouders op om duidelijk te maken dat ze ja of nee moesten zeggen.

Een delegatielid stapte naar voren. 'Maar Demetrios van Phaleron is...'

'Is mijn keuze!'

'Maar hij is een filosoof, geen politicus.'

'Hij is trouw aan mij en mijn familie; dat is het enige wat voor mij telt. Jullie kunnen alleen jezelf de schuld geven, jullie hebben immers Phocion en zijn vrienden gedood.'

'Maar Demetrios van Phalerum is nog niet eens veertig.'

'Ik ook niet en toch heers ik momenteel over Athene.'

'Maar hij is niet eens een Athener; hoe kan hij in de raad stemmen als hij een vreemdeling is?'

'Denk je dat dat mij iets kan schelen? Als het zo belangrijk voor jullie is, stel ik voor dat jullie hem het burgerschap verlenen. Maar hij is er niet om te stemmen, hij is er om júllie te vertellen hoe jullie moeten stemmen.'

'Een dictator!'

'Een gids; en nu wegwezen, er valt niet over te onderhandelen. Kom terug als jullie besloten hebben mijn voorwaarden te accepteren, pas dan zal ik opbreken met mijn leger en hebben jullie het akkerland terug. Tot het zover is blijf ik hier en eten mijn mannen jullie voedsel.' Kassandros wuifde hen weg en stond op; hij liep terug naar zijn tent, waarbij hij probeerde te verbergen dat hij mank liep. *Tegenwerpingen maken, altijd maar tegenwerpingen maken, die Grieken doen niets anders; ze doen nooit gewoon wat je zegt zonder eerst duizend redenen te geven waarom ze iets anders moeten doen of niets moeten doen. Ik had gewoon een van die lui van de delegatie moeten laten executeren en dan kijken of de rest nog tegenwerpingen zou durven maken.* Hij glimlachte bij het idee. *Misschien volgende keer.* Hij zette zijn helm af en gooide hem op het bed, waarna hij zich een beker wijn inschonk; hij nam een flinke teug en voelde bijna onmiddellijk het kalmerende effect.

Met een zucht liet hij zich in een stoel vallen en dronk de beker leeg. Het waren enkele hectische dagen geweest; dagen waarin hij snel had moeten handelen om voordeel te putten uit wat hem een monumentale fout van Alexandros had geleken: zijn vader Polyperchon was nog maar net met zijn leger naar Megalopolis vertrokken toen Alexandros, om een reden die Kassandros nog niet volledig begreep, zich terugtrok. Hij was bang geweest in een val van Alexandros te lopen, maar wilde de kans ook niet laten liggen, en daarom was Kassandros met zijn leger – versterkt met huurlingen, maar nog altijd niet groot genoeg voor wat hij wilde doen – uit Piraeus gemarcheerd om Alexandros' oude positie in te nemen. Er gebeurde niets, er kwam geen aanval, en zo was hij de nieuwe meester van Athene. Hij schudde het hoofd, niet in staat zijn geluk te geloven. Nu had hij alleen nog meer manschappen nodig. *Waar is Nicanor?*

Kassandros had Nicanor van Sindus de afgelopen dagen verwacht, als hij tenminste niet was verslagen door de vloot van Kleitos de Witte. Maar dat had hem onwaarschijnlijk geleken als het plan was gelukt

Kleitos in te sluiten tussen Antigonos' vloot in de Propontis en die van Nicanor, die de Hellespont in zou varen – en er was geen reden om te denken dat het niet had gewerkt. En toch was er geen boodschap van hem gekomen, terwijl hij al ruim een halve maan geleden was vertrokken. Kassandros sloeg met zijn vuist op zijn dij en had er onmiddellijk spijt van, want het was zijn slechte been. *Als Antigonos hem bij zich houdt vergeef ik het hem nooit.* Dat was waar hij zich de meeste zorgen over maakte, want hij had de vloot nodig als ondersteuning van zijn leger als het naar het noorden trok; als Polyperchon de pas van Thermopylae bezet hield had hij zeker schepen nodig om zijn manschappen achter de pas aan land te zetten. Hij vervloekte zijn besluit Nicanor op pad te sturen, maar Adea's informatie over de bedoelingen van Kleitos en de mogelijkheid om Polyperchons vloot te vernietigen waren te verleidelijk geweest, hij moest het wel doen. Het plan had echter ook een onfortuinlijke kant als het slaagde: ook Antigonos profiteerde ervan. Die had de Aziatische kust dan onbedreigd in handen en kon ongehinderd naar Europa oversteken, tenminste, als hij het met Lysimachus op een akkoordje gooide.

Kassandros kookte toen hij besefte dat de operatie die hij met zijn eigenbelang voor ogen had opgezet met als doel de Griekse en Macedonische wateren te zuiveren van vijandelijke schepen, ook tot gevolg kon hebben dat hij zijn eigen vloot kwijtraakte – de vloot die hij beloofd had terug te geven zonder van plan te zijn dat ooit te doen – mocht Antigonos besluiten hem in de Propontis te laten liggen.

Het was daarom een hele opluchting toen de tweelingbroers de tent in kwamen rennen, hun gezicht stralend van opwinding en plezier. 'Hij is in zicht,' zei Philippus.

'Wie?' gromde Kassandros – door zijn gepieker over de afwezigheid van Nicanor stond hij op het punt te ontploffen.

'Nicanor van Sindus en de vloot.'

Kassandros sprong op. 'Goden beneden! Eindelijk, ik ga meteen naar Piraeus om hem te begroeten.'

Maar Kassandros voelde geen opluchting toen hij de terugkerende vloot door de grote havenmond zag glijden, hij voelde woede. Geen woede vanwege de verliezen die de vloot had geleden – iets meer dan twee derde van de oorspronkelijke honderdvijf schepen keerde terug

– maar vanwege de manier waarop hij arriveerde. *Met dat vertoon doet hij zich als mijn gelijke voor; hoe durft hij voor mijn ogen glorie op te eisen.* Kassandros sloeg weer op zijn been en weer had hij er spijt van, maar de provocatie was meer dan hij kon verdragen, want Nicanor van Sindus keerde naar Piraeus terug op de manier van een zegevierende generaal – wat hij in zekere zin ook was – met schepen opgetuigd met oorlogstrofeeën: de stevens van vijandelijke schepen. En het garnizoen juichte toen Nicanor binnenliep en zijn soldaten en zeelieden juichten ook, ze zwaaiden met hun hoed of een lap stof en schreeuwden hun lof aan de godin Nike, de personificatie van de overwinning, en ze beloofden overvloedige offers, die ze haar die avond zouden brengen.

Met een onvoorstelbare krachtsinspanning wist Kassandros te voorkomen dat hij stond te beven van woede. Hij wilde niet dat de mensen om hem heen zijn humeur zagen en de oorzaak ervan begrepen. *Ik moet dit snel afhandelen; onverwacht.* En dus stond hij met een glimlach, zo goed en zo kwaad als het ging, op de kade te wachten terwijl Nicanors schip afmeerde onder het gejuich van de toeschouwers.

'Beste vriend,' zei Kassandros en hij hinkte naar de zegevierende generaal, zijn armen open voor een omhelzing. 'Heb ik goed begrepen dat het een succes was?'

Nicanor gooide zijn hoofd achterover en brulde het uit van het lachen. 'Een succes, Kassandros? Het was meer dan een succes: het was een complete vernietiging. Slechts één schip wist te ontsnappen; Polyperchon heeft niet langer een vloot. We zijn heer en meester van deze wateren, Kassandros, we kunnen gaan waar we maar willen.' Met die woorden viel Nicanor in Kassandros' armen en ze sloegen elkaar op de rug en spraken hun vriendschap en wederzijdse steun uit.

'Wederzijdse steun!' blafte Kassandros; boos keek hij naar Pleistarchos en Philippus, alsof zij de oorzaak van die schandelijke woorden waren. 'Wederzijdse steun, alsof we gelijken zijn! Híj steunt míj met onwankelbare trouw en niet andersom. Het is niet wederzijds!' Hij zweeg even om adem te halen; hij raasde maar door over het onderwerp en had zichzelf in een plezierige toestand van woede opgewerkt. 'En hebben jullie hem gehoord? "We zijn heer en meester van deze wateren, Kassandros, we kunnen gaan waar we maar willen."' Hij imiteerde Nicanors stem. '*We! We* zijn heer en meester! Er is maar één meester in Griekenland en Macedonië, en dat ben ik!' Hij schopte een klapstoel richting de tweeling. De broers stapten elke een andere kant op zodat de stoel tussen hen door vloog. 'Haal mijn secretaris, Pleistarchos, en jij, Philippus, roep zes man die we echt kunnen vertrouwen en breng ze naar mijn vertrekken in Piraeus. Ik zal Nicanor laten zien wat wederzijdse steun echt betekent; ik zal hem zo hoog verheffen dat de val nog dramatischer zal zijn.'

De tweeling haastte zich de tent uit, terwijl Kassandros stikkend van verontwaardiging achterbleef. *Wederzijdse steun, hoe durft hij? Het zal een goede les voor anderen zijn, ze zullen zien wat ze kunnen verwachten als ze me als hun gelijke proberen te behandelen.*

De komst van de secretaris kon Kassandros' woede niet verminderen. Hij gaf de man een schop tegen het zitvlak om hem sneller naar de schrijftafel te manen en begon snel en agressief te dicteren.

'Klaar?' snauwde Kassandros tegen de secretaris, die fijn zand over de brief strooide die hij net in schoonschrift had voltooid.

'Ja, heer,' fluisterde de secretaris met bevende stem.

Kassandros graaide de brief van tafel en keek hem door, waarna hij hem voor de secretaris neersmeet. 'Onderteken hem met de namen van alle hoofden van de vooraanstaande families van Pella en omgeving, en bovendien met die van mijn stiefmoeder en mijn broer Nicanor.' Hij zweeg even om na te denken en herinnerde zich Alexanders oudste lijfwacht, die zich had teruggetrokken op zijn landerijen in het westen van Macedonië nadat hij op Cyprus was verslagen door Antigonos. 'Maar Aristonous niet, dat zou de geloofwaardigheid verminderen. Als je klaar bent schrijf je een vergelijkbare brief die zogenaamd afkomstig is van de belangrijkste families van Pydna, begrepen?'

'Ja, heer,' luidde het trillende antwoord.

'Mooi. Als je klaar bent, wacht dan tot ik vanavond een wandeling maak met Nicanor van Sindus en geef ze dan aan me, alsof ze net in Piraeus zijn aangekomen.'

En zo slenterde Kassandros toen de zon in het westen zakte langs de haven, zijn arm op uitdrukkelijk vriendschappelijke manier over Nicanors schouder geslagen. 'Tweeënzeventig schepen zijn tweeënzeventig schepen meer dan Polyperchon heeft, mijn vriend. Het is jammer dat we er zoveel hebben verloren, maar voor óns zijn het er genoeg om de oorlog naar Polyperchon en Alexandros in de Peloponnesos te brengen. Polyperchon belegert Megalopolis zonder veel vorderingen te maken. We schepen het leger in en zetten het bij de Baai van Argolis aan land. Ik trek dan landinwaarts en herover Tegea op Polyperchon en daarna val ik hem bij Megalopolis aan, als hij daar dan nog niet is verdreven tenminste. Jij bevoorraadt me intussen vanuit Athene.'

'Samen zullen we Polyperchon en zijn zoon uit Griekenland verdrijven.' Nicanor schudde zijn vuist.

'Kassandros! Kassandros, heer!' schreeuwde een stem achter hen.

Ze draaiden zich om en zagen de secretaris naar hen toe komen rennen, zwaaiend met twee rollen.

'Twee brieven, net voor u aangekomen, heer! Uit Macedonië.'

Kassandros pakte de brieven van de hijgende secretaris aan, stuurde hem met een handgebaar weg en rolde de eerste uit. Zijn ogen gingen wijd open terwijl hij de woorden mompelde en vervolgens hardop voorlas: '... en we vragen, nee smeken, u onmiddellijk naar Macedonië te komen en de kroon te aanvaarden.' Hij keek naar Nicanor, zijn ogen vol ongeloof, en toonde hem de lijst met namen onder aan de brief. 'De kroon? Ik?'

'Maar hoe zit het met koning Philippus?' vroeg Nicanor.

'Hij is dood, vergiftigd door Roxanna kort nadat ze in Pella aankwamen. De hoge families willen het Aziatische kind niet als hun koning, zeker niet met die moordzuchtige moeder erbij. Ze willen een krachtig leider en stabiliteit, en samen kunnen we ze dat geven.' Hij sloeg Nicanor op de schouder en schonk hem zijn breedste grijns. 'Geef opdracht om drie schepen klaar te maken voor de reis naar Macedonië; we vertrekken morgen bij zonsopgang. Zorg dat de rest van de vloot klaar is voor de expeditie naar de Peloponnesos, die gaan we voor het einde van de maand ondernemen. Als je klaar bent kom je naar mijn vertrekken en dan praten we over de toekomst van Macedonië.'

'Ik ben zo terug, Kassandros, mijn beste vriend,' zei Nicanor en hij greep de aangeboden onderarm. 'Onze tijd is gekomen.'

Kassandros zat in een kamer met gesloten luiken, waardoor het er schemerig was, te luisteren hoe Philippus met Nicanor over de binnenplaats liep. Hij glimlachte kil en vastberaden toen hij besefte hoeveel plezier hij zou beleven aan wat komen ging.

Philippus opende de deur en een heldere lichtstraal viel naar binnen, talrijke stofjes dansten in het licht. Nicanor kwam binnen.

'Klaar?' vroeg Kassandros, achteroverleunend in zijn stoel.

'Klaar,' bevestigde Nicanor. Philippus was er inmiddels ook en sloot de deur achter zich, zodat het vertrek weer schemerig werd. Nicanor bevroor toen hij het geluid van het slot hoorde. 'Wat is dit?'

'Wat, mijn vriend?' vroeg Kassandros op onschuldige toon.

'Waarom is het hier zo donker en waarom ging de deur op slot?'

'O, dat. Heel eenvoudig. Het is hier donker zodat je dit fraaie gezelschap niet zou zien toen je binnenkwam.' Hij gebaarde met zijn hand en zes soldaten stapten uit de schaduwen naar voren. 'En ik heb de deur op slot laten doen zodat je niet weg kunt. Dat verklaart alles, nietwaar? Pak hem.'

Ruwe handen grepen Nicanor, ze hadden geen moeite met zijn verzet.

'Wat doe je, Kassandros?'

'Ik arresteer je en nu ga ik je berechten. Heb je het volgende gezegd: "*We* zijn heer en meester van deze wateren, Kassandros; *we* kunnen gaan waar *we* maar willen"?'

'Dat kun je niet maken!'

'Ik kan het en doe het; beantwoord de vraag. Heb je dat gezegd?'

'Het was bij wijze van spreken.'

'En paraderen met de stevens van vijandelijke schepen en de glorie van de zege van mijn vloot opstrijken, dat was ook bij wijze van spreken?'

'Het was een grote overwinning.'

'Is dat zo? Ik heb met een paar trierarchoi gesproken, naar ik heb begrepen werd jij aanvankelijk volkomen ingemaakt en kan alleen Antigonos de eer voor de overwinning opeisen. Was je ooit van plan me de waarheid te vertellen of wilde je het sprookje volhouden dat jij, jij! een grote overwinning had behaald? En wat was je van plan met die glorie, die roem? Denk je dat ik zo dom ben om je achter te laten met het bevel over de strategisch belangrijkste haven van Griekenland? Een plek die vrijwel onmogelijk is in te nemen als je niet over voldoende mannen beschikt? Ben ik zo stom? Denk je dat nou echt?'

'Nee, Kassandros.'

'Nee, héér. Ik ben je meerdere en toch tutoyeer je me, omdat je het ergens in je hoofd hebt gezet dat je mijn gelijke bent. Beantwoord nu de vraag. Zei je: "We zijn heer en meester van deze wateren, Kassandros; we kunnen gaan waar we maar willen"?'

'Ja, maar ik...'

'Schuldig, executeer hem.'

'Nee...' Nicanors hoofd werd naar achteren getrokken, Philippus legde zijn hand over de mond om protesten te smoren terwijl de commandant van de soldaten zijn zwaard trok.

Ondanks zijn hevige verzet kon Nicanor zich in de stevige handen niet bewegen, zijn ogen volgden angstig het zwaard.

Het gebeurde snel: een krachtige steek en bloed spoot uit de buikwond. De officier maakte een draaiende beweging met zijn pols en trok het wapen terug. Nicanor werd losgelaten en viel op zijn knieën, kermend van de pijn.

Kassandros stond op. 'Maak de deur open, Philippus.' Hij keek naar Nicanor, goed zichtbaar in het licht dat door de deuropening viel. 'Doet het pijn? Ik hoop het. Je hebt de tijd om ervan te genieten; dit is een langzame executie, snap je? Een buikwond. Ik doe de deur op slot en laat je hier achter. Als je geluk hebt ben je morgen dood, terwijl ik naar Macedonië vaar.' Hij wendde zich tot de officier. 'Pak zijn zwaard en dolk, we willen tenslotte niet dat hij valsspeelt.' Hij draaide zich om en wilde weggaan, maar bedacht zich toen en keek om. 'En overigens, die brieven waren nep; koning Philippus is nog in leven en niemand heeft me de kroon aangeboden, nog niet. Maar ik ga morgen toch naar Macedonië. Niet om koning te worden, maar om het regentschap op te eisen. Vaarwel, sterf een pijnlijke dood.' Hij verliet de kamer, gevolgd door zijn mannen. Philippus deed de deur op slot en dempte zo de steeds luidere pijnkreten die Nicanor bij elke moeizame ademhaling slaakte. Kassandros glimlachte toen hij het slot hoorde klikken.

En hij glimlachte opnieuw toen hij de omvang zag van de menigte die hem opwachtte op de kade van Pella's haven: ze was groter dan hij had durven hopen, ook al had hij een snel schip vooruitgestuurd om

Adea van zijn komst op de hoogte te brengen. *Ze heeft zo haar nut en dat is meer dan je van haar echtgenoot kunt zeggen.* Hij speurde de drukte af op zoek naar zijn broer Nicanor en stiefmoeder Hyperia, en stond zich een volgend glimlachje toe toen hij hen zag, want het betekende dat ze zijn berichten hadden ontvangen en begonnen waren om de manschappen van zijn familie bijeen te brengen.

Zijn glimlach toen hij over de loopplank liep was heel wat minder oprecht, maar het gebrek aan oprechtheid werd gecompenseerd door de breedte ervan. 'Uwe majesteit,' fleemde hij tegen koning Philippus, 'het is een eer te gehoorzamen aan uw bevel te komen.'

Philippus hipte op en neer van opwinding en kwijlde flink uit beide mondhoeken. 'Ik heb je geroepen, nietwaar?'

'Dat hebt u,' loog Kassandros, 'en ik ben direct gekomen. Wat behaagt Uwe Majesteit?'

Philippus hield op met hippen, kneep zijn ogen samen in een poging het zich te herinneren en keek naar zijn tenen. 'Met mijn olifant spelen,' zei hij met zachte stem.

Adea kwam naar voren om de situatie in de hand te nemen, het zorgvuldig voorbereide eenvoudige gesprekje dat Kassandros had opgestuurd bleek te moeilijk voor haar echtgenoot. 'De koning wenst dat zijn trouwe onderdaan Kassandros samen met mij het regentschap van hem en zijn koninklijke broer Alexander, de vierde van die naam, op zich neemt. Koning Philippus gebiedt bij dezen dat Polyperchon het regentschap neerlegt en de Grote Ring van Macedonië aan hem teruggeeft.' Haar stem was helder en droeg ver over de menigte, die met groot enthousiasme juichte over de wijsheid van hun koning.

Kassandros stak zijn handen in de lucht en gebaarde om stilte. 'Het is me een eer om mijn koning en mijn land te dienen op de manier die hij bevolen heeft.'

Deze woorden kregen een warm onthaal van het publiek, waar in het midden zijn broer Nicanor het applaus leidde en om meer gebaarde, terwijl Hyperia de vrouwen, die aan een kant stonden, aanmoedigde om van zich te laten horen.

'We zullen nu naar het paleis gaan,' kondigde Adea aan, 'waar de koning het bevel zal vastleggen.'

'Ik had niet gedacht dat u me voldoende mocht om me zó enthousiast te steunen, lieve stiefmoeder,' zei Kassandros, die zich iets liet terugzakken in de stoet om ter hoogte van Hyperia en Nicanor te komen.

Hyperia keek hem met een ernstig gezicht aan. 'Mijn gevoelens voor jou hebben er niets mee te maken, Kassandros, het gaat mij om de veiligheid van onze familie. Sinds Adea je bondgenoot is geworden is ze niet langer onze vijand, en dat wil ik graag zo houden, want ze is achterbaks en laaghartig. Maar hoe slecht ze ook is, het is niets vergeleken met Olympias, en nu je de regent van haar kleinzoon Alexander bent zal die harpij een waanzinnige hoogte van jaloezie bereiken en met een leger naar het oosten gaan. Let op mijn woorden, Kassandros, we hebben Adea nodig, want Olympias komt om haar kleinzoon op te eisen en Roxanna zal haar bescherming maar al te graag accepteren.'

'Denk je?'

'Dat weten we,' zei Nicanor. 'Er zijn brieven heen en weer gegaan tussen haar en Olympias; ze gebruiken Aristonous als tussenpersoon, want zijn landerijen liggen niet ver van de grens met Epirus. We hebben wat mannen uitgestuurd om de route te bewaken, maar we hebben nog geen boodschappers onderschept.'

'Tja, daar moeten we dan maar een einde aan maken, vind je niet? Maar eerst moet ik hier een leger rekruteren; hoe staat het daarmee?'

'Op onze landerijen zijn we begonnen alle volgelingen te verzamelen die nog niet met je mee naar Azië waren, en we hebben de leden van onze clan gevraagd hetzelfde te doen. We hebben daarmee een basis van bijna zevenhonderd man, zo'n vierhonderd cavaleristen en tweehonderdvijftig infanteristen, allemaal volkomen trouw aan onze familie. Zij zullen de kern van het leger vormen.'

Kassandros woelde door het haar op het achterhoofd van Nicanor. 'Goed gedaan, broertje. Nu kan ik maar beter even gaan rusten.'

Kassandros keek naar het document en ondertekende het vervolgens. 'Als alle afgezwaaide veteranen aan de oproep om weer op te komen gehoor geven, hebben we een leger van rond tienduizend man. Dat moet voldoende zijn om Olympias tegen te houden als ze met het leger van Epirus naar het westen komt.' Hij gaf het papier door aan Adea, die het in naam van haar echtgenoot moest ondertekenen.

Adea schreef haar naam en die van Philippus en gaf de rol aan een wachtende klerk. 'Maak er vijfhonderd kopieën van en stuur ze naar elke stad in Macedonië.'

De klerk boog en liep achterwaarts de raadszaal uit.

'Ik zal uit naam van de koning aan Polyperchon schrijven,' zei Adea, 'en eisen dat hij het bevel over zijn leger neerlegt en aan jou overdraagt.'

'Dat doet hij niet,' zei Kassandros, 'dat weten we allemaal.'

'Dan is hij een verrader.'

'En we weten wat we daarmee moeten doen.' Kassandros stond op. 'Ik ga weer naar het zuiden om hem en zijn zoon te verslaan, daarna kom ik terug en zullen we samen met Olympias afrekenen.'

'Wat als ze aanvalt voordat jij terug bent?'

'Je bent toch zo trots op je opleiding tot krijger? Gebruik die kennis en leid het leger tegen haar.' *Twee vrouwelijke generaals tegenover elkaar; waar moet het heen met de wereld?* Maar Kassandros kon aan Adea's gezichtsuitdrukking zien dat het precies was waar ze van droomde. 'Doe gewoon wat je moet doen om te zorgen dat Olympias haar kleinzoon niet in haar macht krijgt.' Hij draaide zich om en hinkte vastberaden het vertrek uit, hij wilde snel naar het zuiden. *Als Polyperchon eenmaal is verslagen en de oligarchieën in de Griekse steden zijn hersteld kom ik terug, krijgskoninginnetje, en dan rekenen we samen met Olympias af. En daarna? Tja, wie weet. Maar in mijn plannen is in ieder geval geen plaats voor je idiote koning of die halfbloed die Roxanna heeft geworpen.*

ROXANNA, DE WILDE KAT

Ze was niet veilig, Roxanna voelde het sterker dan ooit nu het manwijf een bondgenootschap had gesloten met de lafaard die niet het recht had om aan tafel aan te liggen. En Polyperchon zat in het zuiden vast in een poging vrijheid te geven aan een volk dat niet veel beter was dan slaven, die zoiets helemaal niet verdienden. Haar enige vriend was Olympias en dat was misschien alleen maar een aanname, want drie jaar geleden had ze weliswaar op bijzonder vleiende toon aan haar geschreven, maar de brieven die Olympias recenter had gestuurd waren veel formeler opgesteld, dus was ze er niet zeker van welke positie de oude koningin-moeder inmiddels innam. Ze was echter haar enige hoop nu Adea's greep op de macht in Macedonië elke dag sterker werd.

Maar hoe kon ze ontsnappen? Olympias had erop aangedrongen dat ze naar haar toe kwam, maar had niet gezegd hoe ze het moest aanpakken.

Roxanna zat in het halfdonker op een zacht kussen, haar armen om haar knieën geslagen, haar gezicht in haar gewaad gedrukt. Ze wiegde heen en weer terwijl ze zichzelf tot een oplossing voor de netelige kwestie probeerde te dwingen: ze had vervoer nodig, ze had bescherming nodig voor zichzelf, haar zoontje en de slavinnetjes die ze mee zou nemen om voor haar comfort te zorgen. En er moest een escorte van een aanzienlijk aantal manschappen zijn, want de reis was lang en ging door gevaarlijke gebieden en haar gezelschap zou niet klein zijn. En dan was er een gelegenheid nodig, want de drie lijfwachten die voortdurend over haar zoon waakten waren er evenzeer om te voorkomen dat hij uit Pella vertrok als om zijn veiligheid te garanderen. Ze zouden vast niet instemmen met een stiekeme vlucht naar Epirus, en toch moest Roxanna daarheen; het was dat of zich neerleggen bij haar dood.

Ze vervloekte haar onvermogen om haar gif langs de beveiliging te krijgen die het manwijf en het even weerzinwekkende man-kind omringde sinds die ene keer dat ze met succes Philippus gif had toegediend, al die jaren geleden in Babylon. Hoeveel jaren ook alweer? Vijf, dat moest wel, want zo oud was haar zoon. En wat had ze in die jaren gedaan? Niets, ze had zich laten meeslepen door Azië in het gevolg van een leger en was toen naar Europa gebracht, waar ze een gevangen koningin was in omstandigheden die in dit achterlijke land voor luxueus doorgingen. Ze keek om zich heen in het vertrek op de eerste verdieping van de noordvleugel van het paleis: het was weelderig ingericht met zijden gordijnen, fraai geweven tapijten, zacht gestoffeerde banken met bergen kussens, glimmend gewreven houten tafels vol gouden beeldjes en schalen ingelegd met edelstenen, allemaal zachtjes verlicht door flakkerende lampjes, maar alles was waardeloos uit het oogpunt van haar veiligheid; ze onderdrukte een snik. *Een koningin huilt niet, een koningin staat rechtop en overwint haar problemen.* Maar ze had het nog maar net gedacht of de hopeloosheid van haar situatie overviel haar. *Rechtop staan? Rechtop staan om wat te doen?* En nu kon niets de snik meer tegenhouden, want ze kon het gevoel van machteloosheid niet langer onderdrukken, net zomin als het gevoel van hopeloosheid dat steeds sterker in haar opwelde sinds ze naar Pella was gebracht. Het zou nog elf jaar duren voordat haar zoon zijn geboorterecht voor zichzelf kon opeisen; hoe groot was de kans dat hij het zo lang zou overleven met dat manwijf en die lafaard in Macedonië aan de macht? Voor het eerst in lange tijd dacht ze terug aan haar jeugd in het dorre Bactrië en het eenvoudige leven dat ze toen leidde. Ja, daar had ze een comfortabel leven én vrijheid: ze reed door de heuvels en dalen – met een sterk escorte uiteraard – en ging op jacht met haar vader en broers, want de meisjes van haar stam mochten meer doen dan enkel spinnen en weven; ze hielp haar broers zelfs elk jaar om de jonge paarden in te rijden. Maar dat was nu voorbij, ingeruild voor wat de meest geprivilegieerde positie voor een vrouw in de wereld had moeten zijn: de echtgenote van de grote Alexander. En nu was ze niet veel meer dan een gevangene.

Op de snik volgde een tweede, en nog een, tot ze in een wanhopige huilbui uitbarstte. Roxanna liet zich in de zachte kussen vallen, klauwde in de stof en wentelde zich in haar zelfmedelijden.

Tot haar schrik voelde ze opeens sterke, mannelijke handen haar bij de schouders pakken en haar overeind zetten. Instinctief bedekte ze haar ongesluierde gezicht met een gescheurd kussen en ze wendde zich naar de indringer. 'Aristonous? Wat doe je in mijn vertrekken? Hoe durf je!'

Aristonous schudde haar door elkaar. 'Wees stil en luister. Wat er met jou gebeurt kan me niets schelen, maar Alexanders kind is in groot gevaar en daarom ben ik gekomen om hem te helpen. Je kunt hier blijven of met me meegaan, maar als je meegaat duld ik geen gezeur. Als je jammert laat ik je achter, begrepen?'

'Zo praat je niet tegen een koningin.'

'Begrepen? Ja of nee.'

'Ik ben een...'

De klap deed haar zwijgen en ze keek geschokt naar Aristonous. Ze wreef over haar wang, het kussen had ze laten vallen. Het kostte haar al haar krachten om het woord te uiten: 'Ja.'

'Kom dan mee.'

'Ik moet pakken.'

'Als je dat wilt, ga je gang, maar ik ga nu. Je gaat nu mee of je gaat helemaal niet, mij maakt het allemaal niets uit.' Hij draaide zich om en liep weg, Roxanna witheet achterlatend, niet wetend wat ze moest doen.

Toen besefte ze dat dit de kans was waarop ze had gewacht, al was het niet in de vorm die ze zich had gewenst. Ze stampte met haar voet en liet haar gebalde vuisten langs haar zij hangen, en voor het eerst van haar leven deed ze iets tegen haar zin zonder dat ze daartoe gedwongen werd: ze volgde Aristonous de kamer uit.

Enkele slavinnetjes hurkten angstig in elkaar gedoken in de gang onder toezicht van een zwaarbewapende bruut. 'Kom,' beval Roxanna de meisjes.

'Ze blijven,' gromde de bruut.

'Ik ben koningin! Ze doen wat ik zeg en jij ook.'

'En ik heb een groot zwaard, dus ze kunnen maar beter mij gehoorzamen, net als jij.' De bruut vertrok zijn pokdalige gezicht in een vuile grijns en pakte Roxanna's arm en duwde haar de gang door achter Aristonous aan, die naar de kamer van haar zoon op weg was.

Ze passeerden diverse met toortsen verlichte gangen en kamers. Er doken steeds meer mannen op, totdat er een twaalftal voor de dubbele deur van Alexanders vertrekken stond.

Aristonous richtte zich tot haar. 'Klop aan en eis toegang.'

Daar hadden ze me voor nodig, om toegelaten te worden tot Alexanders kamers. Ze bleef staan en wilde al snauwen dat ze zich niet liet gebruiken, maar besloot zich in te houden. Ze liep naar de deur en klopte. 'Ik ben het, de koningin, open de deur, ik wens mijn zoon te zien.'

Het duurde enkele momenten voordat het slot knarste. Aristonous beukte vervolgens met zijn schouder tegen de deur, die openvloog. Hij stormde naar binnen, gevolgd door zijn mannen, ze duwden Roxanna opzij, die op haar knieën viel.

'Bloedvergieten is niet nodig,' zei Aristonous tegen de drie lijfwachten van de jonge koning, die met getrokken zwaard zijn weg versperden. 'Jullie weten wie ik ben en jullie weten dat ik altijd trouw aan de Argeaden ben geweest, net als jullie – of dat zouden jullie in ieder geval moeten zijn.'

'Wat wilt u, Aristonous?' vroeg de middelste van de drie.

'Ik wil de koning in veiligheid brengen, Coenus, bij Olympias. Als hij hier blijft zullen Kassandros en Adea hem vermoorden zodra ze zich sterk genoeg voelen om ongestraft het vlees en bloed van Alexander zelf te doden.'

Coenus keek zijn twee metgezellen aan en wendde zich toen naar Roxanna, die opstond. 'Wat zegt zijn moeder?'

Roxanna onderdrukte de neiging om tegen de man uit te vallen. 'Ik weet dat jullie hier evenzeer zijn om ons gevangen te houden als om voor onze veiligheid te zorgen, maar als we blijven zullen jullie gedood worden als jullie ons tegen Kassandros' mannen verdedigen, en dan zijn we allemaal dood. We moeten weg.'

Coenus keek weer naar zijn kameraden en ze kwamen stilzwijgend tot overeenstemming. Hij richtte zich tot Aristonous. 'Sinds we vanochtend over Kassandros' komst hoorden hebben we hierover al gepraat; we waren al bang dat het er niet goed voor de koning zou uitzien. Het kan niet tegen onze eed zijn dat we hem, met zijn moeder, escorteren naar zijn grootmoeder: het zal niet tegen ons geweten in gaan.'

Aristonous bood zijn arm aan en Coenus greep hem. 'Het zou jammer zijn geweest als we je hadden moeten doden, Coenus.'

Coenus grijnsde en gebaarde naar een binnendeur. Roxanna rende ernaartoe en trok hem open; enkele ogenblikken later kwam ze tevoorschijn met het spichtige lichaampje van de vijfjarige koning van Macedonië in haar armen, hij had zijn armpjes om haar hals geslagen. Het kindermeisje kwam er direct achteraan.

'Zij blijft hier,' zei Aristonous, naar het kindermeisje wijzend. 'Het is al erg genoeg om een kind en een vrouw mee te nemen, ik ga het niet nog erger maken met een oudje erbij.'

Hij maakte aanstalten om te gaan. Roxanna keek de oude vrouw aan en wist dat ze niets kon doen; ze werd meegezogen in gebeurtenissen waar ze geen invloed op had. 'Blijf hier, ik laat je later halen.' Ze draaide zich om en rende achter haar redders aan.

Vanaf haar vertrekken gingen ze via een diensttrap naar beneden en ze haastten zich door een labyrint van gangen naar de kelders van het paleis, dat ze verlieten via een kelderraam waarvan de tralies waren doorgezaagd ter voorbereiding op de ontsnapping. Het was dus allemaal eerder opgezet en geen spontane actie die noodzakelijk was geworden door de komst van Kassandros en diens bondgenootschap met Adea.

Ze had het moeilijk toen ze over het open terrein renden; het was erg donker, want de maan was nog niet opgekomen. Het veld liep op naar de uitlopers van de bergen die over de stad uitkeken. Alexander werd met elk stap zwaarder in haar armen.

In een bosje vierhonderd pas buiten de stadsmuren stonden paarden klaar, bewaakt door nog drie mannen. Zonder iets te zeggen bestegen de mannen de paarden, terwijl Roxanna Alexander neerzette en verward om zich heen keek.

'Schiet op, mens,' siste Aristonous.

'Maar waar is mijn wagen?'

'Doe niet zo dom, spring op die merrie.'

'Maar een koningin rijdt geen paard.'

'Een koningin doet wat haar gezegd wordt; stap op dat paard.'

'Maar Alexander kan niet rijden.'

'Alexander is dood als hij dat niet doet; neem hem voor je of geef hem aan mij.'

Roxanna keek naar het jongetje, zijn wijd open ogen keken haar bang en verward aan. Ze haalde diep adem en zette hem voor het zadel. Ze dacht terug aan haar jeugd, aan de jachtpartijen en het inrijden van jonge paarden in het verre Bactrië, en met een zwaai van haar been hees ze zich in het zadel, sloeg een arm om Alexander heen en pakte de teugels. Met een snelle dubbele flik met de teugels en een trap in de flanken van het dier reed ze achter Aristonous aan. Ze voelde zich tot leven komen door de opwinding van het moment en de herinneringen aan de avonturen in haar jeugd, haar kansen leken eindelijk te keren. Ze legde haar hand tegen haar wang, die nog nagloeide van de klap die Aristonous haar had gegeven en ze glimlachte voor zich uit in het donker; het was lang geleden dat een man haar zo had gedomineerd.

Ze reden verder door de nacht en bleven in de heuvels op hun weg naar het zuidwesten; toen de maan opkwam konden ze hun snelheid verhogen. Bij het bleek worden van de hemel in het oosten waren ze dertig mijl van Pella, dertig mijl dichter bij de veiligheid van Epirus en de bescherming van de schoonmoeder die ze nooit had gezien.

Ze reden de hele dag door, Alexander sliep een groot deel daarvan in haar armen, ze stopten alleen om de paarden te drenken en ze een haverzak om te binden om ze te voeren, zelf aten ze brood, appels en uien, en doken in de bosjes om hun behoeften te doen, en daarna ging het weer verder. Twee dagen lang ging het zo door, ze meden steden en dorpen, stopten de tweede nacht een paar uur om te slapen en ze waren al meer dan driehonderd mijl van Pella, niet ver van de grens, toen ze heel in de verte het geluid van achtervolgers hoorden; het geluid waar ze allemaal bang voor waren geweest, maar waar ze niet over gesproken hadden uit angst de goden in verzoeking te brengen.

'Sneller!' riep Aristonous na een blik over zijn schouder. 'Sneller!' Hij trapte in de flanken van het paard en spoot naar voren.

Roxanna keek achterom: daar, nog ver weg, op misschien drie mijl, maar duidelijk achter hen aan komend, reed een eenheid *prodromoi*, lichte, met lansen bewapende cavalerie, perfect voor een achtervolging van andere ruiters; maar wat hen ondanks de flinke afstand zo bedreigend maakte, was dat elke man een reservepaard bij zich had, zodat ze niet snel moe zouden worden.

Ze zette haar merrie tot galop aan, maar haar zoon begon zich te verzetten; hij huilde bang, want hij voelde hoe geagiteerd het gezelschap was. 'Zit stil! Alexander, rotjong, niet doen!' Ze dreef haar paard nog sneller naar voren en probeerde met één hand het steeds onrustiger bewegende kind vast te houden.

Ze galoppeerden omhoog, zo snel als hun paarden konden, naar de hoogvlakte van de Tymphaia in het Pindusgebergte, en naar de bergpas die hen naar Epirus zou brengen. Maar de jongen bleef worstelen en jammeren, hij wilde op de grond gezet worden en begreep niet waarom hij zijn zin niet kreeg, zoals altijd het geval was bij het kindermeisje. Een beet in haar pols en Roxanna liet haar greep met een schreeuw verslappen; Alexander viel op zijn schouderblad op de met stenen bezaaide dorre grond en maakte vervolgens een dubbele salto door de voorwaartse snelheid die het galopperende paard hem meegaf, waarna hij roerloos bleef liggen.

Roxanna gilde. *Als hij dood is ben ik dat ook.* Ze sprong van haar merrie nog voor die stilstond en rende terug naar haar zoontje. 'Alexander!' Ze knielde neer bij het bewegingsloze, magere lichaampje en nam zijn hoofd in haar handen; zijn haar was warm en plakkerig.

Bloed! Nee, hij mag niet dood zijn, ik wil leven.

Ze trok een ooglid op en voelde een golf van opluchting toen de pupil zich samentrok.

'Is hij in orde?' riep Aristonous, die op hen af kwam rijden.

'Ik geloof het wel, ik geloof dat hij alleen bewusteloos is. Hij is op zijn hoofd gevallen, hij bloedt.'

'We moeten verder, ze zijn maar iets meer dan een mijl achter ons. Geef hem aan mij.'

Met een mengeling van tegenzin en opluchting tilde Roxanna het slappe lichaampje op en gaf het aan Aristonous, die hem, zonder de eerbied waar een koning misschien wel recht op had, met de buik naar beneden over de nek van zijn hengst legde. 'Stijg op, we moeten weg.'

Roxanna gehoorzaamde maar al te graag en wierp een blik achter zich en zag dat de stofwolk die de achtervolgers opwierpen inmiddels een stuk dichterbij was. Ze maande haar merrie tot grotere snelheid, het was een stevig dier met brede borst en een groot hart; ze leek de galop nu er geen worstelend kind meer om haar nek hing heel wat leuker te vinden. Maar de helling werd steiler en ze zagen zich gedwongen in een schuine lijn verder te gaan, terwijl hun achtervolgers, minstens twintig man, recht omhoog galoppeerden, zodat de afstand tussen hen al snel tot vijfhonderd pas was geslonken, al hadden ze nog het voordeel dat ze hoger zaten. Roxanna's hart bleef even stilstaan toen ze naar de prodromoi keek, die op volle snelheid van hun vermoeide paarden oversprongen op de relatief frisse dieren en een versnelling recht tegen de helling op inzetten, terwijl Roxanna en haar metgezellen vanwege de vermoeidheid van hun paarden een zigzaggende route moesten volgen.

Aristonous ploegde verder, naar de eerste top, bestrooid met grillige rotsen, die schuilplaatsen boden voor enkele mannen, maar niet voldoende voor hun gezelschap. Met hun minder vermoeide rijdieren wonnen de achtervolgers nog altijd terrein.

'Het lukt niet, Aristonous,' schreeuwde Coenus vanuit de achterhoede van hun groepje, 'als we ze niet lang genoeg weten te vertragen halen ze ons hoe dan ook in voor we Epirus bereiken. We weten wat onze eed ons gebiedt. Hoe ver is het nog naar de pas?'

Aristonous wees omhoog naar de heuvelkam, zo'n vijfhonderd pas verderop; erachter rees een volgende helling op, en daar weer achter de bergen. 'Daar, daar begint de pas, eerst is hij smal en daarna wordt hij wijder.'

Coenus knikte, hij begreep wat Aristonous bedoelde. 'Dan zullen we ons daar aan onze eed houden.'

Roxanna moest denken aan de dappere mannen van haar vaders huishouden, die gezworen hadden haar huis tot in de dood te dienen, het waren mindere levens die werden opgeofferd voor die van hogere waarde. Ze dreef haar merrie tot het uiterste voort, verder omhoog, het dier galoppeerde zonder mankeren over de losse steenslag, het was een wanhopige wedren naar de pas.

Achter haar werd het geschreeuw steeds luider, het echode tegen de hellingen en droeg ver in de heldere berglucht, het waren kreten van succes na een lange achtervolging.

De helling werd eindelijk minder steil en de vermoeide paarden wisten nog één keer te versnellen en ze bereikten het hoogste punt; ze galoppeerden omlaag langs de helling erachter, ieder biddend tot de god die in hun ogen kon voorkomen dat hun paard zou struikelen. Voor hen lagen verspreide rotsblokken en hier begon het terrein weer te stijgen. Even verderop doemde een grote rotsmuur op, maar hij was niet massief, er was een opening die naar de pas leidde, en achter de pas lag het dal tussen de bergen Tymphaia en Lyncus. Ze haastten zich verder in het besef dat ze een kans op ontsnapping hadden als ze eenmaal voorbij de pas waren.

'Ga door, Aristonous,' schreeuwde Coenus toen de eerste ruiters door de opening in de rotsmuur stormden. 'We houden ze zo lang mogelijk tegen.'

Roxanna's merrie kletterde in het midden van de groep verder over het pad, maar dat versmalde zich tussen de twee rotswanden, waardoor ze met maar twee of drie naast elkaar konden rijden en dat betekende vertraging; en toch haalde Roxanna het, ze passeerde de pas en kwam in een dal dat naar het westen afliep, met steile hellingen aan weerszijden in de schaduw van de hoge toppen van het Pindusgebergte.

'Ooit zullen we elkaar weer zien, hier of elders,' schreeuwde Coenus toen de laatste ruiter door de engte was. Na die woorden draaiden hij en zijn twee kameraden hun paarden en keken langs de helling omlaag, wachtend op hun achtervolgers.

De geluiden van strijd volgden Roxanna en haar redders toen ze naar het westen vluchtten: kreten van triomf en pijn, het gekletter van ijzer tegen ijzer, het hinniken van paarden. Ze galoppeerden door en het lawaai stierf weg, alleen een laatste fluistering op de wind bereikte nog hun oren; eindelijk konden ze zich ontspannen en hun paarden in draf laten overgaan zodat die hun pijnlijke borst wat konden ontzien.

Toen Roxanna een groep lichte cavaleristen zag naderen voelde ze eerder opluchting dan angst, want ze kwamen uit het westen, uit het land van Olympias, uit Epirus, het land waar ze net waren aangekomen.

'Halt! Niet verder,' riep de officier van de troep. 'Wie zijn jullie?'

Aristonous reed zijn paard naar voren. 'Ik ben Aristonous, voormalig lijfwacht van Alexander zelf. We hebben zijn zoon en naamgenoot gebracht, hij zoekt de bescherming van zijn grootmoeder, koningin Olympias, en van haar neef, Aeacides, de koning van Epirus.' Hij tilde de nog altijd bewusteloze jonge koning op. 'Hij heeft snel verzorging door een arts nodig.'

De officier kwam naar voren en keek naar Alexander en tilde diens kin op. 'Dan kunnen jullie maar beter met mij meegaan, Olympias is met de koning in Decemta.'

Nooit eerder had Roxanna zoveel opluchting gevoeld als bij die woorden; ze keek over haar schouder en zag hun achtervolgers de pas over komen, het waren er duidelijk minder dan eerst en ze vormden geen bedreiging meer gezien de veel grotere groep cavaleristen waar ze zich nu bij bevond. *Ik ben veilig, nu zal Olympias me beschermen, en dat dankzij deze man.* Ze keek naar Aristonous en glimlachte; hij knikte haar toe, zijn gezichtsuitdrukking neutraal, maar wat was dat verlangen dat ze in zijn ogen zag? Ze voelde een tinteling in haar buik.

'Kom hier,' beval Olympias. Haar stem verraadde geen warme familiegevoelens. 'Laat me het kind zien.'

Roxanna onderdrukte met moeite haar boosheid over de manier waarop ze werd aangesproken en liep naar voren, haar handen op Alexanders schouders en haar ogen gefixeerd op die van Olympias, die kaarsrecht op een op een verhoging geplaatste stoel zat en neerkeek op haar en haar zoon; Thessalonike stond achter haar met een hand op de rugleuning van de stoel. *Ze behandelt me als haar mindere. En wie is die vrouw die achter haar staat? Ik dacht dat ze niet meer dan een hofdame was.*

Olympias wenkte Alexander. 'Kom hier, kind.'

Nog duizelig van zijn val bevroor de jongen. Roxanna leidde hem naar het podium.

'Alleen de jongen.' Olympias' stem was gebiedend.

Roxanna aarzelde. *Hoe durft ze zo tegen me te spreken!* Maar sinds ze eerder die ochtend bij het paleis waren aangekomen was haar positie als smekeling haar ingewreven: ze hadden meer dan zes uur moeten wachten voor ze bij Olympias werden gebracht. Roxanna had bovendien vertrekken gekregen die duidelijk bestemd waren voor minderwaardige lieden die een of andere onbeduidende diplomatieke missie kwamen vervullen, ze pasten bepaald niet bij iemand met de status van koningin. Ze had de belediging kokend van woede geslikt, vastbesloten om haar kansen niet te vergooien een goede indruk te maken op de vrouw in wier handen haar veiligheid – en die van haar kind – lag. Ze had graag een beroep op Aristonous gedaan, maar tot haar teleurstelling waren hij en zijn mannen onmiddellijk verdwenen nadat ze hun komst hadden gemeld en haar hadden toevertrouwd aan Thessalonike, van wie ze nooit gehoord had. Er ontstond vrijwel direct een wederzijdse antipathie tussen de twee vrouwen.

De blik van leedvermaak in Thessalonikes ogen toen Roxanna aarzelde verontrustte haar en ze had spijt van de hooghartige toon waarop ze eerder tegen haar had gesproken. *Ze moet veel meer voor Olympias betekenen dan ik had gedacht.* Ze duwde Alexander naar voren en hij beklom het trappetje van het podium, zijn hoofd gebogen.

Olympias pakte het jongetje bij de kin en hief zijn hoofd zodat ze hem in de ogen kon kijken; ze bestudeerde hem enkele ogenblikken en knikte toen, haar lippen samengeknepen, alsof ze bevestigd zag wat ze al had vermoed. 'Je lijkt op je vader, maar je bent bevlekt door je moeders kleur.' Ze keek Roxanna minachtend aan, alsof ze een slavin was die haar aandacht niet waard was, en richtte haar blik vervolgens weer op Alexander. 'Hoe heet je, kind?'

'A... A... Alexander.' De stem was nauwelijks verstaanbaar.

Olympias gaf hem een klap op de wang. 'Zo zegt de echte Alexander zijn naam niet. Vertel het me nog eens, nu alsof je het meent.'

Alexander deinsde terug en wendde zich naar zijn moeder, die omhoog reikte om hem te pakken.

'Laat hem! Het kind moet voor zichzelf spreken en op zijn eigen benen staan en niet aan de rokken van zijn moeder hangen. Vertel me je naam, kind.'

Alexander keek naar Roxanna, die hem met een knikje bemoedigde; hij draaide zich weer naar Olympias om, rechtte zijn rug om zijn schriele gestalte groter te laten lijken en blies zijn borst op. 'Alexander.' De stem was luid en duidelijk.

'Dat is al beter, we zullen een koning van je maken, ondanks de barbaarse kleur van de draagster die je heeft gebaard.'

Roxanna kon het niet langer verdragen. 'Als u me wilt beledigen, beledig me dan niet tegenover mijn zoon maar in mijn gezicht.'

Olympias stond op zonder naar Roxanna te kijken, en trok Alexander een stukje naar zich toe. 'Ik beledig je zoals ik maar wil, barbaar, je hebt expres mijn kleinzoon al die jaren uit mijn buurt gehouden, ondanks mijn smeekbeden hem te mogen zien. Ik heb uiteindelijk Aristonous moeten sturen om hem te halen aangezien je niets gedaan hebt om hem bij mij te brengen en zijn veiligheid te garanderen.'

'Ik was niet vrij om te komen, ik was niet meer dan een gevangene.'

Olympias lachte hatelijk. 'Een koningin laat zich niet gevangennemen; welke status je jezelf ook toekende in Macedonië, die heb je daar achtergelaten. Hier ben je niets meer dan wie ik zeg dat je bent.' Ze maakte aanstalten om weg te lopen en legde een arm om Alexanders schouders. 'Zolang je hier bent kun je maar beter niet vergeten dat je een smekeling bent, probeer me dus niet al te veel tegen de haren in te strijken; vergeet niet dat ik nu degene ben die je beschermt tegen Kassandros en Adea, niet Polyperchon.' Zonder nog om te kijken verliet Olympias de zaal, ze nam Alexander met zich mee.

'Het was zo fijn om mijn neefje te ontmoeten,' zei Thessalonike.

Roxanna was geschokt. 'Neefje?'

'Ja, ik ben Alexanders halfzuster, iets wat je kennelijk niet besefte toen je me met zoveel minachting behandelde toen we elkaar eerder zagen; misschien had je je wat beter kunnen voorbereiden voordat je hierheen kwam rennen in de verwachting als een koningin behandeld te worden.' Ze schonk Roxanna een suikerzoete valse glimlach en liep achter Olympias aan, zodat Roxanna verbijsterd achterbleef met het idee dat het overal beter was dan hier in de klauwen van die twee vrouwen.

Na enkele momenten wist ze de drang om zich op de grond te laten vallen en te huilen te overwinnen; ze liep de audiëntiezaal uit, vastbesloten een beroep te doen op de enige die haar misschien nog zou helpen; ze ging een brief aan Polyperchon schrijven.

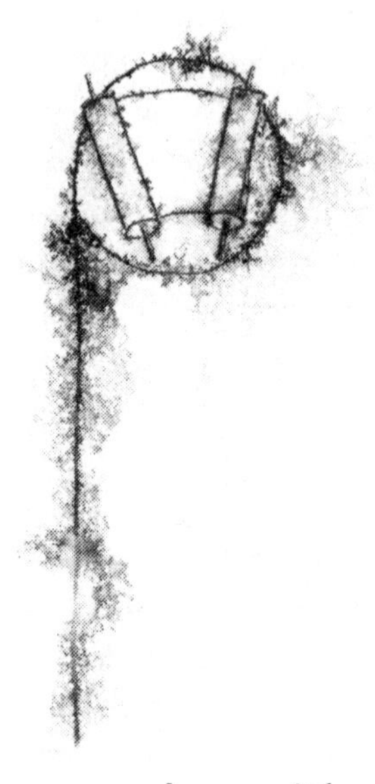

POLYPERCHON, DE GRIJZE

Polyperchon staarde naar de twee hoofden die op de grond lagen, met een drietand ernaast, en las vervolgens de brief die erbij was afgeleverd. Hij slaakte een diepe zucht van spijt en keek weer naar de gruwelijke voorwerpen, nu een feestmaal voor de maden. *Kleitos, wat heb je gedaan? Je bent mijn hele vloot kwijtgeraakt. Hoe kan ik nu langs de kust naar het noorden trekken?* Hij wendde zich tot Alexandros, die grimmig kijkend naast hem stond. 'Verbrand ze en zorg dat de as met respect wordt behandeld.'

'Ja, vader.' Alexandros wees naar de brief. 'Wat staat erin?'

Polyperchon woog de rol op zijn hand; hij voelde zwaar en leek onheil te voorspellen. 'Hij is van Lysimachus. Nadat Kleitos Nicanor van Sindus had verslagen heeft Antigonos hem onverhoeds overvallen en samen met de resterende schepen van Nicanor heeft hij de vloot van Kleitos volkomen vernietigd. Hij was een van de weinigen die wisten te ontsnappen, samen met Arrhidaeus hier,' hij knikte naar het andere hoofd, 'maar soldaten van Lysimachus hebben hen in Thracië gepakt toen ze aan land waren om water in te nemen. Lysimachus heeft me net zijn steun aan Antigonos en Kassandros verklaard door me hun hoofden te sturen.' Hij verscheurde de brief en gooide de snippers in de wind. 'Geen vloot meer, en dat terwijl ik net zoveel van mijn olifanten heb verloren...' Hij keek naar de muren van Megalopolis, nog altijd intact, en naar de lijken die ervoor lagen; de lichamen van mensen en dieren, reusachtige dieren. De stad had alle onderhandelingen afgewezen, men was niet bereid de extremistische democratische factie weer toe te laten uit angst voor de onmatigheid die de democraten eerder hadden betoond, voordat Antipatros de Griekse steden oligarchieën had opgelegd, na de oorlog om Lamia. 'Nee,' hadden ze gezegd, Polyperchons decreet over de vrijheid van de Grieken was onaanvaardbaar. 'Het is niet meer dan een list om onze steun te krijgen.' En zo hadden ze zich aan de zijde van Kassandros geschaard en Polyperchon uitgedaagd om over of door de sterkste muren van de Peloponnesos te komen. Hij had een dagenlang bombardement met zijn zwaarste artillerie bevolen en vervolgens zette hij zijn olifanten in om tegen het verzwakte metselwerk te beuken tot de muur zou instorten. Maar bijna elke stad had wel veteranen van Alexanders oorlogen in het oosten binnen de muren, en dat gold ook voor Megalopolis; een van die veteranen had de stadsoudsten geadviseerd om honderden kraaienpoten met vier stekels te maken, die hoe ze ook vielen altijd een scherpe omhoogstekende punt hadden zo lang als een hand breed is.

Zich niet bewust van het gevaar dat hun wachtte had Polyperchon zijn olifanten naar voren gestuurd, ondersteund door artillerie, boogschutters en slingeraars om de verdedigers van de muren te jagen. Maar er was niemand op de muren nodig, want de schade was al aangericht. De enorme dieren liepen een veld vol pijnlijke verrassingen in, bij elke stap drong een nieuwe ijzeren punt in hun voeten, ze steigerden trompetterend. Door hun gewicht werden de kraaienpoten tot ver in hun vlees gedrongen, waardoor ze begonnen te bokken, wat de pijn alleen nog maar verergerde, totdat ze het niet meer uithielden en ze zich op hun zij lieten vallen en op hun rug rolden, waarbij ze hun mahout verpletterden en uithaalden naar de lichte infanteristen die probeerden de kraaienpoten uit hun poten te trekken. Van pijn trapten ze om zich heen, trompetterden hun leed naar de hemel en kregen alleen maar meer scherpe punten in zich. Ze bloedden uit talrijke wonden, zodat het leek alsof ze een rode huid met akelige stekels hadden gekregen. En zo bleven ze liggen, het bloed stroomde rijkelijk en ze begrepen niet wat ze moesten doen om aan hun leed te ontkomen. Op de tweede dag was de eerste gestorven en nu, vier dagen later, ging er hier en daar nog een rilling door een van de grote lichamen en verraadde daarmee een laatste restje leven.

Het is alsof de goden me alle gunsten onthouden. Polyperchon dacht na en richtte zich vervolgens tot Alexandros. 'Is er nieuws over Kassandros?'

'Zijn leger was zich aan het ontschepen toen onze verkenners vanochtend terugkwamen, het lijkt vrij zeker dat hij op weg gaat naar Tegea.'

'Als hij die stad inneemt zijn we de hele Peloponnesos kwijt.'

'Attica zijn we al kwijt. De Atheense raad heeft voor de doodstraf voor Hagnonides en velen uit zijn democratische factie gestemd. Ze zijn drie dagen geleden geëxecuteerd, kort nadat Kassandros uit Macedonië terugkeerde.'

Polyperchon wreef over zijn kale schedel en zuchtte, lang en diep. *Ik moet doortastend zijn, anders kan ik net zo goed meteen naar Kassandros gaan en hem mijn zwaard aanbieden zodat hij me ermee kan doden. Ik heb geen keuzes meer, ik moet naar het noorden.* Hij vermande zich en keek zijn zoon aan met een blik die naar hij hoopte zelfvertrouwen uitstraalde. 'Neem jouw deel van het leger en versterk het garnizoen van Tegea. Kassandros zal zijn troepen niet naar het noorden willen brengen voor zijn rug is gedekt. De stad heeft grote voorraden, dus je moet het kunnen uithouden tot ik terugkom.'

'Waar gaat u heen?'

'Naar het noorden. Ik zal snel voor mijn leger uit reizen. Als Kassandros naar Macedonië is geweest, heerst hij daar inmiddels via Adea. Ik ga naar Epirus, Olympias kan nu geen steun meer weigeren, niet nu haar kleinzoon in groot gevaar is. Nee, ze zal het leger van Epirus sturen om me te helpen, samen kunnen we Macedonië terugnemen, Adea doden en de idioot weer onder onze bescherming stellen. Daarna komen we naar het zuiden om jou in Tegea te ontzetten, waarna we volgend voorjaar Kassandros tussen onze legers zullen verpletteren.'

Alexandros dacht even over zijn vaders plan na. 'En als ze niet komt?'

'Ze komt.'

'Ik zal het doen,' zei Olympias, die zich van Polyperchon naar Aeacides wendde, gezeten op de troon in de troonzaal van het paleis van Passaron, die uitzicht bood op de beboste bergen. 'Tenminste, als mijn kwabbige neef me van een leger wil voorzien.'

De koning van Epirus lachte vreugdeloos, zijn onderkinnen lilden op een obscene manier, zijn ogen stonden waterig van de alcohol. 'Je kunt het zo mooi zeggen, Olympias, het is bijna onmogelijk je iets te weigeren – bijna.' Hij sloeg een halve beker wijn naar binnen.

Polyperchon had van tevoren geweten dat het een lastig onderhoud zou worden, maar hij was niettemin verrast door de openlijke vijandigheid die er tussen Olympias en Aeacides heerste. Hij moest zijn punt heel duidelijk maken en stapte naar voren op een naar hij hoopte krachtige en vastberaden manier. 'Als we nu niet met een leger Macedonië binnenvallen, nu Kassandros in de Peloponnesos druk is met het beleg van Tegea, zal Macedonië voor altijd verloren zijn voor het huis van de Argeaden. Kassandros maakt voorlopig gebruik van de naïviteit van Adea. Hij gebruikt haar en Philippus om Macedonië voor hem vast te houden tot hij zijn handen vrij heeft om zijn hele leger naar het noorden te brengen, en als het zover is, zal hij Philippus vermoorden en Adea de keus geven te sterven of met hem te huwen, waarmee hij legitimiteit krijgt door in de Argeaden te trouwen en zo de deur te openen naar het koningschap.' Hij sloeg met zijn vuist in zijn hand. Olympias en Aeacides staarden hem beiden aan, verrast door de felheid van zijn woorden. Hij deed een stap naar achteren, duidelijk niet op zijn gemak met zijn melodramatische uitbarsting.

Aeacides herstelde zich het eerst en was afwijzend. 'En waarom zou het mij iets kunnen schelen wat er in Macedonië gebeurt? Wat kunnen de Argeaden mij schelen?' Hij dronk zijn beker wijn leeg.

'Omdat als je het niet doet,' zei Olympias op de toon van een ouder tegen een lastig kind, 'je kleinzoon niet op de troon van Macedonië zal komen.'

Aeacides keek verward en hield zijn beker uit om bijgeschonken te worden. 'Mijn kleinzoon?'

'Ja, je kleinzoon. Ben je zo doortrokken van wijn dat je ons gesprek van vijf jaar geleden bent vergeten, toen het oosterse kreng op het punt stond haar jong te werpen? De zoon gebaard door je oudste dochter, Deidamia, en verwekt door mijn kleinzoon Alexander, zoon van Alexander. Die belofte staat nog als je me helpt.'

'Natuurlijk was ik het niet vergeten,' loog Aeacides.

Polyperchon probeerde zijn verbazing te verbergen en keek met nieuw respect naar Olympias. *Dat is een briljant plan, die kinderen zijn dan wel pas vijf jaar oud, maar ze beloven stabiliteit voor de toekomst. Alleen de fanatiekste aanhangers van Kassandros en Antigonos zouden het onaanvaardbaar vinden.*

Aeacides maakte ook de berekening in zijn hoofd, hij trok aan een oorlelletje en liet de wijn in zijn beker draaien. Uiteindelijk gaf zijn gezichtsuitdrukking aan dat hij tot een besluit was gekomen. 'Dat zou inderdaad een machtige verbintenis zijn, glorieus voor mijn huis.'

'Glorieus voor beide huizen,' verbeterde Olympias hem.

'Zeker, voor beide huizen.' Even trok er bezorgdheid over zijn gezicht. 'En de moeder, Roxanna?'

'Irrelevant nu ik Alexander in mijn macht heb; als ze wil blijven leven zal ze moeten doen wat haar gezegd wordt. Ze krijgt comfortabele vertrekken, maar we zorgen uiteraard dat ze geen toegang heeft tot ook maar iets waarmee ze haar giftige brouwsels kan maken, haar liefhebberij zal ze niet meer kunnen uitoefenen.'

'Zou het niet beter zijn om...' Hij liet de vraag in de lucht hangen en keek naar zijn wijn.

'Daar heb ik ook aan gedacht, maar als ik haar dood zou dat haar kind kunnen beïnvloeden, mogelijk keert het zich tegen me, en dat is niet handig voor wat ik in mijn hoofd heb.'

Regeren via hem. Waar sta ik dan? Dood, tenzij ik me vrijwillig aan haar onderwerp. Hij pakte de Grote Ring van Macedonië, trok hem wrikkend van zijn vinger en bood hem Olympias aan. 'Nu Alexander met zijn grootmoeder is verenigd en Adea en Philippus verraad hebben gepleegd door met Kassandros samen te spannen, lijkt me dat mijn taak als regent is afgelopen. Neem hem. Hij is van jou en ik zal je dienen.'

Olympias' ogen lichtten vol machtshonger op. Ze nam de ring, schoof hem om haar wijsvinger en stak haar hand op om hem te bewonderen. 'Erg mooi, echt erg mooi. Goed gedaan, Polyperchon, niet veel mensen zouden zoveel macht zomaar opgeven. Ik had gedacht je ervoor te moeten vermoorden.'

Polyperchon was opgelucht dat hij het goed had geraden. 'Om je de waarheid te zeggen heb ik die macht nooit gewild; ik heb altijd liever gevolgd dan geleid.'

'Dan krijg je nu de kans dat weer te doen.' Ze liet haar hand zakken en richtte zich tot Aeacides. 'Dus dat leger waar we het over hadden, wanneer staat het klaar?'

De koning schudde zijn hoofd, glimlachend. 'Je geeft ook nooit op, hè, Olympias?'

'Niet als ik dat kan pakken wat mij rechtens toekomt, nee. Het leger? Wanneer?'

Aeacides stak zijn handen verzoenend op. 'Goed, goed, we vallen Macedonië binnen.'

'We?'

'Ja, ik ga mee en zal de aanval persoonlijk leiden.'

'Zodat we gezien worden als een vreemde invasiemacht onder leiding van een buitenlandse koning? Ben je echt nog dommer dan ik dacht? Nee toch? Nee, je bent alleen dronken. Ík zal het leger aanvoeren, want ík ben de moeder van de grote Alexander die met zijn zoon naar Macedonië terugkeert en zijn erfenis opeist. Geen enkele Macedoniër zal me de weg durven versperren, zeker ook niet omdat het leger waarmee ik kom geen buitenlandse macht is, maar het leger van Alexanders verloofde, die op een dag een ware zoon van het huis van de Argeaden zal baren. Als haar vader mag je mee, Aeacides, maar ik neem aan dat je begrijpt dat je geen aanvoerder mag zijn, zelfs als je op je benen zou kunnen staan.'

Aeacides glimlachte kil en ontblootte daarbij zijn verkleurde tanden. 'Je denkt ook aan alles, Olympias.'

'Ik moet wel, want niemand anders schijnt het te doen.'

'Goed dan, leid het leger als je wilt, maar wie voert dan het eigenlijke bevel om te voorkomen dat het uit elkaar valt?'

'Suggereer je dat ik geen leger kan aanvoeren?'

'Ik suggereer niets, ik stel het vast.'

'En voor deze ene keer ben ik het met je eens, en daarom heb ik

Aristonous de jongen uit Macedonië laten halen; hij zal mijn generaal zijn. Goed, wanneer kan het leger vertrekken?'

Aeacides gebaarde hulpeloos, niet in staat zich tegen een dergelijke vastberadenheid te verzetten. 'Over zeven dagen op zijn vroegst.'

'Mooi,' zei Olympias goedkeurend. 'We zullen door de pas zijn voordat die dicht sneeuwt; nog voor de winter invalt zijn we in Pella.' Ze keek weer naar de ring en vervolgens naar Polyperchon. 'Wanneer komt jouw leger in het noorden aan?'

'Over zo'n tien dagen.'

'Fantastisch. Hoe lang kan Tegea standhouden?'

'Zeker tot het volgende voorjaar.'

'Weet Kassandros dat?'

'Ik denk het wel,' antwoordde hij schouderophalend. 'Er wordt heel wat afgekletst tussen de mannen, want ze kennen elkaar allemaal van eerdere campagnes.'

Olympias dacht hier enkele ogenblikken over na en kwam toen tot een besluit. 'Kassandros zal zijn beleg afbreken zodra hij van onze invasie hoort, daar ben ik zeker van. Macedonië is voor hem de grotere prijs en hij zal ervan uitgaan dat hij Tegea later altijd nog kan innemen. Jij gaat met mij mee, Polyperchon, en als we Macedonië eenmaal in handen hebben, stuur ik je naar het zuiden om met de Aetoliërs te praten; we hebben ze als bondgenoten nodig, tegen elke prijs. Zij moeten de pas van Thermopylae voor ons tegen Kassandros houden.'

'En als ze weigeren?'

'Ze zullen niet weigeren, niet als je ze uit naam van de koning volledige onafhankelijkheid aanbiedt als ze doen wat we vragen.'

Polyperchon zuchtte bijna van opluchting nu hij weer bevelen kon aannemen van iemand die volkomen zeker was over wat er moest gebeuren. Maar toen schoot hem iets te binnen. 'Hij heeft een vloot, hij kan gewoon langs de pas varen.'

Olympias glimlachte met kille ogen naar hem. 'Omdat jíj erin geslaagd bent jóúw vloot kwijt te raken? Ja, daar heb ik aan gedacht. Maar je hebt in ieder geval één verstandig besluit genomen toen je de ring droeg: je hebt Eumenes tot opperbevelhebber van Azië gemaakt met het recht geld op te nemen uit de schatkist in Cyinda. Toen je me voor het eerst vroeg naar Macedonië terug te keren heb ik hem geschreven; hij raadde me aan een gunstiger tijdstip af te wachten. Dat moment is nu gekomen: ik heb het kind dat me legitimiteit geeft en Eumenes zal inmiddels schepen hebben; ik zal hem bevel geven deze kant op te komen, samen met zijn leger en een hoop goud en zilver. Kassandros zal tussen mij en Eumenes verpletterd worden.'

EUMENES, DE SLUWE

Het was, dat moest Eumenes toegeven, een gedurfd plan dat Olympias voorstelde. Hij had er bewondering voor, want het zou drie dingen bewerkstelligen: ze zouden van Kassandros af zijn; de legers van hem, Olympias en Polyperchon zouden verenigd zijn in Europa, waarmee Macedonië en Griekenland stevig in hun handen waren; en Antigonos en Ptolemaeus zouden in Azië tegenover elkaar staan. *Heel bevredigend; laat ze het maar een tijdje onderling uitzoeken, en als wij ons eenmaal van de trouw van Lysimachus hebben verzekerd – of in ieder geval van zijn afzijdigheid – steken we met ons gecombineerde leger de Hellespont over en rekenen af met Antigonos, met hulp van Ptolemaeus, want die zou wel gek zijn om te weigeren ons bij te staan.* Hij overhandigde Olympias' brief aan Hieronymus, die naast hem lag aan de lage tafel volgeladen met de lekkernijen van zee. 'Ik denk dat ik haar verzoek moet inwilligen, wat vind jij, mijn oude vriend? Als je hem hebt gelezen mag je hem houden voor je boek.'

Eumenes pakte zijn beker en liet Hieronymus de brief lezen. Hij liep naar het raam en leunde op de vensterbank, uitkijkend over de drukke Syrische havenstad Rhosos, aan de zuidoever van de grote baai waar Alexander zijn verpletterende overwinning bij Issos had behaald. De aanblik was aangenaam: de haven, met erachter het theater dat tegen de helling stond, lag vol met schepen die hij in beslag had genomen in Tarsos en langs de kust tijdens zijn mars naar het zuiden naar Fenicië, waarbij Ptolemaeus' garnizoenen zich steeds voor hem terugtrokken. Hij was tot Tyros gekomen en had beseft dat hij de kracht niet had om die stad in te nemen, nog niet in ieder geval. Daarom had hij bij alle belangrijke plaatsen een garnizoen achtergelaten en zich teruggetrokken naar Rhosos, waar hij zijn vloot verzamelde en honderden lokale Fenicische roeiers en zeelieden rekruteerde. Hij had Rhosos gekozen omdat dit de haven het dichtst bij Europa was die hij veilig kon gebruiken voor zijn plan om in ruil voor Macedonische troepen geld naar Polyperchon in Griekenland te sturen, die het dringend nodig had. Maar Olympias had nu een vettere buit aangeboden. Hij nam een lange slok wijn ter ere van haar.

Met een groeiend gevoel van welbehagen ademde hij de zilte lucht diep in en rekte zijn kleine lichaam uit, terwijl hij genoot van de zeemacht die hij aanschouwde: bijna vijftig gevechtsschepen en eenzelfde aantal transportschepen, allemaal onder bevel van zijn Rhodische admiraal Sosigenes. Hij liet zijn blik vervolgens naar het zuiden dwalen, naar het legerkamp, net buiten de stadsmuren, dat bijna even groot was als de stad Rhosos zelf. Hier bevonden zich de talrijke nieuwe huurlingen die hij had aangenomen. Hij maakte een sommetje in zijn hoofd om te bepalen hoeveel er met de vloot mee konden. *Het merendeel, denk ik; met wat er overblijft zal ik de garnizoenen versterken. Ik zal Sosigenes opdracht geven het allemaal te regelen.*

Toen het nieuws van Eumenes' plotselinge rijkdom en zijn voornemen om huurlingen in dienst te nemen zich door de Griekse steden van Europa en Azië verspreidde, kwamen ze met duizenden toegestroomd; zijn leger groeide snel. *Het begint al een fatsoenlijke omvang te krijgen.* Hij was trots op wat hij bereikt had sinds hij het zilver uit de schatkist van Cyinda had genomen. Hij had de illusie in stand weten te houden dat Alexander vanuit het graf het opperbevel voerde door elke ochtend een beraad in de koninklijke tent te houden onder toezicht van de lege troon. Antigenes en Teutamus hadden het aanvaardbaar gevonden bevelen van Eumenes op te volgen zolang die gebracht werden als Alexanders wil. Zijn andere commandanten, Sosigenes, Xennias en Parmida, hadden dergelijke kunstgrepen niet nodig.

En dus was Eumenes elke dag sterker geworden en daarmee nam zijn zelfvertrouwen toe, want hij had nu legitimiteit: hij voerde het bevel in Azië namens de koningen, terwijl Antigonos buiten de wet stond. Het doodvonnis hing hem natuurlijk nog wel boven het hoofd, maar dat was niet meer dan een detail, dat geregeld zou worden zodra er een volledige legervergadering bijeen kon worden geroepen als hij in Europa was. *Kassandros verslaan, de krachten met Olympias en Polyperchon bundelen en dan de zaak van de koningen in Azië weer opnemen. Of koning, enkelvoud, hoogstwaarschijnlijk. Ik denk niet dat Olympias de idioot een moment langer laat leven dan ze fatsoenshalve moet doen als we hem eenmaal in handen hebben.* Eumenes haalde de schouders op bij de gedachte. *Niet erg, zolang het huis van de Argeaden wordt voortgezet met de jonge Alexander. Als ook maar de helft van de geruchten klopt, is Adea net zo erg als de oosterse wilde kat. Hoe dan ook, nu Olympias eindelijk de jonge koning in haar klauwen heeft en Adea de kant van Kassandros heeft gekozen is koningsmoord onvermijdelijk; beter de idioot dan het kind. En dan is Kleopatra er ook nog altijd...*

'Is er nieuws over Antigonos?' vroeg Hieronymus achter hem, terwijl hij Olympias' brief oprolde.

Eumenes draaide zich om en vertrok zijn gezicht. 'Dat is het enige waar ik me zorgen over maak: zijn vloot schijnt in het noorden te zijn, onder bevel van Nearchos. Ze zijn de schade aan het repareren en ruimen de laatste haarden van verzet tegen hem op; maar zelf is hij met het leeuwendeel van zijn leger naar het zuiden gegaan zodra hij hoorde dat ik me heb teruggetrokken uit onze afspraak en het aanbod van Polyperchon heb aanvaard. Onze verkenners kunnen hem iedere dag vinden.'

'Dan moet je snel zijn.'

'Dat zal ik zijn, ik ga direct met Sosigenes praten.'

'De bemanningen van de vloot zijn bijna compleet en het geld uit Cyinda komt als het goed is morgen aan; zodra het aan boord is, heer, kunnen we de manschappen inschepen,' antwoordde Sosigenes vol aanstekelijk zelfvertrouwen terwijl ze door de haven liepen. De admiraal was kaal maar had een volle baard, zijn ogen waren spleetjes door het vele jaren in de verte turen in alle soorten weer. 'Bij elkaar duurt het niet zo lang voor alles klaar is, de rest van de dag en een groot deel van de dag daarna.'

Eumenes stapte over een rol touw. 'We kunnen dus over drie dagen naar Europa vertrekken?'

'Afhankelijk van de stromingen in de baai.'

'Wat bedoel je?'

'Ze veranderen voortdurend, heer. Om een vloot van deze omvang veilig op zee te krijgen moet de stroming bij voorkeur van noord naar zuid door de baai gaan, want dan brengt ze ons de zee op, weg van het land. Soms draait ze om, wat niet erg is voor een enkel schip of een klein groepje, maar bij een grote vloot is het een probleem; als al die schepen verder de baai in worden gezogen kan dat gevaarlijk worden.'

'Dan moeten we maar hopen dat Poseidon met ons is.'

Sosigenes wees naar de kliffen ten noorden van de haven. 'Ik ga daar elke ochtend naar boven om met eigen ogen te zien wat de god van plan is, de laatste dagen lijkt hij zich goed te gedragen.' Zijn gezicht kreeg een guitige uitdrukking, die vijf vrijwel onbruikbare tanden onthulde. 'Maar misschien heeft het wel niets met Poseidon te maken maar komt het doordat het weer zo lang stabiel is geweest.'

Ah, een rationeel man, ik begin steeds meer waardering voor je te krijgen, mijn Rhodische vriend. Eumenes grijnsde en sloeg de man op de schouder. 'Niettemin zal ik enkele offers aan de god laten brengen om zijn blijvende medewerking af te smeken.'

'Als u denkt dat het helpt, heer.'

'Waarschijnlijk niet, maar de manschappen zullen zich geruster voelen als ze weten dat ik enkele witte stieren heb laten slachten. Vooral de Zilveren Schilden.'

'Verspil uw geld niet aan goede stieren voor de Zilveren Schilden, ze zijn rijk genoeg om zelf die offers te betalen als ze echt zo bang voor Poseidon zijn.'

'Daar zou je weleens een punt kunnen hebben, Sosigenes. Ik zal ze het bevel geven zich klaar te maken zodat ze de tijd hebben om aan het idee te wennen.' Eumenes liep weg, geamuseerd door het idee een zeeman te hebben gevonden die absoluut niet bijgelovig was.

De Zilveren Schilden waren echter de oorzaak van een nieuw probleem voor Eumenes, zoals hij vernam toen hij in de koninklijke tent met hun bevelhebber voor de lege troon overlegde, en het had niets met bijgelovigheid te maken.

'Ptolemaeus zeg je, Antigenes?'

De doorgewinterde grijze bevelhebber van de roemrijkste eenheid van het hele leger knikte en schoof ongemakkelijk heen en weer in zijn stoel. 'En niet alleen Ptolemaeus' brieven, maar ook Antigonos' boodschappers; hij heeft zijn oude vriend Philotas gestuurd, samen met dertig veteranen die veel van de jongens kennen; ze hebben veel geld geboden om te gaan muiten, jou te doden en naar Antigonos over te lopen. Ze gaan de jongens straks toespreken.'

'En wat biedt Ptolemaeus?'

'Zijn boodschap was alleen voor mij en Teutamus bedoeld; hij wil dat wíj jou doden.'

Eumenes was geschokt. 'En dat geef je gewoon toe?'

'Je had het vroeger of later toch wel ontdekt en dan had je me kunnen laten executeren omdat ik het verzwegen had.'

'En waarom ben je trouw gebleven; ik neem aan dat je een aanzienlijke beloning is beloofd?'

Antigenes keek spijtig. 'Dat was ook zo, geloof me, aanzienlijk. Maar wat is geld vergeleken met leven? Teutamus was helemaal voor, maar ik heb het hem uit zijn hoofd gepraat. Kijk, Eumenes, jij bent een Griek.'

'Echt waar? Wat bijzonder dat je het hebt gemerkt, ik heb het al die jaren proberen te verbergen. Straks ga je me nog vertellen dat het je ook is opgevallen dat ik klein ben.'

'Wat ik bedoel, Eumenes, is dat jij veel meer behoefte hebt aan vrienden dan Ptolemaeus en Antigonos. Als we jou doden en naar een van de twee overlopen, dan is de kans groot dat ze ons vermoorden omdat we bewezen hebben onbetrouwbare bondgenoten te zijn. Jij daarentegen hebt mij en Teutamus levend nodig.'

Eumenes kon zijn lachen niet inhouden. 'Dit is voor het eerst dat een Macedoniër me uitlegt dat het een voordeel is een Griek te zijn: Grieken hebben Macedonische vrienden nodig, hoe twijfelachtig hun trouw ook is, terwijl Macedoniërs kieskeuriger kunnen zijn.'

Antigenes kon er niet om lachen. 'Het is een oprechte overweging,

Eumenes, ik heb geen zin om na me al die jaren overal doorheen te hebben geslagen nu geëxecuteerd te worden door iemand die me betaalde om een Griek te doden en vervolgens vond dat ik niet langer van nut was. Ik heb te veel rijkdom in de legertros liggen om dat risico te lopen. Nee, ik blijf bij jou.'

'En de jongens?'

Antigenes' door de zon verweerde gezicht kreeg een bezorgde uitdrukking. 'Dat is de belangrijkste reden om naar je toe te komen. Ze gaan zo dadelijk een vergadering beleggen. Als ze besluiten je te vermoorden en naar Antigonos of Ptolemaeus over te lopen, zullen hun levens gespaard worden; niemand wil verantwoordelijk zijn voor het vermoorden van de Zilveren Schilden, maar...'

'Maar Antigonos of Ptolemaeus zal heel wat minder scrupules hebben wat jou betreft, is dat het?'

'Tja, ik geloof het wel.'

Eumenes vermaakte zich. 'En nu wil je dat ik de jongens toespreek om jouw hachje te redden?'

'En het jouwe.'

Ah, de Macedonische militaire geest op zijn best; brutaalweg doen alsof het leven van een Griek hem iets kan schelen, terwijl het hem alleen maar om de gevolgen voor hemzelf gaat als ik mijn leven verlies.

'Ik ben geroerd door je bezorgdheid. Zullen we gaan?'

Antigenes liep de tent uit en keek naar de laagstaande zon. 'Ze komen bijeen als het gaat schemeren, Philotas zal ze toespreken op de paradeplaats.'

'En hij is ondertekend door Antigonos.' Philotas hield de brief op en draaide langzaam rond zodat alle drieduizend man hem konden zien in het flakkerende licht van vele brandende toortsen. 'En hij eist dat jullie je plicht aan hem nakomen.'

Plicht aan iemand die buiten de wet staat, dat is iets nieuws. Eumenes trok zijn wenkbrauwen op, hij stond in de schaduw achteraan bij de vergadering. *En hun plicht aan Antigonos is ongetwijfeld het vermoorden van de rechtmatig aangewezen opperbevelhebber van Azië.*

'Jullie moeten Eumenes direct oppakken en executeren.'

Kijk, hoe verrassend.

'Als jullie dat niet doen, zal Antigonos jullie als verraders beschouwen en met zijn leger tegen jullie vechten.'

Deze opmerking leidde tot luid protest van de aanwezigen.

Philotas bleef staan en stak een hand op in de hoop op stilte; na enige tijd kon hij zich weer verstaanbaar maken. 'Eén man moet voor jullie allen spreken en me zeggen wat er onredelijk is aan Antigonos' eis.'

Een veteraan, sterk en fit en een flink eind in de zeventig, drong naar voren. Hij bleef voor Philotas staan en priemde zijn vinger in de lucht. 'We hebben bevel van de regent om in naam van de twee koningen van Macedonië Eumenes te volgen en Antigonos als rebel te behandelen. Waar haalt Antigonos het recht vandaan dat bevel te negeren?'

Dat leidde tot gebromde instemming van heel wat mannen. *Goed zo, jongens, jullie mogen oude en bekrompen Macedoniërs met weinig hersenen zijn, maar jullie weten te gehoorzamen – als het jullie uitkomt.*

'Antigonos is tot opperbevelhebber van Azië benoemd door Antipatros, die op zijn beurt tot regent werd benoemd door Alexander zelf.' Philotas zweeg even om die naam te laten doordringen; de magie werkte en er daalde absolute stilte neer. 'Het regentschap kan niet van de ene regent op de volgende worden overgedragen; alleen de koning kan hem aanwijzen. Polyperchon is dus geen regent en dus is zijn bevel niet wettelijk. Antigonos is daarmee nog altijd de opperbevelhebber van Azië en de kleine Griek is nog steeds een vogelvrijverklaarde.'

Ik vroeg me al af wanneer mijn lengte een belangrijke factor in de discussie zou worden. Hij heeft niettemin een goed punt en daar moet ik tegenin gaan. Eumenes begon zich een weg naar voren door de menigte te banen.

'Als Polyperchon niet de regent is, wie dan wel?' wilde de veteraan weten.

Philotas haalde op theatrale manier zijn schouders op. 'Dat is niet Antigonos' probleem, hij kan ook niet de juridische knoeiboel ontwarren hoe een regent moet worden aangewezen als geen van de beide koningen daartoe in staat is, dus kan hij alleen...'

'Van de onzekerheid gebruikmaken voor zijn eigen doeleinden,' zei

Eumenes, zijn stem luid en verdragend toen hij bij het middelpunt van de vergadering aankwam. 'Want dat is wat hij doet, nietwaar, Philotas?'

'Eumenes!'

'Goed gezien, de sluwe kleine Griek in eigen persoon. Ik kan alleen maar aannemen dat Antigonos je vriendschap waardeert vanwege je observatievermogen, want het zal zeker niet zijn vanwege enig vermogen om een samenhangend argument te formuleren. Het is zeker Antigonos' probleem, het is in feite ieders probleem: wie is de wettelijke regent? En zolang die juridische knoeiboel – zoals je het zo fraai formuleerde – niet is opgelost, hoe zit het dan?' Eumenes keek rond maar niemand scheen het antwoord te weten. 'Dan zal ik het jullie vertellen. We hebben het op één na beste na een regent aangewezen door Alexander: we hebben een regent aangewezen door Alexanders regent.' Hij spreidde zijn armen met een zwierig gebaar, stak zijn hoofd naar voren en deed zijn ogen wijd open. 'Voorlopig is dat alles wat we hebben. Besef wel dat we zonder Polyperchon geen leider hebben, want hij is degene die opkomt voor de belangen van het koninklijk huis van de Argeaden, niet Antigonos, niet Ptolemaeus en ook niet Kassandros, maar Polyperchon. Hij zet zich in voor de koningen en daarom steun ik hem.' *Het feit dat Adea haar idioot naar Kassandros heeft gebracht zullen we voor het gemak even over het hoofd zien.* 'En aangezien het zo ligt kunnen jullie óf doen waar Antigonos op aandringt, dat wil zeggen mij doden – hier sta ik tenslotte – óf aanvaarden dat ik de wettelijke vertegenwoordiger van de koningen in Azië ben.' Hij hield zijn armen wijd gespreid en draaide een keer rond. 'Hier ben ik, jongens, dood me als dat jullie besluit is, maar weet wel dat als jullie het doen jullie verraders zijn en daarmee verliezen jullie je leven; misschien niet morgen of volgende maand, maar zodra Antigonos is verslagen. En hij zal worden verslagen, want als de zoons van Macedonië zien dat hij geen eergevoel heeft en geen liefde voor de Argeaden, de rechtmatige heersers van Macedonië, zullen ze zich tegen hem keren en hij zal vallen en de oude wet van Macedonië zal triomferen.'

Een oorverdovend gebrul brak plotseling los, Eumenes pompte met de beide vuisten in de lucht om het uit te buiten. *Het was mis-*

schien wat melodramatisch, maar dat kan nooit kwaad en het lijkt te werken – voorlopig. Het is altijd verstandig een beroep te doen op Macedonische vaderlandsliefde, ze zijn dol op een koning.

Het gejuich begon even later om te slaan in een agressief geschreeuw toen een dertigtal mannen door de menigte naar het midden werd gesleept. 'Dood ze!' werd er in koor geroepen.

Eumenes vroeg met een handgebaar om stilte en keek naar Philotas; de veteraan toonde geen angst. Toen het rumoer was verstomd liep Eumenes naar Antigonos' afgezant toe en sprak tot de meute. 'Vinden jullie ook dat deze man moet sterven?'

Er volgden bevestigende kreten.

Eumenes schudde het hoofd, langzaam en beslist. 'En ik zeg nee. Ik zeg dat deze man alleen gedaan heeft wat hem bevolen werd door zijn misleide generaal, net als al deze mannen. Nee, laten we geen oude kameraden doden omdat ze bevelen hebben opgevolgd; als we daaraan beginnen, waar eindigt het dan? Laten we ze terugsturen zodat ze hun vrienden kunnen vertellen dat we ze niets kwaads toewensen; we willen alleen dat de soldaten van Macedonië zich verenigen achter het koninklijk huis der Argeaden.'

Met een volgend zwierig gebaar maakte Eumenes nog meer instemmend gebrul los en de kort daarvoor nog verdoemde mannen werden overeind gezet en broederlijk omhelsd.

Eumenes ging dicht bij Philotas staan. 'Vertel je makker dat hij zich te allen tijden aan me kan overgeven zonder voor zijn leven te hoeven vrezen.' Hij sloeg hem op de schouder en baande zich een weg door de uitbundige menigte. Toen hij Antigenes en Teutamus bereikte was hij inmiddels bont en blauw van de vriendschappelijke klappen. 'Jullie zijn me wat verschuldigd, heren. Vergeet dat niet als we weer in een lastige situatie komen.'

De twee bevelhebbers knikten en mompelden hun dank.

Eumenes zuchtte. *Tja, dat zal wel het toppunt van erkentelijkheid zijn dat een Griek kan verwachten van twee van zulke roemruchte Macedonische veteranen.* 'Breng me morgen direct op de hoogte als de kisten met geld uit Cyinda zijn aangekomen; zodra ze er zijn moeten ze op de schepen worden geladen.'

'Ik voel me nu een stuk beter,' vertelde Eumenes de volgende middag tegen Sosigenes toen de laatste van de dertig kisten vol schatten veilig waren vastgesjord in het ruim van een nieuw ruikende trireem. Hij wendde zich tot Xennias, die naast hem stond. 'We kunnen met het inschepen van de jongens beginnen.'

Xennias salueerde. 'Ze staan klaar in het kamp, heer.'

'Wacht, ik moet eerst nog de stromingen controleren,' zei Sosigenes en hij keek naar de kliffen, 'het heeft geen zin ze aan boord te brengen als we niet kunnen uitvaren.'

'We moeten weg.'

'Ik weet het, alleen als het absoluut noodzakelijk is zal ik het uitstellen.'

Ik ga met je mee om je voortdurend aan dat feit te herinneren.'

'Zoals u ziet, heer,' zei Sosigenes bijna een uur later, wijzend naar iets bruins in het verder turkooizen water, 'drijft afval in de rivier naar het zuiden, onze kant op, en dat betekent dat de stroming gunstig staat en de schepen naar zee zal duwen.'

Eumenes fronste en hield een hand boven zijn ogen tegen de zon die in het water schitterde. 'En hoe zit het met hen?' vroeg hij, zijn stem opeens gespannen. 'Is de stroming ook gunstig voor die vloot?'

Sosigenes volgde zijn blik en zijn adem stokte. 'Welke vloot is dat?'

'Ik weet het niet zeker, maar ik kan het wel raden en het antwoord is niet fijn. Het lijkt erop dat Nearchos klaar is met de reparaties aan Antigonos' vloot. Hoe ver weg zijn ze?'

Sosigenes bestudeerde de veertig tot vijftig silhouetten tegen de ondergaande zon. 'Niet meer dan zes mijl, minder dan een uur.'

Eumenes rende weg.

Maar snelheid hielp hem niet, want toen de vloot naderbij kwam werden de zegetekens op de individuele schepen zichtbaar: de stevens van verslagen vijanden waren trots tentoongesteld op de boeg en de masten hingen vol veroverde banieren, rafelig en gescheurd. En ze kwamen snel, want ze hadden de wind in de rug en ze zeilden ver genoeg uit de kust om geen last van de stroming te hebben.

En toen voer het eerste van Eumenes' schepen de haven uit, gevolgd door twee vlak achter elkaar, en daarna kwam een gestage stroom. Eumenes rende met een hijgende Sosigenes achter zich over de kade en zag lijken in het water drijven en op de kade liggen: de lichamen van officieren die niet aan de muiterij hadden willen deelnemen.

'Philotas en zijn mannen kwamen zodra de andere vloot verscheen,' zei Xennias toen ze naderden. 'Ze wezen onze Fenicische zeelieden erop dat de twee vloten even sterk waren, maar dat die van Antigonos net een grote overwinning had behaald en vol zelfvertrouwen was, zoals duidelijk te zien viel. Dus besloten ze dat ze zich beter bij de tegenstander konden voegen dan proberen zich een weg naar buiten te vechten. Je kent Feniciërs: altijd onbetrouwbaar en bereid om naar een winnaar over te stappen.'

'En om een fortuin te stelen,' zei Eumenes, die de bitterheid niet uit zijn stem kon houden en keek naar de twee vloten die samenkwamen. Over het water kwam gejuich zweven. *Dat krijg je ervan als je iemands leven spaart. Tja, Philotas, de volgende keer zal ik niet meer zo stom zijn.*

'Wat doen we?' vroeg Xennias, zijn hoofd in ongeloof schuddend.

Maar Eumenes' aandacht was afgeleid door de aanblik van Teutamus die aan kwam rennen, zijn verminkte gezicht stond gespannen.

Het nieuws kan niet erger zijn dan wat er net is gebeurd.

'De verkenners zijn terug, Eumenes,' zei Teutamus, die naar adem hapte. 'Antigonos trekt door het Taurusgebergte met een leger van meer dan vijftigduizend man. Wat doen we?'

Eumenes glimlachte. 'Dat is de tweede keer in een tijd van honderd hartslagen dat me dat gevraagd wordt, en beide keren door een Macedoniër. Ik zie er zeker opeens minder Grieks uit.'

Teutamus negeerde de opmerking en keek verbijsterd naar de lege haven, pas nu merkte hij het ontbreken van de schepen op. 'Waar zijn ze?'

Eumenes weerstond de neiging om een even komisch-verbaasde blik op de haven te werpen en wees in plaats daarvan naar de gecombineerde vloot die nu voor Rhosos lag.

'Daar.'

Teutamus slikte. 'Wat doen we?'

'Nu ik die vraag voor de derde keer van een Macedoniër krijg, is het volgens mij tijd een antwoord te geven.' Hij keek naar het westen, naar Europa. 'Tja, met Antigonos ten noorden van ons en zonder een vloot die ons kan overzetten moeten we het idee van een gecombineerd leger in Europa maar laten schieten.' Eumenes keerde het westen zijn rug toe. 'We gaan landinwaarts naar de oostelijke satrapieën en proberen daar een leger op de been te brengen dat groot genoeg is om met Antigonos af te rekenen, die ons ongetwijfeld zal volgen.'

En zo trok Eumenes naar het oosten, zodat Olympias het alleen tegen Kassandros en Adea moest opnemen.

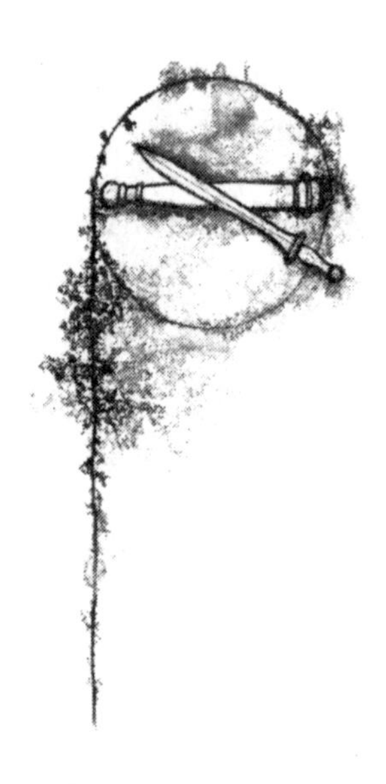

ADEA, DE KRIJGER

Ze dook weg onder het zwaard dat nog geen handbreedte boven de paardenharen pluim op haar helm suisde. Ze bracht haar gewicht naar haar rechtervoet en leunde naar voren om laag in de dij van de krijger te steken, maar ze raakte alleen het met leer overtrokken houten schild dat de man snel had laten zakken. Adea sprong naar achteren, bracht haar schild omhoog om haar keel te beschermen toen haar tegenstander bliksemsnel toesloeg en met zijn rechtervoet naar voren stampte om zo zand op te laten stuiven in haar gezicht, dat veel dichter bij de grond was dan zijn eigen gezicht. Ze weerstond de aandrang om in haar ogen te wrijven, die prikten door een mengeling van stof en zweet, en stootte haar zwaard krachtig omlaag naar zijn voet en raakte die net onder de scheenplaat met de punt van haar bot gemaakte zwaard; de man kreunde van pijn en zette enkele passen naar achteren. Nu kwam haar kans; ze ging naar voren, zijdelings opgesteld en nog altijd laag bij de grond, en beukte met haar schild tegen het zijne, waardoor hij gedwongen werd zijn gewicht op zijn gewonde voet over te brengen. Met een nieuwe kreet van pijn hopte hij op zijn linkerbeen terwijl Adea haar zwaard tussen zijn benen omhoogbracht en de beweging bevroor zodra er contact was met het zachte vlees. 'Je bent dood!'

Kreten van verbazing ontsnapten aan de verzamelde mannen die net getuige waren geweest van de nederlaag van hun commandant, Kassandros' broer Nicanor, tegen een vrouw van net in de twintig.

'Je vecht als een man,' zei Nicanor met tegenzin en hij keek naar het zwaard dat hem een dodelijke wond zou hebben toegebracht als het om een echte tweestrijd in het vuur van een slag was gegaan.

Adea zette haar helm af en gaf hem aan haar lijfwacht Barzid, waarna ze haar haar uitschudde. 'Dat heb je mis, Nicanor: ik vecht als mijn moeder, die heeft het me geleerd, en ze was zeker geen man.' Ze veegde met de rug van haar hand in haar ogen om het stof en zweet te verwijderen.

'Ze was kennelijk een goede leermeester,' zei Nicanor, die vooroverboog om aan zijn pijnlijke voet te voelen; tussen de riempjes van zijn sandaal werd een grote blauwe plek zichtbaar. 'Het is lang geleden dat ik verslagen werd, en dan ook nog eens publiekelijk.' Hij gebaarde naar het zevenhonderd koppen sterke legertje van aanhangers van zijn familie; het ging om cavaleristen van buitengewone kwaliteit en infanteristen die lange marsen aankonden. Van de mannen die Kassandros niet naar Azië waren gevolgd waren de meeste nu naar Pella gekomen om het hart van diens leger te vormen. 'En zeker niet door een vrouw; wat moeten ze wel niet van me denken?' Hij stak zijn armen op en vroeg om stilte. 'Jullie hebben gezien hoe de koningin, koningin Eurydike, kan vechten, nietwaar?'

De mannen antwoordden instemmend, al keken ze wat verbaasd, want geen van hen wist veel van Adea, daar ze altijd in Macedonië onder Antipatros hadden gediend.

'Ik leid jullie op het slagveld, maar zij is de koningin, zij is bevelhebber van het hele leger uit naam van haar echtgenoot, koning Philippus. Soldaten trouw aan mijn huis, accepteren jullie koningin Eurydike als opperbevelhebber van het leger van Macedonië?'

Deze keer bestond het antwoord uit een luid gejuich, terwijl wapens en helmen de lucht in werden gestoken.

Adea knikte tevreden. 'Ze vinden het terecht dat je me het bevel over het leger geeft.'

'Het gezamenlijk bevel, want ik leid nog altijd mijn mannen.'

'Misschien, maar ik neem de besluiten uit naam van mijn echtgenoot, jij steunt die besluiten, of je het er nu mee eens bent of niet.'

Nicanor keek haar aan, duidelijk aangetast in zijn waardigheid; de verhoudingen tussen hen waren gespannen geweest sinds hij opeens bondgenoot was geworden van de vrouw die hem nog maar een paar maanden geleden dood had gewenst. 'De mannen van de landerijen van mijn familie hebben altijd mijn vader gediend en ze zullen jou volgen als ik ze het opdraag, en misschien doen de nieuwe rekruten dat ook, maar hoe zit het met de veteranen van Alexanders campagnes die zijn gekomen? Waar ligt hun trouw als ze voor een koning optrekken tegen een koning?'

'We vertellen het ze morgen als het hele leger aantreedt voor een schouw. We weten nog niet zeker of Aristonous Roxanna en de jongen Macedonië uit heeft gekregen.'

'Coenus en zijn mannen verdedigden de pas tegen ons en hielden het lang genoeg vol om de anderen de kans te geven een Epirotische patrouille te vinden,' vertelde de officier die de achtervolgers had geleid 's avonds aan de raad die nu Macedonië regeerde. 'Toen we ze inhaalden stonden we tegenover een grote overmacht, we hebben negen goeie jongens in het gevecht verloren.'

'Idioten!' schreeuwde Adea, die met vlakke hand op de raadstafel sloeg, waardoor Philippus van schrik wat urine liet lopen en zijn olifant gooide naar de man die zijn vrouw zo van streek had gemaakt. 'Hoe kan het dat drie man negen van jullie doden en jullie zo lang ophouden dat de jongen kon ontsnappen?'

De officier ontweek de olifant en keek boos naar Adea, terwijl een van de twee lijfwachten aan weerszijden van de troon het speelgoedolifantje ging halen. 'We stonden tegenover dappere mannen die gezworen hadden hun koning te beschermen. Mijn jongens waren aanvankelijk onwillig om alles te geven in een aanval; pas nadat we drie man kwijt waren geraakt beseften we dat we harder moesten vechten. We hebben ze gedood omdat ze hun plicht aan hun en onze koning deden; dat kan toch niet juist zijn?'

Nicanor, die naast Hyperia zat, leunde naar voren, hij had zijn ellebogen op tafel gezet. 'Die koning is een verrader.'

'Hoe kan een koning een verrader zijn? Wij waren de verraders toen we zijn lijfwachten aanvielen.'

Adea wees naar de kwijlende idioot op de troon. 'Jullie gingen in naam van de koning! Hij is de koning!'

'Net als Alexander! En nu is hij bij Olympias in Passaron, dat weet ik, want ik ben ze gevolgd. Ze zijn er zeven dagen geleden aangekomen. Is hij daarmee geen koning van Macedonië meer?'

Adea beet op haar tong, want de man had volkomen gelijk: nu Aristonous de jonge koning naar zijn grootmoeder had gebracht was de kans verkeken dat het systeem met twee koningen weer zou werken – als het al ooit had gewerkt. *Een van de koningen moet sterven en ik zal ervoor zorgen dat het niet Philippus is.* 'Ga weg! En prijs je gelukkig dat je niet gestraft wordt voor het niet nakomen van je plicht.'

De officier maakte vaag een saluerend gebaar. 'Wij worden dus met straf bedreigd omdat we onze plicht hebben verzaakt, terwijl zijn broer,' hij wees naar Nicanor, 'goede mannen laat executeren omdat ze de hunne hebben vervuld. We hebben allemaal gehoord wat er met Nicanor van Sindus is gebeurd. Waar staan de mannen van Macedonië nu? Antwoord daar maar eens op, nu jullie er lang genoeg over hebben kunnen nadenken. Wie dienen we eigenlijk?' Hij draaide zich om en liep met ferme pas weg, langs Philippus' lijfwachten bij de troon, en schopte de deur open zonder die weer achter zich dicht te doen.

'Ik zou hem moeten laten executeren,' viel Adea uit.

'Zodat we morgenochtend met een muiterij zitten?' zei Nicanor, met zijn hoofd naar Philippus' lijfwachten wijzend.

'Niemand komt in opstand tegen de rechtmatige koning!'

Hyperia legde een hand op Adea's arm. 'We zitten in een bijzonder delicate situatie, we kunnen het ons niet veroorloven iemand van ons te vervreemden. Een paar maanden geleden bedreigde je me met alles wat mooi en lelijk was omdat ik Nicanor niet aan je wilde uitleveren, terwijl jij hem ongetwijfeld had laten executeren. Nu zitten we samen aan tafel en besturen Macedonië in afwezigheid van Kassandros en in naam van de koningen, al is er nu een in Epirus. Je zou kunnen stellen dat onze samenwerking het gevolg is van jouw verraad, jij hebt immers Philippus weggehaald bij de regent die de ring van Macedonië bezit, hem geschonken door mijn echtgenoot op zijn sterfbed, en je hebt hem uitgeleverd aan de man die vindt dat hij die prijs had moeten krijgen.'

'Ik ben geen verrader.'

'Nee? En toch staat jouw idioot door jou nu tegenover Roxanna's kind; iemand moet dus fout zitten, toch?' Hyperia glimlachte met een mengeling van sympathie en geamuseerdheid en stond op. 'Soms weet ik niet eens meer aan wiens kant ik sta, of misschien beter geformuleerd, soms weet ik niet eens of er wel kampen tegenover elkaar staan of dat er niet gewoon te veel vrouwen zijn die invloed willen hebben.' Met een vragend gezicht draaide ze zich om en verliet het vertrek.

Nicanor stond ook op. 'Ze heeft een punt, Adea. En helaas is het inmiddels te laat om nog te stoppen. De oorlog is naar Macedonië gekomen, hij blijft niet langer beperkt tot het zuiden en Azië, en dat is door jou gekomen.'

'Denk je dat Olympias zal binnenvallen?'

'Dat moet wel. Ze heeft nu een koning bij zich, een koning die haar legitimiteit geeft. Ze zal ongetwijfeld snel komen. Het zou me niet verbazen als ze het leger op dit moment op de been aan het brengen is.'

'Dan kunnen we maar beter optrekken om te voorkomen dat ze de grens oversteekt.'

'En we kunnen maar beter succesvol zijn, want als Olympias wint...' Hij liet de zin in de lucht hangen, knikte naar de koning en vertrok.

Adea keek een tijdje zwijgend voor zich uit en dacht na over de woorden van Hyperia en Nicanor. *Ze hebben natuurlijk gelijk, maar dat kan ik nooit toegeven. Roxanna, Olympias, ik... Als de rivaliteit tussen die oosterse wilde kat en mij er niet was geweest, hadden we nog altijd de twee koningen samen en had Polyperchon het recht aan zijn zijde in zijn verzet tegen Kassandros. En nu Olympias vanuit haar machtshonger Alexander in haar klauwen heeft ontstaat er een strijd waarin niemand het absolute recht aan zijn zijde heeft. Wij hebben deze oorlog die Macedonië zal verscheuren opgeroepen; het zal een strijd op leven en dood worden, er kan slechts één iemand overleven.* Ze keek naar haar echtgenoot, die op zijn troon zat te jammeren, bezorgd over haar ernstige gezichtsuitdrukking. 'Als we morgen het leger inspecteren, Philippus, wil ik dat je nog beter je best doet om koning te spelen dan anders. We willen dat iedereen achter je staat.'

De volgende dag deed Philippus er inderdaad alles aan om koninklijk te lijken, hij friemelde niet met zijn handen en weerstond de neiging om in zijn neus te peurteren terwijl Tychon hem kleedde in het uniform van een koning van Macedonië: brons, zilver en purper met goud en scharlakenrood, waardoor hij voor het ongeoefende oog het evenbeeld van zijn vader was, de veroveraar van Griekenland, Thracië en Zuid-Illyrië; alsof hij was teruggekeerd om zijn leger te schouwen, een leger dat alles op zijn weg opzij zou schuiven.

Maar het leger dat vanaf het paleis over de Heilige Weg langs de nieuwe Philippus paradeerde, met blèrende fanfares en een juichend publiek, was niet meer dan een schim van de legers die Macedonië ooit had voortgebracht. Alleen al de aantallen waren minder nu de meeste soldaten over het rijk waren verspreid en voor diverse krijgsheren vochten. Wat hier marcheerde leek niet meer dan een enkele colonne van het vroegere leger. Maar het was een leger. Opgebouwd rond een kern van Kassandros' volgelingen, mannen die trouw waren geweest aan Antipatros en dat nu aan diens zoons waren. Mannen die in Macedonië waren achtergebleven toen Alexander zijn grote avontuur had ondernomen; mannen wier loyaliteit in de eerste plaats bij Antipatros' clan lag en de leider daarvan zouden volgen, welke koning hij ook steunde. Ze juichten Philippus toe, die met Nicanor en Adea aan zijn zijde te paard voor hen halt hield en hen met een hand in de lucht groette. En de rest van het leger volgde hun voorbeeld, al was het minder enthousiast, want dit waren jonge, nog bijna baardloze rekruten voor wie Alexander een sprookjesachtige mythe was en afgezwaaide veteranen die gehoor hadden gegeven aan de oproep om weer onder de wapenen te komen om het vaderland te verdedigen. Deze mannen van middelbare leeftijd en ouder, hun baarden met grijs doorschoten, waren fanatiek trouw aan de nu dode koning, die hen had meegenomen op de verovering van een groot deel van de wereld. En ondanks de gelijkenis van Philippus met zijn en Alexanders vader, onder wie ze in hun jeugd allemaal gediend hadden, gaven ze minder enthousiast steun aan hem dan Adea had gehoopt.

Zodra het gejuich wat minder werd reed Adea naar voren en stak haar handen omhoog. Met een bronzen kuras en scheenplaten, leren laarzen en een helm met hoge pluim van paardenhaar en veren was ze gekleed als een hoge officier van de Macedonische wapenbroeders: de ervaren en trouwe elitecavalerie. 'Mannen van Macedonië,' schreeuwde ze om zich verstaanbaar te maken, 'jullie koning staat voor jullie.' Ze zweeg even zodat de mannen konden juichen, maar erg enthousiast deden ze dat niet. 'Voor hem trekken we op, we verdedigen ons vaderland tegen de buitenlandse vijand, die uit het westen komt en die we moeten tegenhouden. We kunnen ons niet verschuilen achter de muren van Pella en Pydna, nee, we moeten naar ze toe, ze terugdrijven zodra ze de grens oversteken. We mogen de heilige grond van Macedonië niet laten bezoedelen door de voeten van Epiroten. Het is dus aan ons om naar het westen te marcheren om de eer en de aarde van ons moederland te verdedigen. Zijn jullie daartoe bereid, soldaten van Macedonië? Geven jullie gehoor aan de oproep van de koning?'

Het gejuich was niet overweldigend, maar het voldeed.

'Dan breken we morgenochtend bij het eerste licht op, we marcheren voor onze koning en ons land! We marcheren voor ons allen, voor Macedonië en voor Philippus!'

Nu brulden de mannen hun instemming uit; Adea haalde opgelucht adem. *Het is nu tussen jou en mij, Olympias.*

OLYMPIAS, DE MOEDER

Olympias keek naar de acht mannen die voor haar stonden, voor haar tent in het legerkamp, dat twee dagmarsen van Passaron was opgezet. Ze voelde afkeer, ze had Thraciërs nooit gemogen, en zeven van de mannen voor haar waren Thracisch gekleed, met stinkende mutsen van vossenbont op, zo rood als hun baard, laarzen tot aan hun knieën en smerige tunieken en mantels. Ze hadden geweigerd hun rhomphaia af te geven, die over hun rug hing, en daarom werden ze door een fors escorte bewaakt en op afstand van Olympias gehouden. Maar de achtste man, ongewapend en op slechts vijf pas van haar, was degene die haar interesseerde, want ze had veel gehoord over Archias de ballingenjager, maar ze had hem nog nooit gezien. En nu stond hij voor haar, hij was heel anders dan ze zich hem had voorgesteld: een rond, glimlachend gezicht met pretogen; was hij nou een moordenaar? En toch had hij ook iets kils, zijn reputatie was hem vooruitgesneld en bracht schrik bij eenieder die reden had om over zijn schouder te kijken uit angst voor de dolk van een sluipmoordenaar. Ze had vele malen verwacht dat Antipatros Archias op haar zou afsturen, maar ofschoon ze doodsvijanden waren en ze meerdere keren opdracht had gegeven de oude regent te laten vermoorden of vergiftigen, had hij nooit geprobeerd om haar uit de weg te ruimen; misschien had hij het niet aangedurfd Alexanders moeder te doden, maar Archias had ondanks zijn milde voorkomen, zo zag Olympias, geen last van dergelijke scrupules.

'Of het nu Iollas was die Alexander het gif toediende, als hij al vergiftigd werd,' zei Archias, die meteen het onderwerp aansneed, zijn stem nonchalant, 'weet ik niet, want ik was toen niet in Babylon. Wat ik echter met zekerheid kan zeggen is dat Kassandros me vroeg een bepaald gif te kopen in Tarsos, wat ik voor een fraaie beloning inderdaad heb gedaan, en hij nam het mee naar Babylon, verstopt in een uitgeholde muilezelhoef. De rest is pure speculatie. Ik geef alleen de feiten; dit is niet iets wat ik van geruchten heb.' Na deze uitspraak maakte hij een overdreven buiging, alsof hij het applaus van een enthousiast publiek in ontvangst nam.

Olympias zat bewegingsloos, ze kon haar kille haat maar met moeite bedwingen. Ze had altijd al vermoed dat het zo was gegaan; ze had het altijd ook beweerd, maar in haar hart was ze nooit volledig overtuigd geweest. Zelfs toen ze *De laatste dagen en het testament van Alexander* opgestuurd had gekregen van haar dochter Kleopatra, waarin dit verhaal uit de doeken werd gedaan, had ze altijd rekening gehouden met de mogelijkheid dat het propaganda was, hoezeer ze het ook wilde geloven. Maar nu stond een van de hoofdrolspelers voor haar en hij gaf zijn rol volmondig toe; het was bijna onverdraaglijk. Ze wist niet of ze moest huilen van opluchting of schreeuwen uit een brandend verlangen naar wraak.

Na een tijdje wist Olympias greep op zichzelf te krijgen en wendde ze zich tot Aristonous, wiens mannen Archias en zijn Thraciërs bewaakten. 'En?' vroeg ze met gespannen stem. 'Jij was erbij; snijdt het hout?'

'Ik was niet in Tarsos, dus ik kan niet zeggen of Archias het gif aan Kassandros heeft geleverd, maar Polyperchon was in die tijd in Cilicië.'

'Ik weet nog dat Kassandros er op doorreis was,' zei Polyperchon, 'maar ik heb Archias niet gezien; misschien had hij het gif, misschien niet; maar we weten hoe dan ook wat er gebeurde kort nadat Kassandros in Babylon aankwam, en we weten allemaal dat Iollas onverwacht Alexanders schenker werd. Ik heb geen reden om aan de woorden van deze man te twijfelen en wel alle reden hem te geloven, want waarom zou hij tegen je liegen en het gevaar van jouw aanzienlijke woede over zich afroepen?'

Olympias knikte en keek weer naar Archias, wiens gezicht kalm en zorgeloos stond alsof hij een plezierige dagdroom had. 'En waarom ben je gekomen om me dit te vertellen terwijl je weet dat je je daardoor mijn woede op de hals kunt halen?'

'Ptolemaeus heeft me betaald om het te doen; hij wilde dat u geen twijfel over de waarheid had.'

Ptolemaeus wil dus dat ik ingrijp? 'Ah, dus Ptolemaeus wil me zijn vuile zaakjes laten opknappen, hè? Ik zie wel hoe zijn achterbakse geest werkt. Heel slim.' Olympias keek Archias met harde ogen een tijdje aan; hij gaf geen krimp en leek zich ook onder haar intense blik geen zorgen te maken. 'Het verhaal is dus echt waar? Jij hebt het gif geleverd aan de man die mijn zoon heeft vergiftigd.'

'Ik heb het gif geleverd aan de man die mogelijk uw zoon heeft vermoord, dat ontken ik niet. Ik geef ook toe dat de manier waarop het gif werkt heel goed past bij de manier waarop Alexander stierf. Maar ik ontken dat ik wist wat Kassandros met het gif van plan was toen hij me vroeg het hem te leveren. Vanwege dát feit vond ik dat ik Ptolemaeus' opdracht kon aanvaarden en ben ik hiernaartoe gekomen om u de waarheid te vertellen.'

'En waarom zou ik je niet doden alleen omdat je niet wist wat hij met het gif ging doen?'

Archias wendde een blik van verbazing voor. 'Dat leek me reden genoeg; maar als u nog een reden nodig hebt om ons leven te sparen en niet dertig man wilt verliezen in een poging ons te vermoorden – zonder de zekerheid dat het lukt – bedenk dan het volgende: als u deze kleine oorlog waarop u uit lijkt te zijn wint, dan zit u waarschijnlijk met een aantal gevangenen die een probleem vormen; gevangenen die u het liefste dood ziet, maar niet zelf wilt vermoorden. En welke Macedoniër is bereid een dergelijke daad tegen heilig bloed te plegen? Daar laat ik het bij.' Hij boog opnieuw alsof hij toegejuicht werd door een denkbeeldig publiek.

Hij heeft gelijk en hij is uitstekend geschikt; geschikt voor heel wat van mijn klussen. 'Hoeveel betaalt Ptolemaeus je?'

Archias keek dodelijk beledigd. 'U kunt niet van me verwachten dat ik over mijn afspraken met mijn opdrachtgevers spreek, Olympias. Ik ben een uiterst discreet man.'

Olympias weerstond de drang om de dood van die brutale vent te bevelen. 'Goed dan, ballingenjager, je blijft bij het leger als we Macedonië binnentrekken. Als ik jullie kan gebruiken, dan blijven jullie in leven, indien niet, dan is het gedaan met jullie.'

Hij boog weer terwijl ze wegbeende. '"Als vlagen wind drijft haar wil haar voort."'

'Het is dus waar,' zei Olympias, sissend tussen haar tanden van agitatie, toen ze haar tent betrad. 'Ik geloof hem.'

Thessalonike keek op van het boek waar ze in zat te lezen. 'Ja, ik heb hem gehoord. Wat gaat u doen?'

Olympias' ogen brandden van haat. 'Wat ik ga doen? Ik ga elk spoor van Antipatros' familie van de aarde wegvagen, tot aan de neven en nichten in de zesde graad en nog verder. Ik zal ongenadig wraak nemen op de familie die de grootste zoon van Macedonië heeft gedood; mijn zoon!'

En met een duister hart leidde Olympias haar leger door de pas in het Pindusgebergte naar Macedonië; een hart dat elke dag duisterder was geworden tijdens de zes dagen van de mars nu ze zeker wist wat ze altijd al had vermoed. Ze deed niets tegen de woekerende kanker in haar. Integendeel zelfs, ze voedde haar haat, koesterde die bijna, want het was de brandstof die ze zou gebruiken om haar wil op te leggen aan het land dat haar de macht had ontzegd en haar had afgewezen; het land dat ze al vijf jaar niet meer had gezien, en toen ook alleen heel kort na negen jaar van ballingschap. Het land van de moordzuchtige clan die uit jaloezie haar zoon had omgebracht toen hij op het hoogtepunt van zijn successen stond; de clan die haar vervolgens had buitengesloten van de overeenkomst die in De Drie Paradijzen was gesloten. Nee, Olympias wilde dat haar hart nog zwarter was als ze Pella bereikte, zodat haar wil haar zou voortstuwen, als windvlagen, zoals Archias zo passend uit Sophocles had geciteerd. Niemand van die clan zou het overleven.

Ze voelde opluchting toen haar verkenners meldden dat het leger van Macedonië, zo'n tienduizend man sterk, zich op slechts een halve dagmars afstand bevond. 'We trekken verder en zullen morgenochtend slag leveren, Aristonous.'

'Ik kies liever hier het slagveld. We moeten ze hier opwachten.'

Olympias schudde het hoofd. 'Ik ben evenveel waard als welk hooggelegen terrein geflankeerd door bossen en rivieren dan ook. Nee, we marcheren door en maken zo snel mogelijk contact; ik wil in Pella zijn als het vollemaan is. Ik heb er dringende zaken af te handelen.'

De driekwart maan zorgde voor een bleek licht bij het bosje, waar Olympias, wiegend op het ritme van de muziek, haar fallus van vijgenhout omhoogbracht, tot boven haar hoofdtooi van klimop. Met een klap van de cymbalen hieven de vereerders een lied aan, een hymne aan Dionysus: 'Ik roep de razende en onstuimige Dionysus aan. De eenmalige, dubbelzinnige, driemaal geboren bacchantische heer...' Vreugde wervelde door haar hele wezen toen ze de geliefde hymne zong; ze was nu zo dicht bij de voltooiing van haar intriges dat ze het bloed dat ze zou laten vloeien bijna kon proeven, ze kon bijna het geschreeuw en het gesmeek om genade horen, vol verwachting klopte haar duistere hart gelukzalig in haar keel.

'... hoor mijn stem, o gezegende, en adem, met uw slanke nimfen, in een geest van volmaaktheid op me.'

De hymne eindigde met tromgeroffel; de witte stier werd verdoofd en vervolgens geslacht met de dubbele bijl, gehanteerd door een reusachtige man gewikkeld in klimop en met een enorme erectie. Het scherp van de bijl flitste omlaag en sneed door de stierennek, sloeg door de wervels en deed bloed spuiten, donker in het toortslicht.

'*Euoi! Euoi!*' brulden de gelovigen eenstemmig; op het ritme van de zang pompten de mannen met een thyrsus in de lucht, een dikke venkelsteel bedekt met klimop en een dennenappel op de top, terwijl de vrouwen met hun fallus zwaaiden voor het volgende onderdeel van de ceremonie. Omdat er geen nieuwelingen geïnitieerd werden, werd de met klimop gekroonde reus die de grote bijl had gehanteerd ritueel gestenigd op het versnellende tempo van fluiten, trommels en cymbalen; de rondwervelende deelnemers sloegen wijn naar binnen terwijl een doodsbange geit naar het midden werd geleid.

Olympias naderde de vergetelheid toen ze, na een bloedige jacht, het vlees van het trillende en schokkende lichaam van het dier trok, zijn bloed mengde zich met de wijn op de reekalfvacht die haar naakte lichaam bedekte. De vergetelheid werd volledig toen ze ruw gepenetreerd werd, door wie wist ze niet, en ze zich met het onophoudelijke stoten naar een seksuele en religieuze extase toe werkte.

En zo verscheen ze als bacchante, bebloed en druipend, aan het hoofd van het leger dat zich in het ochtendgloren voor de slag begon te formeren: ze droeg nog altijd de hoofdtooi van klimop, inmiddels flink verfomfaaid, net als het reekalfvel, vol vlekken van bloed en lichaamssappen; maar ze had haar fallus weggelaten en ging met de mannelijke thyrsus de slag in.

Als Aristonous verrast was door het uiterlijk van zijn opperbevelhebber en het slaapgebrek dat duidelijk aan haar gezicht viel af te lezen, dan wist hij dat goed te verbergen. 'We zijn vrijwel gereed, koningin Olympias,' kondigde hij aan. Mijn cavalerie is op beide flanken in positie, net als de lichte infanterie; ik wacht alleen nog op bericht van Polyperchon dat de falanx zich heeft opgesteld, daarna kunnen we optrekken.'

Olympias haalde diep adem, de lucht friste haar op. 'Mooi. Waar is de jongen?'

Aristonous wees op een groepje cavaleristen dat voor de zich formerende falanx stond. 'Thessalonike zorgt voor hem.'

'En de barbaarse?'

'Roxanna is in haar tent en wordt bewaakt; ze eist je te zien.'

'Ze kan eisen wat ze wil. Het zal snel genoeg tot haar doordringen dat ze irrelevant is nu ik het kind heb; nutteloze ballast waar we ons helaas niet van kunnen ontdoen – nog niet in ieder geval. Zeg Thessalonike dat ze op mijn signaal moet wachten.' Ze keek naar het leger van Macedonië, dat uit zijn kamp tevoorschijn kwam, nog geen mijl verderop. De manschappen stelden zich op de top van een heuvel met een lange, licht aflopende helling op, die ze de vorige avond hadden ingenomen. 'Het zal ze niet helpen dat ze op hoger terrein staan; niet nadat ik mezelf en de jongen heb getoond. Is er veel contact tussen de kampen geweest vannacht?'

'Aardig wat, ik heb bevel gegeven niet in te grijpen omdat je... tja, niet aanwezig was.'

'Mooi, dan weten ze dus al dat ze tegenover Alexanders zoon staan. Dat geeft ze iets om over na te denken als de legers elkaar naderen.'

Onder tromgeroffel leidde Olympias, inmiddels te paard, haar leger naar voren zodra Polyperchon had aangegeven dat de falanx, zevenduizend man sterk, gereed was. De mannen liepen tegen de helling op met de vastberaden pas van soldaten die slag willen leveren; lichte infanteristen zwermden voor hen uit en lichte cavalerie dekte de flanken, terwijl daarachter de wapenbroeders kwamen, met hun lansen over de schouder en hun paarden in ordelijke rijen; het was een indrukwekkend gezicht.

Maar het leger van Macedonië deed er niet voor onder. Het stond boven aan de helling en was bijna het spiegelbeeld van de tegenstander, zowel in omvang als in opstelling. In normale omstandigheden zou het een gelijke strijd worden. Maar Olympias was vastbesloten dat het vandaag absoluut niet normaal zou verlopen. De hoorns bliezen halt op tweehonderd pas van de vijand.

Afgezien van een enkel hinnikend paard, hier en daar een stampende hoef en gekletter van wapenrusting heerste er een broedende stilte op het slagveld. De twee legers keken elkaar aan, de lichte infanterie vooraan. De wind speelde met helmpluimen, mantels en banieren. Olympias liet de spanning oplopen, ze wist dat Adea niet als eerste het sein tot de aanval zou geven, want dan moest ze haar hoge positie prijsgeven. Ze bleven elkaar aanstaren, de soldaten van de twee legers, het duurde maar voort en de stilte werd dieper, terwijl de spanning opliep op het woeste terrein dat tussen de twee koninkrijken lag en waar vrijwel niemand meer woonde na eeuwen van invallen over en weer.

En toen, toen ze het niet langer kon verdragen, gaf Olympias de lichte infanterie het bevel zich terug te trekken; ze verdwenen door de openingen die met dat doel in de falanx waren gelaten. Olympias kwam zo in het zicht, een bereden bacchante aan het hoofd van een leger. Ze dreef haar paard naar voren, naar het open veld tussen de twee legers. Halverwege gekomen stopte ze en stak haar thyrsus hoog boven haar hoofd.

Opnieuw liet ze stilte over het slagveld dalen, terwijl de mannen van het vijandelijke leger haar opnamen; voor velen, zo wist ze, was dit de eerste keer dat ze haar zagen. Ze kon Adea en Philippus zien, beiden eveneens te paard, in het midden van de falanx. *Ze draagt een wapenrusting, alsof ze daarmee autoriteit over de mannen heeft; nou, dat zullen we nog weleens zien.* 'Mannen van Macedonië!' Haar stem was helder ondanks de slapeloze nacht van bandeloosheid. 'Velen van jullie kennen me, maar voor wie dat niet zo is: ik ben Olympias, moeder van Alexander en grootmoeder van de huidige koning met dezelfde naam.' Ze keek om en wenkte Thessalonike voorwaarts; ze kwam met Alexander voor haar in het zadel. Ze stonden naast elkaar, naar het leger van Macedonië gewend. Opnieuw liet ze de stilte haar werk doen terwijl de vijand de jongen kon zien.

'Hier is Alexanders zoon en hier zijn Alexanders moeder en zijn halfzuster; willen jullie, mannen van Macedonië, tegen ons optrekken?'

Krijg ze maar eens zover, Adea.

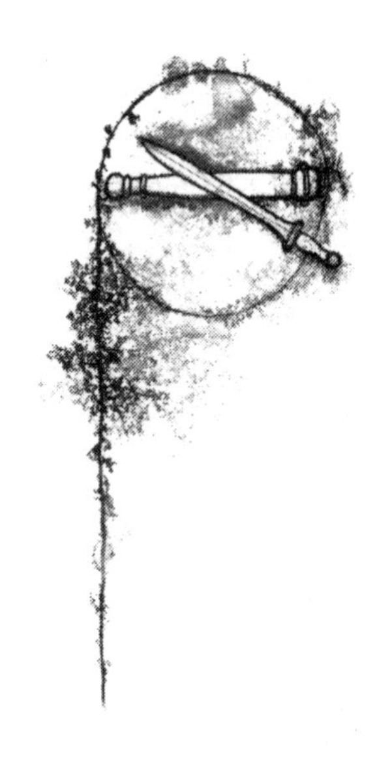

ADEA, DE KRIJGER

Adea keek naar links en naar rechts toen Olympias haar uitdaging schreeuwde, dit was een cruciaal moment: waren de mannen bereid te vechten tegen de naaste verwanten van Alexander?

Eerst was het nauwelijks hoorbaar, een zachte fluistering die op de wind werd meegedragen, een ondertoon, maar het was er. En Olympias moest het ook gehoord hebben, want ze riep opnieuw: 'Willen jullie tegen ons optrekken?'

Het voelde alsof een pijl haar hart trof toen de eerste 'Nee!' opklonk. Ze wendde haar paard toen de kreet werd overgenomen en door de rangen van de veteranen ging.

'Dat is jullie vijand!' gilde ze, achter zich wijzend; en vervolgens wees ze naar Philippus. 'En dat is jullie koning.' En toen besefte ze de omvang van haar misrekening.

De eerste piek werd in de grond gestoken.

En toen een tweede en een derde, gevolgd door een golf van wapens die langs de hele linie werden weggegooid. 'Nee! Nee! Nee!' klonk het overal en de schilden landden bij de pieken op de grond. Adea keek om zich heen, paniek welde op in haar borst nu de muiterij om zich heen greep; nergens zag ze een gezicht dat met haar sympathiseerde, tot haar blik de uiterste rechterkant van de falanx bereikte. Daar stond nog een klein deel pal, met Nicanors cavalerie ernaast.

Soldaten liepen uit hun linie weg, niet om haar of Philippus iets aan te doen, maar om naar Olympias toe te gaan, die daar nog altijd stond met haar thyrsus hoog in de lucht, terwijl ze de hymne van Dionysus zong. Nu ze gevaar liep overspoeld te worden door haar eigen troepen die bezig waren over te lopen, greep Adea de teugels van Philippus' paard en reed langs de linie naar de standvastige troepen van Antipatros' clan.

Maar voordat ze die bereikten merkte iets diep in Philippus' mistige brein een dreiging op voor zowel hemzelf als zijn vrouw; de drang om te beschermen kwam als een oerkracht op. Hij rukte de teugels uit Adea's greep, hield zijn olifant richting Olympias en dreef zijn paard naar voren.

'Nee, Philippus!' schreeuwde Adea toen de koning in galop overging, waarbij hij menig soldaat die zich aan het verbroederen had overgegeven omverreed. 'Nee! Kom terug!' Maar het was te laat; in zijn simpele geest was een charge met een speelgoedolifant hetzelfde als een aanstormende kudde van echte dieren. Zwaaiend met het houten speelgoeddier en trompetterend galoppeerde hij voort, wat eerst tot verbazing leidde en daarna tot gelach van allen die de merkwaardige aanval zagen. Zijn lijfwachten kwamen achter hem aan maar door de drukte van mannen op hun pad konden ze hem niet inhalen.

Hulpeloos keek Adea naar de dappere en goedbedoelde charge die langzaam vastliep in de vloedgolf van overlopende soldaten, zijn paard zat opgesloten en kon niet meer verder, zijn lijfwachten werden van hun rijdieren getrokken en verdwenen in de menigte. Als ze naar hem toe zou rijden zou ze in de klauwen van Olympias vallen en dus, nu nog niemand haar met een vinger durfde aan te raken vanwege haar Argeadenbloed, dat haar onschendbaar maakte, baande ze zich een weg door de massa van overlopers, met Barzid aan haar zijde, richting de relatieve veiligheid van Nicanor en zijn mannen.

Maar terwijl zij door haar bloed geen gevaar liep, was dat anders voor Barzid; zwaarden zwaaiden zijn richting uit, en toch durfde hij niet terug te vechten, uit angst zijn aanvallers uitzinnig te maken, en dan zouden ze zich weleens tegen zijn beschermeling kunnen keren, van wie hij nu de aandacht afleidde.

Adea gilde toen hij met bloedende wonden neerging.

'Weg!' schreeuwde hij voordat hij tussen de mannen die aan hem trokken verdween. 'Ga weg!'

En ze ging, beseffend dat zijn offer haar slechts een paar hartslagen zou opleveren voordat ze zich op haar zouden storten, hun bloeddorst gewekt en hun respect vergeten.

Ze dreef haar paard voort, zocht een weg door de drukte, vermeed de ogen van de mannen.

'Ze hebben Philippus,' schreeuwde Nicanor toen ze vlakbij was, 'we moeten weg, we hebben geen legitimiteit meer.'

De waarheid van die uitspraak trof Adea met een overweldigende kracht. *Ik ben niets zonder hem; ik ben alleen nog de kleindochter van Alexanders vader, maar wat is dat vergeleken met zijn moeder, zoon en halfzuster, allemaal bij elkaar?* Tranen welden op terwijl ze omkeek, op zoek naar Philippus, die nog altijd te paard zat en met zijn olifant zwaaide. Hij werd weggeleid door de mannen die onlangs nog trouw aan hem hadden gezworen.

'Kom,' zei Nicanor, 'we kunnen hier niets meer doen, we moeten naar Macedonië terug en ons daar op mijn landerijen verschansen tot Kassandros naar het noorden komt en ons ontzet.'

Adea knikte, niet in staat iets samenhangends te zeggen; haar wereld en ambities lagen opeens aan gruzelementen, en de oorzaak daarvan was een vrouw tegen wie ze het nooit had moeten opnemen, dat had ze moeten beseffen.

Maar nu waren er andere prioriteiten, ze moesten vijfhonderd man cavalerie en tweehonderd man infanterie uit het desintegrerende leger zien te krijgen en hen meenemen naar Nicanors landerijen ten noorden van Pella. 'Ik geef je een escorte mee,' zei Nicanor, 'je moet hier zo snel mogelijk weg. Zo is het veiliger voor ons allebei.'

Adea keek hem verbaasd aan. 'Hoezo?'

'Ze zullen minder snel bereid zijn hun leven te wagen in een aanval op ons als jij niet bij ons bent, en ik kan mijn cavalerie gebruiken om eventuele ruiters die ze achter je aan sturen te vertragen.'

Adea overpeinsde even haar mogelijkheden, ze hoefde niet lang na te denken. 'Ik ga.'

Nicanor gaf twaalf man opdracht om met haar mee te gaan. 'Rijd zo hard als je kunt en neem een schip naar het zuiden, naar mijn broer, bij hem ben je veilig.'

Ze dankte Nicanor, ook al besefte ze heel goed dat haar escorte eerder bedoeld was om haar te bewaken dan te beschermen. Ze keerde haar paard naar het westen, maar was absoluut niet van plan zijn raad op te volgen, want ze wist dat zonder haar echtgenoot Kassandros niets aan haar had; als ze naar het zuiden ging zou ze het niet overleven. Ze kon maar één kant op, en dat was naar het noorden, naar het land van haar grootmoeder, naar Illyrië. *Ik wacht tot het donker is en dan glip ik weg.*

De duisternis was vroeg gekomen, want ze waren voorbij de herfst-equinox en de dagen werden snel korter. Adea lag met opgetrokken benen onder haar mantel in het donker, ze hadden geen vuur aangestoken uit angst voor eventuele achtervolgers. Met gesloten ogen lag ze te wachten en deed alsof ze sliep. Rondom haar hoorde ze steeds meer mannen snurken. Een man was opgebleven als wacht, hij zat vlak bij haar, maar niet zo dichtbij dat het leek alsof hij haar in de gaten hield in plaats van op indringers te letten.

Ze schatte het moment waarop de wacht halverwege zijn dienst was en kroop onder haar mantel vandaan en sloeg die om haar schouders en sloop gebukt in tegenovergestelde richting van de wacht.

'Waar gaat u heen?' vroeg de man scherp maar fluisterend.

Adea wachtte even en draaide zich om. 'Een privémoment, als je het doen en laten van een koningin wilt weten.'

De wacht gromde en stond op. 'Niet zo privé dat ik u niet meer kan zien.'

Dan ben je dood. Adea haalde haar schouders op en liep verder. 'Dan zou het niet privé zijn.'

De wacht zei niets en volgde haar tot voorbij het punt waar de paarden stonden.

Hij zag het mes niet komen toen het door de duisternis boorde en in zijn keel verdween, terwijl een hand hard tegen zijn mond drukte zodat er niet het geringste gekreun aan hem ontsnapte. Hij ging neer, zakte door zijn knieën en wist zich niet te verzetten toen het leven hem verliet.

Adea wachtte tot de laatste stuiptrekking overging in een reeks steeds zwakker wordende rillingen en liet haar greep verslappen. Snel pakte ze het zwaard en de dolk van de dode man, maakte haar paard en nog een tweede los en leidde ze te voet naar het westen, de nacht in. Pas toen ze op een flinke afstand van het kamp was durfde ze haar paard te bestijgen. Het vage licht van de driekwart maan was voldoende om haar weg te vinden.

Na een uur hoorde ze nog steeds geen geluiden van achtervolgers en daarom meende ze dat het tijd was om af te buigen naar het noordwesten, en door de heuvels naar de rivier de Haliaomon te trekken. Als ze die verder naar het noorden volgde kwam ze in Illyrië. Terwijl de maan zakte reed ze door, omhoog en omlaag, kronkelend door het ruige terrein, dat slechts vaag zichtbaar was, maar dat gaf haar juist moed, want haar sporen waren vrijwel onzichtbaar zolang de dag nog niet was aangebroken. Toen het eerste daglicht op haar viel was ze inmiddels zo'n tien mijl van het kamp van haar bewakers vandaan, de zon kwam net boven de bergen in het oosten op en ze keek uit over het dal van de Haliaomon.

Met toegenomen zelfvertrouwen wisselde Adea van paard en verhoogde haar snelheid. De merrie waar ze nu op reed was zeker van haar pas nu er voldoende licht was om het terrein goed te zien. Ze volgde de rivier door het dal. Ze stopte alleen even om haar paarden in de rivier te drenken en ze van de spaarzame vegetatie te laten grazen, terwijl ze zelf op een stuk oudbakken brood kauwde. Daarna ging het weer verder, steeds zo veel mogelijk naar het noorden als het terrein dat toeliet. Pas een flink eind in de middag stopte ze opnieuw om tijdens het heetst van de dag enkele uren te rusten. Het gevoel van hoop in haar hart begon langzaam op te bloeien toen ze de bergen in trok waar de rivier zijn oorsprong had. Ze ging op zoek naar de pas die haar naar het dal van de Eordaikos zou brengen, de rivier die naar Illyrië stroomde. Ze kende deze woeste streek, want ze had vaak gejaagd in het grensgebied tussen haar geboorteland en het land van haar grootmoeder, en de opbloeiende hoop ging over in een groot optimisme, zodat ze geen zorgen maar opluchting voelde toen ze in de verte ruiters zag bij de toegang tot de smalle pas die haar naar haar bestemming zou leiden. Pas toen het te laat was besefte ze dat het geen landgenoten waren, maar een eenheid prodromoi, dezelfde eenheid die ze achter Roxanna aan had gestuurd toen die van Macedonië naar Epirus vluchtte, en die nu trouw had gezworen aan Olympias en Alexander. Ze hadden haar plan geraden en wisten de pas eerder te bereiken dan Adea.

Adea keerde met de bedoeling te vluchten, maar uit de heuvels aan weerszijden doken meer ruiters op, die haar vluchtweg blokkeerden. Met doodsverachting nu haar leven ten einde leek stormde ze met getrokken zwaard direct op hen af, de oorlogskreten slakend van de krijgers uit het land van haar jeugd, dat zo dichtbij en zo onbereikbaar was. Maar haar paard was moe en het terrein was ruw, zodat de charge uit een voorzichtige galop bestond, recht op de naar voren gerichte lansen af van de haar tegemoetkomende cavalerie; zo lang waren de lansen dat haar merrie dood was en neerging voordat haar zwaard het laatste bloed van haar leven kon oogsten. Ze sloot haar ogen terwijl ze op haar rug viel, zich voorbereidend op de speerpunten die haar naar ze wist zouden doorboren, maar ze voelde alleen een felle pijn toen ze met haar hoofd tegen een steen sloeg.

'Olympias wist dat u nooit naar Macedonië zou terugkeren zonder de bescherming van de idioot,' hoorde ze, terwijl de waas die ze zag langzaam veranderde in een officier met een brede grijns die boven haar stond. 'Het lag voor de hand dat u naar Illyrië zou gaan en dan zou u door deze pas moeten. Ze heeft ons op pad gestuurd zodra we zagen dat u met Nicanors escorte naar het westen vertrok. We hoefden maar een halve dag te wachten. U hebt het behoorlijk snel gedaan.'

Adea probeerde te gaan zitten, maar haar armen gehoorzaamden niet, ze waren gevoelloos door de boeien. 'Maak me los; ik ben een koningin!'

'Ooit was u mijn koningin, nu bent u mijn gevangene. Een erg waardevolle en ik heb opdracht u naar Pella te brengen; ik kan het risico niet lopen dat u ontsnapt. Mijn leven is niets meer waard als ik zonder u bij Olympias aankom.'

Olympias keek naar Adea terwijl twee soldaten op haar schouders duwden om haar op de knieën te dwingen. Ondanks haar vernedering wilde Adea Olympias niet het plezier doen zich verslagen te betonen en ze beantwoordde de blik door strak terug te kijken.

'Er zit dus nog verzet in het manwijf, zie ik dat goed?' Olympias trommelde met haar vingers op de armleuning van de troon van Macedonië.

Adea keek naar de hand en haar ogen gingen wijd open.

Olympias glimlachte, kil en triomfantelijk, en keek naar de Grote Ring van Macedonië aan haar vinger. 'Mooi, hè? En hij staat me goed, vind je ook niet?'

Het leek Adea beter om niet te antwoorden.

'Het is met ringen zo,' ging Olympias verder, 'dat ze maar door één persoon tegelijk kunnen worden gedragen.' Ze klopte op de armleuning. 'Met tronen is het hetzelfde: er is geen plaats voor twee.' Ze zweeg even en bestudeerde haar gevangene, die uitdagend naar haar bleef opkijken. 'En daarmee komen we bij de vraag: wat doen we als er een tweede persoon is die wil delen in wat niet gedeeld kan worden?' Ze wendde zich tot Thessalonike, die zoals altijd achter haar stond. 'Wat zou jij doen met die persoon, liefje?'

'Ik zou doen wat er altijd is gedaan met rivalen voor de troon van Macedonië.'

Olympias knikte om de wijsheid van deze mening, haar lippen samengeknepen. 'Heel wijs voor iemand nog zo jong.' Ze keek naar de wachters die aan weerszijden van de deuren stonden. 'Laat Archias de usurpator brengen.'

Niet in staat zich te bedwingen draaide Adea zich om toen de deuren opengingen. Eerst verscheen de ballingenjager, gevolgd door Philippus, vuil en in gescheurde kleren, zijn polsen voor zijn lichaam gebonden. Een van Archias' Thraciërs leidde hem aan een touw rond zijn nek.

'Adea!' riep Philippus en hij rende naar haar toe, maar een wrede ruk maakte daar een einde aan; hij stikte bijna en tranen rolden over zijn vieze wangen. 'Adea, ze hebben mijn olifant afgepakt. Zeg dat ze hem moeten teruggeven, Adea. Ik wil mijn olifant.'

'Stilte!' snauwde Olympias.

Philippus keek naar haar en begon te jammeren, hij liet zijn urine lopen.

Olympias keek met weerzin naar het plasje dat ontstond. 'Is dit... ding van jou, Adea?'

Opnieuw weigerde Adea te spreken.

'Alleen al het idee dat dit wangedrocht waardig werd bevonden koning van Macedonië te zijn is een smet op ons allen. En toch is hij door een soort collectieve waanzin tot koning uitgeroepen door de legervergadering, en wie ben ik om tegen de wensen van het leger in te gaan?' Olympias' ogen versmalden zich tot een valse blik. 'Hij zal zijn koninkrijk hebben, Adea, en jij zult het met hem delen. Breng ze erheen, Archias.'

Archias en zijn Thraciërs leidden Adea en Philippus door de straten van Pella, langs de sombere gezichten van de inwoners, die zwijgend zagen hoe de vrouw die in naam van haar echtgenoot over hen had geheerst werd vernederd. Ze werden naar de agora gebracht, naar de korte zijde, waar een nieuw bouwsel was verschenen: een klein en laag gebouw zonder ramen en met een smalle deur met een kleine opening erin. Naast de deur stond Polyperchon.

Adea zag twee slaven met een stapel bakstenen en een kuip specie naast de ingang wachten. In paniek wendde ze zich tot Polyperchon. 'Doe het niet, we zijn toch vrienden?'

Polyperchon schudde het hoofd. 'Je hebt niets voor me gedaan Adea, je hebt mijn leven alleen maar moeilijker gemaakt. Ik dien nu Olympias en ik ben blij dat ik bevelen kan opvolgen, dat was altijd al wat ik het liefste deed, en dit bevel doet me plezier.' Hij opende de deur, sneed haar boeien door en duwde haar naar binnen, het donker in. Philippus volgde haar onbewogen, want hij besefte niet wat er gebeurde.

'Nee!' schreeuwde Adea toen de deur dichtsloeg, ze beukte met haar vuisten op het hout.

Polyperchons ogen verschenen voor de smalle opening. 'Jullie krijgen één keer per dag eten door dit gat; verder is jullie tijd helemaal van jullie.' Hij liep weg en kwam toen weer terug. 'O, bijna vergeten. Philippus liet dit vallen.' Hij duwde de speelgoedolifant door de opening en vertrok.

Philippus graaide naar zijn geliefde olifant en grinnikte van plezier, vervolgens keek hij verward naar zijn vrouw, die huilde en gilde naar de goden boven en beneden. Of hij de geluiden buiten hoorde of niet, wist Adea niet, maar als hij ze had gehoord besefte hij niet dat ze afkomstig waren van de slaven die de deur met bakstenen dichtmetselden.

Adea vervloekte Olympias, vervloekte haar met alles wat ze nog in zich had; vervloekte haar niet vanwege haar dood, maar omdat ze haar leven verlengde.

OLYMPIAS, DE MOEDER

Nu was eindelijk haar tijd aangebroken; nu zou ze de duistere ambities verwezenlijken die haar zoveel slapeloze nachten hadden achtervolgd. Nu stond ze niet langer aan de zijlijn, genegeerd door de mannen die ver weg in De Drie Paradijzen rond de tafel hadden gezeten. Nu zouden ze allemaal naar haar moeten luisteren en spijt hebben dat ze eerder geen rekening met haar hadden gehouden.

Nu zou ze zichzelf in het middelpunt van alles plaatsen.

Olympias glimlachte toen ze uit haar wagen stapte, het deurtje opengehouden door Archias, en liep de twintig pas naar de tombe van Iollas, hoog op de kliffen met uitzicht over zee. Hij stond een eindje van de tombes van zijn voorouders vandaan, met uitzondering van één: die van Antipatros, want die had ervoor gekozen om in de dood dicht bij zijn geliefde zoon te zijn. Ze had het warm en die warmte werd versterkt door de aanwezigheid van Hyperia, bewaakt door twee van Archias' Thraciërs. De ballingenjager had haar gepakt toen ze met haar twee jongste kinderen naar het zuiden probeerde te vluchten. Hyperia stond volmaakt stil, maar Olympias wist heel goed dat ze aan hevige emoties ten prooi was, want ze had het twintigtal van zware hamers voorziene slaven gezien, onder leiding van een andere van de Thraciërs.

Olympias genoot van het moment en stelde het geven van het bevel nog even uit, want het vooruitzicht van de komende wraak was even verrukkelijk als de wraak zelf; ze was niet van plan zich dat moment van genot te ontzeggen. Ze had immers de tijd, zoveel tijd als ze wilde om haar vergelding uit te voeren, de wraak waar ze zo lang op had moeten wachten. Haar wil dreef haar voort als vlagen wind.

Ze wendde zich tot Hyperia. 'Wat jammer dat je niet hebt gesmeekt. Maar ja, ik kan kennelijk niet alles hebben, al zou ik niet weten waarom niet.'

Hyperia beantwoordde Olympias' blik met evenveel haat. 'Alles? Je hebt niets, Olympias, helemaal niets. Je bent niets dan een lege schil uitgehold door bitterheid. Ja, je kunt de tombes van Antipatros en zijn familie verwoesten; ja, je kunt de tombe van mijn zoon verwoesten; ja, je kunt mij en zo veel mogelijk leden van mijn familie doden, maar wat heb je als je dat allemaal hebt gedaan? Tevredenheid? Nee, je zult alleen angst hebben, want als je een van deze tombes aanraakt, zal Kassandros je vermoorden.'

'Niemand durft de moeder van Alexander te vermoorden; het volk houdt van me omdat ik hem op de wereld heb gezet. Als Kassandros tegen me wil optrekken zal zijn leger hem in de steek laten, net als dat van Adea. Bovendien zal de ballingenjager binnenkort afrekenen met die minderwaardige stiefzoon van je. Zodra hij hier klaar is vertrekt hij.' Ze vulde haar longen en keek naar de hemel. 'Ik ben Macedonië! Ik en niemand anders. Ik spuug op je tombes.' Ze wees naar de Thraciër die het bevel over de slooploeg had.

Een geschreeuwd bevel en vele hamers beukten in op Iollas' tombe. De marmeren bekleding brak vrijwel meteen in stukken, een volgende ronde slagen en het metselwerk erachter stortte in, waardoor de sarcofaag zichtbaar werd waarin zijn botten rustten.

'Genoeg!' schreeuwde Olympias en ze stapte naar voren. 'Trek hem eruit.' De Thraciër pakte de sarcofaag en sleepte hem naar buiten. 'Maak hem open.'

Het deksel was in een oogwenk losgewrikt en de botten kwamen aan het licht.

Nu heb ik je, verraderlijke zoon van een verrader; nu ben je van mij. Olympias pakte de schedel en gooide die op de grond. 'Sla hem kapot!' Eén klap met een hamer was voldoende. Ze keek naar Hyperia, die bewegingsloos en emotieloos toekeek hoe de vrucht van haar lichaam onteerd werd. *Ik krijg je nog wel aan het smeken, kreng.* 'Gooi de rest over de rand van de klif!' Maar ze voelde niet de bevrediging die ze verwacht had toen de botten de rotsen in de diepte raakten, want Hyperia weigerde nog altijd enige emotie te tonen. Zelfs toen de beenderen van haar echtgenoot hetzelfde lot ondergingen huilde ze niet, geen enkele traan, geen geluid maakte ze toen de overige tombes van de familie opengebroken werden.

Met een gevoel van wanhoop stapte ze op Hyperia af en sloeg haar in het gezicht met haar handpalm en daarna met de rug van haar hand, links, rechts. 'Je vindt dat je erboven staat, hè?'

Hyperia reageerde niet.

Een volgende klap, een volgende snauw.

'Goed dan, je dwingt me hiertoe; ik zal je aandacht krijgen, Hyperia.' Ze keek naar Archias, die bij haar wagen wachtte. 'Breng ze hier.'

'Ik weet dat je mijn twee jongste kinderen hebt, Olympias,' zei Hyperia, haar stem vast en kalm. 'En ik weet dat je ze voor mijn ogen zult doden zodat ik sterf met hun dood in mijn hart.'

Olympias' glimlach toonde enkel wreedheid. 'Ik had ze kunnen sparen als je me gesmeekt had.'

'Nee, dat had je niet gedaan, dat zit niet in je.'

'Mama,' schreeuwde Alexarchos toen Archias hem aan zijn arm uit de wagen trok.

Hyperia keek niet om naar haar vijfjarige zoontje, en ze keek ook niet toen ze de bange gil hoorde van de driejarige Triparadeisos. 'Ik ga je het plezier niet doen. Ik zal ze de weg wijzen.' Ze spuugde Olympias in het gezicht. Snelvoetig als een jongeling verraste ze iedereen door weg te rennen en de dertig pas naar de rand van de klif in een ommezien af te leggen; ze dook naar voren, haar armen gespreid, haar hoofd achterover. 'Wraak, Kassandros,' riep ze terwijl ze viel. 'Wraak! Wra...'

Olympias gilde, haat klauwde aan haar hart, maar het was te laat, haar moment was haar ontstolen en ze stond machteloos, het zou nooit meer terugkomen. Ze draaide zich om en stormde naar haar wagen, langs de twee bange kinderen die ongelovig naar de plek keken waar hun moeder was verdwenen. 'Gooi ze achter het kreng aan,' snauwde Olympias tegen Archias. Ze stapte in de wagen en sloeg de deur dicht.

'Wat heb je gedaan?' riep Aristonous geschokt uit toen ze, zwaar beveiligd, over de agora liepen naar de gevangenis van Adea en Philippus.

'Ik heb de kleine monsters met hun moeder verenigd,' zei Olympias opnieuw.

'En je verwacht dat de Macedoniërs je als regent van je kleinzoon aanvaarden terwijl je je zo gedraagt?'

'Ik verwacht dat de Macedoniërs doen wat de moeder van Alexander ze opdraagt.' Ze keek met afkeer naar de menigte die haar zwijgend aanstaarde terwijl de lijfwachten een weg voor haar vrijmaakten. 'Of ze me mogen is onbelangrijk.'

'Pas op voor arrogantie, Olympias,' zei Aristonous met scherpe stem.

'Pas op met wat je zegt, Aristonous.' Haar toon was laag en ijzig. 'Laat de politiek aan mij over en richt je op wat ik van jou als soldaat eis; hoe lang duurt het voor je mannen Nicanor en zijn cavalerie bij me brengen?'

Aristonous haalde diep adem voordat hij antwoordde. 'Ze komen binnenkort.'

'Wat is binnenkort?'

'Vandaag of morgen.'

'Allemaal?'

'Nadat Nicanors infanterie zich aan ons had overgegeven wist rond driehonderd man van zijn cavalerie zijn landerijen te bereiken, daarvan hebben we bijna twee derde gepakt, onder wie Nicanor; de rest probeert waarschijnlijk naar Azië te vluchten en neemt hun familie mee.'

'Pak hun families op.'

'Ik voer geen oorlog tegen Macedonische vrouwen en kinderen, Olympias.'

'Je voert oorlog tegen wie ik je zeg oorlog te voeren, Aristonous, anders laat ik Polyperchon zijn mars naar het zuiden afbreken om mijn bevelen hier op te volgen; hij lijkt me heel wat gretiger te dienen dan jij.'

Aristonous zei niets.

Olympias fronste het voorhoofd maar liet het erbij zitten. 'Zet ze in het kamp waar hun infanterie ook zit en breng Nicanor bij mij.'

'Het zal gebeuren.'

'Mooi; en vertel me nu wat er zo belangrijk is dat je me meesleept naar het koninkrijk van de idioot en zijn manwijf.'

Aristonous zuchtte. 'Je moet het zelf horen en dan oordelen of je een fout hebt gemaakt.'

'Ik maak geen fouten.'

'Dat kun je het beste zelf beoordelen.'

Hoe dichter ze bij de dichtgemetselde gevangenis kwamen, hoe dichter de menigte, en hoe luidruchtiger en bozer de mensen praatten. En toen hoorde Olympias iemand boven het geroezemoes uit gillen: 'Ik ben de dochter en kleindochter van Macedonische koningen; ik ben jullie koningin en Philippus is jullie koning en kijk hoe we behandeld worden door een vreemdeling uit Epirus. Ik ben jullie koningin.'

De onrust en het gemopper in de menigte namen toe.

'Ik ben jullie koningin!'

'Het wordt langzaam erger sinds ze een paar uur geleden zo begonnen is,' zei Aristonous terwijl ze toekeken.

De cel was omringd door honderden mensen, onder wie heel wat soldaten. Het gedrang was zo groot dat de wachters moeite hadden om ze uit de buurt van het gebouw te houden.

'Ik ben jullie koningin en toch word ik erger dan een beest in een kooi behandeld!'

De boosheid van de omstanders groeide.

Olympias was ontsteld. 'Hoe is dit mogelijk? Ze moeten van haar vernedering genieten, niet sympathie voelen voor het kreng.'

Aristonous keek haar met overdreven geduld aan. 'Niet iedereen denkt er zo over als jij, Olympias. Voor sommigen is ze echt hun koningin.'

'Ik ben hun koningin!'

'Nee, jouw koning is dood; je kunt geen koningin uit jezelf zijn. Je bent regent.'

'Kijk toch hoe ze ons behandelt,' schreeuwde Adea weer.

'Stil!' gilde Olympias. 'Stil, kreng!'

De menigte draaide zich om en staarde naar Olympias, omringd door haar lijfwachten. 'Schande!' mompelde menigeen.

'Olympias? Ben jij dat? Laat ons vrij!'

'Ja, laat ze vrij,' schreeuwde een stem in de massa.

'Laat ze vrij,' echode een andere stem, en nog een en nog een, tot de hele menigte het scandeerde.

Pas op met wat je wenst. Olympias draaide zich om en liep met waardige pas weg.

'De schuld is betaald?' vroeg Archias, terwijl hij drie voorwerpen oppakte van de tafel voor de troon.

'De schuld zal betaald zijn wanneer je gedaan hebt wat ik je bevolen heb,' corrigeerde Olympias. 'En dan kom je terug en praten we over het loon voor het vermoorden van Kassandros. Ga nu, en doe het snel. Ik wil niet van onnodige wreedheid worden beschuldigd, want sommige van mijn onderdanen lijken een misplaatste genegenheid voor Adea en haar idioot te koesteren.'

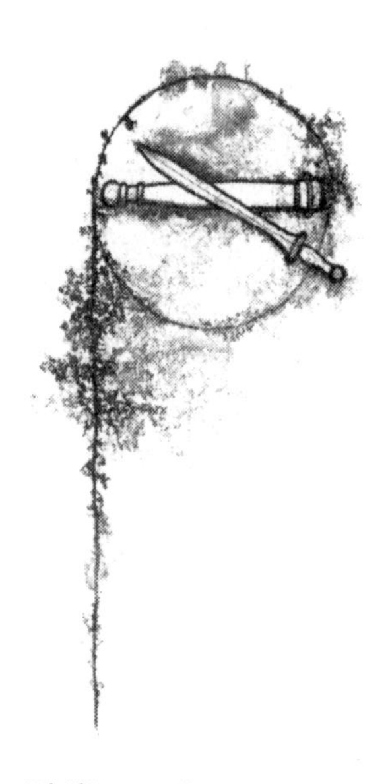

ADEA, DE KRIJGER

Adea zat op de vloer van aangestampte aarde, haar armen rond haar knieën geslagen. In het weinige licht dat door de smalle opening in de dichtgemetselde deur viel keek ze naar Philippus die met zijn olifant speelde. Zich niet bewust van hun uitzichtloze situatie voerde hij charge na charge door de cel uit en verpletterde alle vijanden, zijn benen en tuniek besmeurd met zijn eigen vuil. Ze moest er bijna om glimlachen en benijdde hem om zijn onwetendheid over de verschrikkelijke werkelijkheid waarin ze beiden verkeerden.

En toch was er voor haar een ontsnapping mogelijk; een makkelijke zelfs. Ze voelde aan de riem rond haar middel, hij was sterk genoeg. Ze keek op naar de balken die het dak droegen: de middelste leek heel geschikt. Het was allemaal heel eenvoudig, op één ding na: ze kon Philippus niet achterlaten. Ze verwonderde zich over zichzelf, over hoe sentimenteel ze was geworden en hoeveel zorgen ze zich maakte over het man-kind, over haar drang om hem te beschermen. Het was werkelijk zo. Het was een feit. Hij had nergens om gevraagd; hij zou volmaakt gelukkig zijn geweest als hij de rest van zijn leven met zijn olifant had mogen spelen en men hem voedde en warm hield.

Ze kon hem ook niet met zich meenemen. Hij kon het idee van eervolle zelfmoord niet begrijpen en zou vechten voor zijn leven mocht ze proberen hem te doden; hij zou haar waarschijnlijk doden als hij zich verdedigde, want hij bezat een enorme kracht, en daarmee zou het probleem zijn opgelost. Maar dat kon ze ook niet laten gebeuren, want hij zou verscheurd worden door schuldgevoelens en zijn simpele leven zou een last voor hem worden; een last waaraan hij niet kon ontsnappen.

Nee, ze zat in de val.

Waar ze had gefaald en hoe ze het zo ver had laten komen, dat begreep ze niet. In Babylon was alles goed gegaan nadat Cynnane, haar moeder, door Alketas was gedood. Het leger had haar geëerd en ze had voor hun rechten gestreden, voor hun achterstallige soldij, ze had alles gedaan om in hun gunst te komen. En toen was Antipatros slimmer geweest in De Drie Paradijzen, waarna hij haar opzij had geschoven. Maar ze had de moed niet laten zakken, nee, ze had teruggevochten, ze had opnieuw gebruikgemaakt van de grieven van de manschappen om hun harten te winnen, maar dezelfde man was haar opnieuw te slim af: Antipatros had haar met het leger in Azië laten zitten en was naar Europa geglipt zonder op haar eisen in te gaan. Ze had zich diep vernederd gevoeld toen ze geen oplossingen had voor de problemen die ze zelf geschapen had; het leger had haar in de steek gelaten en was op de knieën naar de oude regent gekropen en had hem om vergiffenis gesmeekt. Maar toen was Antipatros gestorven en ze had geen moeite gehad de zwakke Polyperchon te domineren, tot ze ontdekte dat hij Olympias in Macedonië had uitgenodigd als tegenwicht tegen haar en om de last waaronder hij gebukt ging te delen. Adea wist echter heel goed dat Olympias niet aan delen deed. Was haar grootste fout het overlopen naar Kassandros, waarmee ze onontkoombaar tegenover Alexanders duivelse moeder kwam te staan? Had ze bij de rechtmatige regent moeten blijven en haar deel tegenover Olympias moeten verdedigen? Deed het er nog iets toe? Nee, ze vermoedde van niet, want alles was verloren, wat de oorzaak ook was.

Opnieuw begon ze te schreeuwen, haar stem was inmiddels schor: 'Ik ben jullie koningin, kijk toch hoe ik behandeld word.' Er kwam geen reactie, niet zoals eerder. Ze glimlachte grimmig, zonder vreugde: Olympias was te schande gemaakt en had het gebied rond haar cel laten ontruimen zodat ze de sympathie van het volk niet kon voelen. Ze zou snel verplaatst worden, daar twijfelde ze niet aan, zodat Olympias haar ongezien verder kon kwellen nu ze besefte hoe groot haar misrekening was geweest. Ze had met eigen ogen gezien hoezeer de mensen de wrede behandeling van leden van het koninklijk huis afkeurden.

Met die gedachten in haar hoofd, terwijl het licht buiten begon te verdwijnen, hoorde ze hoe de eerste bakstenen werden losgewrikt, iets wat makkelijk ging omdat de mortel nog niet volledig was uitgehard. *Ze willen ons in het donker wegbrengen. We worden vast in een kerker in het paleis gegooid, waar we nog jarenlang in leven worden gehouden.* Ze kon wel huilen, maar Philippus was er en voor hem moest ze sterk blijven.

De bakstenen vielen een voor een en werden opzijgeschoven; het slot knarste en de deur ging open.

'Goedenavond,' zei Archias, die in de donkere deuropening stond. Hij draaide zich om naar zijn mannen. 'Kom, breng licht op het toneel.' Er werd een brandende toorts binnengebracht. Archias keek naar Adea en Philippus, hij glimlachte alsof hij blij was hen te zien. 'Het zal niet lang duren, vrienden.'

Philippus jammerde en verstopte zijn olifant achter zijn rug.

'O, ik wil je olifant niet, mijn kind,' Archias trok met zijn rechterhand zwierig zijn zwaard uit de schede, 'ik wil alleen je leven.' Hij zette zijn linkervoet naar voren en gooide bliksemsnel zijn zwaard over naar zijn linkerhand om de voorwaartse beweging te versterken en duwde de punt diep in de keel van de nietsvermoedende Philippus.

Adea gilde terwijl Archias het wapen draaide en Philippus' ogen uitpuilden en vervolgens leeg werden.

'Kijk,' zei Archias en hij trok zijn zwaard los, 'dat deed toch geen pijn?'

Adea staarde naar Philippus, die voorover zakte, dood. Ze haastte zich naar hem toe en knielde naast hem neer; ze pakte zijn olifant op en aaide over zijn haar. 'Je bent nu vrij om te spelen zoveel je wilt, mijn grote man-kind.' Ze voelde een golf van opluchting; nu kon ze haar eigen einde kiezen.

'Ja, jij hebt geluk,' zei Archias, die haar gedachten las. 'Olympias heeft medelijden met je.'

Adea schamperde: 'Dat woord kent ze niet.'

Archias dacht even na over die uitspraak. 'Klopt, ik gebruikte de verkeerde tekst. Excuses.' Hij boog en knikte naar een onzichtbaar publiek. 'Niettemin biedt ze je de dood aan, iets wat te verkiezen valt boven leven in deze omstandigheden. Daartoe stuurt ze je drie voorwerpen.' Hij knipte met zijn vingers en een van zijn mannen kwam met de drie voorwerpen. 'Een zwaard, een strop en een flesje gevlekte scheerling; de keuze is aan jou.' Hij liet een dramatische stilte vallen en voelde aan zijn kin, alsof hij iets vergeten was. 'Een stoel; wat heb je aan een strop zonder stoel? Breng de dame een stoel.'

Er werd een stoel gehaald en voor Adea neergezet.

Archias bekeek het tafereel en knikte tevreden. 'Ik geloof dat je alles hebt wat je je voor het laatste bedrijf kunt wensen; ik zeg nu vaarwel.'

'Voordat je gaat,' zei Adea, die haar riem losmaakte en het einde door de gesp haalde, 'ik heb nog een boodschap voor Olympias. Dank haar voor de voorwerpen die ze me heeft gestuurd. Maar zeg haar dat ik haar genade niet hoef, ik kan voor mezelf zorgen. Zeg haar uitdrukkelijk dat ik door eigen hand ben gestorven en niet door de middelen die zij heeft geleverd.'

'Helaas, beste meid, ik zie Olympias niet meer. Ik heb meer dan genoeg van haar gezien en besef heel goed dat ze geschift is, zelfs naar de standaard van deze tijd. Nee, ik ga naar het zuiden. "Een voorzichtig man is het veiligst."' Hij draaide zich om en vertrok met zijn Thraciërs, hij liet de deur openstaan.

Adea deed geen poging hem te volgen, want de wachters stonden nog voor de deur en ze was niet van plan zich nog verder te laten vernederen. Nee, er viel nog maar één ding te doen, en dat was haar laatste beetje waardigheid redden. Ze legde Philippus' lichaam recht, veegde hem zo goed mogelijk schoon en sloot zijn verschrikte ogen. Tevreden met het resultaat pakte ze Philippus' olifant en zette de stoel onder de middelste balk. Ze stapte op de zitting, reikte omhoog en sloeg de riem rond het hout, waar ze hem met een stevige knoop vastbond. Ze haalde diep adem en keek naar de deur. De wachters hadden hun blik op haar gericht; hun commandant knikte goedkeurend, zijn gezicht stond ernstig.

Het was tijd, ze deed de lus van de riem rond haar nek en trok hem strak. Ze hield de olifant met beide handen vast en dacht even aan haar moeder. *Ik kom, moeder.*

'Moge je op een dag dezelfde voorwerpen krijgen, Olympias!'

Ze schopte de stoel weg en voelde het leer aan haar keel trekken, haar ogen puilden uit, en terwijl het licht doofde formuleerde ze haar doodsvloek. *Olympias.* Schoppend liet ze de olifant vallen. *Ik vervloek je met mijn laatste adem, Olympias.*

OLYMPIAS, DE MOEDER

'Ze is waardig gestorven! Waardig!' Olympias schreeuwde in Aristonous' gezicht; zelfs Thessalonike, die bij het raam van Olympias' ontvangstkamer stond, kromp in elkaar door de felheid. 'Hoe kunnen ze zeggen dat dat kleine kreng waardig is gegaan als ze door mijn hand is gestorven?'

Aristonous veegde een druppeltje spuug uit zijn oog en haalde diep adem. 'Archias liet de deur open, de wachters zagen hoe ze zichzelf met haar eigen riem ophing, en niet een van jouw geschenken gebruikte.'

De harpij heeft me toch nog getrotseerd. Olympias rende naar het open raam, duwde Thessalonike opzij en brulde het uit over Pella: 'Kreng!'

'Ze zeiden dat ze het met de kalmte en dapperheid deed die ze van haar hadden verwacht en dat zeiden ze ook tegen de mensen die naar de lichamen kwamen kijken.'

Olympias draaide zich om, haar gezicht rood aangelopen. 'Naar de lichamen kijken? Wie heeft dat toegestaan?'

'De deur stond open.'

'Ik weet dat die open was! Waarom hebben de wachters hem niet gesloten?'

'Waarom? Adea en Philippus waren allebei dood.'

Hij geniet ervan. Met grote wilskracht wist Olympias zich te beheersen en vervolgens keek ze boosaardig naar Aristonous. 'Je vindt het maar wat leuk, hè?'

Aristonous haalde zijn schouders op. 'Er is weinig leuks aan wat er gebeurd is: een van de twee koningen van Macedonië is net vermoord door de regent en zijn koningin heeft zichzelf opgehangen en stierf met waardigheid; wat is daar leuk aan?'

Olympias' ogen vernauwden zich nog verder. 'Aan wiens kan sta jij eigenlijk, Aristonous? En denk goed na voor je antwoord geeft.'

'Ik hoef er niet over na te denken, ik sta aan de kant van Macedonië.'

'Ik ben Macedonië.'

'Jij zegt het.'

'Dan sta je aan mijn kant.'

Aristonous zweeg.

Hoe kan ik hem vertrouwen? Hij heeft sympathie voor het kleine kreng. Misschien moet ik Archias met hem laten afrekenen voordat... Archias? 'Waar is Archias? Hij zou zich direct bij mij melden.'

'Archias is per schip vertrokken zodra hij zijn missie had voltooid.'

'Een schip!'

'Ja, het schip waarmee hij gekomen was lag op hem te wachten; het was er een van Ptolemaeus.'

'Maar hij ging...' Olympias beet op haar tong. 'Stuur een boot achter hem aan en breng hem terug.'

'Zelfs als het lukt hem in te halen denk ik niet dat hij meegaat.'

Olympias liet zich in een stoel vallen. 'Goed dan, we moeten de zaak afhandelen. Waar zijn de lichamen?'

'Ik heb ze naar het paleis laten brengen in afwachting van de grafriten.'

'Grafriten? Ha! Ze moeten in een anonieme kuil worden gesmeten. Die kleine harpij en haar idioot zullen geen makkelijke overtocht over de Styx krijgen. Handel het af.'

Aristonous rechtte zijn rug. 'Ik onteer geen lichamen en zeker niet die van de koning van Macedonië en zijn koningin.' Hij draaide zich om en liep weg. 'Dat is de daad van een barbaar,' zei hij over zijn schouder.

Olympias klemde haar tanden op elkaar en onderdrukte de neiging om naar hem te schreeuwen en hem te bevelen te blijven. *Hij zou gewoon doorlopen en ik lijd gezichtsverlies.*

'Goed gedaan,' observeerde Thessalonike.

Olympias keek naar haar en snauwde: 'Als ik je mening wil vraag ik er wel naar.'

Thessalonike glimlachte lief en zorgeloos. 'En soms geef ik haar gratis. Vandaag luidt ze als volgt: om aan de macht te blijven hebt u mannen als Aristonous nodig...'

'Ik heb niemand nodig; ik ben de moeder van Alexander.'

'Zoals ik al zei: u hebt mannen als Aristonous nodig en als u ze wilt houden moet u uw gedrag veranderen.'

'Veranderen?'

'Ja, veranderen. Handel vanuit de rede, niet vanuit haat. Er is altijd een tijd voor wraak, maar mannen als Aristonous hebben hun eer hoog zitten en willen die niet laten bezoedelen door kwaadaardige daden die voortkomen uit nijd.'

'Poeh!'

Thessalonike opende haar mond om haar adoptiemoeder terecht te wijzen maar besloot toch maar te zwijgen en ging zitten.

De twee vrouwen zaten een tijdje in stilte, beiden in gedachten verdiept.

'Ik kan het me niet veroorloven Adea en Philippus een graf te geven,' zei Olympias uiteindelijk. 'Het zou een bedevaartsoord voor ontevredenen worden.'

Thessalonike neigde het hoofd in instemming. 'Dat is een verstandige denkwijze en ze geen graf geven heeft het bijkomende voordeel dat het naar wraak smaakt.'

Olympias knikte, tevreden met zichzelf. Ze klapte in haar handen; haar persoonlijk slavin verscheen in de deuropening. 'Breng mijn mantel.'

Olympias keek naar de lichamen van Adea en Philippus, die naast een sleuf lagen, uitgegraven in een weinig gebruikte binnenplaats aan de noordkant van het paleis; ze voelde een warme gloed in zich opkomen en alle gedachten aan het veranderen van haar gedrag verdwenen. Ze wendde zich tot de slaven die de lijken hadden gebracht. 'Kleed ze uit! En gooi ze erin.'

'Moeder!' waarschuwde Thessalonike.

Olympias wuifde haar waarschuwing weg. 'Ik geniet. Sta me dat nou gewoon toe.'

Naakt werden de lichamen in het gat gegooid, Philippus eerst en daarna Adea boven op hem, haar voorkant boven zodat haar naaktheid zichtbaar was. Olympias hurkte met haar benen aan weerszijden boven de sleuf, trok haar gewaad op en urineerde; de warme gloed in haar werd intenser en ze genoot.

Thessalonike wendde zich af, onwillig om haar stiefmoeders hatelijkheid te aanschouwen. Op dat moment kwam Aristonous de binnenplaats op lopen. Hij had een gevangene bij zich, de handen op de rug gebonden, en bewaakt door twee soldaten. 'Moeder, toon wat waardigheid; er komen mensen aan.'

Olympias keek op en glimlachte. 'Nicanor! Mijn dag wordt steeds beter.' Ze kwam overeind, schikte haar gewaad en wachtte tot de gevangene bij haar was. 'Laat hem knielen.'

'Ik heb beloofd je Nicanor te brengen, maar vergeet niet dat hij een Macedonische edelman is,' waarschuwde Aristonous. 'Ik heb hem mijn woord gegeven dat hij ook zodanig behandeld zal worden.'

'Dat is dan jammer voor je. Waar is zijn cavalerie?'

'Ze worden naar het kamp gebracht waar ook de andere gevangenen zitten, zoals je bevolen hebt.'

'Mooi. Je kunt gaan.' Ze keek de twee bewakers kwaad aan. 'Dwing hem op zijn knieën.'

De twee mannen keken naar Aristonous, die zijn schouders ophaalde en wegliep; ze wierpen een blik op elkaar en duwden vervolgens Nicanor met gespierde armen tegen de grond.

'Geeft dat je een goed gevoel?' vroeg Nicanor, zijn stem vol minachting.

Olympias keek triomfantelijk op hem neer. 'Jazeker.' Ze bestudeerde haar vijand een tijdje en schepte genoegen in zijn vernedering. 'Je stiefmoeder heeft me gisteren bedrogen door van de klif te springen voordat ik je twee jonge halfbroers voor haar ogen kon doden. Wist je dat?'

Nicanors ogen bleven hard. 'Uit mij krijg je niets, kreng.'

'Mis, ik krijg een hoop plezier uit je door je hoofd naar Kassandros te sturen.'

Nicanor snoof ongelovig. 'Je ziet gewoon niet wat je doet, hè? Mijn broer heeft vele gebreken, en een daarvan is dat het moeilijk is om hem te mogen, zelfs voor zijn eigen familie. Maar als hij triomferend Pella binnentrekt en je hoofd op een staak zet, zullen de mensen hem vereren, van hem houden, hem hun verlosser noemen omdat hij ze heeft gered van het kwaadaardigste monster dat ooit geleefd heeft. Vergeleken bij jou is Kassandros een aardig man.'

'Kassandros zal hier nooit heersen.' Ze duwde de ring onder zijn neus. 'Ik heb de ring en als ik iets heb kan niemand het van me afnemen.' Met een snelle beweging trok ze een lange haarpin uit haar hoofdtooi en stak hem in Nicanors linkeroog en duwde hem zijn hersenen in. Nicanor maakte een stuiptrekking.

Ze liet de pin zitten en spuugde in zijn gezicht toen hij achterover viel. Ze sprak op lage toon tegen de bewakers. 'Snijd zijn hoofd af en stuur het naar zijn broer; gooi het lichaam bij de rest van het afval en dood de slaven zodra ze het gat hebben dichtgegooid.' Met een laatste blik op het trillende lichaam op de grond liep ze weg, vervuld van gelukzaligheid. 'Ik ga nu een kijkje bij de gevangenen nemen, Thessalonike; wil je mee en zien hoe ik me echt ga vermaken?'

Thessalonike rende achter haar aan. 'Moeder, u verliest uw beheersing. U moet ophouden, anders krijgt Nicanor gelijk.'

'Nooit! Ik ben de moeder van Alexander, ik ben Macedonië.'

Olympias had de zoetheid van wraak gevoeld toen ze Nicanor stuiptrekkend op de grond had zien liggen, maar haar genot bereikte nog grotere hoogten toen ze de vijfhonderd gevangenen zag zitten op de stoffige grond van het gevangenenkamp. Bewakers liepen tussen hen door en sloegen iedereen die een teken van verzet toonde. 'De laatsten van Antipatros' verwanten en horigen kwijnen daar verslagen weg.' Ze likte haar lippen. 'Wat een heerlijke aanblik.'

'U kunt toch niet...' zei Thessalonike zachtjes met een stem vol ongeloof. 'U gaat toch niet echt...?'

'O, zeker wel, de vraag is alleen: doe ik het ook?' Ze nam de houding aan van iemand die diep nadacht over een ingewikkeld probleem.

Thessalonike keek haar met stijgende ontzetting aan, ze begreep welk spelletje ze speelde. 'Ik doe hier niet aan mee, moeder. U mag uw eigen graf delven, maar ik laat u niet het mijne graven.'

Olympias keek vol minachting naar haar weglopende adoptiedochter. 'Ik had gedacht dat ik je sterker had grootgebracht. Wat je maar wilt, zwakkeling, maar ik laat me mijn pleziertje niet afnemen.' Ze wendde zich weer naar de gevangenen beneden. 'Dood ze, wachters! Dood ze! Dood ze allemaal!'

Terwijl de eerste kelen werden doorgesneden en de wanhoopskreten van vijfhonderd mannen, gedoemd om een eerloze dood te sterven, naar de hemel stegen, keek Olympias omhoog, spreidde haar armen en schreeuwde haar triomf naar de goden, met volle teugen genietend.

De overeenkomst van de mannen in De Drie Paradijzen betekende niets meer.

Olympias was Macedonië.

NOOT VAN DE SCHRIJVER EN DANKWOORD

Deze roman is deels gebaseerd op de werken van Diodorus en Plutarchus, maar daarnaast heb ik veel gebruikgemaakt van moderne geschiedeniswerken over de periode: in *Ghost on the Throne* van James Romm en *Dividing the Spoils* van Robin Waterfield zijn de primaire bronnen tot uiterst leesbare en aangename verhalen verwerkt, ik beveel ze dan ook van harte aan. De biografie *Antigonus the One-Eyed* van Jeff Champion, *Rise of the Seleukid Empire* van John Grainger en *The wars of Alexander's Successors* van Bob Bennett en Mike Roberts vormen ook geweldige vertellingen over de tijd en ook aan hen ben ik dank verschuldigd.

Bijna alle gebeurtenissen in deze roman zijn, zoals ook in de vorige, te vinden in een of meer van de weinige primaire bronnen, en ook dit keer had ik weinig reden om dingen te verzinnen, omdat de feiten nauwelijks te overtreffen zijn. Het interessantste feit in mijn ogen was de propagandaoorlog tussen Ptolemaeus en Antipatros met het verspreiden van *De laatste dagen en het testament van Alexander*, waarin namen worden geplakt op mensen op wie gezinspeeld werd in *Reizen met Alexander*, en de daaropvolgende weerlegging en het ontwikkelen van 'alternatieve feiten' door Antipatros in *De koninklijke annalen* – er lijkt niets nieuws onder de zon!

Iollas' dood heb ik verzonnen, we weten niet hoe hij is gestorven, alleen dat hij dood was toen Olympias de macht greep, want ze onteerde zijn tombe en executeerde Nicanor en zijn volgelingen. De moord op Antipatros' vrouw – die ik Hyperia heb genoemd aangezien we haar echte naam niet kennen – en op haar twee jongste kinderen heb ik ook bedacht, al ben ik er zeker van dat ze een onplezierige dood hebben gevonden in de handen van Olympias.

De manier waarop Seleukos Babylon innam is aan mijn fantasie ontsproten, al weten we wel dat een brand in het tempelcomplex er een rol bij speelde.

Om verhaaltechnische redenen heb ik de gevangenzetting van Adea en Philippus van Pydna naar Pella verplaatst. Of Archias de ballingenjager en zijn Thraciërs verantwoordelijk waren voor de dood van de twee weten we niet; maar volgens de bronnen waren het Thraciërs die het deden, dus het leek me een gerechtvaardigde gok.

Interessant genoeg is er vlak bij de plek waar Termessos ligt een tombe gevonden waarvan men aanneemt dat hij van Alketas is; de jonge mannen van de stad hebben kennelijk zijn lijk gevonden en hem een eervolle begrafenis gegeven.

Mijn dank gaat uit naar Will Atkinson en Sarah Hodgson van Atlantic/Corvus omdat ze mijn boeken blijven uitbrengen – welkom bij Corvus, Sarah, ik wens je het beste. Ik ben ook dank verschuldigd aan mijn agent Ian Drury voor al het werk dat hij voor mij heeft gedaan en voor zijn grote inzicht in de periode. Ook Gaia Banks en Alba Arnau van de afdeling buitenlandse rechten van Sheil Land Associates wil ik bedanken, voor het verkopen van de serie in het buitenland. Verder ook dank aan Susannah Hamilton, Poppy Mostyn-Owen, Kate Straker, Hanna Kenne en iedereen bij Atlantic/Corvus voor al het werk dat bij het uitbrengen van een boek komt kijken. Dank ook aan Nicky Lovick, voor je grondige redactiewerk van het manuscript.

Mijn liefde en dank gaan uit naar mijn vrouw Anja omdat ze gedurende de zes maanden die het schrijven kostte opnieuw heeft verdragen dat ik elders was met mijn hoofd, en vanwege haar fantastische werk aan de kaarten en de hoofdstukopeners.

En tot slot mijn dank aan jullie, beste lezers, omdat jullie met me mee zijn gegaan op dit avontuur; ik hoop dat we samen verder zullen gaan langs het pad van de geschiedenis. *Alexanders erfenis* gaat verder met *Een lege troon*.

LIJST VAN PERSONAGES

(Cursief gedrukte namen zijn fictieve personages)

Adea	Dochter van Cynnane en Alexanders neef Amyntas
Aeacides	De jonge koning van Epirus
Alexander de Grote	De oorzaak van alle ellende
Alexander de Vierde	Alexanders postuum geboren zoon bij Roxanna
Alexandros	Polyperchons zoon
Alexarchos	Het kleine zoontje van Antipatros en *Hyperia*
Alketas	Broer van Perdikkas
Antigenes	Bevelhebber van de Zilveren Schilden
Antigonos	Satraap van Frygië, benoemd door Alexander
Antipatros	Regent van Macedonië in Alexanders afwezigheid
Apama	Seleukos' Perzische vrouw
Apollonides	Een cavalerieofficier in Eumenes' leger
Archias	Voormalige toneelspeler die premiejager is geworden
Aristonous	De oudste van Alexanders lijfwachten
Arrhidaeus	Macedonische officier in het leger van Ptolemaeus
Assander	Alexanders satraap in Carië

Atalante	Zuster van Perdikkas, getrouwd met Attalus
Attalus	Macedonische officier, zwager van Perdikkas
Babrak	*Pakhtische koopman*
Barzid	*Illyrische edelman*
Berenice	Nicht van Antipatros, achternicht van Eurydike
Callias	*Huursoldaat van Ptolemaeus die voor Seleukos vecht*
Coenus	*Commandant van de lijfwacht van de kleine Alexander*
Cynnane	Vermoorde halfzuster van Alexander en moeder van Adea
Deidamia	Dochter van Aeacides, koning van Epirus
Deinarchos	Een Korinthische rechtsgeleerde
Demades	Pro-Macedonische Athener
Demeas	Zoon van Demades
Demetrios	Zoon van Antigonos
Diocles	*Leider van de deserteurs uit Eumenes' leger*
Diogenes	Schatbewaarder van Antipatros en daarna Polyperchon
Docimus	Macedonische edelman, aanhanger van Perdikkas
Dreros	*Commandant van het Macedonische garnizoen in Damascus*
Eumenes	Eerst Philippus' en daarna Alexanders secretaris, een Griek uit Kardia
Eurydike	Een van Antipatros' dochters, getrouwd met Ptolemaeus
Hagnonides	Leider van de democratische factie in Athene
Hecataeus	Tiran van Kardia
Hegemon	Lid van de Atheense oligarchie
Helius	*Huurling in dienst van Eumenes*
Herakles	Alexanders bastaardzoon bij Barsine
Hieronymus	Soldaat die historicus werd, streekgenoot van Eumenes
Holcias	*Leider van de deserteurs uit Antigonos' leger*

Hyperia	*De vrouw van Antipatros*
Iollas	Zoon van Antipatros, halfbroer van Kassandros
Karanos	*Macedonische veteraan*
Kassandros	Oudste zoon van Antipatros, halfbroer van Iollas
Kleitos	Macedonische admiraal met een Poseidon-complex
Kleopatra	Dochter van Philippus en Olympias, de volle zuster van Alexander
Krateros	Grote Macedonische generaal, gesneuveld in een slag tegen Eumenes
Leonidas	Officier in Antigonos' leger, gespecialiseerd in infiltratie bij de vijand
Lycortas	*Hofmeester van Ptolemaeus*
Lysimachus	Een van Alexanders zeven lijfwachten
Menander	Alexanders satraap in Lydië
Nearchos	Kretenzer, Alexanders belangrijkste admiraal, nu bij Antigonos in dienst
Nicaea	Een van de dochters van Antipatros, was ooit getrouwd met Perdikkas
Nicanor	Tweede zoon van Antipatros en volle broer van Kassandros
Nicanor van Sindus	Macedonische edelman en aanhanger van Kassandros
Olympias	Een van de vrouwen van Philippus, moeder van Alexander en Kleopatra
Onesecritus	Vlootcommandant en schrijver van *Reizen met Alexander*
Parmida	*Cappadocische cavalerieofficier*
Peithon	Een van Alexanders zeven lijfwachten, satraap van Medië
Perdikkas	Een van Alexanders zeven lijfwachten, vermoord
Peucestas	Een van Alexanders zeven lijfwachten, satraap van Persis

Phila	Dochter van Antipatros, net weduwe geworden
Philippus	Vader en voorganger van Alexander
Philippus (voor zijn kroning Arrhidaeus geheten)	Geestelijk gehandicapte halfbroer van Alexander
Philippus	Zoon van Antipatros en Hyperia, halfbroer van Kassandros
Philotas	Vriend van Antigonos
Philoxenus	Satraap van Cilicië
Phocion	Atheense generaal en vriend van Antipatros
Pleistarchos	Zoon van Antipatros en Hyperia, halfbroer van Kassandros
Polemaeus	Neef van Antigonos
Polemon	Macedonische edelman, aanhanger van Perdikkas
Polyperchon	Voormalige onderbevelhebber van Krateros
Ptolemaeus	Een van Alexanders zeven lijfwachten, mogelijk de bastaardzoon van Philippus
Pyrrhus	Zoon van Aeacides, koning van Epirus
Roxanna	Bactrische prinses, vrouw van Alexander en moeder van zijn kind Alexander
Seleukos	Ambitieuze Macedonische officier
Sextus	*Slaaf van Ptolemaeus*
Sosigenes	Vlootcommandant van Rhodos, in dienst van Eumenes
Stratonice	Vrouw van Antigonos, moeder van Demetrios
Temenos	*Macedonische bevelhebber van het zuidelijke fort van Babylon*
Teutamus	Macedonische officier, onderbevelhebber van Antigenes
Thais	Minnares van Ptolemaeus
Thessalonike	Dochter van Philippus de tweede, onder de hoede van Olympias
Thetima	*Slavin van Kleopatra*

Triparadeisos	Zoontje van Antipatros en *Hyperia*
Tychon	Arts van Philippus/Arrhidaeus de idioot
Xennias	Macedonische cavalerieofficier

Eerder verschenen in deze serie:

Alexanders erfenis

De sterkste wint

Babylon, 323 v. Chr.: Alexander de Grote ligt op sterven en laat het grootste en angstaanjagendste rijk achter dat de wereld ooit heeft gezien. Terwijl hij zijn laatste adem uitblaast in een kamer met zeven lijfwachten, weigert hij een opvolger te benoemen. Maar wie neemt het van hem over als er geen natuurlijke opvolger is?

Zodra het nieuws over de onverwachte dood van de koning ook de meest afgelegen uithoeken van het rijk heeft bereikt, heerst er vooral ongeloof. Maar al snel begint de gewetenloze strijd om de troon. In een web van intriges, complotten en samenzweringen volgen de bondgenootschappen elkaar op. Iedereen blijkt zijn eigen agenda te hebben…

ISBN: 978 90 452 1618 8 | ISBN e-book: 978 90 452 1628 7